JN145060

新装版
大図解
陳氏太極拳
陳氏二十世
陳沛山 著
日貿出版社

驕諂勿用

陳王廷曰く「驕諂勿用（ジァオツァンウーヨン）、忍讓為先（レンランウェイシェン）」。
武術家は、尊厳、人格を大事に保持し、
精神的にも身体的にも強く、
不撓不屈、自尊自強であるべきだ。

千変万化、理帰一

太極拳で勉強するのは、
「理」であり、「道」である。
頭を柔軟にして理を用いれば、
推手の動きは千にも万にも変化できる。
「千変万化(チェンビェンワンホワ)、理帰一(リーグイイー)」。
この理とは、陰陽変換、陰陽太極である。

学拳容易改拳難

そもそも太極拳の学習は容易ではない。だが、一度付いた癖を直すことに比べれば、拳法の学習の方がまだ容易である。一度、変な癖が身に付いてしまうと、なかなか直らずに、一生、間違ったままで練習を続けていくことになりかねない。それだけに基本功を正しく学習することは大変重要なのである。これが「学拳容易改拳難（シュエチュエンロンイーガイチュエンナン）」の言わんとしていることである。

「拳無絶招（チュエンウージュエザオ）、拳無空招（チュエンウーコンザオ）」つまり、拳法には誰にも絶対に利く「絶対招法」は無く、無用な動作も無い。どんな技でも、相手によって利く場合と、利かない場合がある。
“万能な神技”を探すことを止め、本物の伝統武術を学習し、潜心に苦錬・研鑽して、自分の功夫（ゴンフ）の向上に努力することが正解である。

太極拳者権也

太極拳は「ちょうどよい」陰陽のバランスを求める拳法である。
陳鑫曰く「太極拳者権也（タイジーチュエンツェチュエンイエ）、権物而知其軽重（チュエンウーアルジーチイチンゾン）」。
「権」とは、「権衡（けんこう）」つまり「計る」という意味である。
自分と相手の力を測ることも「陰陽」を知ることである。
「陰陽」の状態を知り、陰陽変化の原理に従って行動すれば、勝つのである。

陳鑫の肖像

陳王廷の像

陳立憲の肖像

1982 第5届河南省運動会にて

現在の陳家祠堂の庭内の風景

現在の陳家溝の牌坊

まえがき

本書は、陳氏太極拳の歴史、基礎理論、基本功、小架一路 基礎架、小架二路 炮捶（ほうすい）、推手の練習法及び用法、套路の用法、実戦技法を豊富な分解写真とともに紹介し、陳氏太極拳の基本から実戦までの各学習段階を一貫して学べるように編成されています。

なお、陳氏太極拳は主に大架と小架という二つの系統の太極拳が伝承されており、私は小架の伝承者なので、本書の内容は小架を中心に解説していますが、すべての太極拳愛好者にとって学習に役立つ一冊になることを願って制作しています。また、太極拳や中国武術の研究家にも大いに参考にしていただけるものと考えています。

本書では､小架一路 基礎架と､小架二路 炮捶の動作を細かく掲載しています。この連続写真は、できるだけ動作を途切れさせることなく続け、それを高速撮影したものです。ですので、動作の形だけでなく、勢いや流れまでもが見ていただけるはずです。

特に、小架二路 炮捶は、そのすべての動作を本書のために初めて写真に収めました。私は数十年に渡って、中国や日本、欧米諸国で太極拳の普及活動を行い、著書やDVDも多数出版しております。しかし、小架二路 炮捶のすべてを詳細に撮影するのは初めてでした。小架二路 炮捶には大きな跳躍や回転動作が含まれていますが､本書ではそうした動作も細かく撮影できており、私自身それを初めて写真で見ることができました。

実は､撮影した一連の分解写真を見た時､自分の動作の正確さ､美しさに感動してしまいました。この感動は自賛ではありません。私を幼少から指導してくれた父・陳立憲と、叔母・陳立清への感謝の気持ちからくるものです。私は伝統の継承の意義と素晴らしさに､改めて感動したのです。

太極拳は私の先祖が創出した拳法です。私はその伝承者の一人として、その技術のみならず、数百年の伝統を持つ文化を、さらに広く普及・発展させていかねばならないという強い使命感を持っています。

太極拳には、数百年の伝承過程を経て、数多くの名師たちの研究成果が秘められています。戦闘技法だけではなく、陰陽太極に関わる哲学理論や養生理論、中国の伝統文化、人生観、社会観などが渾然一体に融合して、強い武術として発展してきました。太極拳はまさに生命体のように進化してきたのです。その結果、太極拳の内容は驚くほど豊富になり、神秘的な側面も含め、多種多様な表現方法が内包されるようになりました。

太極拳の奥深い理論や高度な技法は､永く陳家の宝として門外不出とされてきました。ですが、情報化・国際化された現在では、その素晴らしい技法や理論が徐々に公開・普及され、愛好者たちに親しまれています。

健康や試合のためだけではなく、真の太極拳を潜心して修練し、高度な真髄を探求する愛好者が増えてほしいという想いから、本書を編纂し始めました。本書が太極拳のあり方や太極拳の学習方法を改めて考え直すのに役立つならば、大変嬉しく思います。

さて、中国では、「師父領進門、修行靠個人」という諺があります。これは、「師父（先生）は門まで導くが、修行の成果は学ぶ個人の努力次第だ」という意味です。

また、「只可意会、不可言伝」という諺があります。その意味は、「技は心で会得するものであり、言語では具体的に説明することができない」ということです。

これらの諺は、専心して努力した者、師の動きをよく観察して勉強した者にしか真髄に触れることはできないということを伝えています。

本書が細かい連続写真で動作解説を行っている理由が、まさにここにあります。読者の皆様には、本書をご愛読いただき、陳氏太極拳の学習・研究を進めてほしいと考えております。そして陳氏太極拳の魅力をさらに多くの方々に伝えてほしいと思います。

本書によって、太極拳を潜心に学ぶ真の愛好家を一人でも多く増やすことができれば、それこそが太極拳に対して私にできる最大の貢献になることでしょう。本書に込められた読者の皆様への期待と、太極拳を正しく保存、普及、発展させたいという私の熱い想いをご理解いただければ幸いに思います。

このような大著が刊行できましたのは、多くの方々のご協力とご支援のお陰です。まずは、本書の企画にご尽力していただきました、日貿出版社の下村敦夫氏と、編集者の近藤友暁氏には大変お世話になり、ここに厚く御礼申し上げます。

撮影や原稿校正などにおいて、陳氏太極拳協会会長の篠崎潔氏、前会長の友光茂雄氏、吉田茂承氏、柴田望洋氏、山内勝利氏、若松岳氏、飯田耕一郎氏、石堂秀二氏、中野大輔氏、安田成男氏、白川隆一氏、新名広樹氏にご協力をいただきました。特に陳氏太極拳協会の鈴木和彦氏には本書の企画から完成までの全過程でご尽力いただきました。陳氏太極拳協会の皆様に感謝致します。

本書の制作には、中国と日本の両国に暮らす私の家族にも協力してもらっています。基本功や対練の写真では長男・陳紹華に出演してもらい、二男の陳紹康からも様々な面での協力がありました。二人の成長を嬉しく思います。また、兄・陳沛林と妹・陳沛菊には、太極拳の歴史や理論、家譜等に関するアドバイスをもらいました。ここに御礼申し上げます。さらに、いつも私を気遣っていてくれる母・張敏に敬意を表し、ご厚情に感謝を申します。最後に、愛妻・文蘭には私の生活や活動を支えてもらっているだけではなく、本書の撮影や原稿校正にも積極的に協力して頂きましたことに感謝の意を表します。

2016年5月　自宅書斎にて　著者・陳 沛山

※本文章は初版（2016年）当時のものです。

『大図解　陳氏太極拳』 目次

第二編　陳氏小架一路 基礎架 ………… 131

第一編　陳氏太極拳の基本

1．陳氏太極拳の歴史

陳家の由来

陳氏太極拳の歴史変遷を説明するのに、陳家の歴史を避けて通ることはできない。陳家の歴史は大変長く、二千年以上昔の中国の戦国時代まで遡ることができる。

陳氏十六世・陳鑫の著書『陳氏太極拳図説』には、「陳氏自陳国支流、山左派、衍河南……」という説明があり、これは「陳家溝の陳家は陳国の支流として、山の東から移住し、後に河南省に移り繁栄している」という意味である。

ここでいう「陳国」は、春秋戦国時代の一つの国のことを示す。また「山左」は、太行山脈の左のことを示している。中国では「座北朝南」という伝統があり、南に面していることを正方向とする習慣がある。つまり、太行山から南面して見ると、山左は太行山の東の地域を指している。その地は、現在の河南省から山東省や安徽省に至る広い大平原であり、春秋戦国時代の陳国の領域であった。

『陳氏家譜』は、代々伝えられてきた陳一族の歴史記録であるが、その初めにはこのような記録がある。

「陳氏系出媯満有虞後裔、自胡公満封候而得姓……」。

これを要訳すると「陳姓は、舜帝の後裔の媯満が陳国の王に封じられたことから始まる」となる。

およそ四千年前、中国の初期帝王たちには三皇五帝がいたと言われ、その一人に有虞氏即ち舜帝がいた。

紀元前1045年頃、周武王という帝がおり、宛丘（現在の河南省淮陽県）の国の王として舜帝の子孫の嬀満を封じた。周武王は自分の娘を嬀満の妻とし、国の名を「陳」とした。これにより陳国の国王の姓も「陳」になった。陳満の諡号（しごう）（帝王の没後に追贈する称号）を胡公と称した。

陳国は、中国の平原地帯の中原地方であり、農作物もよくできた。しかし、平原のほぼ中央に位置しているため、周辺への拡張ができず、逆に周辺の国々との緊張関係が続き、およそ紀元前478年ごろに陳国は滅ぼされた。陳国は二十五世、560年ほどの長い歴史を作ったのである。

伝説によると、陳国が滅んだ後、陳一族の一部は南下して中国の南に繁栄し、一部は河南省地方に暮らしている。さらにもう一部が山西省澤州辺りに定居する。その地は現在の陳家溝にも近い。これが著者の先祖たちにあたる。

いずれの陳氏からも、後世、皇帝や武将、古今の政治家、詩人、資産家等々数え切れない名士を輩出した。

陳卜（ちんぼく）と「中国史上最大の移民政策」

時代は明朝に入り、陳氏の一人、陳卜が家族を連れて、山西省の洪洞県に移住し、さらに黄河の北岸、現在の陳家溝まで移住した。これ以後、陳家溝の陳氏は陳卜を第一世として、新しい家系図を書き始めた。

陳卜の墓

明洪武年、戦乱や災害のため、河南省の人口は激減し、明朝は山西省から河南省への大きな移民プロジェクトを実行した。

洪同県には「大槐樹」という樹木があり、その地方から移住する人々はその大槐樹の下に集まり、そこから出発して故郷を離れ、各地へ移住した。洪洞県大槐樹から出発した移民活動は、その規模において「中国史上最大の移民政策」といわれている。その数百年後の今日、移民の末裔達は自らのルーツを求めてその大槐樹を訪れ、祖先を祀っている。

中国人の多くは、足の小指の爪が生まれつき割れている。これは洪洞県大槐樹から移民した漢民族の証であると、著者は母から教わった。海外へ移り住んだ華僑達にも、この小指に残る証を見て、先祖は山西省洪洞県大槐樹から移住したのだと自慢する者がいる。

陳家溝の陳氏第一世・陳卜は、五人の息子を連れて山西省から南へ下り、河内（現在の沁陽（しんよう））へ移動したという。

その後、さらに南方へ行き、長く住んでいたのは現在の温県の陳卜庄である。陳卜本人の名前がこの村の名前になっているのである。この陳卜庄には、陳卜に関するいろいろな神話や伝説が残っている。

その後、陳卜は陳卜庄からさらに南下し、最終的に黄河の北岸にある常陽村に定住した。そこで陳家は繁栄し、村の名前も陳家溝に変わった。

伝説によると、陳卜は様々な拳法に精通し、文学者や詩人でもあり、社会から尊敬を集める「員外」と呼ばれていたという。昔からの通説として、陳卜が耕読の合間（農耕と読書の余暇という意味）に太極拳を創出したといわれている。

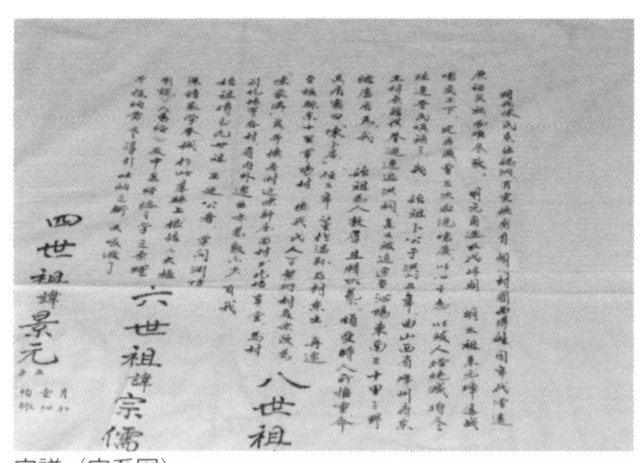

家譜（家系図）

陳家溝の牌坊（中国伝統建築様式の門で、町の出入り口や記念建築物として建てられたもの）

第九世・陳王廷の伝説

時は明朝末になると、陳氏第九世の陳王廷（字は奏庭、1600 年生～ 1680 年没）が武将として有名になる。

陳王廷は明朝の官僚であったが、その官職及び功績について定説がない。温県守備であったという説が多くあるが、明の将軍という説もあり、中国の東北部、山東省や南方にも陳王廷の活動の痕跡や伝説が残っている。

崇禎17年（1644年頃）、李自成の攻撃を受け、崇禎帝が紫禁城の後ろにある景山で自殺したことにより明は滅亡した。陳王廷と李自成、そして明の朝廷にまつわる伝説等が残され、中国ではこれを題材にした連続テレビドラマもある。

明が滅亡した後、清軍が東北から南下して李自成を倒し、清朝が創立された。

陳家の祠堂に建てられた陳王廷の彫像

この後、陳王廷は出身地の河南省温県陳家溝に隠居し、子孫や子弟に武術を教え始めた。陳家溝には、晩年の陳王廷の詩文（長短句）が遺っている。

「嘆當年、披堅執鋭、掃蕩群氛、幾次顛険。蒙恩賜、枉徒然、到而今年老残喘。只落得黄庭一卷隨身伴、悶來時造拳、忙來時耕田……」。

この詩文にある「蒙恩賜」は、皇帝や朝廷からの信頼や褒美のことを示し、陳王廷が武将として戦う生涯を送ったことが推測できる。

そして、「老境に至ってただ黄庭一巻を携えて、暇な時は拳法を造り、忙しい時は田を耕す」とある。この一節から、陳氏太極拳の創始者が陳王廷であると推定される(P.44、P.45参照)。

陳王廷は、多様な拳法と導引術、哲学理論や医学理論を結び付け、太極拳の一路や二路（炮捶）などを編成し、現在の陳氏太極拳の原型を創出した。そして、壱百単八勢長拳、推手、刀や春秋大刀、槍、劍、棍、鐗、粘槍などの武器の技術を後世に伝えた。

2．陳家の太極拳名人たち

ここでは本書の内容に深く関わる陳氏太極拳の名人を抽出し、それぞれが生きた時代背景と家系を踏まえて紹介をする。なお、伝承の順序や伝人の代の関係性については、P.32の「太極拳の伝承図」を参照すること。

陳氏十四世・陳有本（ちんゆうほん）

陳氏十四世の陳有本は、清朝の人物である。「陳有本が発勁動作を捨て、新架として小架を作った」という説があるが、これには根拠がなく、間違った認識である。これに関する説明は後述する。

陳一族の歴史記録である『陳氏家乗（ちんしかじょう）』によると、陳有本は、陳清萍（ちんせいへい）、陳有倫（ちんゆうりん）、陳奉章（ちんほうしょう）、陳三徳（ちんさんとく）、陳廷棟（ちんていとう）、陳耕耘（ちんこううん）など、実力のある弟子をたくさん輩出している。

陳氏十四世・陳長興（ちんちょうこう）

陳氏十四世・陳長興は、清朝の人物である。どんなに押されても安定して立てるので「牌位大王」と呼ばれていた。陳長興の著作として『太極拳十大要論』、『太極拳用武要言』、『太極拳戰斗篇』がある。陳長興は初めて陳一族以外に太極拳を伝えた人物であり、その弟子が楊露禅（ようろぜん）である。楊露禅は北京で太極拳を広め、後に楊氏太極拳という流派を創出した。

陳氏十五世・陳清萍（ちんせいへい）

陳氏十五世・陳清萍は、陳家溝の隣村の趙堡鎮（ちょうほちん）にて和兆元（わちょうげん）等に太極拳を教えた。

現在の趙堡鎮には、独自の套路である「趙堡架」が存在するが、その趙堡架の形や風格は、陳氏太極拳の大架式よりも小架式に似ている。趙堡架の特徴からは、陳有本から陳清萍へ流れてきた太極拳の風格を見ることができる。それほど大昔のことではないので、陳清萍が趙堡鎮の和兆元に教えたという説が一般的であり、また陳家の歴史記録『陳氏家乗』にもそのような記録がある。

陳氏十五世・陳仲甡、陳季甡兄弟

十五世の陳仲甡と陳季甡の兄弟は、太平天国の乱の時に、太平天国の首領の一人である楊輔清、別名「大頭王」を殺したことで有名になった。

楊輔清の死については、歴史上、幾つかの説がある。その説の一つに、陳家溝にて殺されたというものがあり、その詳細は様々な資料に記載されている。この説は、陳鑫の『陳氏太極拳図説』にも書かれている。

陳仲甡の石碑

楊輔清の指揮する軍は、南から北へ進攻し、黄河の南にある町・鞏県から河を渡って陳家溝を攻撃してきた。陳家溝は朝廷側の立場にあったため、太平天国と戦ったのである。その時のリーダーが、陳氏十五世の陳仲甡と陳季甡の兄弟である。

陳家溝と太平天国との戦いは数日に渡って行われたという。楊輔清の軍隊は強く、陳家溝村の中にも侵入してきた。陳仲甡、陳季甡兄弟は楊輔清の軍隊を待ち伏せ、村の中で戦ったという。その戦いで陳氏兄弟は、落馬した楊輔清の首を切り落としたのである。

陳季甡の石碑

楊輔清が殺された場所は村の中の坂の途中で、そこには陳氏祠堂があった。陳家の人はその祠堂に集まって練習をしたり、互いの功夫（「カンフー」の言葉の由来）を比べたりしたという伝統がある。戦争等のためこの坂の途中の祠堂は壊されたが、近年、村の北に祠堂が再建された。

楊輔清の死によって太平天国の乱は失敗した。そして陳氏兄弟は、その乱が治まった後に当時の朝廷から表彰されたのである。

その後、周囲の農村は、この反乱軍を鎮圧して首領の一人を倒したことを物語にして劇を作った。その劇が宣伝となり、陳氏兄弟の名は知れ渡ることになった。

陳氏十五世・陳耕耘（ちんこううん）

陳氏十五世・陳耕耘は、清朝の人物である。

山東省と河南省において保鏢（ほひょう）（物資の輸送の護衛や要人警護をする職業）の仕事に従事していた。山東省の人々は、石碑を建てて陳耕耘の功績を記念したといわれている。

保鏢になるために陳耕耘は陳有本の指導を受けたが、より早く功夫を上げるため、陳有本は改変した動作を陳耕耘に教えた。この後、この教えを元に、陳耕耘及びその子孫たちが研究を重ねて発展させ、現在のような大架式の流れが形成されていったのである（大架と小架の出現については、後に詳細に分析する）。

なお、陳耕耘の息子の陳延年（ちんえんねん）、延熙（えんき）は一代名師である。

陳氏十六世・陳鑫（ちんきん）

十六世である陳鑫（字（あざな）は品三）は、清朝末の小架式の代表人物である。生涯質素な生活をし、学問を研究し、拳術や学問などの面において村の周辺の先生という存在であったという。

陳鑫は、太極拳の技法及び理論を深く研究し、太極拳の聖典といわれる『陳氏太極拳図説』を著した。陳鑫は、陰陽太極理論を研究して、独自の螺旋状の太極図を描いた。この図は、天地の陰陽、人生の陰陽、つまり宇宙と人間の写像を表現している。

陳鑫以前は、陳一族は太極拳の技を守るため、代々口伝が主となる伝承方法をとってきたが、陳鑫の『陳氏太極拳図説』は陳一族初の太極拳に関する公開書物であるといえる。

陳鑫は他にも『三三六拳譜』等を著し、『陳氏家乗』を整理した。

陳鑫の肖像

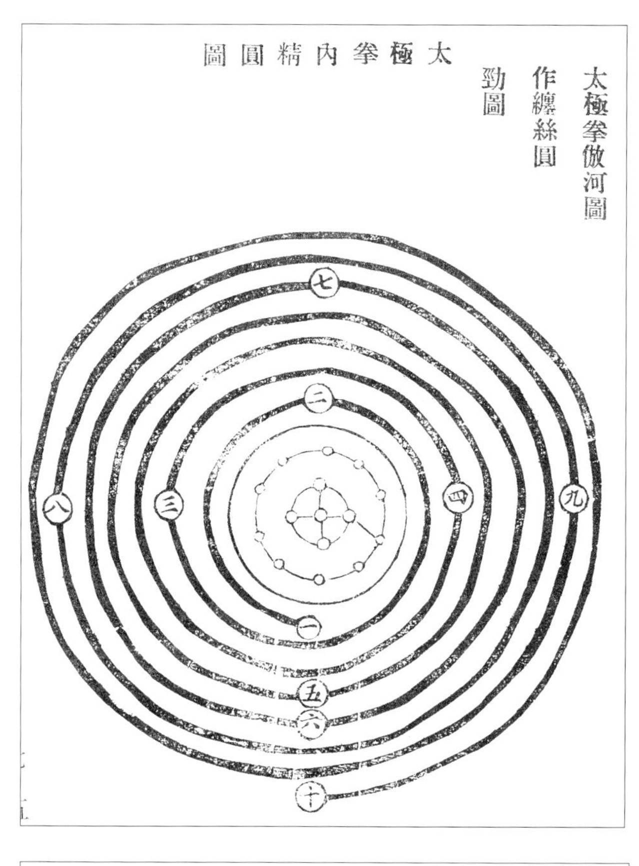

陳鑫が作成した纏絲円図

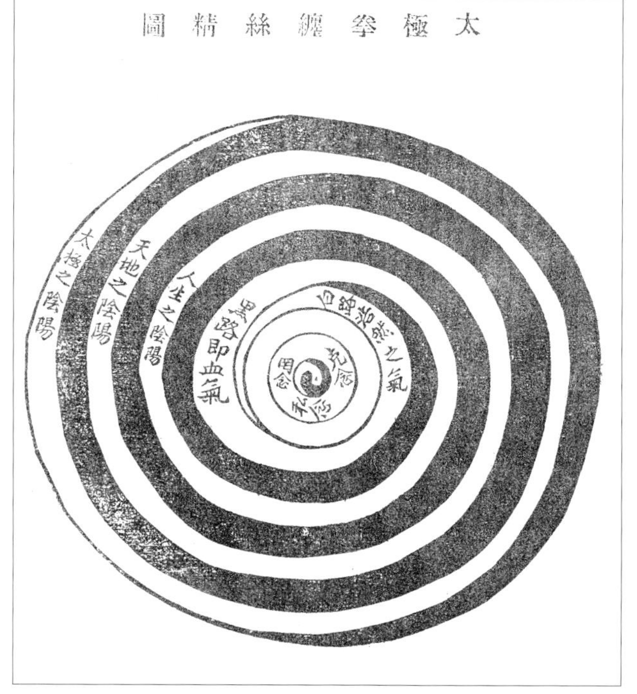

陳鑫が作成した太極纏絲図

陳氏十七世・陳發科

十七世である陳發科（字を福生）は、大架式の代表人物である。1929 ～ 1957 年、北京にてたくさんの弟子を持ち、大架式太極拳を広めた。

有名な弟子として、沈家禎、顧留馨、洪均生、田秀臣、雷慕尼、馮志強、肖慶林がおり、陳發科の二人の息子・照旭、照奎も名師である。

陳氏十八世・陳照丕

十八世の陳照丕（字を績甫）も著名な大師であり、大架式の代表人物である。陳照丕は、北京、南京、天津など各地にて太極拳を普及した人物である。著作に『陳氏太極拳匯宗』、『太極拳入門』、『陳氏太極拳圖解』、『陳氏太極拳理論十三篇』などがある。陳照丕は、陳鑫の指導も受けたと著書に書いている。

陳氏十九世・陳立清

陳立清は十九世で、著者の叔母である。字を清平という。小架式の代表人物である。

1941 年に開封女子師範学校卒業後、洛陽市や甘粛省、陝西省西安にて中学校教員を務めながら、60 年余りに渡り太極拳を指導した。

著者と陳立清

文化大革命中には弾圧を受けたが、文化大革命が平穏になったところで、一人で陳家溝の陳姓の故郷である山西省を訪問し、壱百単八勢長拳を調査し学習した。その後、著者が幼年時代に住んでいた沁陽を訪問し、壱百単八勢長拳等を教えた。このため、著者の家族も山西省から沁陽に訪問して来た拳師たちと交流することができた。

昔の中国では、家傳の真髄は外部へ漏れないように「傳男不傳女」、つまり男子には教えるが、女子には教えないという古い伝統があった。これは、女性が外姓の家へ嫁ぐ際に秘伝を持ち出すことを防ぐためである。

幸いなことに、陳立清が幼年から青年の頃の中国は、民主主義などの新しい思想が広がった時代であり、本人は様々な障害を乗り越え、太極拳、推手、大刀や双鐗（そうかん）などの真髄を学習できた。そして、陳氏太極拳の伝承系図に登場した初めての女性となったのである。

陳立清は、1982 年の中国全国武術観摩（かんま）大会で一等賞を受賞した。1984 年に西安市翠華武術館を創立し、陝西（せんせい）省、河南（かなん）省や山西（さんせい）省等の広い範囲にて小架式を普及する。また、同年には、映画『太極神功』の技術顧問として演劇を指導した。1985 年に中国武術訪問団の一員として日本を訪問し、日本武道館にて素晴らしい演武を披露した。この様子は、NHK 等のテレビでも放映された。

著書としては、香港の銀河出版社より『陳氏太極拳小架』を出版している。陳立清の功績を讃え、陳家溝の祠堂に建てられた石碑にはその功績が記載されている。

陳立清は生涯拳法を愛した。それができたのも、性格が明るく、また厳しい練習も厭わなかったことにも関係するのだろう。著者は、叔母・陳立清の指導を受けたが、その指導法は厳しいという言葉では表現しきれないほど苦しいものであった。これも昔の中国の伝統文化である。学問や伝統武芸は、楽に身に付けるものではなく、必ず苦しい修行をして身に染み込ませるものである。読書には「苦読書」、武の学習には「苦錬」が必要とされ、こうして汗と時間をかけて身に付けたものが「功夫」といわれるのである。

現在では「苦読書」や「苦錬」がその度を超すと、虐待行為と見做（みな）される場合もあるかもしれず、そうした伝統的な指導法は難しいだろう。

陳氏十九世・陳立憲（ちんりっけん）

陳立清と同じく十九世の陳立憲は、字を玉印という。小架式の代表人物であり、著者の父である。

少年時代の陳立憲は、本人の叔父等とともに陳家溝や沁陽、焦作（しょうさく）等の地にて太極拳を指導し、理論書の編集にも携わった。戦争中に身の危険を感じ、『三三六拳譜』を川に埋め込んだことは有名な逸話である。後に、陳立憲は『三三六拳譜』を再編し、同書を学習した陳一族数人とその内容を確認した。この文献は陳家の重要家宝となっている。

晩年の陳立憲

陳立憲（40 歳頃）

第二次世界大戦前後、陳家溝の陳氏一族の一部は西安に移住した。陳立憲は青年時代を西安で過ごし、西北工学院（現在の西北工業大学）にて土木工学を学習し、平等や民主主義などの新しい思想を吸収するなど、文武両道の教育を受けた。

また太極拳と共に、家伝の接骨治療術を学習し、経絡理論や養生理論にも精通していた。

戦乱中に大学を卒業し、その後、当時の西安にある有名な軍の士官学校の教官になり、学問や武術等を指導した。

その当時は国民党支配の中華民国時代であった。そして陳立憲は士官学校の教官であったため、当然のように国民党軍に入り、詳細は不明であるが護衛兵も付き従うほどの地位に就いていたといわれている。著者が陳立憲の旧い友人から聞いたところによると、陳立憲は蒋介石の「中正剣」を贈与されたという。

現在の中国では、西安時代の陳立憲の武勇伝を、書籍や雑誌、ラジオ、インターネット等で伝えている。しかし、現在の中国政府は中華民国時代を是としていない。そのため、中華人民共和国の建国後、陳立憲は激しく批判された。文化大革命中に激しい弾圧を受けたことで、身体には深い傷が残っていた。

弾圧から解放された後は、エンジニアとして働き、また市政治協商会議議員を務めた。

政治的に厳しい経験をしたことがあったからであろうか、陳立憲は自身のことを直接著者に語ることは少なかった。よって著者が陳立憲について知っていることは、本人から直接聞いた情報よりも、親戚や陳立憲の友人等から得た情報が多い。また、著者は幼い頃にこっそりと父の資料を読んで知った情報もある。

さて、陳立憲について、著者が見た姿も含めて、その功績について書いておきたい。

著者の幼年時代の中国は大変貧しく、地方の子供たちは礼儀作法等の正しい教育を受ける機会が無かった。そこで陳立憲は、太極拳を教えるとともに、弟子や子供たちに礼儀作法、座り方、歩き方、話し方、書法（書道）を教え、また人生のあり方についても教えた。貧しい弟子や子供たちには学費や衣服、食べ物を贈り、彼らの生活をサポートしていた。

陳立憲の接骨治療や按摩の技術は大変有名で、毎日のように患者が家に来て治療を求めていた。県人民医院の医者が怪我をして、陳立憲を訪ねたことがあった。また、洛陽地区（「地区」とは省の下の行政区で、十数個の市や県を管理する行政区分）の共産党書記が視察中に転倒して怪我をした際に、政府の専用車で陳立憲を迎えに来たこともあった。

陳立憲は、生涯太極拳を教え、接骨治療を行ったが、一切費用を取ることはなかった。逆に貧しい人たちのために、包帯や常用薬を用意していた。

中華人民共和国の建国初期は、インフラも工業基盤もなかった。陳立憲の専門は土木工学であり、建物や様々な工場を設計し、山を測量してダムや水力発電所の建設に携わった。

著者の記憶としては、仕事場でも現場でも自宅でも、いつでもどこでも計算したり、図面を引いたりしており、仕事と休みの区別があまりなかったように思える。

ある時、太行山脈の付近に火力発電所を建設するために、陳立憲は初期の測量から、設計、施工に至るまで関わる、建設工事の総工程師（工事の技術責任者）を務めた。しかし、文化大革命中に心身共に傷を負った身体をおして、過酷な条件で懸命に働いたことで、現場で倒れることもあった。

中国での父の世代の知識人は、弾圧され、政治的に低い地位に追いやられながらも黙々と働いた人々である。彼らと貧しい労働者たちが、今の中国の基盤を作ったと言っても過言ではない。

陳立憲は、河南省や山西省で小架式太極拳を普及した。また、沁陽市武術協会を設立し副主席を勤めた（主席は党の幹部であった）。

陳立憲は市の「労働模範」に数回選出され、政府から表彰されている。太極拳による心身の健康、そして人間育成等に貢献した陳立憲の業績を新郷（しんごう）地区政府は評価し、国に推薦したことで、1983年に国家より「全国優秀武術指導員」という名誉とメダルを授与されている。

陳立憲は、数年の歳月を経て『陳氏太極拳拳勢講解』という著書を書き下ろし、その中で自身が得意とした経絡理論、筋肉や骨の関連理論等を論じている。

中国では陳立憲のことを「陳三絶」と称して、太極拳、接骨治療、建築土木工学の三分野において素晴らしい技能を持ち、多大な貢献をした陳立憲を賞賛している。

現在、陳家溝の祠堂の庭園にある記念石碑の最前列には、陳立憲の功績を讃え、「陳立憲大師の記念碑」が建てられている。著者は父から受け継いだ武徳精神を堅く守り続けたいと考えている。

国家から授与された
「全国優秀武術指導員」のメダル

現在の陳家溝に建てられた名人記念碑（著者の兄弟、兄弟子、そして陳氏太極拳協会の名前を刻んでいる）

陳立憲の墓

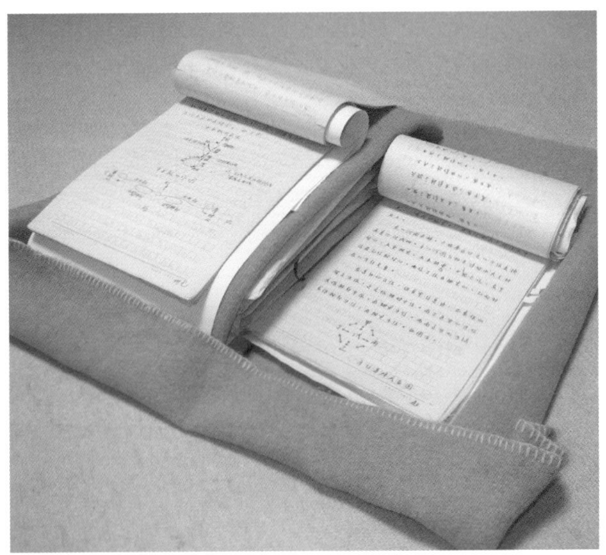

陳立憲の遺稿

3．家譜と拳譜

ここでは陳家の伝承系図を説明する。

陳一族には、家譜と拳譜の二つの系図が伝承されている。家譜は一族の親族関係、つまり血縁関係を記録したものである。拳譜は太極拳の伝承関係を記録している。

家譜

家譜は、子孫が増えれば次第に大きくなる。そして、家譜は家系に分けられ、家系毎に保管され、伝承されている。

家譜は情報が多いため、「臥譜（がふ）」と「立譜（りっぷ）」の二種類に分けられる。立譜は、名前を線で繋ぐことで親族関係を表し、単純で分かりやすいものである。これに対して、臥譜は辞書のようになっており、一族の一員の生涯についての簡略的な説明もついており、その人物の親の名前と子供たちの名前を調べることで血縁関係が分かるようになっている。

このような家譜のあり方は、中国では一般的な伝統文化であった。しかし、戦争や革命を重ねたことで、家譜の慣習を残す家は少なくなりつつある。

幸い、陳一族の家譜はまだ保管されている。陳氏第十九世陳伯先大師が文化大革命中に命をかけて大事な家譜を保管したといわれており、そのおかげで、現在でも歴代名拳師たちの親族関係が一目瞭然になっている。

家譜は家族の内部資料であり、公開する慣習はない。

拳譜

拳譜は「傳逓表（でんていひょう）」とも呼ばれ、血縁とは関係なく、太極拳の伝承の流れを図示したものである。陳一族の全員の名前を載せたものではなく、陳氏太極拳の歴代名拳師の系譜である。次ページの「太極拳の伝承図」は陳家の歴史記録資料と、1983年頃に河南省体育委員会が作成した史料を基に作成したものである。この図を見れば、陳家の太極拳の大架式の家系、小架式の家系の伝承系統が一目瞭然となる。

太極拳の伝承図

（太極拳発祥の地である陳家溝の歴史資料、中国河南省体育委員会の研究資料より整理）

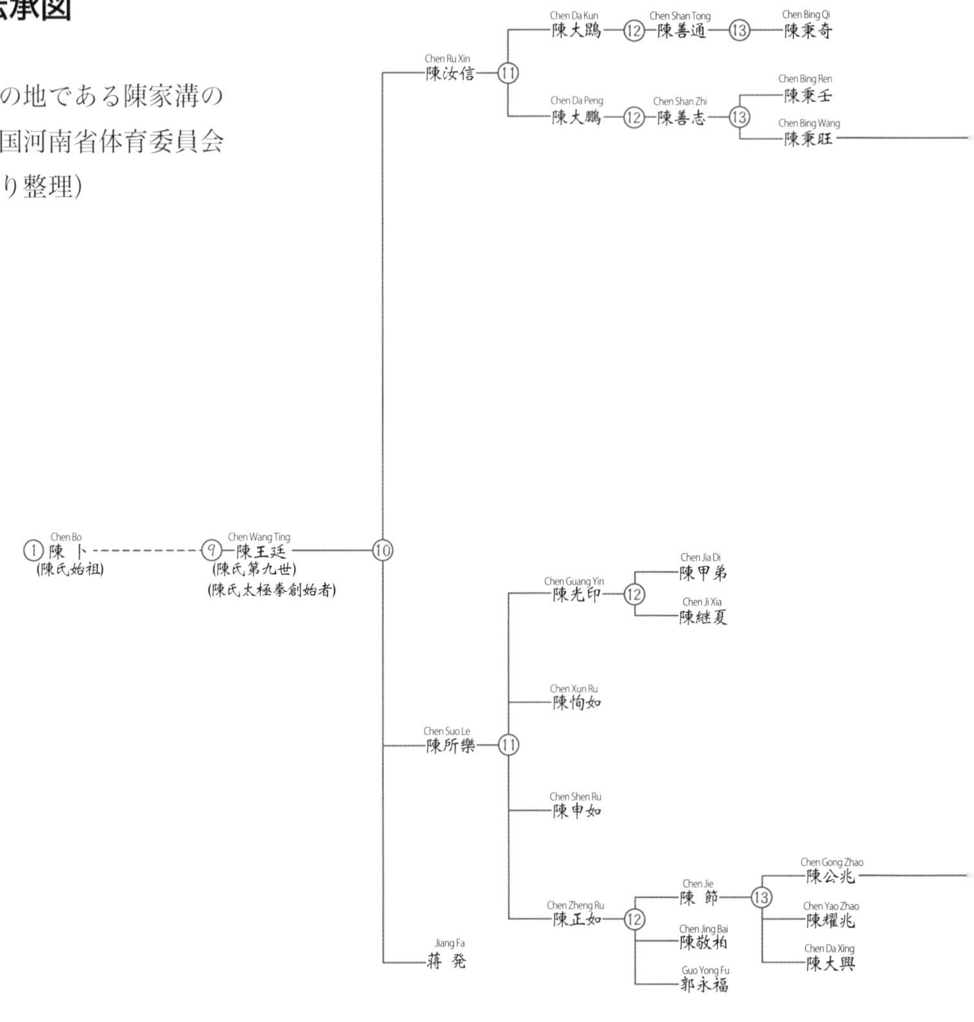

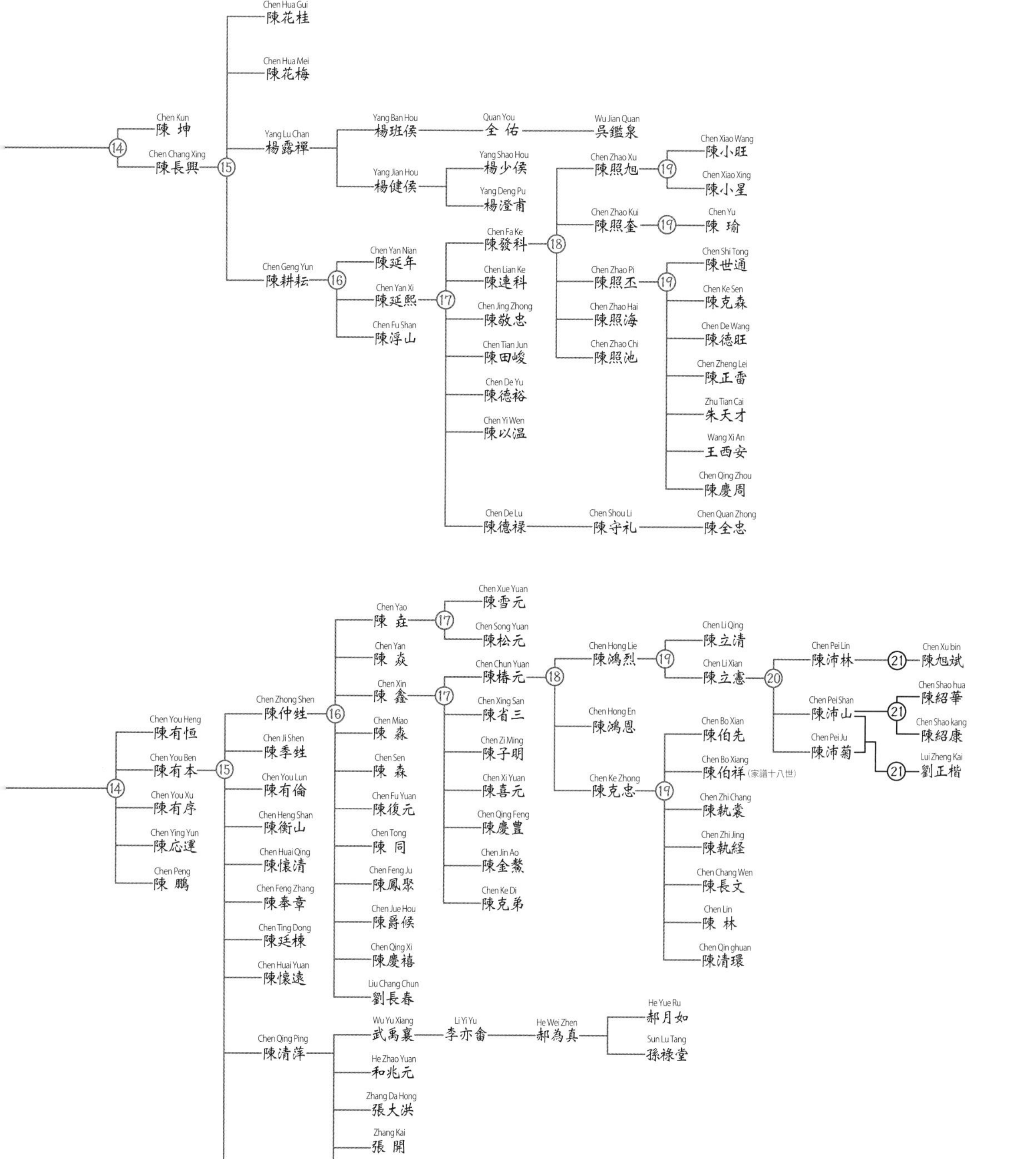
Chen Hua Gui
陳花桂
Chen Hua Mei
陳花梅
Chen Kun
陳 坤
Chen Chang Xing
陳長興
14
15
Yang Lu Chan
楊露禪
Yang Ban Hou
楊班侯
Quan You
全 佑
Wu Jian Quan
呉鑑泉
Yang Jian Hou
楊健侯
Yang Shao Hou
楊少侯
Yang Deng Pu
楊澄甫
Chen Geng Yun
陳耕耘
16
Chen Yan Nian
陳延年
Chen Yan Xi
陳延熙
Chen Fu Shan
陳浮山
17
Chen Fa Ke
陳發科
18
Chen Lian Ke
陳連科
Chen Jing Zhong
陳敬忠
Chen Tian Jun
陳田峻
Chen De Yu
陳德裕
Chen Yi Wen
陳以温
Chen De Lu
陳德禄
Chen Shou Li
陳守礼
Chen Quan Zhong
陳全忠
Chen Zhao Xu
陳照旭
19
Chen Xiao Wang
陳小旺
Chen Xiao Xing
陳小星
Chen Zhao Kui
陳照奎
19
Chen Yu
陳 瑜
Chen Zhao Pi
陳照丕
19
Chen Zhao Hai
陳照海
Chen Zhao Chi
陳照池
Chen Shi Tong
陳世通
Chen Ke Sen
陳克森
Chen De Wang
陳德旺
Chen Zheng Lei
陳正雷
Zhu Tian Cai
朱天才
Wang Xi An
王西安
Chen Qing Zhou
陳慶周
Chen You Heng
陳有恒
Chen You Ben
陳有本
Chen You Xu
陳有序
Chen Ying Yun
陳応運
Chen Peng
陳 鵬
14
15
Chen Zhong Shen
陳仲甡
16
Chen Ji Shen
陳季甡
Chen You Lun
陳有倫
Chen Heng Shan
陳衡山
Chen Huai Qing
陳懷清
Chen Feng Zhang
陳奉章
Chen Ting Dong
陳廷棟
Chen Huai Yuan
陳懷遠
Chen Yao
陳 垚
17
Chen Xue Yuan
陳雪元
Chen Song Yuan
陳松元
Chen Yan
陳 焱
Chen Xin
陳 鑫
17
Chen Chun Yuan
陳椿元
18
Chen Xing San
陳省三
Chen Zi Ming
陳子明
Chen Xi Yuan
陳喜元
Chen Qing Feng
陳慶豐
Chen Jin Ao
陳金鰲
Chen Ke Di
陳克弟
Chen Miao
陳 淼
Chen Sen
陳 森
Chen Fu Yuan
陳復元
Chen Tong
陳 同
Chen Feng Ju
陳鳳聚
Chen Jue Hou
陳爵候
Chen Qing Xi
陳慶禧
Liu Chang Chun
劉長春
Chen Hong Lie
陳鴻烈
19
Chen Li Qing
陳立清
Chen Li Xian
陳立憲
20
Chen Pei Lin
陳沛林
21
Chen Xu bin
陳旭斌
Chen Pei Shan
陳沛山
21
Chen Shao hua
陳紹華
Chen Shao kang
陳紹康
Chen Pei Ju
陳沛菊
21
Lui Zheng Kai
劉正楷
Chen Hong En
陳鴻恩
Chen Ke Zhong
陳克忠
19
Chen Bo Xian
陳伯先
Chen Bo Xiang
陳伯祥（家譜十八世）
Chen Zhi Chang
陳執裳
Chen Zhi Jing
陳執経
Chen Chang Wen
陳長文
Chen Lin
陳 林
Chen Qin ghuan
陳清環
Chen Qing Ping
陳清萍
Wu Yu Xiang
武禹襄
Li Yi Yu
李亦畬
He Wei Zhen
郝為真
He Yue Ru
郝月如
Sun Lu Tang
孫祿堂
He Zhao Yuan
和兆元
Zhang Da Hong
張大洪
Zhang Kai
張 開
Zhang Dao Shan
張嶋山
Li Zuo Zhi
李作智
Li Gao
李 鎬
Zhou Rui Xiang
周瑞祥
Chen He Yang
陳河陽
Chen San De
陳三德
Chen Ying Fang
陳応芳
Chen Zhong Li
陳中立

4．陳家溝述懐

東北院の末裔

昔の陳家溝は、村に入る道が溝になっていた。溝の道の深さは約３～５ｍ位である。

村に入るところから上り坂になっており、坂を上りきると村に入る。したがって村から出る道は、溝へ深く下ることになる。昔、この溝は防衛を目的としていたようだ。

陳家溝には、南北方向に大変大きな坂があり、その上か下かでも住んでいる家系が分けられていた。

坂の下に住んでいるのが、陳氏太極拳の大架式の家系であり、坂の上や東北の方に住んでいるのが、小架式の太極拳の家系である。著者の家系は坂の上の東北方面に住んでいた。それ故に、現在も私の家系が住んだ家は「東北院」と呼ばれ、そこに住んだ我々のことは「東北院の人」と呼ばれている。その呼び方をするなら、著者は「東北院の末裔」というわけである。

坂の中央部には、一族の集会や練習する場所として「祠堂」という場所があった。

こうした歴史のある風景だが、残念ながらと言うべきか、良くなったと言うべきか、現在は交通の利便さを考慮して、政府がその坂を埋め込んだことで、坂はかなり緩やかになってしまっている。

太和堂と楊露禅

清朝末期、陳家溝の坂の下端に陳徳瑚（ちんとくこ）が住んでいた。陳徳瑚は、中国でも有名な漢方の薬屋「太和堂」を経営し、永年県などにも薬屋を持っていた。

後に楊氏太極拳を創ることになる楊露禅は、太極拳を勉強したいと考え、永年県の「太和堂」で働きながら、拳法を勉強した。後に楊露禅は陳家溝に入り、坂下にあった陳徳瑚の屋敷で陳長興から太極拳の教えを受けたという。

現在の陳家溝には「楊露禅学拳処」が修復され、観光の名所になっている。ただし、その屋敷の修復に使われた材料は、著者の家系の屋敷のものである。

陳家祠堂

陳家祠堂は古代から存在したもので、一族の集会場であり、また先祖の功績や肖像を展示する場所でもあり、そして太極拳を練習する場所でもあったという。

著者の父の話によると、祠堂の中には陳王廷の大きな像が建っていたという。また、所蔵されていた陳王廷の靴は大きさが一尺もあったという。

もともと陳家祠堂は陳家溝内の坂の途中にあったが、戦争や革命によって崩されたため、私は見たことがない。近年、陳家溝の陳家祠堂が再建され、新しい陳家祠堂の建設地として選ばれたのが、著者の家の北、元は農耕地だった場所であった。

陳家祠堂の庭内にて子供たちの練習風景（2006 年 5 月撮影）

5．陳氏太極拳の変遷

「陳卜造拳説」と「陳王廷造拳説」

数百年の間､陳家溝には｢陳卜造拳説｣が伝承されていた。陳鑫の『陳氏太極拳図説』には、陳家の始祖・陳卜が耕読の合間に太極拳を創出したと記されている。

ただし、1930年頃、上海の体育研究家・唐豪氏が陳家を訪問調査し、「太極拳は陳氏の第九代目･陳王廷が創出した」という調査結果に至った。当時、唐氏は山西省、河南省、上海や北京での大量な資料調査を行っており、現在では「陳王廷造拳説」が最も有力な説となっている。

「陳卜造拳説」か「陳王廷造拳説」か、いずれにせよ、太極拳は陳家溝の陳氏一族によって創出され、一族の家伝武術として伝承され、太極拳の源流となったということになる。

系統に分かれた太極拳

陳氏一族は代を重ねるに従って多くの名人を生み出した。代々伝えられる過程で、工夫や改編が行われ、その結果いくつかの特徴を持った系統に分かれていった。

系譜上では陳氏十世から分かれている。しかし､この時代には技術的な区別はまだ無く､それぞれに家伝の武術を伝承していたと推測される。

後年、同じ陳氏太極拳といえども、それぞれ独自の風格を持った太極拳となっていくのだが､その変化は陳氏十四世から十五世の時代で明確に現れたものと考えられる｡｢大架式｣と「小架式」が生まれたのである。

そう考えるのは、次のように推測されるからである。

歴史的には、楊氏太極拳は陳氏十四世・陳長興（大架式伝承者の先祖）から学んだものから成立したのであるが、不思議なことに、楊氏太極拳の風格は現在の大架式とは相似点が少なく、むしろ小架式に比較的近い。

楊氏太極拳が、その始祖・楊露禅から代々伝わる過程で今日の風格を持ったとすれば、楊露禅が学んだ陳長興の技術・風格等は、後世の楊氏太極拳に残るはずである。

では､なぜ楊氏太極拳の風格が､大架式とは相似点が少なく､小架式に比較的近いのか？

それは恐らく、陳有本や陳長興の時代には、大架と小架という明確な区別が無かったからである。

小架式と大架式

では、なぜ陳氏太極拳が「大架式」と「小架式」という二種類に分かれたのか？　その理由は、家系つまり血縁関係にあり、さらに家系が異なったことで住む場所も違っていたことも理由として考えられる。

陳家には「五代分家」という言い伝えがある。これは、一世の陳卜から五世までの間は一つの家族として暮していたが、その後は家系を分けたということを伝えている。このことから、陳家が分家したのは、少なくとも九世・陳王廷以前のことであるのは確かである。

つまり、村の坂上に住む小架式の家系は陳王廷及び陳王前（陳王廷の兄弟）の直系の子孫であり、村の坂下に住む大架式の家系は、家譜（血縁関係）上では陳王廷及び陳王前の子孫ではないということは事実である。

もう一つ、大架式と小架式の違いが生まれる原因の一つとして考えられるのが、次の出来事である。

陳鑫の『陳氏家乗』や言い伝えによれば、十五世・陳耕耘は坂下に住む大架式の家系であるが、坂上に住む小架式の家系である十四世・陳有本より太極拳を学んだとされている。

陳耕耘は山東省へ保鏢に行くため、自分の技術を高めなければならなかった。だが、この時既に陳耕耘の父・陳長興は年老いており、代わりに陳有本の指導を受けることになった。当時、有本は一族の中で並ぶ者のないほどの功夫を持っていた。有本は耕耘のために、功夫が早く上達できるように、動作を分かりやすく変更したという。

その後、陳家溝村内における「坂上」と「坂下」の家系は血縁関係が遠ざかっていくとともに、それぞれの家系で練習していたものが変化・進化していき、自然に風格の異なる二種類の系統が誕生したのである。

老架と新架

「陳有本が小架式を制定し、これが新架である」という説があり、この説をとっている日本の研究者もいる。これに関していえば、陳有本が小架を作るきっかけや動機はなく、根拠がないように思える。

太極拳は生命を持ち、進化するものである。前述のように、陳有本が改変した拳術を陳耕耘に教えたことに加え、家系や居住地の違いなどの経緯により、双方は独自のルートで拳法を伝承していき、やがて同一族の中に異なる特徴を持つものが自然に形成されたことで、技術的に違いのある小架、大架が現れてきたと著者は考えている。

しかし、二つの家系は常に親しい関係にあったことも忘れてはいけない。小架と大架があるといっても、全く別の流派として存在しているわけではない。共通している部分も、異なっている部分もあるのである。

さて、套路の区別には、新架、大架、老架、小架等がある。その中でも、老架と新架は一番混乱している部分である。新架も老架も大架式であるが、「新」と「老」は相対的な概念であり、時代によってその意味も異なることに注意が必要である。

現在、一般的に「新架」と呼ばれているのは、陳發科（ちんはっか）や陳照奎（ちんしょうけい）が北京から久しぶりに帰郷して、陳家溝で一般の人の前で表演し、伝授したものである。その套路は、大架式の功夫架であり、それは小架の第二から第三段階の練法に相当するものであった。小架式の家系でも大架式の家系でも事情は同じであるが、通常は第二、第三段階以上の練法は一般的には公開されないものである。そのために、陳照奎らが見せた大架式の功夫架を、人々が今まで見たことがなかった。そこで「新架」と呼ばれるようになったのではないだろうか。そして、これを「新架」とすれば、以前から知られていた大架式の套路は、相対的に「老架」となるわけである。

間違えてはいけないのは、「老架」は大架式の一種であり、決して陳氏太極拳全体の中で一番古い套路を指しているのではないということである。

再び、小架式と大架式

改めて、小架式と大架式の関係性について解説する。

小架式と大架式に違いがあることは確かである。だが、小架式も大架式も時代によって少しずつ進化し、変わってきた。そして、著者の父の代でもそうだったが、小架式の家系と大架式の家系は互いに尊敬し合い、常に親しい関係にあった。例えば、陳照丕は陳鑫に太極拳を学んでいる。

だから、両者を必要以上に区別し、優劣をつけることにはあまり意味がない。どちらも陳家溝で発展した陳氏太極拳なのだ。

以上を念頭に置いた上で、小架式と大架式の風格や理論の違いについて解説しておく。

陳氏太極拳の小架式と大架式は、両者の基本的な理論を同じくしながらも、動作、用法、実践理論など、詳細に見れば異なる部分が多くある。

動作の特徴を簡単に比べると、小架式は身体全体の捻りや回転が大架式より小さく、特に身体各部分の小動作が多く含まれている。また、小架式は纏絲勁に従って小動作が素早く身体各所に回ることが特徴である。

だが、大架式の動きがいくら小さくなっても小架式にはならない。また小架をどれだけ大きく演じても大架にはならない。また、練習の段階として大架式から学び始め、熟練するにつれて小架式に移行するということもない。小架と大架は学習段階を示す言葉ではないのだ。小架式は最後まで小架式であり、大架式は最後まで大架式なのである。

武術の修行において一般に、最初は大きく技を学び、熟練するに従い小さく鋭くまとめていくという考え方がある。太極拳の場合も、最初に大圏を練習し、熟練すると小圏を練習することがある。これが、「最初は大架式を学び、後に小架式を学ぶ」という錯覚に結び付いたのかもしれない。

陳家以外への太極拳の伝承

次に陳家以外の太極拳について説明する。

前述したように、楊露禅は陳長興に太極拳を学んで、楊氏太極拳を創出した。武禹襄（ぶうじょう）はその楊露禅から太極拳を学び、さらに小架式十五世・陳清萍にも学んで武氏太極拳を創出した。

また、呉氏太極拳の呉鑑泉（ごかんせん）は全佑（ぜんゆう）に、孫氏太極拳の孫禄堂は武氏太極拳の郝為真（かくいしん）に、それぞれ学んで新たな太極拳を創出している。

こうして中国武術界には、様々な風格を持つ太極拳が生まれることになった。各派の太極拳はそのルーツを陳氏太極拳としながらも、それぞれ独特の趣を持って発展し、代々の伝承者の解釈や研究・経験により、その内容を豊かにしてきた。

また、陳氏太極拳自体も、その姿を変化させ、成長し続けてきた。

1949年10月、中華人民共和国が成立した。その後、毛沢東は「爬山（登山）、游泳、打太極」、「発展体育運動、増強人民体質」という語録を発表した。そして、1956年頃に中国政府の主導により、大衆向けの体育教材として楊氏太極拳をベースに24式簡化太極拳が作成された。さらに1957年に32式太極剣が制定され、その後もいくつもの国家規定套路が発表された。

以来、中国政府はこの24式簡化太極拳を「太極拳」として普及していく体制を取ることになった。例えば、地方政府の代表者は上級体育機関で24式簡化太極拳を学習することが求められた。また、上級体育委員会は定期的に講習会を開き、各町に指導站（指導センター）が設置され、高校や大学の体育授業で行われる太極拳の授業では24式簡化太極拳が教えられた。

中国政府は、文化交流や体育活動を政治手段として活用し、特に文化外交、そして体育外交に力を入れている。日中国交正常化の際、卓球と24式簡化太極拳は大いに活用され、日中友好の懸け橋になった。このため、いろいろな団体の努力もあって、24式簡化太極拳の普及率は高くなり、特に日本社会での一般的な認識としては、24式簡化太極拳＝太極拳となっていると言っても過言ではない。

1960年代から、中国の国体である「全国体育運動会」では、武術の試合が導入された。試合といっても、套路の形のみを判定基準にしている点は今日と変わらない。そのため、試合ではいかに公平に採点するかが大変大きな課題になっている。

この事の重大さについて、中国以外の国の人々が理解することは難しいだろう。中国13億人民の全国体育運動会は当然実力での試合であり、メダルの獲得は単に名誉の象徴というだけではない。賞金、昇進、出世、そして職場や戸籍の変更など、いわばその後の人生に関わることなのだ。例えば、大学の入学試験において、メダルの種類と数によって加点される場合もある。

中国では、農民の子供は農民戸籍しか取れず、農村で働くことが決まっている。農民戸籍から都市戸籍へ変更することはできず、特に上海や北京市の戸籍を取ることは不可能に近い。現在、改革解放の余波で、都市で働く人が多いが、都市部の戸籍を持たないために、その子供の教育などに問題が生じている。

それ故、大学に入り、解放軍に入隊して昇進すること、あるいは全国体育運動会でメダルを獲得することで人生の転機を狙う人が多いのである。こうした背景もあり、制定太極拳の試合を公平に審判することに、研究者たちが尽力している。

1980年代から太極拳のスポーツ化がさらに進むと、規定太極拳の動作を審査しやすいように標準化し、いかに標準パターンに近い動作を表現できるかを競うことに重点が置かれるようになった。

最近では、本来の太極拳とは無関係の体操や雑技などの動作も採り入れ、難易度の高い動作を競う方向に発展している。しかし、太極拳の命ともいえる部分、例えば意念、内勁、気、用法、陰陽理論は審査の対象になっていない。

また、24 式簡化太極拳の他にも、長拳類、剣や刀などの武器術、対練方法など、試合用の拳法や武器術が数多く開発された。

このように、試合のためのスポーツとして、中国政府が主体となって開発した拳法や武器術の套路のことを「国家規定套路」や「競技套路」あるいは「制定拳」と呼ぶ。

こうした歴史的な背景を知ることで、「制定拳」と「太極拳」の違いを理解できるだろう。

1．拳理と武徳

太極拳の思想・哲学

陳氏の先祖が戦闘だけを目的とした純粋な武術として太極拳を創ったとは、著者には思えない。太極拳は確かに高度な武術ではあるが、同時に思想・哲学が込められている。著者自身も、陳氏太極拳を武術としてだけではなく、思想・哲学とともに後世に伝えていきたいと考えている。

陳氏太極拳には、身体の運動、武功対練、基礎理論の三大要素があり、それが一体となって初めて太極拳となる。

例えば、外観動作のみを練習していては、体操と変わらない。気のみを養おうとしていては、気功にしかならない。

陳氏太極拳は、先の三大要素が互いに支え合い、心と身体が統一されることによって、その動作や原理が初めて機能することになる。つまり、太極拳はただ筋肉の運動のみでなく、気を養うことのみでもなく、武術の要素を含みながらそれだけではないという独特の世界観、宇宙観を持っている。それは武術であると同時に武術を超えるものなのである。よって、太極拳は正しい人間を形成する力を持っている。

太極拳は、道教や儒教の教え、中国の伝統文化や思想等の考え方を取り入れているが、宗教ではない。なぜなら、太極拳は実在している宇宙の原理に従い、実際に使える技があり、また身体に恵みを与えるからである。太極拳の中心には、説明のできない「何か」が存在している。その「何か」の力は、国境を越え、民族を越えて、太極拳愛好者たちを惹き付けてやまない。

　陳鑫の『陳氏太極拳図説』には全四冊あり、その第二冊目の冒頭部には、「正しい心の人のみに伝えること」と記されている。また、太極拳の創始者ともいわれている第九世・陳王廷の著した詩文は太極拳が持つ思想をよく反映している。陳王廷が戦乱に明け暮れ、故郷に戻った時は、ちょうど世の中も古い時代が終わり、新しい時代が始まろうとしている時であった。

　陳王廷の詩文を次に紹介したい。

陳王廷の詩文

歎當年、披堅執鋭、
掃蕩群氛、幾次顛険。
蒙恩賜、罔徒然。
到而今年老残喘、
只落得黄庭一巻随身伴。
悶來時造拳、忙來時耕田。
趁余閑、
教下些弟子児孫、
成龍成虎任方便。
欠官粮早完、要私債即還。
驕諂勿用、忍譲為先。
人人道我憨、人人道我顛。
常洗耳、不彈冠。
笑殺那萬戸諸侯、
兢兢業業不如俺。
心中常舒泰、名利總不貪。
参透機関、識彼邯鄲。
陶情於魚水、盤桓乎山川。
興也無干、廃也無干、
若得個世境安康。
恬淡如常、不忮不求、
哪管他世態炎涼。
成也無関、敗也無関。
不是神仙、誰是神仙？

この詩文について、様々な解説があるが、ここに著者なりの解釈で説明したい。

歎(タン)當(ダン)年(ニェン)、披(ピー)堅(ジェン)執(ジー)鋭(ルイ)

「披」は背にかける、はおる、着ることを意味する。「堅」は鎧や冑などを示す。「執」は手で持つことを意味し、「鋭」は鋭いもの、つまり刃物や武器のことを示す。

　これは漢の時代の宋義将軍の言葉を引用したものと思われる。

秦朝末年、項羽らは楚懐王を擁立し、反秦戦争を起こした。懐王は宋義を上将軍、項羽を副将軍に任じ、趙国を救う戦いを起こした。ただし、宋義は安陽に着いたのにも関わらず、進攻しなかった。項羽がそれを不思議に思った時、宋義はこう言った。「夫披堅執鋭、義不如公、座而運策、公不如義」つまり、「鎧を身に付け武器を持って戦うならば、私は貴方に及ばないが、座って計略するには貴方は私に及ばない」と。

掃蕩群氛、幾次顛険

「掃蕩」は、敵を掃討することを意味する。「群氛」の出典は、中国元末明初の著名な政治家・軍師である劉基（字、伯温）の詞「陰霊韜精星滅亡、群氛辟易帰大荒」である。これは、反乱の群集を意味する。

つまり、前の句とこの句は、「あの頃は鎧を身にまとい、鋭い武器を取り、匪賊を掃討して、何度も危険な目にあった」を意味している。

蒙恩賜、罔徒然

「蒙」は、頂戴すること。「恩賜」は、中国では一般的には、皇帝から臣下などに対して、これまでの忠節や功労に感謝するために与える物品や礼節の行為を指す。

「罔徒然」については、『陳氏太極拳図説』とほぼ同時期の出版物として『陳氏世傳太極拳術』(陳子明・著）では、「罔」ではなく「枉」が使われている。「枉然」は「徒然」と同じ意味で、無駄なこと、徒労に終わること、骨折り損であること、無駄な努力であることを意味する。

到而今、年老残喘

「到而今」とは、「今に至るところ」という意味である。

「年老残喘」とは、年老い、息も絶え絶え、わずかに余命を保つ状態を指す。本来、「残喘」は死の前の息という意味である。唐代の官僚・詩人である元結（陳王廷と同じ河南省の出身）の詩には「余生残喘」とあり、唐代の古典『再讓容州表』には「餘生残喘、朝夕殞滅」という名句があり、そこから引用したものと思われる。

只落得黄庭一巻随身伴

この句は「残しているものは、ただ『黄庭経』一巻を身に備えるのみである」という意味である。

『黄庭経』とは、身体構造論に関する聖典で、東晋時代の経典であり、長生不老の術を伝えているといわれる。

この句は、陳王廷が『黄庭経』に基づいて太極拳を創出したことの根拠の一つになっている。また、太極拳は心身の健康を目的として創出された証しでもある。

悶來時造拳、忙來時耕田

この句は素晴らしい名句になっており、太極拳や武術を愛する方の大半は知っているだろう。文字通り「暇な時期には拳法を造り、忙しい時期には田を耕す」という意味である。煩雑な世の中から離れての自在余裕な農耕生活は、理想の人生であろう。

この名句も、陳王廷が太極拳を創出したという説の根拠の一つである。

趁余閑、教下些弟子児孫、成龍成虎任方便

「趁」とは、ある時期や機会を利用することで、続く句で「余暇を利用して弟子や子孫に教えること」を意味している。

「成龍成虎」とは、文字通り「龍や虎のような強い人間になる」という意味である。ただし、後に続く「任方便」という言葉の意味に注意が必要である。これは、「お任せする、ご自由にしなさい」という意味で、つまり「龍になっても、虎になってもよい。ご自由にしなさい」と言っているのである。

欠官粮早完、要私債即還

「官粮」とは、国に納める年貢のことを示す。「年貢を早く納め、債を早く返還する」という意味である。

驕諂勿用、忍譲為先

「驕」とは、文字通り「驕り高ぶること、傲慢なこと」である。

「諂」とは、「おもねる、へつらう」であり、目的を達成するために、個人の人格を捨てて権力者や目上に媚び諂うことを示す。

「勿用」とは、「使ってはならない、してはいけないこと」である。

つまりこの句の意味は、弱者に対して傲慢な態度を取り、勝者や権力者や目上の人に媚び諂うことはしてはいけないと言っている。武術家は、尊厳、人格を大事に保持し、精神的にも身体的にも強く、不撓不屈、自尊自強であるべきだと言っていると思われる。

著者はこの句がとても好きで、その出典について少々調べたことがある。論語には、「子貢曰、富而無驕、何如。子曰、可也。未若貧而樂、富而好禮者也」という名句がある。その意味は次のようなものである。

子貢曰く「貧しくしても諂（へつら）わず、裕福であっても驕（おご）らないことは、いかがでしょう」。

孔子曰く「良いことです。貧しくしても、常に心豊かに楽にして生活し、富んでも礼儀正しく、礼を好む者が立派な人物である」。

著者は、陳王廷がこの句を『論語』から引用したのだと考えている。

「忍譲為先」の「為先」とは、先に行うことである。つまり、武道家の心得としては、まずは「忍ぶこと」と「譲ること」である。

この句の全体の意味は、武術家は勿論、人間としての基本的な教養であるともいえ、太極拳を学ぶ者はこのことを遵守するとともに、広く伝えてほしいと著者は願っている。

人人道我憨（レンレンダオヲーハン）、人人道我顛（レンレンダオヲーディェン）

ここの「道」とは、言う、話すことを意味する。憨と顛は、「愚かであること、瘋癲（ふうてん）」を意味する。この句は、「人々は我のことを愚か、瘋癲な人と言うでしょう」となる。

常洗耳（チャンシーアル）、不彈冠（ブタングヮン）

「常洗耳」とは、悪い言葉、汚い言葉を聞かないこと、俗世間のことを聞かないように努めることを意味する。

古代中国では、官職の地位によって冠や官服が異なる。「彈冠」とは、冠の塵を弾き落とすことで、いろいろな解釈があるが、「官途（かんど）（官職）に就くこと」を意味する。

つまり、この句の意味は、「汚い言葉を聞かず、官職を求めないこと」である。

「洗耳」や「彈冠」は大変面白い古典であるので、ここで簡単に紹介する。

伝説によると、尭帝（ぎょうてい）は、才能のある名士・徐由に帝位を渡したいと考え、使者を発遣してその旨を徐由に伝えたという。だが、徐由は山や川の自然に隠居していたいとして、帝位を受けなかった。

尭帝は使者からその報を受け、せめて徐由に九州伍長という官職を受け取ってほしいと、もう一度使者を向かわせた。使者が尭帝の言葉を徐由に伝えたところ、徐由は穎河（えいが）に行って耳を洗い始めた。使者がその理由を問うと、徐由は「吾志在青雲、何仍劣劣九州伍長乎（私の志は青雲の上にあり、小さな九州伍長ではなんとも言えない）」と答えたという。

徐由にとっては、俗世間から出て、学問を研究し、隠居した生活は、あらゆる官職より至高なものであったのだろう。

笑殺那萬戸諸侯（シァオシャーナーワンフージューホー）、兢兢業業不如俺（ジンジンイェイェブルーアン）

「笑殺」とは、笑いこけることで、卑しめる、軽蔑するという意味である。

「諸侯」とは、中国の殷と周の時代から漢の初めまで帝王の支配下にあった列国の君主を意味するが、ここでは地方の権力者たちをも示す。

「兢兢業業」は、『詩経』の「兢兢業業、如霆如雷」から引用されたのであろう。これは勤勉に働くことを意味する。

つまり、この句は、「権勢を持つ君主たちを一笑に付し、刻苦勉励の自分は彼らより幸せで自由自在である」という意味で、武術家の自尊と自強を表している。

心中常舒泰、名利總不貪

（シン ジョン チャン シュー タイ、ミン リー ゾン ブ タン）

中国の古今の著作にはよく「舒泰」を使うが、これは落ち着いた気分であり、ゆったりして良い気持ちであることを表す。この句の意味は「心は常に安泰で落ち着き、名利を永遠にむさぼらない」ということである。

参透機関、識彼邯鄲

（ツァン トウ ジー グヮン、シー ビー ハン ダン）

「参透」とは、深く悟り、徹底的に理解する、という意味。

「機関」とは、計略や玄妙な仕掛けを示す。

つまり、「参透機関」とは、世の中のしくみを十分に認識することである。

「邯鄲」は河北省の邯鄲(かんたん)市のことで、中国の長い歴史の中で地名を変えたことがなく、「邯鄲の夢」あるいは「黄粱の夢」の伝説で有名になっている。

「黄粱の夢」とは、次のような伝説である。

盧生(ろせい)青年が邯鄲に来て、宿屋で仙人呂洞賓に会った。そこで枕を借りて仮眠をとったところ、夢を見た。夢の中で盧生は、高官に就任し、美人と結婚して、優雅な生活を送っていた。だが、覚めてみれば注文した黄粱(こうりょう)のご飯がまだ炊き上がっていなかった。

この句では、「世の中のしくみを十分に認識しよう。欲望は邯鄲の夢のような幻覚なのである」と言っている。

陶情於魚水、盤桓乎山川

（タオ チン ユー ユー シュイ、パァン ホワン フー シャン チュァン）

「陶情」とは、自然の中で自身を磨き、自然の中から楽しみを体験し発見すること。大自然の中に感情を放縦することを示す。

「渴愁如箭去年華、陶情滿滿傾柳花」という宋代の王安石の名句があり、太極拳の練習者は歳を取っても、自然の中で太極拳を楽しんでほしい。

これに対して、「盤桓」を使っている。これは、ゆっくりと、ぶらぶらと、遊歩することであり、遊んで楽しむという意味である。

　この句は、「ならば、自然と人情に感情を伴わせ、山や川を遊んで楽しむことにしよう」と言っている。

興也無干、廃也無干

　この句は文字通りの意味で、「世の盛衰はもはや私には関係ない」と言っている。これは、陳王廷の生涯、そしてこの句を書いた時の時代背景に関係がある。
　陳王廷が、武将として命掛けで守った明王朝は、腐敗して反乱が起き、やがて滅びた。この詩文の最初の部分で答えているように、戦争は無用なものであり、この混乱の世の盛衰から離れようとする、陳王廷の心情を表しているといえる。
　この下の幾つかの句も同様の心境で書いたと考えられる。

若得個世境安康

「このように平安な心境を得る」という意味である。

恬淡如常、不忮不求

「恬淡」はあっさりして、地位や名誉などの私欲にとらわれないようにする、という意味である。
「忮」とは、嫉妬、ねたむことである。
「不忮不求」の出典は『詩経』の「不忮不求、何用不臧」という名句だと思われる。
　つまり、「地位や名誉などの私欲がなく、損なわず求めず、これでよいだろう」と言っているのである。

哪管他世態炎涼

「哪管他」とは、現代漢語にもよく使っている言葉で、「どうでもよい」という気持ちを表している。
「世態炎涼」の「炎涼」は、文字の意味としては暑さと涼しさを意味するが、「世態炎涼」は「人情は変わりやすく、世間は薄情なもの」ということを表している。
　この句の意味は「世間人情は変わりやすいので、気を配ることをしない」である。

成也無関、敗也無関。不是神仙、誰是神仙？

　この句は分かりやすく、その意味は文字通りである。「成功も失敗も無関係だ。我が神仙でなければ、誰が神仙だろうか？」これは陳王廷の超越した精神を表しているのである。

以上、陳王廷の詩文を読み解いてきた。

この詩文は、戦乱や争う世の中に対して消極的な陳王廷の態度を表していると共に、武術家としての生き方を後世に伝えている。また、武術家の心の強さが感じられる名句であることに感銘を覚える。

人間の強さは、身体や技を超越し、心や精神の強さにある。さらに、天道人徳、自然との調和、自然に順応する思想も、陳王廷の詩から読み取ることができる。

この詩には、数多くの古典が引用されている。図書館もない明の時代に、名将軍・陳王廷はどのくらいの学問を学習したのだろうか。陳鑫の『陳氏太極拳図説』にも「学太極拳、先学読書」と書かれている。太極拳は知識の素養になり、これを学習するには知識の素養が必要である。

太極拳の武徳

次に太極拳の「武徳」について解説する。

太極拳には武徳の精神を示す言葉は多いが、その重要なものとしては陳鑫が『陳氏太極拳図説』に纏めたように、「不可不敬」、「不可満」、「不可狂」がある。

「不可不敬」とは、太極拳を学習するのに、まず「敬」の精神が必要であることを意味している。つまり、師に対して敬意を払い、学生同士も尊敬し合うことが重要なことである。「敬」はただ表面上の礼儀だけではなく、心から「謙虚」にすることが必要である。「敬」そして「謙虚」をベースに、師徒の信頼関係、生徒同士の友情関係を築くことにより、初めて太極拳の真髄に触れることができるのだ。

「敬」の反対は「満」、つまり傲慢や自慢である。「満」は師匠との関係に礼を失い、学生同士の関係も悪い方へ導くことになる。これが、「不可満」の言わんとしているところである。

「満」より更に発展すると、太極拳の禁物の「狂」に至る。「狂」には、「狂言」や「狂動」など、許されない行動が含まれる。「不可狂」とは、このことである。

太極拳を練習する者は、儒雅（じゅが）の風格が必要とされる。儒雅は儒学、すなわち孔子の教えのことで、その教えを学んでいる人たちの風貌が非常に優雅であることを示す言葉が儒雅である。

そして、孔子の教えを学ぶ彼らは、本を読み、詩を吟じ、書を著すなどを日常とする。

つまり生活中に太極拳が滲んでいくことで、彼らと同様に真に太極拳を理解すること、太極拳を楽しむことができるのだと考えている。

著者の家伝には「教人先交心、師徒如父子」がある。これは、太極拳を教え伝える基本条件を表している。

「教人先交心」とは、人に太極拳を教える前には必ず心の交流がなくてはならないということである。心を交え、深い友情と信頼関係を築き得た親しい生徒にしか伝えないことを厳しく要求されているといえる。

「師徒如父子」は、陳氏太極拳の素晴らしい伝統的思想である。師と生徒の関係は父子のごとき信頼関係を基盤として、太極拳を学びそして自ら広めてゆくという考えである。

2．意念と動作についての基本理論

意

「意」は意念、意識、つまり大脳の運動である。ただし、太極拳における「意」は、「意者媒而已」といわれて、「心」を主体とする「媒」である。

太極拳の句訣（くけつ）では「心如将軍、気如兵、将軍一発令、士卒皆聴命」といわれ、「心」は「将軍」という存在で、「意」は「傳令」である。その命令に従って、「気」や「形」、「勁」が身体全体に巡るようになる。

太極拳には「意在先」という言葉があり、気と勁は「意」に従って丹田から流れ出し、内外（五行）を経て形となる。

このように太極拳における「意」と「心」の概念は大変広く、「内外の運動」と「気」を支配する仕組みは重要である。

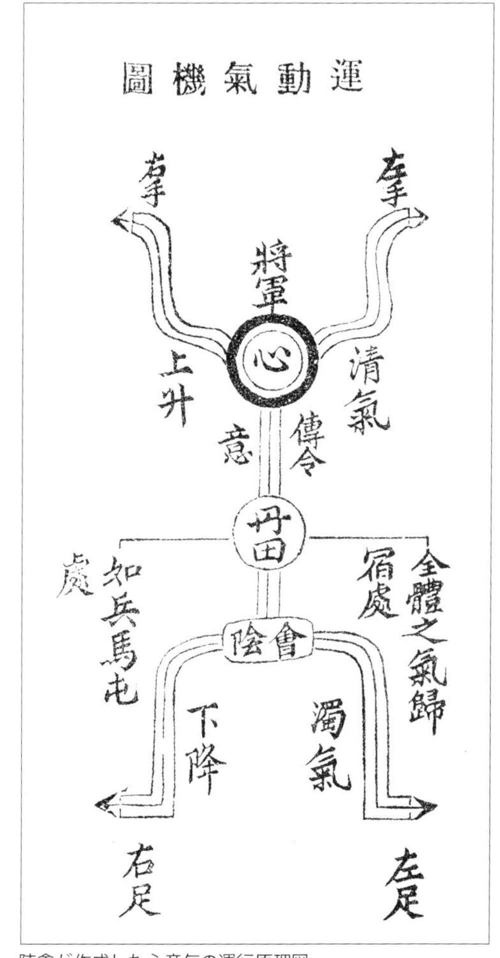

陳鑫が作成した心意気の運行原理図

心

「人為万物之霊、心為五官百骸之霊」という言葉がある。

「霊」や「霊気」は、言葉では表現しづらいものであるが、簡単にいうと、精神を持っている生命であり、宇宙万物を理解し、万物を作り支配する精妙な超越した力などを示す。

天地の間には、ただ人間だけが「霊気」を持っているのであり、人間にとって「心」は全身を支配する「霊」である。

前述のように、「心」は将軍であり、「気」や「形」、「勁」はその命令に従う。「心」の行動は「意」であり、勁や動作の目的、運動方向、流れ、形を導く。

陳鑫の『陳氏太極拳図説』では、「心為一身之主、心一動而五官百骸皆聴命」としている。その意味は、「心は身体全体の主宰者で、心が動くと五官や百骸（骨格、躯体）がその命令に従うことになる」である。

「心」は君主であるが、良い君主になれるように、「心」の訓練も必要である。「錬心」、「心法」が大変重要である。

気

宇宙は、我々には見えない何かで充満している。宇宙の様々な現象は、その何かの振る舞いである。その何かを、古代中国の人々は「気」と呼んだ。つまり、宇宙は「気」で充満し、万物は気より化生（かせい）されたものである。著者は工学系の科学者であるが、このような太極拳における世界観・宇宙観を信じている。その仕組みの解明は、著者の夢の一つである。

これらの概念に加えて、中国人は、人間や宇宙に関わる様々な現象の根本を「気」という概念で捉えている。

例えば、人間の成長にも「気」が関わっている。人間の「元気」とは、産まれた時にすでに備わっている「気」のことである。この「気」は、父親と母親から子供へ分け与えられた「気」である。

そして、子供は産まれた後、天地からの影響を受ける。例えば、太陽の光や星、月の光を浴び、食事をするなどの影響を受けて、それぞれ異なった身体に成長していく。

父母から受け取った気を「先天之気」、天地から得た気を「後天之気」という。

このように我々人間は、誰でも「気」を持っており、何にもせずとも「気」は身体に循環している。身体に流れる「気」の順路は「経絡」と関連し、その順路と関連する内臓は互いに影響するものと考えられている。

また、古来より「気」は、「意」に従って運行すると信じられている。我々太極拳を行うものにとっては、この現象を実在するものとして感じられるのだが、現代科学では解釈できていないものである。

太極拳において、「意」で「気」を体内に巡らせることは、その真髄ともいえる。その目的は二つに大別することができる。一つは、拳や肘などの身体のある部位にパワーを集中することにより、大きな威力を発揮できること。もう一つは、内臓を鍛錬することで、より身体を強壮にし、精神を養うことができることである。

内形・外形

太極拳における身体運動の「形」を説明する。「形」は「内形」と「外形」とに分けられ、それぞれが運動として現れたものを「内形運動」と「外形運動」と呼ぶ。

内形運動には二種類がある。一つは、外部の筋肉の運動の影響を受けて反応した内臓の運動であり、これは機械的、強制的な運動である。もう一つは、「意」に従った「気」の運動であり、臓器間の相互影響を活発にする。

目で確認できる動き、つまり手、足など、身体各部分の外部動作は「外形」である。太極拳の学習は、まず手足の外部運動から始める。

ただし、内形運動のない外形だけの運動は体操と変わらないため、いくら太極拳らしい動きをしても、決して太極拳とはいえない。「意」に従った「気」の運動、そして「内形」と「外形」が共存する運動ができて、初めて太極拳の動きになる。

精

宇宙万物の物事を構成する最も重要で、最も基本的な、なくてはならない「精華（エッセンス）は、この「精」である。

老子は、「窈兮冥兮、其中有精」と言っている。「物影が見えるが見えない、よく分からないものを構成する精である」という意味である。老子は、この句で宇宙万物の構成の「道」、「精」を表現している。

人間の「精」とは、人間の肉体や生命活動にとって最も重要で、基も基本的なもので、なくてはならない「精華」であり、人間の生命を支えるエッセンスである。それは、五臓六腑の機能を支え、身体を滋養するもの、生殖や生命を維持するものである。例えば気血、津液（身体を潤わせる滋養的な液体。津液についてはP.68で解説する）、精液のことを示している。「精」は生殖、繁栄、成長、維持、活動するためのエッセンスである。

「精」は、「気」と同じく、産まれた時に父母から引き継いだ「先天之精」と、生後に得た栄養や生活習慣によって形成された「後天之精」に大別できる。

「後天之精」は、摂取された栄養分が臓腑の精になることである。栄養を絶えず補充することで、気、血、神（次項に説明する）など、我々の生命になくてはならない重要な成分が作られ、生命が維持されている。

神

「神」という文字は本来、宇宙万物を主宰する存在を意味している。我々の身体——五臓六腑や精、気、血、津液の流れ、肉体の活動などを支配しているのも、もちろん「神」である。この意味で、我々の身体の中には「神」が存在し、我々を支配するものといえる。

ならば、我々の表情、目線、感情、活動時の動きや呼吸等は、内なる「神」が外へ表現されているものであるといえる。

素晴らしい人格的魅力を持ち、精力旺盛な武術家は、その謙虚さや心の余裕さ、強さが、自然と身体や表情から発信され、人々からの信頼と尊敬を得る。

太極拳では、身体は激しく動いていなくても、さらに言えば動きがなくても、意念を高度に集中していれば、「神」は外に表現されるのである。例えば、目線や動作には、「必勝の意識」と「決心」が表れる。

「神」は、演技によって表現されるものではなく、「天地霊気」を収集した結果である。「天地霊気」とは簡略に説明すると、これは宇宙の精華であり、採集すると肉体や英知の源になるものである。例えば、「断意（太極拳練習時に、意念が切れたこと）」や「断勁（内勁が切れたこと）」があっても、「神」が強く存在し、「意」と「勁」を結ぶことができる。

また、強い相手を目の前にして心が慌てると、目線や手などの動きから不安な精神状態が表れる。これを防ぐためには、神、心、景に関する練習が必要である。例えば、太極拳を練習するときに、目の前に強い相手がいることを想定して行うこと。すると、長年の修練によって、内部動作や意識を使っている時の表情や目線が変わる。特に、目は神を伝えるといわれる。目を通して、色々な情報や感情が伝わるものである。

外観動作を過剰にした演技は、本物の太極拳ではない。本物の修錬では、太極拳を行う者の脳は活発に働き、高度に集中する。その結果、意、景（後述）、情（後述）などが大脳に充満する。その源泉は「心（こころ）」であると言われている。

精、気、神

中国では、「天有三宝、日、月、星。地有三宝、水、火、風。人有三宝、精、気、神」といわれている。養生理論では、精、気、神は、人体の「三宝」である。それ故に、人間は、精、気、神が存在し、生きていることで、生活や活動をしている。

養生理論でいえば、病気になるのは、精、気、神が弱っているからである。老化現象は、精、気、神が衰えていくことである。長く健康でいるためには、精、気、神をできるだけ消耗しないように大事にすることである。

精、気、神は哲学的概念ともいえる。これを学業に例えると、知識を「精」とすれば、才能は「気」であり、そして活動、業績、成果、言動、表情を通して表れたのは「神」の働きの結果である。

豊富な知識（精）を持つ者は、社会へ貢献する才能（気）を有し、その活動の成果（神）を生む。そうした者の言論や表情、目から醸し出される、強さや優しさ、謙虚さのような態度も「神」の働きであるといえる。

正しく太極拳を学習する者も同様であり、その者の精、気、神が言動や健康に表れる。反対に邪念を持っていれば、人格の悪さや脆弱さが、言動や表情に表れるものである。このように太極拳の修練は人格養成のためにも有用な方法である。

景

陳鑫はその著書『陳氏太極拳図説』において、次のように述べている。

「緑が芽吹いたり、赤く紅葉したりすることは山の景である。荒い波や静かな波は水の景である。花が咲き、そして散るのは時の景である。そして拳法で人を打つのにも景がある。」

「景」は、風景、景色などで使われる言葉であるが、具体的な景色だけでなく、精神状態をも示しているのである。

太極拳は一人で行うとしても、まるで相手と攻防しているかのような「景」を自分の頭に思い浮かべ、動作の流れを作る。そして、鑑賞者もそれに共鳴して、そのように見えた時、素晴らしい太極拳であるといえる。

太極拳は、形と精神、意念と精神とを結合して表すものであり、ここにおいて「景」に含まれる意味は大変重要なのである。

情

「情」は感情の情。太極拳の練習には感情も必要である。

すでに述べたように、意念は心(こころ)の活動である。心とは、身体全体を主宰するもので、「意・神・情」の元になる。心の命令に従って、五官や身体が動き出すと、「神と情」が外部へ表現される。

陳鑫の『陳氏太極拳図説』では、人と人とが接することが人情であり、感情を込めて作成された文章には文情があると記述されている。

これと同じく、心を使って太極拳をすると、「拳情」が必ず表れる。この「拳情」は、太極拳を行う者からそれを鑑賞する者へと伝わり、心の共鳴を得ることができる。

また、「拳情」が出るほど練習すると、自分の精神世界へ「入境」でき、そして嬉しい、楽しいなどの快感を得られるようになる。

これは、健康作りの面でも重要な要素である。太極拳を修練する者は、心や度量が広く、静かな平常心を保つことが重要である。争うことを避け、精神的な健康を重視すべきである。

このことがどのように太極拳の動作と関係するのか説明したい。

腕や足など身体を動かす時に、まず「心」からの「意念」を働かせて、意念に従って動作が丹田から身体全体へ流れる。この動作に合わせて、感情が表れる。

「神」と「情」は、非常に高度な集中力の表れであるとともに、心で動作を支配するものでもある。

「情」とは感情、情緒などを示すが、拳法を練習する時、具体的な相手を想像して、その相手を攻撃したり、防御したりすることをイメージし、そして感情を乗せて修練することの大事さを説いている。

もしこの考えを持たずに、外形動作の修正ばかりに囚われていては、咄嗟の時に身体の使い方がまったく分からないということになりかねない。

3．太極拳と経絡

哲学的・文化的理解

古代中国では、人体の臓器を五臓六腑に分類している。そして、「陰陽太極」の理論や「五行説」など、中国の伝統的な哲学を用いて、人体及び臓器の活動状態を解釈している。このような五臓六腑についての理論は、哲学的、文化的な理解が必要である。

現代人は、数学や科学の教育を受けているため、物事を観察・考察・理解するために、常に幾何学的・物理的な視点を用いている。臓器の位置や形態について、数学的座標や幾何学的な形状表現や用語を用いて、それを認識し表現している。また、臓器の機能については、科学実験や統計学的な分析手法に基づいて理解されている。

中国の人々は古くから、人間の皮膚や表情、生活習慣、季節の変化、天地宇宙等々の哲学的原理を用いて、臓器の存在及びその機能を、原理的、定性的に解釈している。

例えば、臓器の位置についての伝統的な表現は、「表（外）」と「裏（内）」であり、具体的な寸法や距離というような数学的な表現ではない。臓器の機能や相互関係については、「陰陽五行」の理論、季節や一日の時刻の変化に従って、その一般論を定性的に説明している。

本項では、太極拳の伝統理論の解説を主として、日本の読者に理解しやすいように、また長くならないように概略的に説明することにする。

五臓六腑

「五臓六腑」は「臓」と「腑」に分けられる。

「臓」は、充実した肉塊のようなものであり、肝・心・脾・肺・腎を指す。「臓」は裏（内）、つまり比較的に身体の内部に存在していることから、「陰」に属する。（実は、「心包」という概念もあるが、ここでは省略する。）

「腑」は、中空状（袋状や管状）なもので、胆・小腸・胃・大腸・膀胱・三焦を指す。「腑」は表（外）、つまり比較的に外側にあるので「陽」に属する。

このような、内外、表裏のことを表す伝統的な諺として「臓在内腑在外」、「六腑為表、五臓為裏」がある。また、後述する相互関係では「五臓六腑、互為表裏」といわれていている。
「臓」は人体の精、つまり気血等を貯蔵、生成するもので、特に腎臓は精気の生成、生殖に深く関わる。
「腑」は身体外部からの栄養を吸収、蓄蔵すること、または排泄するなどの機能を持つ。

経絡系統

五臓六腑は相互に影響・関連している。このことが「経絡系統」を形成している。五臓と六腑、陰部、脳、目、骨や筋肉と共に運動させることで、経絡の疎通が自然に行われる。
経絡は、「経脈」と「絡脈」の総称である。「経脈」は上下に貫通する経路で、内外をも連絡している。「絡脈」は、「経脈」の分岐である。
「経者径也」、「経脈為裏、支而横者為絡」といわれ、「経脈」と「絡脈」は縦・横・内・外の方向において身体を貫通している。経絡は肢体、筋骨、皮膚等々を繋ぎ、我々の生命活動や健康状態を支えている。
経脈は、「十二正経」と「奇経八脈」に大別され、絡脈は十五絡・孫絡・浮絡に大別できるが、これを論じると一冊の本になってしまうため、本書では詳しくは述べない。詳細を学びたい場合は関連する書物を参考にしてほしい。
経脈は大きく「陰経」と「陽経」に分けられる。その陰と陽の度合いによって、それぞれをさらに３つに区別される。陰であれば、太陰、少陰、厥陰の３つであり、陽経であれば、太陽、少陽、陽明の３つである。
陰陽の「度合い」について理解するには、一日の陰陽の変化のようなものと考えると良いだろう。太陽が徐々に昇って朝になり、昼は煌々と明るくなる。そして夕方になると徐々に暗くなっていき、やがて夜になる。夜はだんだんと暗さを増していって深夜となり、またたんだんと明るくなって夜明けとなる。
そして、手と足に流れる陰と陽の経絡を、手三陽、手三陰、足三陽、足三陰に区分する。これらを総合すると十二正経となる。

<table>
<tr><td rowspan="14">経絡</td><td rowspan="13">経脈</td><td rowspan="12">十二正経</td><td rowspan="3">手三陽経</td><td>手太陽小腸経</td></tr>
<tr><td>手少陽三焦経</td></tr>
<tr><td>手陽明大腸経</td></tr>
<tr><td rowspan="3">手三陰経</td><td>手太陰肺経</td></tr>
<tr><td>手厥陰心包経</td></tr>
<tr><td>手少陰心経</td></tr>
<tr><td rowspan="3">足三陽経</td><td>足太陽膀胱経</td></tr>
<tr><td>足少陽胆経</td></tr>
<tr><td>足陽明胃経</td></tr>
<tr><td rowspan="3">足三陰経</td><td>足太陰脾経</td></tr>
<tr><td>足厥陰肝経</td></tr>
<tr><td>足少陰腎経</td></tr>
<tr><td>奇経八脈</td><td colspan="2">任脈、督脈、沖脈、帯脈、その他</td></tr>
<tr><td>絡脈</td><td colspan="3">十五絡、孫絡、浮絡（省略）</td></tr>
</table>

下図は、陳鑫が描いた経脈の四つの正経の図であるが、当時の石版印刷の技術的限界により穴位の位置のずれがあることに注意が必要である。その他の経脈の図については、関連参考書を見てほしい。

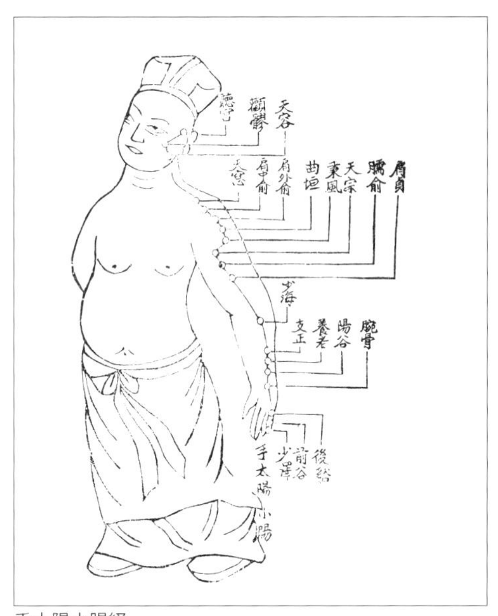

手太陽小腸経

手太陰肺経

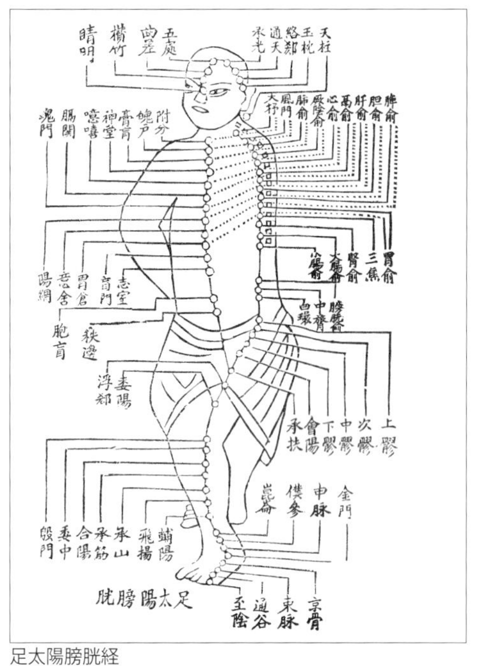

足太陽膀胱経

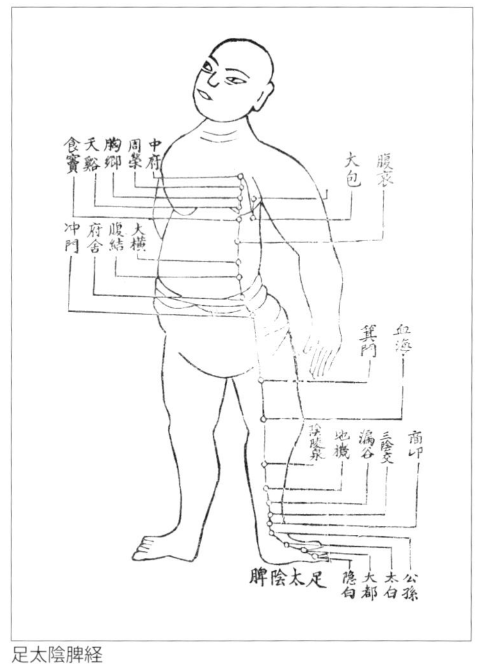

足太陰脾経

四図及び次ページの二図は『陳氏太極拳図説』より引用

奇経八脈の中で、特に太極拳と深い関係があるのは、任脈と督脈である。

任脈は身体の中心線に沿って前面を通り、督脈は背面の中心線を通る。細かくいうと、任脈は下唇の中心部の承漿（しょうしょう）から出て下に行き、会陰までの中心線になる。

督脈は、穴位でいうと、長強（ちょうきょう）から齦交（ぎんこう）に至る中心線になる。

任脈と督脈を繋ぐので、督脈は会陰から出て背中側の正中線を上行し、後頭部、前頭部に回り、歯根に至る。

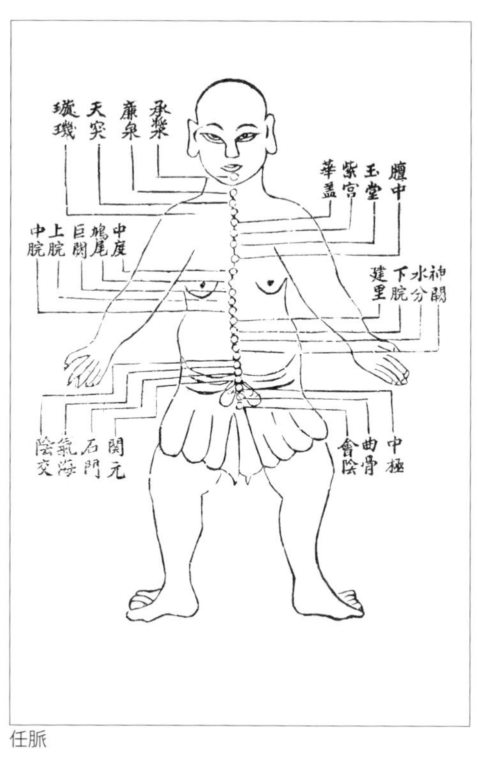

任脈

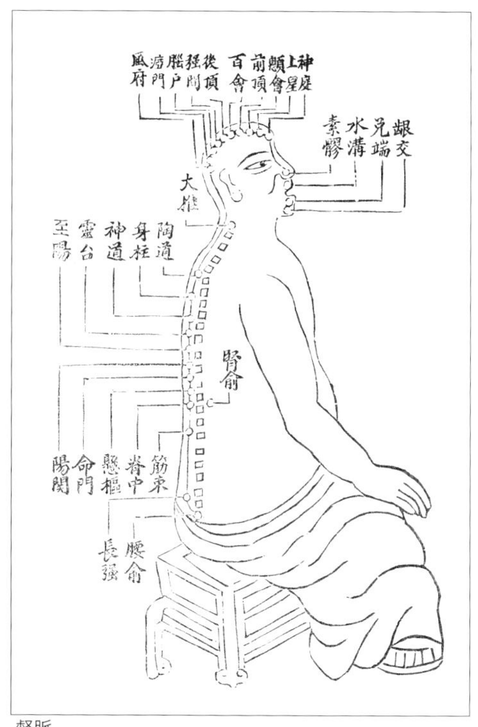

督脈

経絡系統と営血周行

経絡には、臟器の名称が付けられており、その臟器と深い関係を持っている。そのため、古くから経絡の流れが悪くなると病気を起こすと考えられてきた。

また、「経絡系統」は一定の順序で連絡しており、経絡の通り道のことを流注（るちゅう）と呼ぶ。

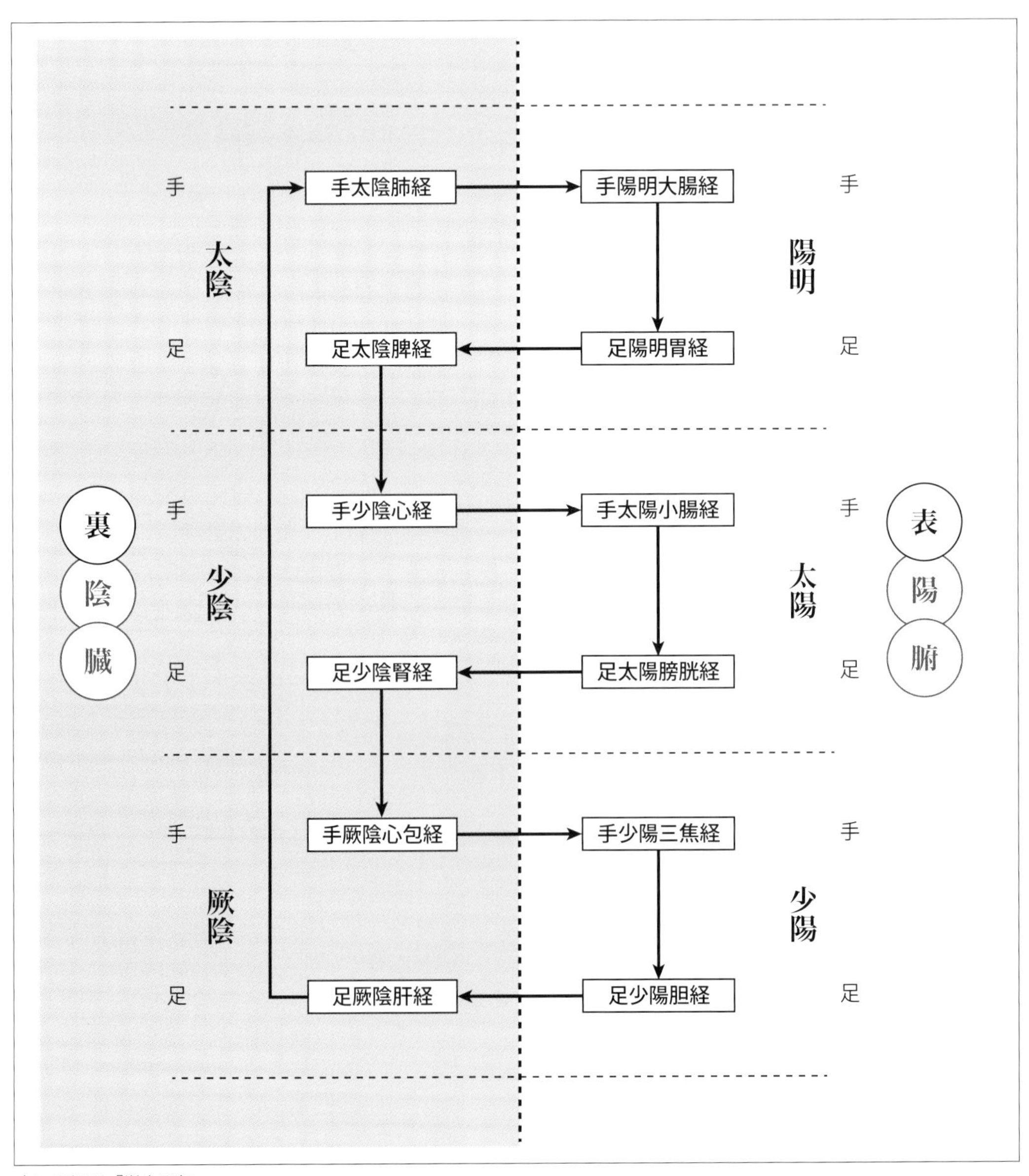

十二正経の「営血周行」

太極拳では気血の流れに視点を置いており、経絡の互いの関係をしばしば「営血周行」ともいう。これは、気血と経絡の運行関係を示すものであるが、これはまた一日の時刻や一年の時期にも関連する。その関係を覚えやすいように「営血周行十二時表」や「営血周行十二歌」を編成して、歌で覚えるようにしている。

十二正経の「営血周行」の図では、陰経（太陰、厥陰、少陰）は「裏（内側）」から「表（外側）」へ、陽経（太陽、少陽、陽明）は「表（外側）」から「裏（内側）」へといった具合である。これが規則性をもって循環している。

この規則を表現する歌もたくさんあり、例えば、「陽明大腸足胃当、太陽小腸足膀胱……（略）」があり、これは左ページの十二正経の「営血周行」図の右半分の上部の１～４行の意味を表現している。

人体における具体的な経脈の流れる方向は、ツボの位置を用いて説明され、これを「歩向」という。

太極拳と経絡の関係

太極拳で行われるのは、外観上の運動だけではなく、より重要なのは内臓の運動、経絡との関連である。手や足の螺旋運動は体内の各部分と連動し、そして経絡との相互的な影響が自然に現れる。

また、身体の運動は意識に従って動く。その結果、意識の「意」、パワーの「気」、そして動作の「形」が表れる。

ここに、簡単な例を挙げて、経絡と動作の関係を説明する。

手太陰肺経は腹部を絡んで、肺から腕を通り、親指へ流れている。

太極拳の動作に合せてみると、次のようになる。まず、身体を真っ直ぐにして自然に立つ。そして胸の前に一つの大きな立円があるとイメージする。どちらかの手でその立円の内側をなぞる。この時、手は親指を先頭に、腕全体が旋転しながら進むことになる。この旋転が「纏絲」である。この腕の纏絲は、肩から出て、手へ伝達される。ただし、この纏絲は胸や背中から始まるものであり、さらには腹部の運動が根元にある。よって、腹部から、胸、肺、肩、腕、手、親指の一連の纏絲が伝達される。

こういった運動は、必ず「意」を使って「内視」することが重要である。単なる筋肉の運動ではなく、「意」に従って行われる内臓の運動、経絡への疎通があるのだ。

例えば、両手で外から内への縦円運動では、両手が下から上へ立円を描いて回し、手が肩から上にあがった時点から下へ回す。手を上から下へさげる時には、両手の纏絲方向は親指先に回転（逆纏絲）する方向になる。この回転は丹田、腰、胸、肩、腕、手の順で伝達する。そして、胸と背中、つまり肺とも連動しており、肺の経と連動しているのである。

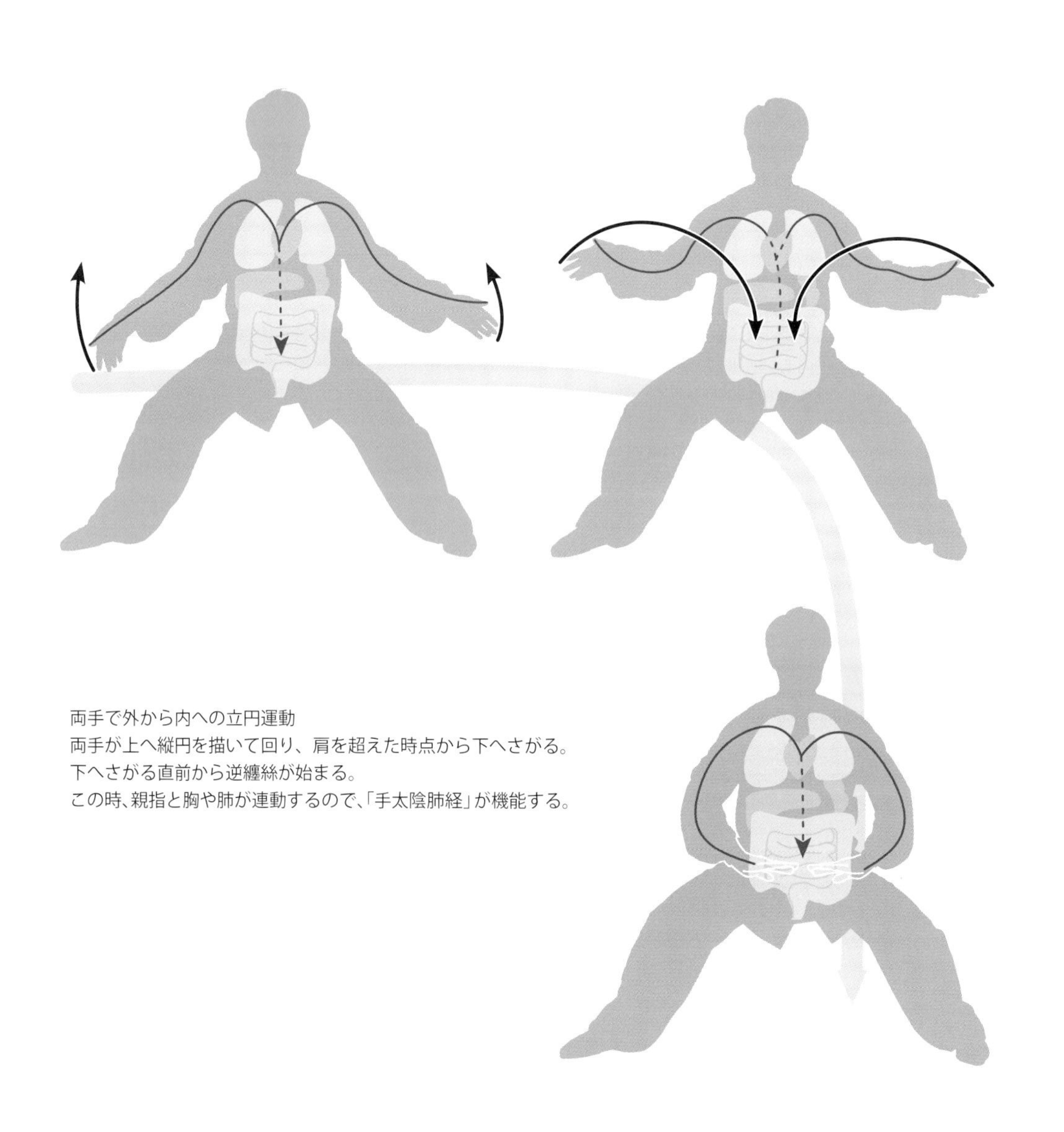

両手で外から内への立円運動
両手が上へ縦円を描いて回り、肩を超えた時点から下へさがる。
下へさがる直前から逆纏絲が始まる。
この時、親指と胸や肺が連動するので、「手太陰肺経」が機能する。

次に手太陽小腸経と攬紮衣との関連について例示したい。

攬紮衣は、右手を親指先に旋転（逆纏絲）させながら右へ展開し、最後に小指先に旋転（順纏絲）して収まる動作である。この最後の小指旋転時の腕の纏絲は肩、背中や胸そして腹（小腸）から伝わって来ている。

この一連の運動は、小腸を刺激するものになる。身体の運動が経絡を通じて五臓六腑を刺激し、該当する臓器を活発にすることで、身体全体の働きも活発にするのである。

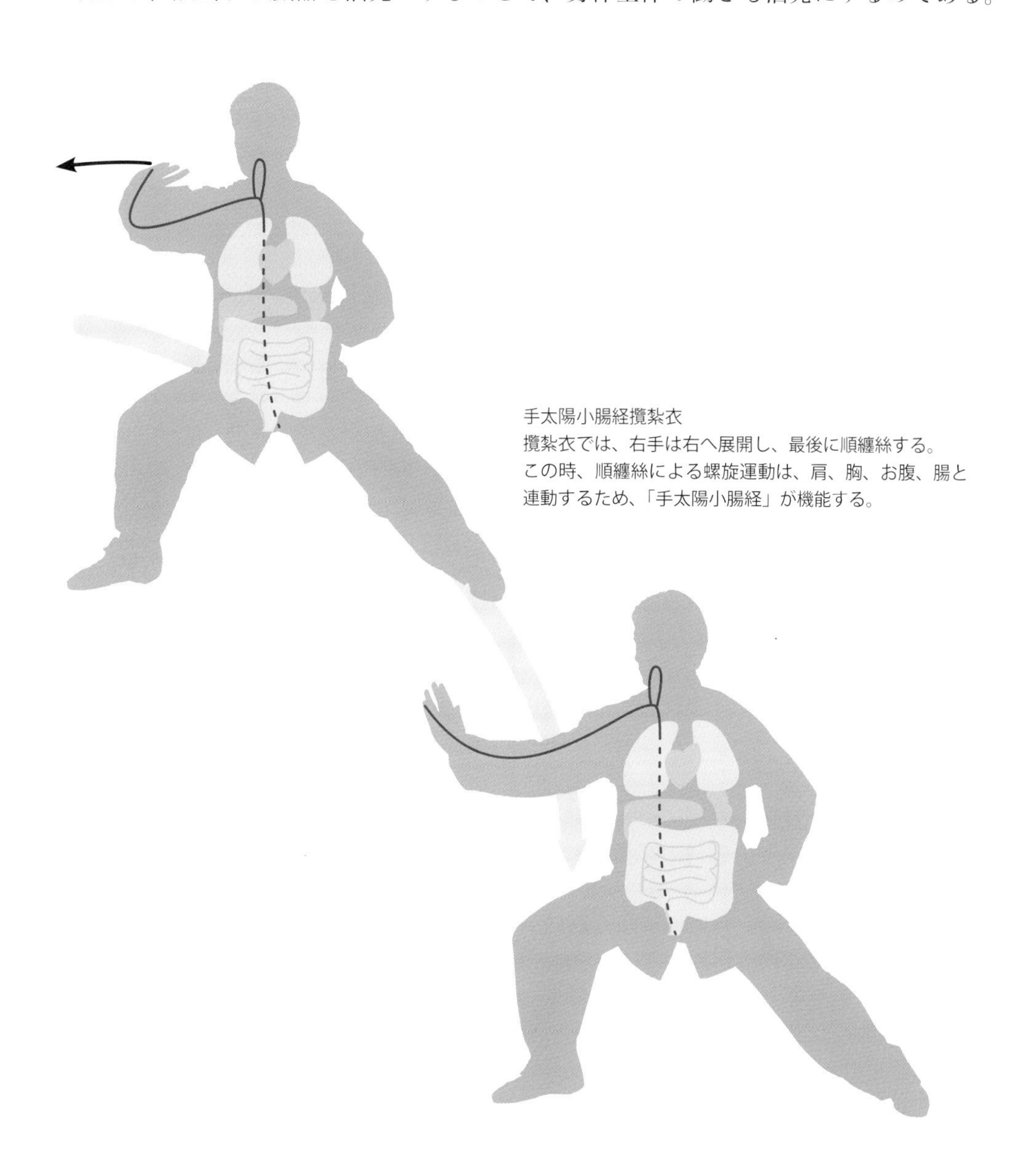

手太陽小腸経攬紮衣
攬紮衣では、右手は右へ展開し、最後に順纏絲する。
この時、順纏絲による螺旋運動は、肩、胸、お腹、腸と連動するため、「手太陽小腸経」が機能する。

任脈督脈と太極拳

任脈督脈と太極拳の関係は大変重要であり、陳鑫は『任脈督脈論』を著した。この『任脈督脈論』には、「毎打一勢、軽軽運行、黙黙停止……（中略）、日日行之、無差無間、錬之一刻、則一刻周天。錬之一時、則一時周天。錬之一日、則一日周天。錬之一年、則一年周天。錬之終身、則終身周天」と書かれている。

その意味を訳すと、次のようになる。

「一つ一つの動作は、軽々運行し、黙々と完成すること。停滞なく、日々このように正確に練習すること。その習得のためには、一刻一刻の全てに周天を行うことである」。

ここで言う「周天」は、任脈と督脈に沿って行う「小周天」という修練方法である。太極拳を行う場合は、「周天」を一刻一刻に行う。さらに、毎回の練習、毎日の練習、毎年の練習時には、必ずそのように修練し、それが一生続くのである。

その結果として、『任脈督脈論』では、「両腎如湯熱、膀胱似火焼、真気自足任督……」と記している。つまり、「両腎臓は熱湯に入っているように熱くなり、膀胱は火で焼いているように熱く感じる。そして、気は任督から得られる」と言っている。

重要なことは、任脈督脈に沿った「小周天」を理解することである。そのためには、まず丹田（太極拳でいう丹田とは、下丹田のことを示す）の存在を意識することである。丹田は、臍の下２～３寸の腹部の内側にあるが、解剖しても取り出すことができないものであるので、一つの球体をイメージすること。この球体は自由に回転できるものであり、その回転の動きを腎臓、腰、股関節、肩、四肢へ伝達するのである。

小周天の運行方法

ここで「小周天」の運行方法について簡単に紹介する。

太極拳には套路とは別に、站椿功（たんとう）や座功、採気などの練習方法があり、その練習では「小周天」を行う。

太極拳では、気や内勁は丹田から発生し、身体全体へ巡ることを講じる「気沈丹田」という重要な練習要領があり、それに従って丹田に気を集めることが必要である。

丹田に集まった気を、意識に従って会陰に降ろすように誘導する。会陰に降ろした気を、背部の督脈に沿って玉枕（ぎょくちん）まで上へ誘導し、さらに百会を通して、口内の上あごまで到達させる。

任脈は口の下部から始まるので、口腔の上下で、督脈と任脈は切断されている。この切断されている経路を、舌が架け橋になって気を督脈から任脈に渡す。これは太極拳練習要領の句訣の「舌抵上顎（舌を上あごに付ける）」の由来である。この句訣要領は秘伝の一つであり、昔は、外部者へは説明しないものであった。

このように舌から渡った気は任脈に入り、胸や腹部の中央に沿って丹田へ誘導し、再び会陰に戻る。

このサイクルを繰り返して行うのが、「小周天運行」である。

小周天運行を行うと、いろいろな感覚が生じるようになる。人によっては電気が流れるような感覚がある。長期練習すると、腎臓が熱くなったり、下腹部が気持ち良く熱くなったり、膀胱や会陰付近が熱くなることなどを感じられる。

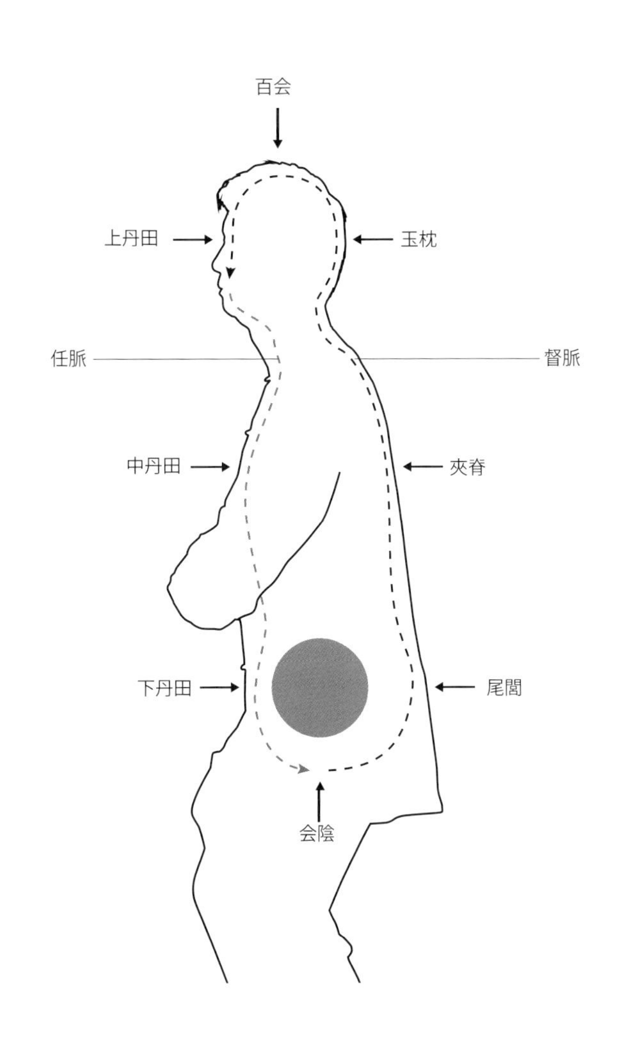

口中生津

小周天運行に付随して、「津液」について簡単に説明する。

先に説明したように、小周天運行を行う場合、舌を軽く上あごに付ける。この状態で時間が経つと、口内には大量に甘い口水が生じる。これが「津液」である。

「津液」は非常に素晴らしいもので、大事にゆっくりと、少しずつ喉を潤わせながら飲むこと。飲む時には、喉、食道、胃袋に入ることに意念を向けて、その動きを感じ取ること。

太極拳を練習している時にも、舌を軽く上あごに付けることが必要である。すると套路を練習している途中にも、甘い津液が口内に生じる。套路の最中も、何度も津液で喉と食道を潤す。絶対に吐き出してはいけない。

ただし、口内の全ての液体が「津液」ではないので注意が必要である。練習の準備段階（予備勢）では、雑念を除去し、心身放鬆（しんしんほうしょう）（次ページに解説）になってから練習が始まる。「津液」は、その状態から行われる「小周天」によって生ずるのである。その点では、「津液」は重要な「精」であるといえる。

4．太極拳の放鬆（ファンソン）

放鬆とは

太極拳で行われる具体的な放鬆について説明する前に、この「放鬆」という文字の持つ意味について考えてみたい。

「放」とは、閉鎖なく開放する、緊張なく緩める、拘束なく自由にする、障害なく円滑にする。または放棄、放任、放流、開放などの意味がある。

「鬆」とは、軽鬆、つまり軽く、硬くなく柔らかい、きつくなく緩んでいる、独立分散、バラバラな状態というような意味がある。

そして、放鬆は、リラックス、緩める、適当、適中に類する意味として中国社会に定着した概念である。

しかし、太極拳においては、放鬆は単なる身体のリラックスではなく、意識的な集中、精神的な開放、方と円形の運動のことを意味する。つまり、放鬆とは無力で純粋な柔でも、純粋な剛でもなく、剛柔がバランスよく配合された状態をいうのである。

捨己従人（自分を捨てて相手に従うこと）も、放鬆の具体的な表現の一つである。

このような視点から、著者は下記のように放鬆を定義した。

「放鬆とは、天道人徳に従って行動するための基本的な条件であり、放鬆そのものも天道人徳に従う行動である」。

「天道人徳」は、自然と人間社会の法則を指す言葉であり、人間はその法則を認知して従うべきであると考える。天道人徳の原理は、陰陽が共存し、バランスよく配合されていること（陰陽変換）であり、結果的に「適中」「不偏不倚」「大中之正」の状態に至る。つまり「中庸」あるいは「適中」「適切」であり、円滑、流暢、調和により、最小の消耗で最大な効果を達成できる行動である。

太極拳の戦闘理論としては、「随屈就伸」、「捨己従人」、「養精蓄鋭」、「後発制人」などがあり、真正面からの衝突を避け、円形を選ぶというものである。反対に放鬆しないということは、天道人徳に反して無理に真正面から衝突することであるといえる。

形、動作、精神的な放鬆

放鬆には大きく分けて三つある。「形の放鬆」「動作の放鬆」「精神的な放鬆」である。
「形の放鬆」とは、無用な緊張がなく、円形、円満で中正、柔らかく安定した形を作ることである。その上で任脈、督脈を内視して巡らせ、リラックスした状態を作る。
「動作の放鬆」は、丹田から動き出して、それが全身に伝わり、飾ることなく内から外へと自然に流れることである。方円相生、円滑、円形、螺旋、剛柔的な動きを保ちながら、動作から動作へと流れる。
「精神的な放鬆」とは、心を平静にして丹田に意識を集中することである。これにより、どのような状況に置かれても心を乱さず冷静でいられるのである。「気沈丹田」、「全意入境」などにより、超越しリラックスした状態になって、意、景、情、神で入境した状態である。
相手と推手する時に、強引に相手を制御しようとせず、相手と一体化して自分の身体の一部のようにできるのも、放鬆しているからこそ可能なのである。
人生においても、独立、自由、自強、自立、自信、冷静、落ち着くことを要求されるのであるが、太極拳がその訓練になるといえる。
以上のように、太極拳でいう放鬆には、ただ柔らかいだけではない、柔軟性の中に剛性が存在しており、同時に剛の中に非常に柔らかいものがあるのであり、それが太極拳の良否の判断基準となるのである。
「放鬆」は、物⇒運動⇒精神という三段階で理解できる。物（物質・人体）の状態を認知して、天道（自然法則）に従って行動し、そして人徳に基づいて考えて、他人と接することになる。精神的には、超越感、達成感、正確な判断、健康的な愉悦感、豊かな人間性を形成するのに役立つといえる。

個人、相手、群衆との放鬆

形、動作、精神的な放鬆の三つの区別とは別に、「放鬆」は「個人行動の放鬆」、「相手との放鬆」、「群集調和的な放鬆」という区別がある。
「個人行動の放鬆」とは、太極拳の套路練習や座功、站樁功などの練習の要領である。個人練習において調和する対象は自分自身である。自分の意志に従って行動する時、その意志は客観的に矛盾していないだろうか。つまり、客観的に自分を見て、矛盾がないように行動するべきである。

「無人若有人（相手がいないのに，相手がいるように練習すること)」は、意、景、情、神の練習方法である。一人で練習すると、集中力が無くなり、十分に専念して練習できなくなることがある。これに対して、「意断神来接（「意」が切れないようにするが、「意」が切れても「神」が結んでくれる)」という集中力の練習がある。

「相手との放鬆」とは、陰陽変換の理解応用のことである。

相手と自分は一陰一陽で、その変換、弾性的、剛柔併用、「剛中有柔、柔中有剛」は放鬆のポイントである。

この時の柔や円とは、無力な柔ではなく「剛柔相済」の柔であり、円は無制限に摩擦がない状態ではなく「方円相済」であり､陰陽変化のバランスの良いところを狙うことである。

つまり、相手に従い、円形的に回転して変化させ、相手を利用するのである。すなわち、「不頂不抗、不偏不倚」、「随屈就伸」、「捨己従人」、「沾粘連随（せんねんれんずい）」、「養精蓄鋭」、「後発制人」の要求を満たすようにする。

逆に放鬆をしないことは、硬く、緊張して自分の一方的な意志で強行することになることを忘れてはならない。

「群衆調和的な放鬆」とは、真正面で抵抗しないこと、「寡不敵衆（集団に対してたった一人で対抗せず、その剛な勢力と交ること)」、大勢の群衆に抵抗せず、群集に敵せずにいることである。

この時、「随機応変」はよいが、「随波逐流」は禁物である。「随波逐流」とはつまり、波のままに流れ自己判断をせず、自分の見解を持たず人の尻馬に乗ることや物事の成り行くままに従うだけの状態である。これは間違った状態である。

「養精蓄鋭、為而不争」(鋭気を養い、力を蓄え、敵の疲労を待つ)。つまり、放鬆して、大勢に無理矢理抵抗せず、自分の努力で目標を目指すのである。

大勢の群集に囲まれた状態では、冷静な判断と精神的な放鬆が極めて重要である。

5．太極拳の学習段階

学習法の五段階

伝統的な学習方法は、大きく五段階になっている。

先生が生徒の太極拳を一回修正することを、中国語で「一遍」という。太極拳は、一回、二回……と、段階を踏んで修正しながら上達していくことになっている。陳氏太極拳でも、学習段階を一遍拳、二遍拳、三遍拳、四遍拳、そして五遍拳と呼ぶことがある。

太極拳の練習は、いつどのように上の段階へ移るのかといえば、段階と段階の間に細かく明確に標準化された基準はない。だが当然ながら、各段階において学習するべき内容については、陳一族は大抵似たような考えを持っている。それによると、各段階において学習する内容がかなり異なっていることが伝えられている。

ただし、努力によって生徒が上達し、先生の感覚的な判断によって練習段階が上がっていくことには違いなく、それは伝統的な方法であり、自然な形である。

一遍拳

一遍拳は「搭架子」、あるは「盤架子」ともいわれる。この段階は、基礎架（入門段階の基本的な形）の形を丁寧に学習することを通じて、太極拳の基礎を正しく身に付ける段階である。

本来、中国語でいう「架子」とは「フレーム」や「フォーム」等の意味で、太極拳の形、あるいは種類を「架子」「架式」と表現する。

「搭架子」とは形作りという意味で、先生が自らの手で学生の身体を一動作毎に厳しく修正し、太極拳の功夫を積み上げるための容れ物作りを意味する。

「盤架子」の「盤」には「工夫をする」という意味があり、汗を流しながら繰り返し修正しながら、きちんとした形を作り上げてゆく、という全部の過程を含め、最初の形を作ることを「盤架子」という。

また、この段階における学習方法を、粘土を捏（こ）ねながら形を整え、土人形を作るのに喩（たと）えて、「捏架子」と呼ぶこともある。

この練習段階では、四肢の基本的な要求や円艡（えんとう）、立身中正、含胸抜背、放鬆、沈肩墜肘、周身放鬆、上下相随など、陳氏太極拳を練る上で必要となる、基本的な身法を身に付ける。

盤架子の内容は、深い理論、高いレベルの練習方法にも関連するものだが、まず最初の段階での練習内容として、①歩法、②手法、③身法の三つに分類することができる。

①歩法とは、足の出し方、運び方などである。②手法は、手の形、手の動かし方、腕の回転などである。③身法は、上体が立身中正になっているかどうか、腰の動きなどである。

これらは基本功に含まれ、①②③のそれぞれに深い理論や哲学があるが、まだこの段階では単に基本の動作を勉強するのである。

太極拳の動きをチェックする時にも、大抵この三つの部分に分けて見ていくことになる。肘、肩はさがっているか、円艡はできているか、身体の上と下の連続性、全身の一体性があるかどうかである。太極拳は身体の各部分を独立して動かすが、全体は纏まった一つの円の動きになっている。放鬆しているかどうかも見る。このような基本的なことができているかどうかを判断する。

以上は外から見て分かることだが、その他に「方」と「円」も見ることができるだろう。

綺麗な動作をしていても、立身中正に注意していても、捻りすぎ、作りすぎ、粘りがない、全体が分散しすぎ、という動きは、伝統の太極拳の基準には合わない。

「方」の中に「円」があり、「円」の中に「方」がある。太極拳は「方」と「円」の結合であるということを理解すること。

二遍拳

二遍拳では、主に内勁を学ぶ。勁を知り、理解することを目指すので懂勁（とうけい）、懂拳（とうけん）と呼ばれる段階である。外部の形から内部の形へと発展していく段階であり、本当の太極拳の練習はここから始まるともいえる。

この段階から、学ぶ者の理解のずれや体質、体形の違いにより、外部動作に多少の変化が見られ、太極拳の個性も出てくる。

この段階で練習の要点は、

「以肩帯肘、以肘帯手」（肩で肘を動かし、肘で手を動かす）

「以胯帯膝、以膝帯足」（胯で膝を動かし、膝で足を動かす）

「以手領足」（手で足を導く、或いは上下を合わせる）

「腰為主宰」（太極拳の動きは腰から動く）

である。

腰というと、一般に腰を一塊のものとして考えられがちであるが、太極拳では腎臓の辺り、左右に一つずつ「腰眼」があり、その左右の腰眼を中心に腰を回し動かすことになる。ただし、初心者は上級レベルの人の動きを真似して腰・肩を動かすと変な癖が付くため、初心者は単純な形、基礎架の通りに動くこと。基礎架が綺麗にできないうちは、内勁の学習をしないほうがよい。

三遍拳

三遍拳の段階から内気運行と発勁動作を増やし、発勁はいつでも、どの部位からでも行えるように訓練していく。基本的には三遍拳の段階から陳氏太極拳第二路を学び始めるが、現在では表演のために早くから二路を学ぶようになってきている。

二遍拳の段階を終えていない者がむやみに発勁を行っても、それはただ力を入れたり、動作の勢いを付けただけのもので、真の発勁にはならない。それだけでなく、身体を壊すことがあるので注意が必要である。

太極拳を始めてまだ一、二年の者が発勁動作を真似して盛んに練習する姿が見られるが、これは非常に身体に良くない。勝手に自分のレベルを超えて無理に訓練してはいけない。

四遍拳

四遍拳は、勁の緩急、陰陽の変化を完全に習得する段階である。この段階から、太極拳の運動の圏（内勁や外形の円運動、纏絲や螺旋運動の総称）を小さく鋭く行うようになる。つまり大圏から小圏、小圏から無圏を目指す。最終的に無圏の状態になった時、「圏が入骨する」という。この状態では、全身が拳であり、気が全身に廻り、気に従って自由な太極拳ができるようになる。

五遍拳

五遍拳は無形の形の段階であり、この段階に至れば、動けばすべてが太極拳となる。

学習段階と注意点

こうした学習段階は、大きな螺旋纏絲から小さい螺旋纏絲へ、大きな動作から小さい動作へ変化する。最終的には、一見して真っ直ぐのような、簡潔で速やかな動作になる。したがって、太極拳の形、姿は変化する。

個人で練習する場合、どの段階の動作で練習するのか？　演武する場合にどの段階の動作を見せるのか？　高い段階に至った者は、どの段階の動作でも練習できるが、基礎架を練習することは少々不自由と感じるかもしれない。

三遍拳は、昔から秘密にされているため、演武する場面が極めて少ない。今日の中国でも三遍拳の一部分を演武しても、それを認識する者は少ないだろう。場合によっては、間違った動作であると評価される可能性もある。

纏絲の学習は大きい圏（大きな円形）から練習することが必要である。そのため、拳理を十分に理解せずに無理に小さく練習すると、硬い太極拳になるだろう。特に小架式の場合、小さいほど良いと考えて、段階的に学習・練習を行わないと、硬い太極拳になりやすい。外観上は小さく、速やかな動作であっても、その実、纏絲がなく、内勁が十分に練られておらず、肘も肩も固定されたような太極拳になるだろう。

太極拳のこのような伝統的な学習方法は、習字（書道）と同じである。小学校の時には、教科書の活字と同じような文字の書き方を覚える。上手くなったところで行書を学ぶことで、少々自由で流暢な文字を書けるようになる。しかし、行書にも書き方のルールがある。行書の一段上のレベルへ達したところで草書を学習することで、自分の感情によって自由に文字を書けるようになる。そして文字を長年書くうちに、文字に個性が表れるのである。

太極拳もこれと同じように、長い歳月を練習すると、個人の人格や性格が動きに表れるようになる。太極拳に、その人の素養や性格までもが見えるようになるのである。

6．陰陽太極理論

陰陽太極理論は、中国社会や中国人の思考･行動を支配しているともいえるものであり、アジア諸国の文化にも波及している。

陰陽、太極については、以降に解説するが、簡単に説明すると、「太極」とは「陰陽」という二つの矛盾する要素の統合体である。

陰陽、太極の理論は、陰と陽の対立、統合、変化等々の法則を考察し、宇宙や自然を理解する理論となっている。それらの法則を用いて人類社会、人間の行動、そして人間身体、つまり万物の現象や法則を解説しようとするものともいえる。

太極拳においては、人体の運動法則、動作編成、実戦理論、養生理論、そして太極拳の特有な人生観や社会観など、いたるところに陰陽太極理論に従うという要請がある。

この節では、太極拳をより深く理解するために、陰陽太極の理論及びその歴史と変遷について解説する。

陰陽思想と太極図の出現

中国の春秋戦国時代の『老子・道徳経』

河南省の名所に函谷関がある。函谷関は中国の西へ行くために通る要塞の一つであり、現在も高速道路や高速鉄道がその地を通っている。

函谷関

中国の春秋戦国時代のある日の朝、函谷関の関令（関所の役人）尹喜は、東から「紫気（紫色の雲）」が飛んできたのを見た。尹喜は、この現象を聖人到来の前兆であると考えた。現在の中国でも、「紫気東来」は吉兆で縁起の良い言葉としてよく使われている。

数日後、一人の老人が青い牛の背に乗ってやって来た。この老人は、名前を李耳(字、聃)、または「伯陽」といい、我々が老子と呼んでいる人物である。老子は反権威主義としてよく知られている哲学者である。尹喜は、大変嬉しく思い、李耳に書や理論を書くことを要請した。こうして老子は函谷関に泊まり、『道徳経』を完成させたのである。

この『道徳経』は『老子』とも呼ばれ、『孔子』や『孟子』と並ぶ偉大な理論である。伝説によると、孔子も老子に教えを受けたことがあるという。

著者の理解としては、『道徳経』は「天道」を明らかにする理論であり、さらにその天道を人間社会に照らし、「人徳」を明らかにするものである。「天道」とは、「天」つまり宇宙や自然、万物の法則を意味し、「人徳」とは、人間そのもの及び社会の基本的な法則やルールであると考える。

この『道徳経』の第42章には、「道生一、一生二、二生三、三生萬物。萬物負陰而抱陽、沖氣以為和」と記述されている。古今の学者たちは、この言葉について様々な解釈をしているが、いずれも万物の誕生や、そして万物は「陰」と「陽」を含んでいるという共通の認識に至っている。これを「陰」と「陽」という思想の始まりと考えている。

『道徳経』は、「天」と「地」、「強」と「弱」、「大国」と「小国」、「富」と「貧」等々の対立しているものの関係や法則を論じ、「陽」と「陰」を用いて宇宙や人間社会を解説しようとしている。よって、『道徳経』は宇宙万物や人間社会の「道」と「徳」についての哲学であるといわれている。

中国の商周時代の『易経』・『尚書』

実は、中国の商周時代に『易経』に関わる思想も出現している。「易」に関わる著作は数多く存在するので、その詳細な解釈は省略する。

『易経繫辞伝』には、「易有太極、是生兩儀、兩儀生四象、四象生八卦、八卦定吉凶、吉凶生大業」という記述がある。ここにある「兩儀」とは、「陰」と「陽」のことを示していることから、次のような解釈になる。

「易は太極があり、それは陰陽という両儀から統合して生まれたものであり、この両儀からは四象が生じ、四象からは八卦が生まれた。八卦を用いて吉凶を判定し、吉凶は天下の大業を生ず」。

「易」は古代中国の天文気象や、自然現象を観察し、吉や凶を予測する方法として発展してきた。

同じ商周時代には、『尚書』または『書経』という書物があり、その中には「五行、一曰水、二曰火、三曰木、四曰金、五曰土。水曰潤下、火曰炎上、木曰曲直、金曰從革、土曰稼穡。潤下作鹹、炎上作苦、曲直作酸、從革作辛、稼穡作甘」と論じている。

同時代には類似の理論があり、これらの理論は「五行説」の始まりになった。「五行説」では、宇宙万物またはその活動現象を、木、火、土、金、水の五種類の要素に分類し、互いに影響し合い、与え合う法則を説明している。

漢朝・宋朝時代の「陰陽太極理論」

漢朝から宋朝に至る時代の学者たちは、これらの理論を結び付け、陰陽太極の理論を発展させてきたのである。

現在、我々が読んでいる陰陽や太極に関する理論書の多くは、宋朝の書物か、あるいは宋朝の書物を基に明や清の学者たちによって書かれたものである。例えば、北宋の周敦頤（しゅうとんい）が『太極図説』を残しており、南宋の朱熹（しゅき）も数多くの理論書を残している。

太極図と河図・洛書

陰陽や太極の思想を図に表しているのが「太極図」である。太極図の出現については、いろいろな伝説がある。

一つの伝説は、陳家溝の南西20kmの地、伊洛河と黄河交流の地での出来事である。伊河と洛河の二本の河があり、これらは黄河に向けて流れている途中で合流し、伊洛河という一本の川になる。

伊洛河に流れる水は澄んでいる。一方で、黄河は砂を運んでいるので黄色の水が流れている。伊洛河と黄河が交流する場所では、澄んだ水と黄色い水が大きな渦になって、太極図のように見える。伝説によると、この様子を伏羲（ふっき）氏が見て、「太極図」を構想し、「八卦」を作ったとされている。このような伝説は、河南省、特に陳家溝辺りに広く知られている。

伊洛河と黄河の交流する場所としては河洛鎮が有名である。筆者が陳家溝へ帰る時、そこで黄河大橋を渡る。そのため、何度もその交流場所を見に行く機会があったが、残念ながら太極図のような模様を見ることはできなかった。

澄んだ水と黄色い水が交わって、
太極図のように見える。

もう一つ別に「河図」と「洛書」を由来とする説がある。中国には次のような伝説がある。竜馬という神獣が黄河から現れ、その背には「河図」という紋様があった。また、神亀という神獣が洛水（洛河）から現れ、その背には「洛書」という模様があった。伏義は、この「河図」と「洛書」を見て、陰陽太極の原理を想起し、太極図を作成したという。

この「河図」と「洛書」の伝説には幾つかの異なるパターンがあるが、中国では広く一般に知られている伝説である。

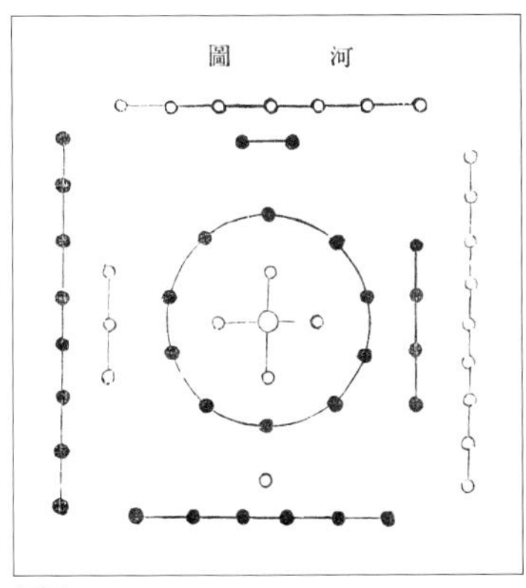

河図

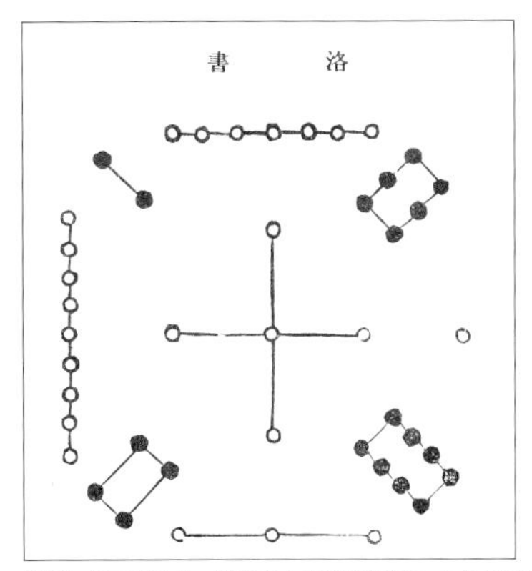

洛書（左図とも『陳氏太極拳図説』より引用）

竜馬が河図を背負っている。

神亀という神獣が落書を背負っている。
（左図とも『陳氏太極拳彙宗』より引用）

太極図及びその基礎理論

易学では、太極から始まる宇宙の生成を描いた太極図が用いられるようになった。ただし、その太極図は幾つかの種類があり、その意味も深い。ここでは、太極拳と深く関わるいくつかの太極図を簡単に紹介したい。

陰陽魚太極図

まず、一般に馴染み深い太極図は「陰陽魚太極図」であろう。この図は、半分黒と半分白、二匹の魚がいるように構成されている。

一般的に、「陰」を表す黒が下に描かれ、「陽」を表す白色が上に描かれる。この黒と白の幅は互いに変化する。白い色が一番多い部分から反時計回りになぞっていくと、白が減って黒が増大していき、やがて黒が最大になる。さらに黒色が一番多い部分から反時計回りになぞっていくと、黒が減って白が増大していく。これは、陰が極まれば陽になり、陽が極まれば陰になることを意味している。

陰陽魚太極図

また、陽が一番強くなっている部分でも、その中央には黒い点があり、同じように陰が一番強くなっている部分にも中央には白い点がある。これは、陽の中に陰があり、陰の中に陽が存在していることを表現している。

心易發微伏義太極図（『陳氏太極拳図説』より引用）

宇宙万物は「陰」と「陽」の二気に分けられ、陰と陽は対立しているが、一体になって統合している。陰から陽へ、陽から陰へと絶えず変化している。

これは、宇宙万物の運動法則を表して

おり、中国語では「消長」「化生」といわれている。「陰」と「陽」は互いの「根」である(陰陽互根)。つまり、陰から陽が生じ、陽から陰が生じるのである。
「陰陽魚太極図」は、宋代に出現したといわれている。そして、元や明、清代に渡って、様々な解釈が加えられて、その理論はさらに豊富になった。「陰陽魚太極図」は、「天地自然之図」「天地自然河図」とも呼ばれ、その描き方も様々にある。八卦と合わせて表現したものもある。

来知徳太極図

来知徳(らいちとく)は、明朝の哲学者、陰陽理論の理数学者である。来氏が作成した「来知徳太極図」は、円の中に円があり、円環の間に白と黒の部分を分けるというものである。

白い部分と黒い部分の幅の「消長」変化は、先述の「陰陽魚太極図」と同様の意味である。

この図の、白い部分の幅が一番大きなところに黒い線がある。逆に、黒い部分の幅が一番大きい所には白線がある。つまり、白が減り、黒が増大していき、やがて黒が最大になると、白が生まれ始める。これは、陰が極まれば陽になり、陽が極まれば陰になること。陰が極まれば陽が生じ、陽が極まれば陰が生じることを表し、円環全体で気が生じて休まず、永遠に循環することを示している。

「来知徳太極図」と河図の関係は「河図太極図」のように示される。白点と黒点の数の変化から大変立派な理数関係が隠れている。これは、来知徳は河図を解釈しているという説があり、河図を参考にしてこのような太極図を作成したという説もある。

来知徳太極図

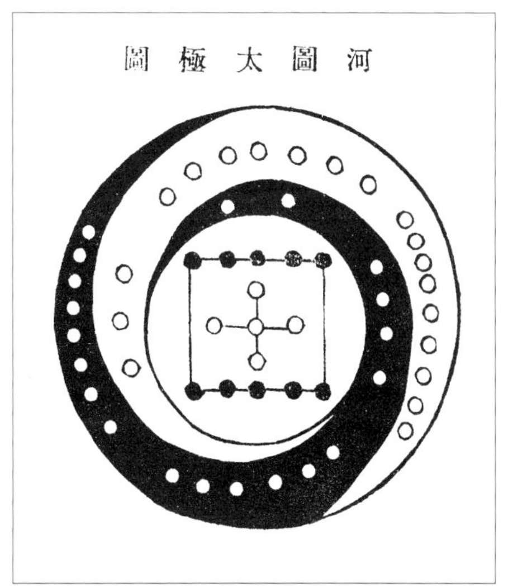

河図太極図(『陳氏太極拳図説より引用』)

周敦頤太極図

周敦頤は北宋の儒学者であり、著名な『太極図説』の著者である。『太極図説』は、わずか250文字程度で、宇宙、人間、道徳の基本を説明したものである。『太極図説』では、「太極」が宇宙の根源であり、人間を含む宇宙万物は陰陽という二気、そして金、木、水、火、土の五行の相互変化、錯綜や作用によって生成されたものである、としている。

『太極図説』は次のように説明している。

「無極而太極　太極動而生陽　動極而静　静而生陰　静極復動　一動一静　互為其根　分陰分陽　両儀立焉　陽變陰合　而生水火木金土……」

これを訳せば、

「太極は無極（混沌）から生まれる。太極が動（運動や変化）すると陽を生ず、動が極まって静になる。静は陰を生ず、静が極まると再び動が始まる。動と静は、互いにその生まれる根になる。陰と陽のことを両儀といい、陰陽の変化や作用によって、水火木金土が生まれる」

となる。

このようにして、周敦頤は『太極図説』によって、『老子道徳経』の無極や陰陽五行を解釈したともいえる。

周敦頤の太極図は五層の構造になっている。この太極図の書き方は細部に色々な変化があり、「宋周子太極図」は南宋の朱熹氏が変化させた太極図である。

第一層を空圏といい、空の円である。これは無極を表している。

第二層は三重の黒白の半円の組み合わせである。その中心には円があり、この層の下にも下凸の半円がある。これは、陰陽の分離と統合、相生と相克を表す。これらの陰陽の相互作用によって五行が生まれるので、これは第三層の金、木、水、火、土の相生と相克の関係を表している。

第三層の一番下には、さらに小さな空円があり、続く第四層と第五層は空円である。

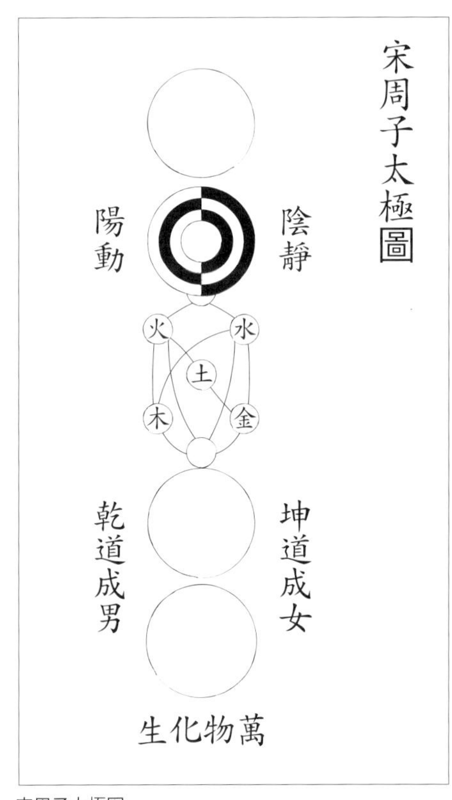

宋周子太極図

この部分に関しては様々な学説があるが、一般に「無」と「有」の哲学概念及び五行の相生相克の原理を表している、といわれる。また、第四層、第五層には、「乾道成男、坤道成女（乾の道は陽で男をなす、坤の道は陰で女をなす）」とあり、また「氣化形（あらゆる物・形は気から構成された）、萬物化生（万物が生まれた）」として、人間の繁栄や万物の生成を表している。

陰陽太極理論と太極拳の関係について

前述のように、陰陽太極理論は中国社会や中国人の思想・行動を支配している。つまり、戦争、政治、生活、医学など、様々な分野における基本理論になっている。陳鑫も、来知徳の太極図を用いて、一年の四季の変化を説明している。

さて、ここからは陰陽太極理論と太極拳の関係について、概略的に説明することにする。

まず、太極拳で論じられる気の運行や養生理論も、陰陽理論と深く関わっている。前述したが、人体の主な臓器は五臓六腑に分けられ、臓は陰に配当し、腑は陽に配当する。そして五臓六腑の関係は、陰陽理論によって解説され応用されている。

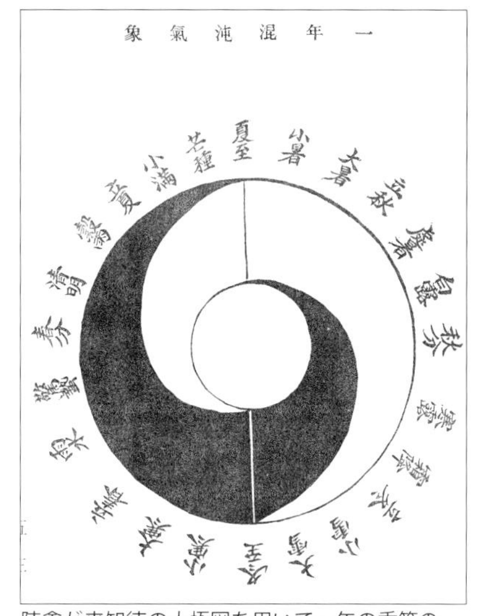

陳鑫が来知徳の太極図を用いて一年の季節の変化を説明している。

また、これも前述したが、太極拳の動作は経絡と深く関わっている。この経絡も陰経と陽経に分けられている。太極拳の採気法や套路等は経絡理論に関連する要領がある。

太極拳は、独特な人生観を持ち、その基本理論はもちろん、陰陽太極の理論に基づいているものである。

太極拳の練習要領にも、陰陽の理論を読み取ることができる。例えば、「剛柔」、「方円」、「内外」など練習要領は、陰陽関係のように対立している要素を統一するものともいえる。さらに、太極拳の方位や歩法、戦う時の力加減や力の方向等は、この理論に基づいて変化するのである。

予備勢――無極から太極になる

例えば、太極拳を練習する際は、必ず「予備勢」が必要である。この動作は、「無極」から「太極」への変化の過程を、身体で再現している。

動作を開始しようとする時に、「予備勢」で静かに立って、意念を丹田に集中する。この時の意念の使い方としては、喜びもなく、悲しみもなく、超越した状態で、何もない「空」の状態、つまり「無極」状態である。

そして、丹田から陰陽が誕生し、太極状態になる。ここから「気」や「勁」が身体全体の至るところに巡り、その後に動作し始めるようになる。

このように、万物の生成原理に従って、太極拳を練習するのである。

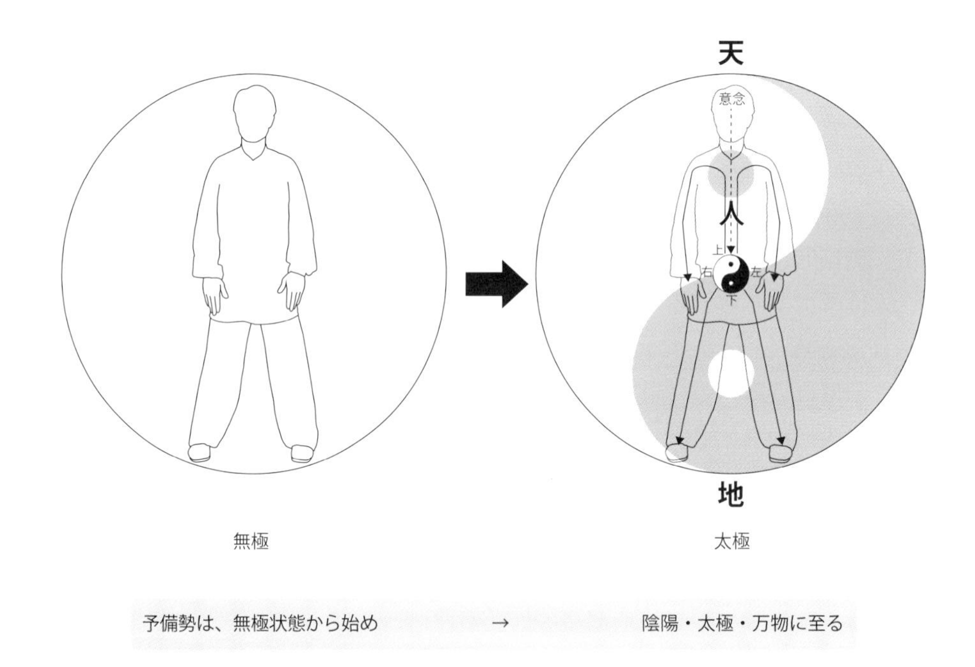

予備勢は、無極から太極に至る過程を体現しており、ここから万物が生まれるのである。

攻防技法と陰陽太極理論

太極拳の攻防技法においても陰陽太極の理論が重要である。例えば、太極拳には「不偏不倚」「大中之正」という要領があり、「偏りなく、中心を求めること」を意味している。もちろん、それらの要領は套路の練習にも要請されるが、戦いにおける技法としても解釈できる。

実戦用法としては、相手の力の中心を見つけて、相手（陰とする）と自分（陽とする）の力のバランスの加減を知り、変化することによって、勝利に至る法則を講じている。

当然、「相手の力の中心を見つけること」も陰陽を理解すること、そのバランスを測ることになる。

太極拳者は「権」である

太極拳は「ちょうどよい」陰陽のバランスを求める拳法である。「不偏不倚」「大中之正」という句訣の意味は偏りなく、中心を求めて中庸を保つことである。陰陽太極の理論は、「適中」「適切」「ちょうどよい」という意味もある。「適中」「適切」「ちょうどよい」という状態で、変化が上手く行われる。

これは、太極拳の推手用法や套路練習だけではなく、人生観の本幹にもなっている。

陳鑫の『陳氏太極図説』では、「太極拳者権也、権物而知其軽重」と言っている。よって、太極拳の練習は「権」をすること、推手も「権」をすることである。ここで言う「権」とは、現代人では「権力」を思い出させる文字であるが、元々の意味は、「衡器（こうき）」のことで、「権衡（けんこう）」とはつまり「計る」という意味である。

例えば、自分と相手の力を測ることも「陰陽」を知ることである。「陰陽」の状態を知り、陰陽変化の原理に従って行動すれば、勝つのである。例えば、相手が攻撃してきた時に、その力の中心を測り、その中心からわずかに避けることによって正面からの衝突を避けられ、互いに回転することも可能になるのである。

自分と相手は、無理矢理に対立するのではなくて、相手に従いながら回転して、相手の力の方向に捨己従人（自分を捨て相手に従う）することである。

このように説明すると、「筋肉の力をどの位使えばよいのか」と考える人もいるかもしれないが、太極拳の陰陽はいつも変化しているので、常に状態を把握して変化する意識を持たなければならない。これができるのは、放鬆した状態になっていなければならない。

相手と自分は、一陰一陽で、その変換は弾性的で剛柔併用である。「剛中有柔、柔中有剛」は放鬆のポイントである。

推手と「引―進―落―空」

太極拳で求められる柔は、無力な柔ではなく「剛柔相済」の柔である。また、太極拳が求める円とは、無抵抗に逃げる回転ではなく「方円相生」である。つまり陰陽変化のバランスの良いところを狙うことが重要である。相手に従い、円形的に回転して変化させ、相手を利用するのである。

推手では、相手の力を受けて吸収して、相手へ反撃する――つまり化勁と反撃の一連の過程は「引―進―落―空」と表現できる。陳鑫の『陳氏太極拳図説』において、この一連の変化の自らの力の方向や加減を右図のように表している。

このように、陰陽や太極の理論は、太極拳の隅々にまで及んでいるのである。

太極図に基づいた推手の「引―進―落―空」
（『陳氏太極拳図説』より引用）

1. 基本功について

基本功の学習法の今昔

基本功とは一般的に、入門段階において学ぶ姿勢や立ち方、手や足の基本的な使い方をいう。ただし広義には、基本功は必ずしも入門段階の技術ではなく、例えば内勁を習得するための纏絲の技術や、採氣を学ぶための様々な站樁なども基本功に含まれる。

昔の伝統的な学習方法と比べて、今日の教授方法や学習システムは変化している。昔の太極拳や武術の学習者のほとんどは、実戦に用いる真の武術、武芸の習得を目的としていたため、社会全体を見ると学習者は少人数であったが、その質は高いものだった。よって、入門段階に基本功を学習したら、すぐに伝統太極拳の一路の学習を始めたものである。一路を学習する中で基本功を身に付けるという学習システムであった。

著者の少年時代には、手法や歩法などの基本功を長期間練習することはなく、一路を覚えて行く中でいつの間にか太極拳の基本が身に付いてきた。実は、筆者が日本に来た当初も同じ方法で教授していた。

このような学習システムの中では、一路も太極拳の基本功であると言ってもよいだろう。

しかし、近年では太極拳の普及に従って、学習者の人口も増え、その年齢層も、学習目的も様々になった。その状況下で誰もがスムーズに太極拳を学習できるようにするために、いろいろな先生方が努力して、基本功を整備・充実してきたのである。

本書では、伝統太極拳を学習するために本当に必要だと思われる基本功——手形、手法、身法、歩法を抽出して、その概要を簡単に述べる。入門段階の初心者ための基本功の詳しい解説や学習方法については、著者が出版している書籍やDVDを参考してほしい。

正しく基本功を学ぶこと

「学拳容易改拳難」という諺がある。その意味は、「太極拳を学習することは容易であるが、それを修正することは大変難しい」ということである。

太極拳の練習者であれば、そもそも太極拳の学習が容易ではないことは分かっているだろう。だが、一度付いた癖を直すことに比べれば、太極拳の学習の方がまだ容易である、といっているのである。

実際、一度変な癖が身に付いてしまうと、なかなか直らないものである。癖を改めることができなければ、一生間違ったままで練習を続けていくことになりかねない。それだけに基本功を正しく学習することは大変重要なのである。

もう一つ諺を紹介する。「功夫炉火純青」。この諺は、「素晴らしい功夫は、雑味がなく、綺麗な青い炎のように純粋である」という意味である。

中国拳法における功夫は一種の文化であり、動作や身体の動きの純度が評価される。もちろん、その評価とは、現在の試合大会のように外観動作のみを見るものではない。動作や佇まいから滲み出る神や、内部で働く内勁も含んでおり、素晴らしい功夫は純度が高いものだ。正しく功夫を身に付けることは、素晴らしい基本功を正しく学習することから始まることを忘れてはいけない。

著者が子供のころに、温県で行われた演武大会に参加した時のことである。その参加者の中で、背中や首に病を患っている指導者がいた。その指導者の演武動作は、病気のために背中を捻っていた。そして、その指導者の学生たちの演武を見ると、背中に問題がないのにも関わらず、なぜか皆、背中を捻っていた。

指導者は学生への影響力が強く、良くも悪くも大きな影響をもたらすものである。もし、指導者になりたいなら、基本功を忠実に練習して、後世に正確な太極拳を残してほしい。

基本功の内容

本書で紹介する基本功について簡単に説明する。

手形、脚形、歩形など「形」と付いているものは、「かたち」を示す。

手法、歩法、膽法（とうほう）、身法、肘法など、「法」と付いているものは、その部位の運行や運動方法、使い方（基本的な用法）を示す。

歩形 1 馬歩

馬歩（寛馬歩）

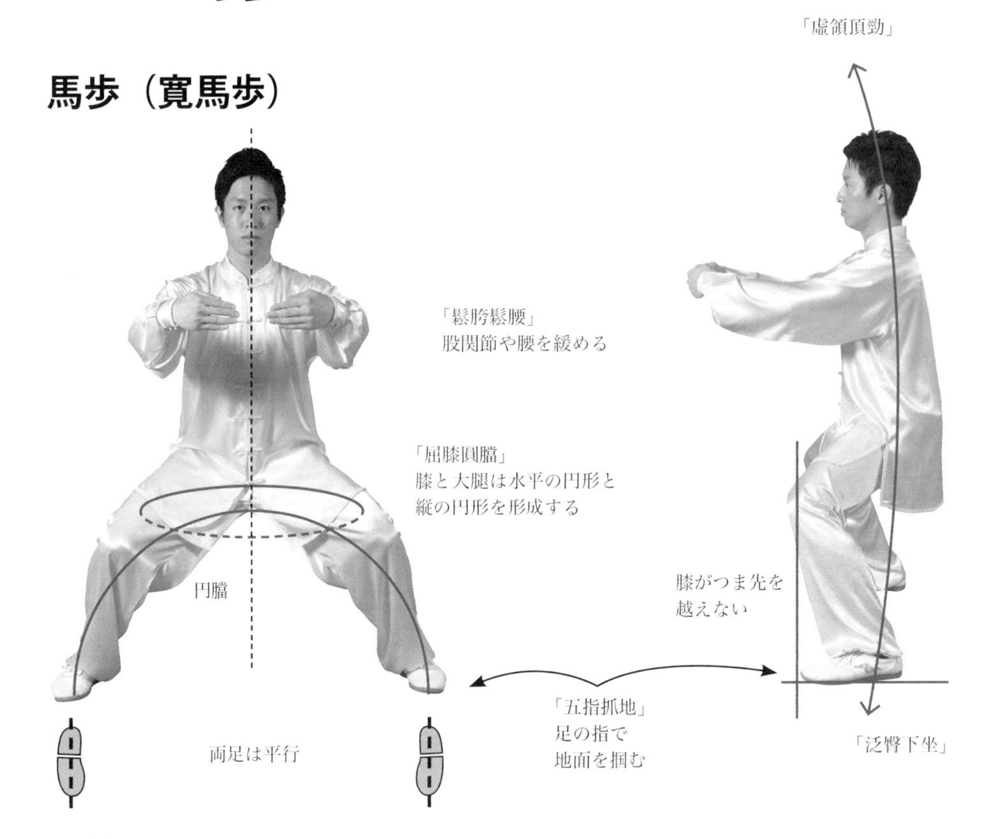

馬歩は両足を平行に置き、両膝を曲げて座るように腰を落とす。

両足の幅が足長の約３倍である馬歩を「寛馬歩」といい、これが基本となる。

両脚を開いて立ち、足底を地面に着ける。つま先の方向は套路や用法によって変化するが、基本功としては両足を平行に置いてつま先を真正面に向け、外八字に開かないこと。

両膝を曲げて腰を落とす際に、普段の練習では膝がつま先を越えないようにする。

腰の高さは練習の段階や用法、套路の要領によって変化する。低い場合、大腿が地面と平行になることもある。

要領としては「鬆胯鬆腰（股関節や腰を緩めること）」、「屈膝円襠（膝を曲げて、膝と大腿は水平の円形と縦の円形を形成すること）」「五指抓地(足のつま先は地面を掴むこと)」がある。

円襠がなく、膝が外に張り出したり、内に閉じたりしてはいけない。つま先や踵が浮いてしまわないように注意が必要である。

「騎馬蹲襠」という句訣がある。「蹲」はうずくまるという意味で、足を馬に乗っているようにして、腰を低くすることである。

小馬歩

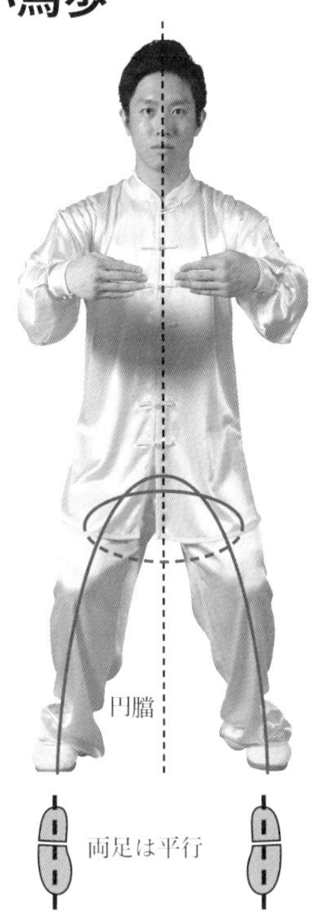

偏馬歩

また、「懐中抱斗（かいちゅうほうとう）」という口訣もある。「斗」は枡（ます）、穀物を測る器具である。胸は常に枡を抱くようにするのである。

「虚領頂勁（きょりょうちょうけい）（頭の頂点は常に上へ上げる）」で頭を「天」へ届かせるような意識を持ち、さらに「泛臀下坐（はんでんげざ）（尻が下へ座る）」の要領で「地」へ通じさせる意識を持つと、身体が上下に伸び、「立身中正（りっしんちゅうせい）」になる。

肩幅と同じか肩よりやや広く立つ馬歩を「小馬歩」という。

また、「馬歩」から重心を右あるいは左に寄せた馬歩を「偏馬歩」といい、「馬歩」の片足を外に向けた場合は「半馬歩」という。

半馬歩

歩形２ 弓歩

「弓歩」とは、片足を斜め前方へ出して重心を前へ移動させ、腰を落とした姿勢である。「弓歩」は一般的には「前弓歩」のことを指し、左足が前に出す場合を「左前弓歩」といい、右足が前へ出した場合を「右前弓歩」という。

また、足を前ではなく横に出す場合、「右弓歩」あるいは「左弓歩」という。

いずれの弓歩でも、要領は「鬆胯屈膝」、「円膪」、「五指抓地」である。

左前弓歩

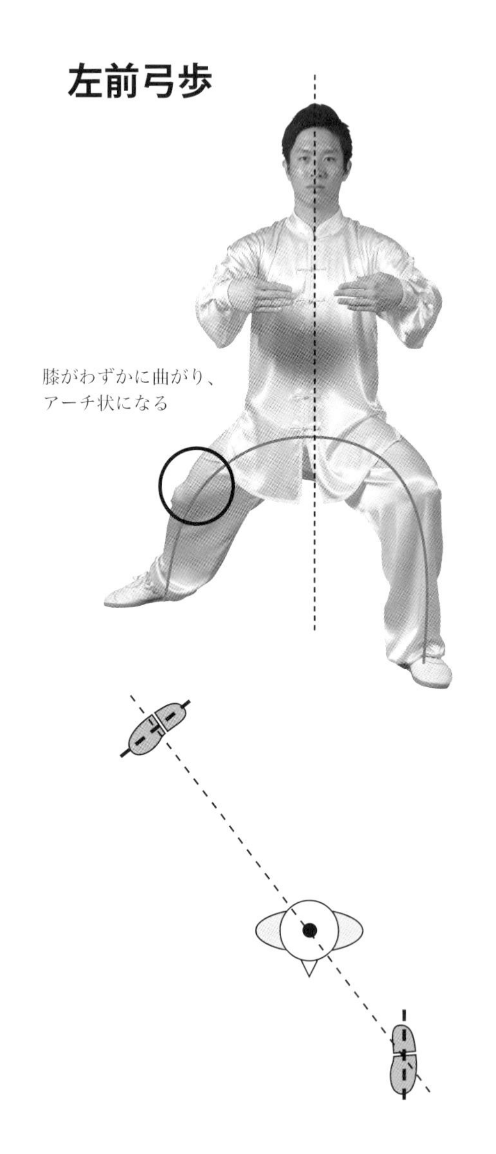

腰の高さは、大腿が水平になる状態より少し高くする。

前方へ出している脚の膝は、つま先を越えない。

後ろの脚の膝を少し曲げ、アーチ状にする。

重心位置が偏っているが、両脚がアーチを形成し、膝が内側にも、外側にも向かずに、縦方向と水平方向の楕円形を形成して、力を伝達できる形を作る。

右弓歩

へ出ないこと、股関節を捩じらないことである。股関節（胯部）に余裕を持ち、空間を保持し、円襠を作ることが重要な要領になる。

右弓歩の場合も基本的な要領は前弓歩に同じくするが、右足を前方ではなく右へ出して、重心を右へ大きく移動させる。出した右足の爪先が45度程度に斜めに向き、左足の爪先が前方を向いている。左脚はまっすぐに伸ばすのではなく、左膝がわずかに上に向くように曲げ、アーチ状にする。

歩形３ 仆歩（伏虎、鋪歩）

「仆歩（ぼくほ）」は、伏虎（ふっこ）や鋪歩（ほほ）とも呼ばれているが、これは中国語の発音では、いろいろな呼び方がある。

仆歩の基本的な形は、片脚を深く曲げて座るようにし、もう一方の脚を伸ばし、腰を地面近くにまで落とす。

伸ばす側の脚は、膝をわずかに上へ曲げること。脚は一直線にはならず、上向きの円形アーチになるように注意する。

深く曲げる側の足は、足裏全体を地面に着け、踵を上げないこと。また、大腿と下腿の間に十分な空間を保ち、密着させてはいけない。同様に、大腿と体幹部も一定の空間を作る。姿勢がかなり低いが、足の上に座ってはならない。

身体の安定性を保つため、上体は少々前傾姿勢になるが、丸めることなく、できるだけまっすぐにして安定性を保持することが重要である。

また、伸ばしている脚は、踵が主として地面に接触している。このため、重心の乗っている足が、踵のみ、またはつま先のみで着地している状態では、非常に不安定になる。

歩形４ 虚歩

虚歩とは、片足の踵を上げている歩形である。右足の踵を上げると「右虚歩」であり、左足の踵を上げると「左虚歩」である。虚になる足が前に出るか、足を揃える形をとり、虚の足が後ろに配置されることはない。

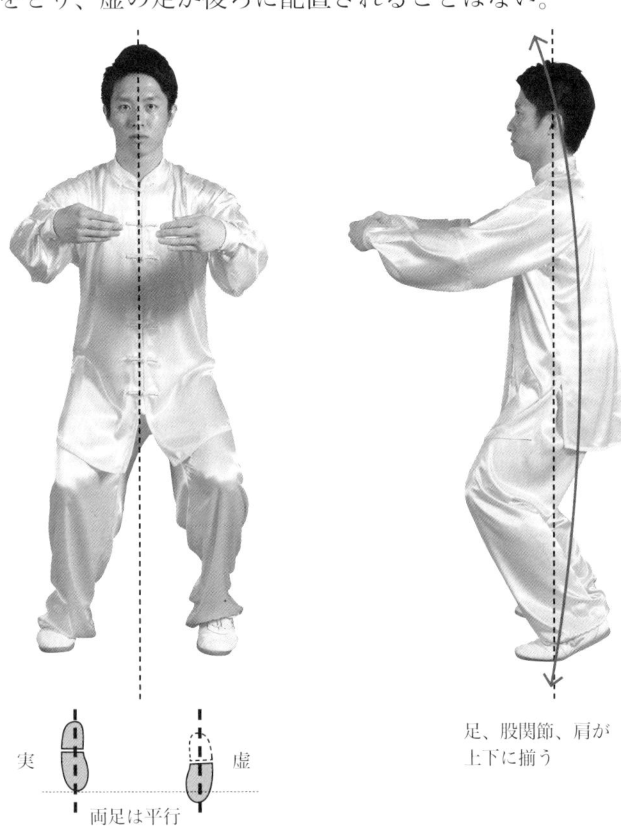

踵の上がった足を「虚歩」と呼ぶのに対して、足裏全面を地面に着けている足を「実歩」を呼ぶ。

足首は固めない

虚歩の基本としては、両足を肩幅程度に開き、膝を曲げて半ば座るようにする。実歩の足は足裏全体で接地し、虚歩とする足はやや前方へ出し、足前半部分で接地する。

虚歩とする足については、いくつかの注意点がある。踵を高く上げ過ぎないこと。接地がつま先の尖端だけにならないこと。足首を緩めて曲げ、足首を固めて伸ばさないようにすること。虚歩側の足は、足の前半部で身体を支えているのであって、支えないほど軽く置いているわけではない。虚歩の重心位置は、虚歩側が 20 ～ 30%、実歩側が 70 ～ 80%とする。

虚歩の要領も、やはり「円腨」で、膝が両脚の円形上にあること、両膝が外へ開かないこと。また、両足が八文字に開かず、ほぼ平行に置くこと。

足、股関節、そして肩が上下に揃って、捻れがないことも重要である。

歩形５ 提腿独立歩

「提腿独立歩」とは、片膝を上げて、片足で立つ歩形である。中国では、「提膝」ともいう。片脚立ちであるが、身体が揺れずに安定して立つことが基本的な要領である。

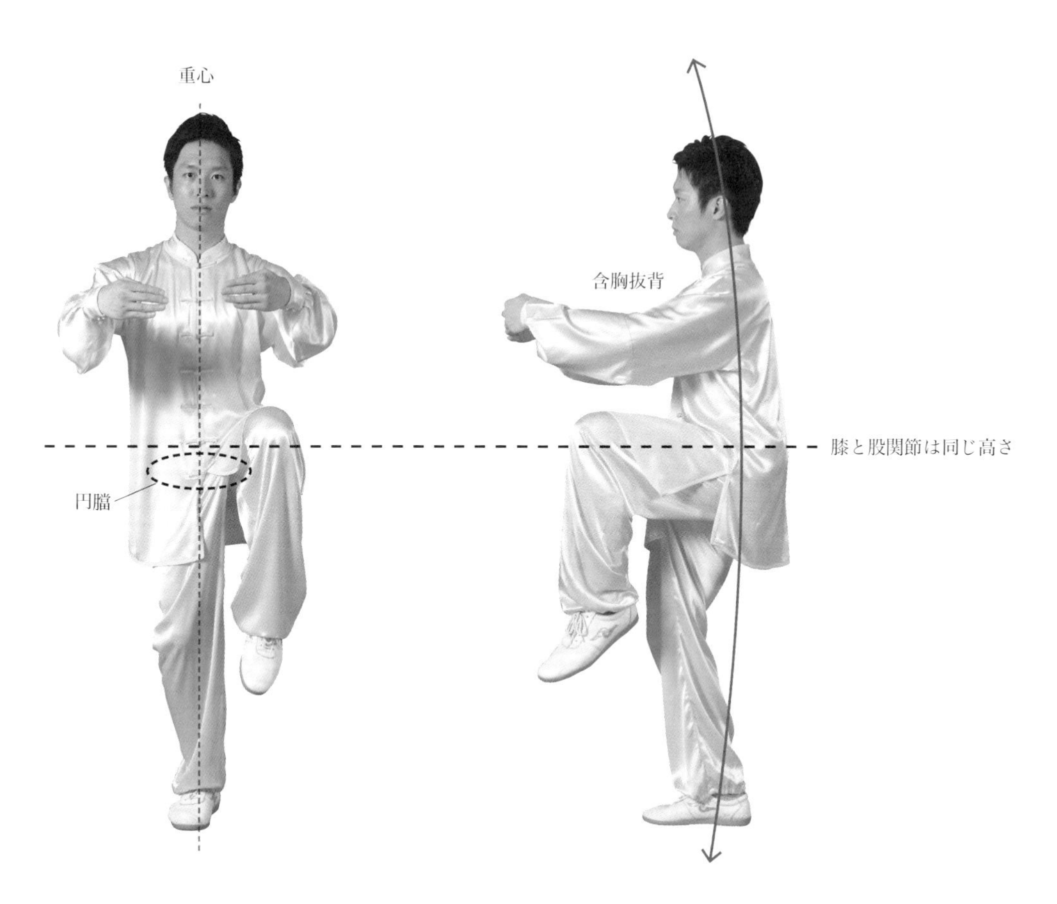

上げる脚は硬く曲げることも、伸ばすこともせず、自然に垂れている状態にする。膝の高さが基本的には股関節と同じ高さにするが、動作によっては股関節より高くなる場合もある。

安定して立つには、円襠が必要である。軸足は伸ばしきらず、膝を軽く曲げる。なお、上げている膝も水平に円形を形成している。

安定させるには、軸足だけではなく、全身の要領に注意することが重要である。腰を深く曲げずに緩め、腹部や胸をやや凹ませた状態、つまり「含」になっている。反対に、お腹が前へ出て、腰が深く曲がり、胸が前突してはいけない。ここでも、「含胸抜背」という要領を守ることが重要である。

歩形６ 叉歩（歇歩）

「叉歩（さほ）」とは、両脚を交差して立つ歩形であり、「歇歩（けつほ）」ともいう。

一方の足をもう一方の足の前、あるいは後に置く。基本的には、前の足を実歩とし、後の足は踵を上げ、足底の前半部が着地する形になる。

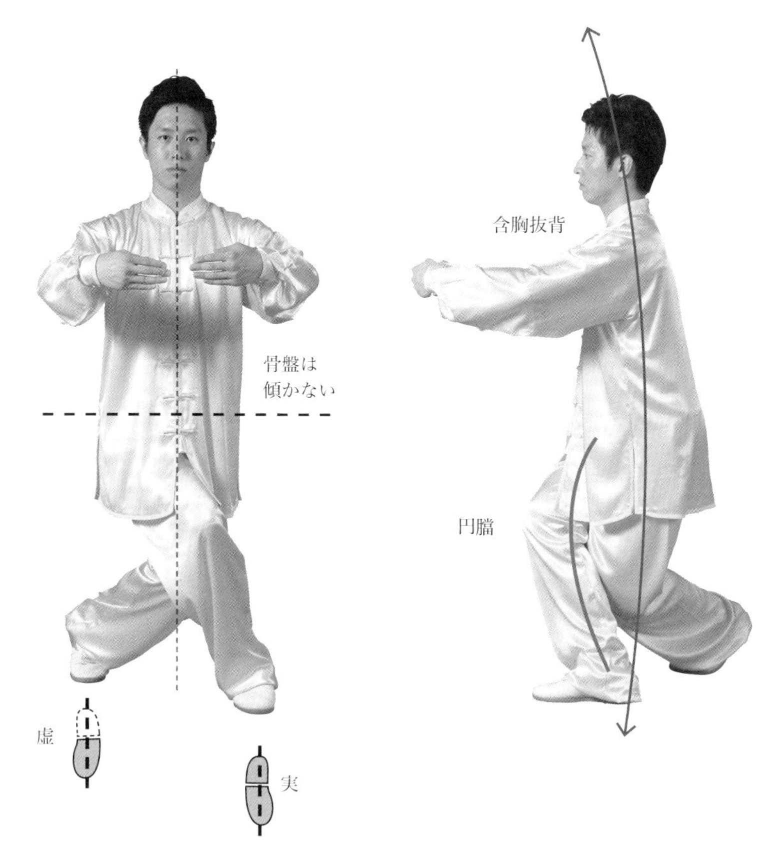

普通は、股関節、腰、胸が真正面に向くが、動作によっては身体を少々捻る場合もある。後足の踵の向きが変わると、腰や胸までに影響を与え、身体全体の姿勢が変化する。

交差している両脚にも円襠の要領が必要である。

また、両脚は太ももあたりが接しているが、互いに強く押し付けられてはいない。

腹部や胸をわずかに後ろへ凹ませて立身中正を意識し、会陰が下へ、頭上が上へ伸びる意識を持つ。身体全体を緩める、とくに肩、腰、背中、胸を緩めるように意識する。左右股関節や、左右の太股と膝も水平に円形を形成している。骨盤が傾いてはいけない。

歩法 1 上歩

前進する歩法を「上歩（じょうほ）」という。

すべての歩法に共通する要領であるが、「虚領頂勁」、「立身中正」、「意守丹田（いしゅたんでん）」を保ち、「円瞻」を守り、会陰をしっかり意識して、腰が浮かないようにし、下肢全体の力を抜いて軽やかにして足首、膝、胯を協調させて動かすこと。

出す足を後ろから前へ運ぶ時は、円弧を描いて前へ運び、踵から速やかに着地すること。足を引き抜くように浮かせてはいけない。着地時には膝を緩めて弾力を持たせ、地面からの衝撃を吸収する。膝を上げずに足を引きずるよう運んではいけない。この動きは自然な流れで行うこと。

出す足に対して腰の回転が早過ぎても、遅過ぎてもよくない。

出す足を無理に長時間、浮かせることは膝に悪い。片足を上げている間に、もう一方の脚が中腰の状態で全体の体重を支えることになるためである。これまでの指導経験上、そのような方法で長い年月、練習していると膝に損傷を与える可能性が非常に高い。

また、軸足の膝が、左右へ揺れることも膝の損傷の原因になるので注意すること。

歩法全般に当てはまる拳訣(けんけつ)に「出歩如猫、発勁如虎（足を出すのは猫の如し。発勁は虎の如し）」がある。

足の末節では踵が地面と接触する時、慎重かつ柔らかく動く。そして、足裏全体が地面に接地する時、また地面を離れる時も繊細に制御する。

膝の運動は、足先の動作と膝の上げ下ろしの動作を調和する必要がある。

やはり、その根は「胯」にあり、またその根元は腰にある。

足の動きの習得には、学習しやすい末端の足から練習し、そして段々と、その根へと意識が到るようにするとよい。そして脚の各部位を「放鬆」させ、運動における強張(こわば)りを開放する必要がある。技撃(ぎげき)実用の時はそれと相反して素早く動くことが必要である。

このような表現は、基本ができないうちに行っても、ただの蛮力になりやすい。やはり十分に基礎の練習を積んでこそ、陳氏太極拳の要求する高度な技術を表現できるようになる。

入門したての生徒の動きを見ていると、よく足首の扱いに苦労している。それは足首の運動が硬いせいであるが、このような足に対する繊細な扱いを学習する機会が他にないためだと思われる。足首、踵、足の五指、足裏等に意識が配分できるようになると、課題をこなせるようになる。

歩法２ 連上歩(連進)、転身上歩

連上歩（連進）

連続して前進することを「連上歩」という。

基本的な要領は上歩と同じく、「立身中正」、「意守丹田」を保ち、「円膾」を守ることであるが、連続的な足の交代に従って、重心の移動、及び腰のわずかな回転の協調が必要である。

転身上歩

「転身上歩」は、前進しながら身体の向きを左あるいは右に90度変える歩法である。掩手捶から六封四閉への中間動作で用いられる。

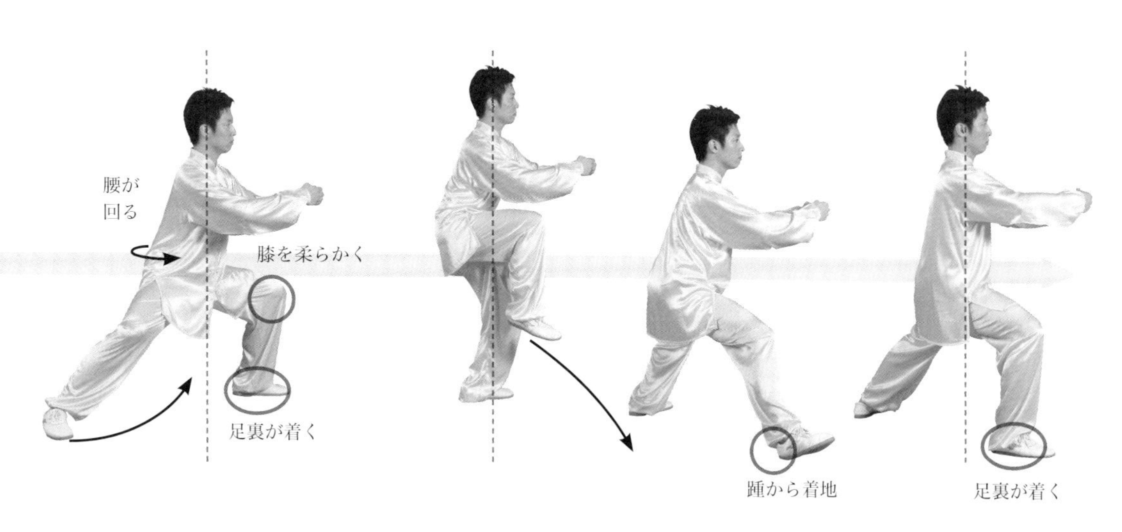

例えば、左足を前方に出して着地させた後、重心を左足に移動をしながら腰がわずかに左へ回転し、続けて右足を上げて前へ前進することになる。

拳訣「出歩如猫、発勁如虎」を意識すること。

転身する際の軸足は、踵を軸として十分に外に開き（擺歩）、後ろ足を横へ運ぶ。出した足へ重心を移動する。胯（股関節）と円襠に余裕があるようにする。

歩法３ 退歩（下歩）

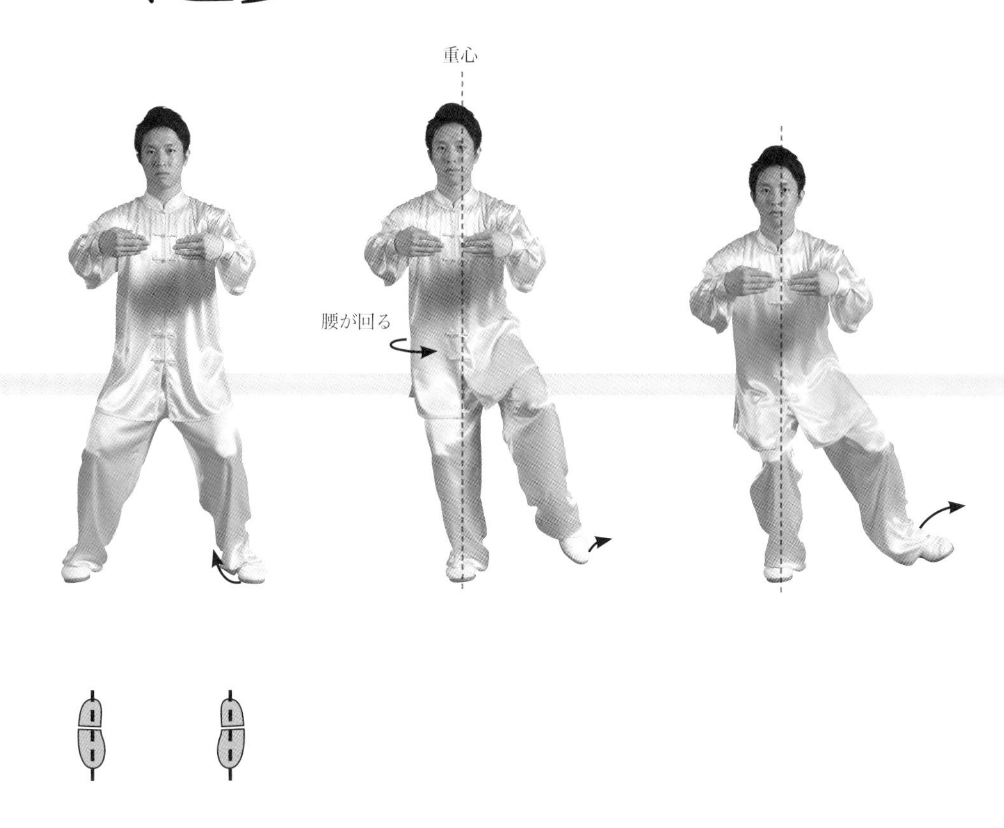

「退歩」とは、後退する歩法を指し、「下歩」ともいう。左足を後ろへさげることを例として説明する。

まず左腰を後へ回転しながら、重心を右足に移動する。その際、身体の軸が極端に傾かないように注意する。

同時に左足を斜め後方約45度に内側に円弧を描き出す。左膝を上げる時は、足を引き抜くように浮かせること。足を引きずるよう運んではならない。

次に左足を着地させてから、膝を緩め重心を左足方向に移動させる。重心の移動に合わせて左膝を曲げる。

退歩の要領は、虚領頂勁、立身中正、意守丹田、屈膝円艡である。また、後退する時は目や耳で後方の様子を意識すること。

人間の目は前へ向いているもので後方は見えない。また、人間の足の構造上の特徴として、前へ進むのは得意であるが、後ろへさがるのは不得意である。当然、後退する動作には、いろいろな問題が生じやすい。

例えば、身体が過剰に前傾して、頭や首がさがりやすく、また身体が左右に傾きやすい。よって、虚領頂勁、立身中正、意守丹田は重要な要領になる。

さて、屈膝円膪ということについても解説しておく。

後退動作では、片足で全身の体重を支え、もう一方の足を上げて後ろへさげることになる。この時、上げている足を扉のように開くと、膝を開きすぎてしまい、円膪がなくなる。よって、上げた足の膝も、円膪になるように注意すること。

さげる足に対して腰の回転が早過ぎると、股が狭くなり、円膪がなくなる。また、さげる足に対して腰の回転が遅すぎると、股関節が大きく伸びることになるので、やはり円膪がなくなる。理論上では腰が先に回転するが、腰と膝のタイミングの調和に注意する必要がある。

歩法4 連退歩、転身退歩

連退歩

連続して退歩を行う。要領は退歩と同じであるが、連続的な足の交代に従って、重心の移動、及び腰の回転の協調が必要である。

転身退歩

「転身退歩(てんしんたいほ)」は、退歩しながら身体の向きを変える歩法である。転身時に捻れができたり、円臑がなくなったりしないようにする。

左足をさげながら体を回転する動きを例として解説する。重心を右足に乗せて左足を上

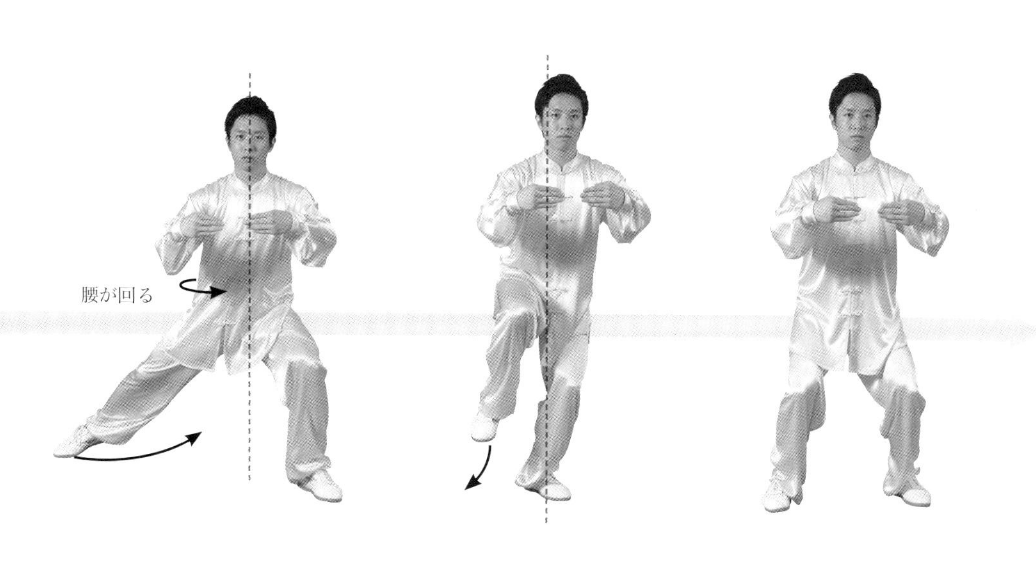

げ、腰を左へ回す。円擋を保った状態で、腰が右後ろへ回転をしながら、左足を内側の円弧を描いて後へさげる。その後、右足を左足と同じ方向に移動する。

歩法５ 左右出歩

足を横に開く時の歩法を「左右出歩」、または「開歩」という。懶紮衣、単鞭などで用いられる。

左足を左横に出す場合で説明する。

両足を肩幅位に開いて立つ状態から始め、腰を徐々に落とし、重心を右足に移す。この時、「虚領頂勁」、「立身中正」、「意守丹田」を保ちながら支持側の右足に重心を移動すること。

さらに腰を落としながら、左足、左膝を上げる。この時、身体が上下動しないようにすること。

次に左足踵を左真横へ出す。身体が傾きすぎないように注意する。横に出す足は踵から着地すること。

続いて、左足裏を着地させながら、膝を緩め、重心を左足方向に移動させる。

膝、腿の動きが硬くなり、ハサミのような単純な動きにならないようにすること。

これまで解説してきた歩法に共通的の要領は、素直な動作で足を移動することである。つまり、上げて移動する足を空中に長時間、浮かせるなどの演技は必要がない。全体重を支える脚の負担や損傷を考慮すれば、極端な演技は不合理であるし、実戦を想定するならば、上げた足は即時に移動させて、着地させる必要がある。

諺を一つ紹介する。「落地生根（らくちせいこん）」。これは、足が地面に着いた時、すぐに足が身体の根になって全身を安定させることの大切さを伝えている。

歩法６ 側行歩

「側行歩（そくこうほ）」は連続して側方に移動する歩法で、雲手の時などに用いる。

「虚領頂勁」、「立身中正」、「意守丹田」を保ちながら支持側に重心を移動し、身体が上下動しないように足を上げ、横に出す。

重心を移動させ、支持足に寄せる。両足の間隔は約 10 ～ 20㎝とする。

よくある間違いをあげておく。

・円牆がない。
・膝を上げないで足を引きずるように動かしている。
・胯が引かれて伸びている。
・膝が中に入っている。
・膝が外に開いている。
・力んで膝が伸びている。
・つま先から着地している。
・重心が上下に波打っている。
・重心移動が突然である。

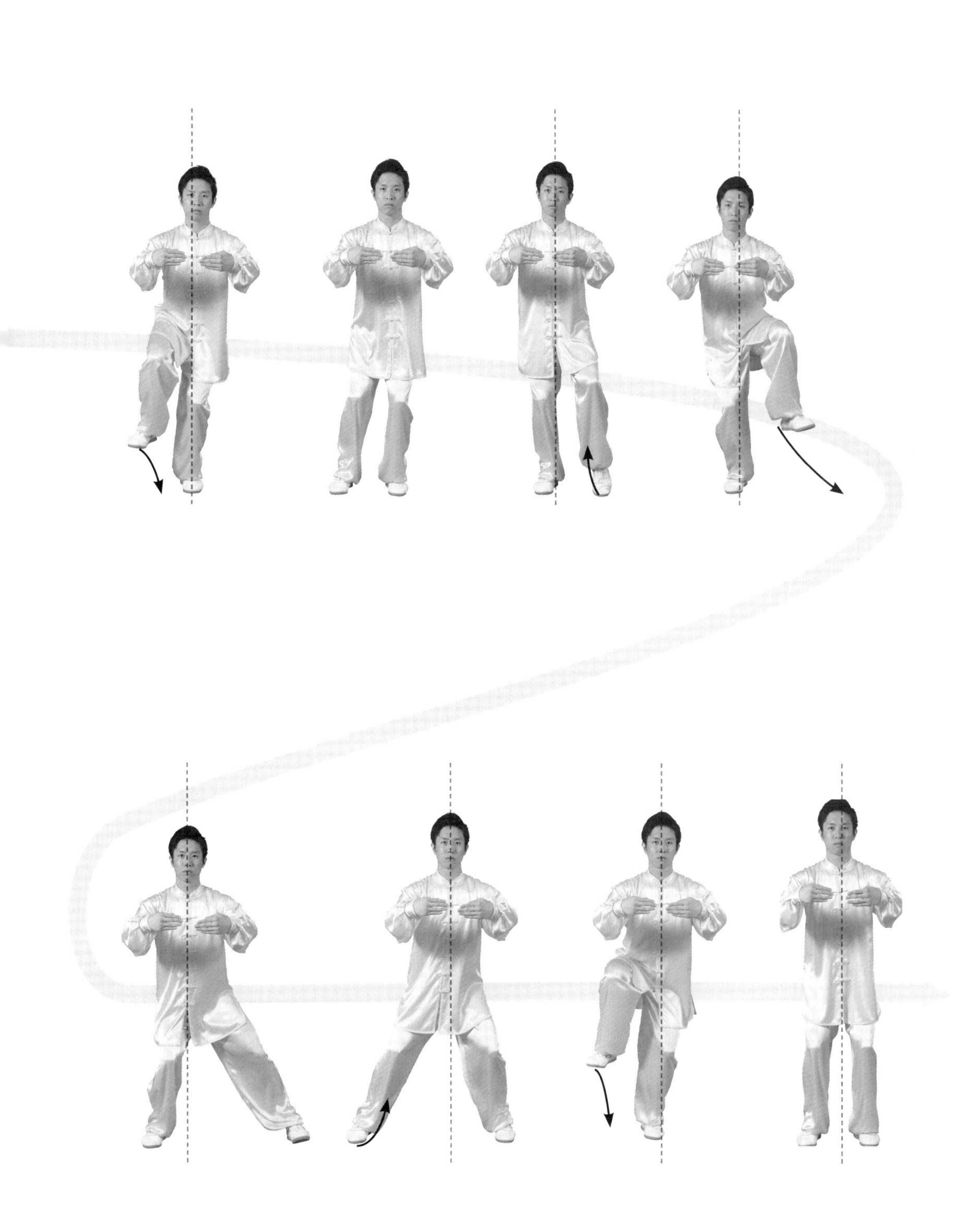

歩法７ 盖歩、插歩

盖歩と插歩は、練習の際には、交互に行うことができる。

盖歩（交叉歩）

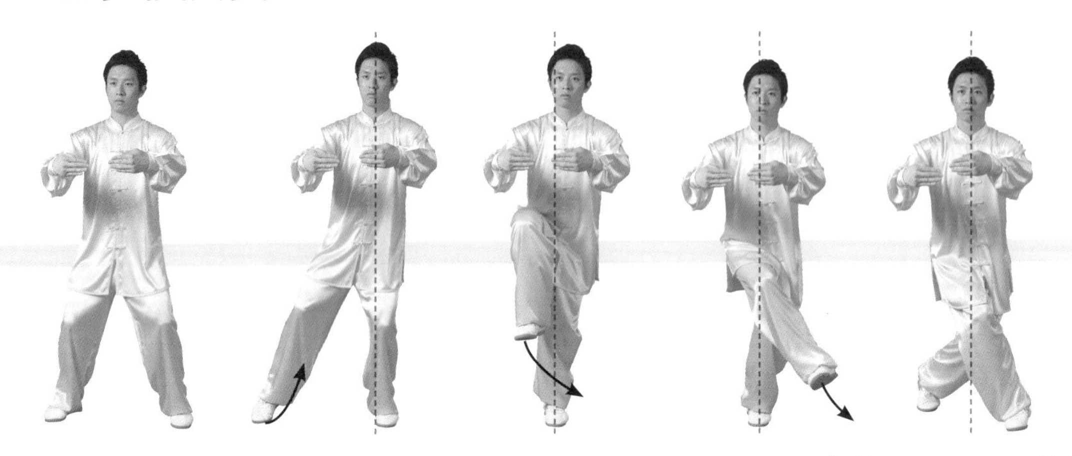

出す脚を支持脚の前を通して交叉させ、横に移動する歩法を「盖歩（がいほ）」あるいは「交叉歩（こうさほ）」という。出す足（前の足）は踵から着地して、重心を乗せながら支持脚（後ろの足）の踵を上げる。

插歩

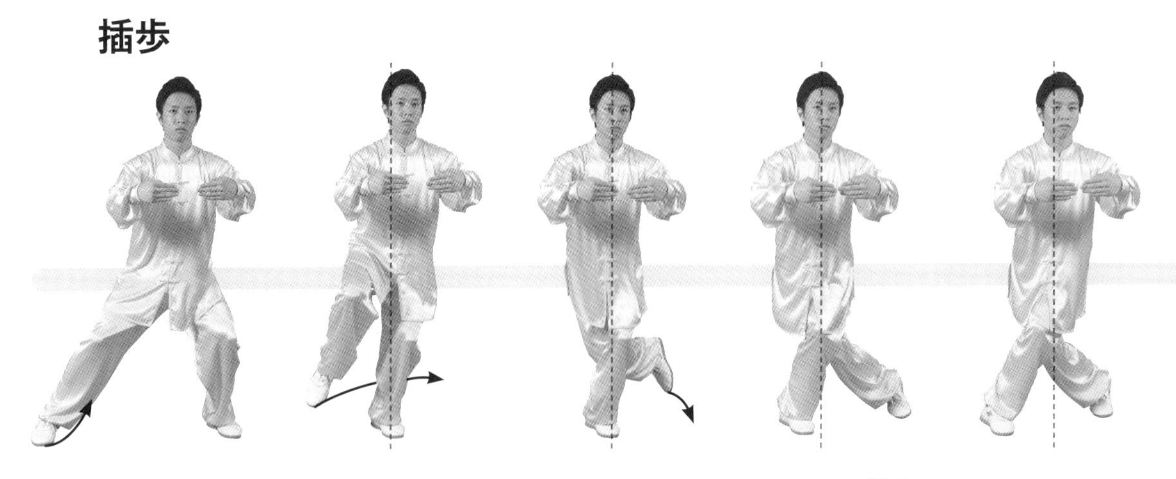

出す脚を支持脚の後ろを通して交叉させ、横に移動する歩法を「插歩（そうほ）」という。出す足（後ろの足）は足底の前半部分で着地して、踵を上げる。

連続して行う場合、後ろの足を進行方向へ出し、もう一方の足は盖歩を繰り返す。

連続して行う場合、前の足を進行方向へ出し、もう一方の足は插歩を繰り返す。

歩法８　擺歩、扣歩

擺歩

踵を中心にして足を外側へ旋転して開くことを「擺歩（はいほ）」という。

「擺歩」「扣歩」は、踵を中心にして足を回転させる動作である。よく知られる諺に「里扣外擺（りこうがいはい）」がある。これは「扣は里（内）へ旋転、擺は外へ旋転」という意味で、足の旋転の方向を示している。

この動作には、単に動作の方向を変えるためだけでなく、攻撃や防御の意味を持つ。

すでに紹介した歩法の中に、この「擺歩」「扣歩」を含むものがあるが、套路の中でも起勢から収勢までの至るところに、この「扣」と「擺」がある。「扣」と「擺」は、身体のバランスの保持や足と膝、股関節の協調に重要な役割を持っているので、練習の際には疎かにしないことが上達の近道である。

扣歩

踵を中心にして足を内側へ旋転して閉じる動作を「扣歩（こうほ）」という。

「擺歩」「扣歩」は、一般的に踵を中心に足と大腿までを旋転させる。なぜ踵を中心とするのかを簡単に説明する。

まず、つま先を中心にして足と大腿を旋転させると、足から大腿全体の位置や形を変えなければならない。しかし、踵を中心にして旋転させると、身体を大きく変形させることなく、足を回転できる。ぜひ、試してみてほしい。

歩法９ 碾歩

「碾歩」は、片足を中心に回転する歩法である。大きな転身上歩、玉女穿梭などに用いられる。足前半部分（脚掌）、あるいは踵（脚跟）を中心に回転する。上掲写真は、踵を中心に回転している。

「碾歩」には､足底の前半部分（前脚掌）を中心として回転する方法もあるが､この場合、踵や膝の旋転によって身体の全体の変動が比較的大きい。人体の構造上、踵は大腿部のほぼ中心軸線上にあるので、踵を中心に旋転すると、身体には大きな変形が生じない。ただし、安定して回転できるように練習が必要である。

足裏全面を地面に着けたままで回転すると、非常に危険であるので避けたほうがよい。なぜならば、足裏全面と地面の強い摩擦力で、骨を捻る大きな力が生じ、骨折する可能性がある。つまり、身体は急に回転しようとするのに対し、脚部が地面に止められたことで回転できなくなる場合があり、脚が捻れて骨に損傷を与える可能性がある。体重が重いほど、摩擦と捻れる力が大きくなり、骨に損傷を与える可能性も高くなる。

歩法 10 后跟歩（后跟震脚）

「后跟歩」は、つま先で地面を擦るように動かし、踵で震脚をしながら重心をやや後ろに移す（下歩胯虎）歩法である。この震脚は、つま先を地面から上げないまま、踵だけで行われる。

「后跟歩」は、わずかに後退する際に使われるが、さげた足の震脚によって身体を安定させることができる。また、さげた後ろの足（震脚した足）より内勁をもらい、前方へ攻撃することもできる。

歩法 11 震脚

「震脚」は主に身体を安定させ、気を下に沈めるために行うものである。力任せに地面を蹴るようにしてはいけない。

「震脚」には片足で行う単震脚と、両足同時または少しずらして行う「双震脚」がある。

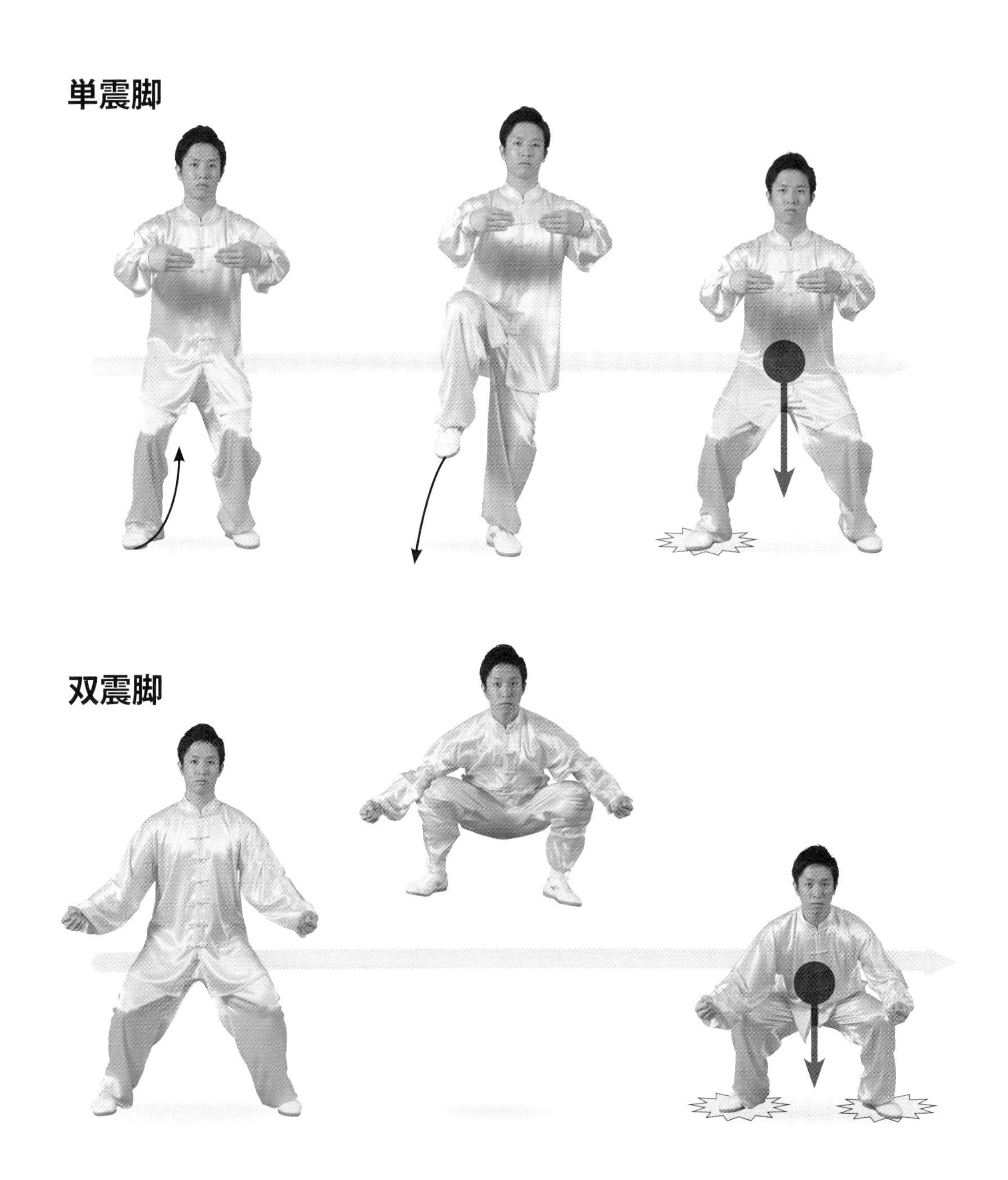

震脚は、その要領を正確に理解し、正しく練習することが大変重要である。初心者で正確に震脚の要領を理解できないのであれば、震脚をしないほうがよい。誤った方法で震脚すると、様々な問題が発生することがある。

また、近年、様々な理由で膝の痛みを訴える方が増えているが、膝や腰に問題を持っている方には震脚を勧めない。

震脚の目的は大きな音を出すことではなく、また身体や地面に大きな揺れを起こすことでもない。震脚は、陰陽太極の原理に従って出現した歩法であり、その真の目的にはいろいろあるが、簡単に言えば、身体を安定させることと下盤（かばん）を固定することである。震脚する場合、身体の上下振動がないように、震脚する脚の放鬆が必要である。

演武を飾るためだけに大きな音や振動を起こすように震脚をすると、脚部に損傷を与える可能性がある。また、震脚によって生じた地面からの強い反動力が、足を通って腹部や内臓に貫通する可能性も十分ある。震脚を練習してから数日間には問題がなくとも、長年誤った理解で行っていれば、ある時突然、膝や股関節、腰、あるいは内臓に原因不明の痛みや不具合が現れるかもしれない。筆者は、長年誤った練習をした方の骨の変形や、脚の血管に異常が現れた例を見たことがある。いずれにせよ､震脚の学習は正しい指導を受け、正しい要領を理解した上で行うことが重要である。

震脚の要領を十分に理解できない段階では、つま先から柔らかく着地して、足の衝撃力を足首で緩和して、踵がゆっくりと軽く地面に着地するように練習してほしい。

よくある間違い：

・力の入れ方が激しすぎる。
・震脚の反動で身体が跳ね上がっている。
・震脚のために身体が振動している。

襠法と身法

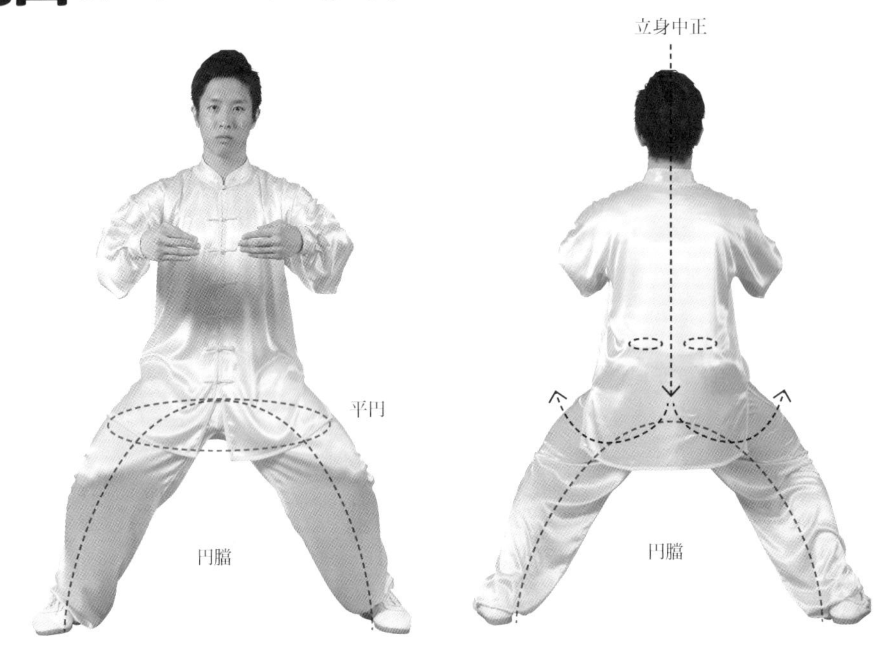

襠（前襠、後襠）

襠（とう）は、一般的には陰部を中心とするその周辺の部位を示す。

太極拳でいう前襠とは、前陰部に近い太腿の内側及びその内側で挟む空間である。身体の前に立円と平円を意識して、両下肢で挟んで前襠が狭くならないようにする。また、骨盤を前に突き出すようにしてはいけない。

後襠は後ろから見た左右尻（太股下部を含む）及びその下・内側で挟む空間である。後正中線を中心に臀部を左右に開くようにする。

よくある間違い：

・前襠を両胯で挟んで襠が狭くなっている。
・下腹部が前方に突き出す形になっている。
・前襠を開きすぎて、後襠が狭くなっている。
・臀部が後ろに突き出て、背中が反っている。

臀部（双股）

双股は、臀部下端から大腿後面（椅子に座った時、椅子と接触する部分）で構成される部位である。臀部は左右に展開、後方に持ち上げてはならない。

「泛臀下坐」という口訣がある。臀部が外へ回転して、尻が下へ座るという意味である。

会陰

会陰（えいん）は肛門と前陰部の間であり、下から見た身体の中心である。重心は会陰を通して左右の胯に至り、下方へ沈むようにする。

腹部

腹部は、力を入れすぎても、抜きすぎてもいけない。自然に包み込むように腹部を意識するのが良い。

胯（双胯）

股関節周囲（左右の外側臀部）の部分を胯という。全体的にゆったりとした形を作る。臀部の開放に従って、左右へ開放する。

中正身法

立身中正、虚領頂勁、含胸抜背、泛臀下坐がきちんとできている必要がある。立身中正とは、身体が地面と鉛直になることではない。太極拳では、形や運行軌道は全て円弧、螺旋状になっている。中正身法では、足、会陰、躯体、百会（ひゃくえ）が前へ曲がる立円となり、上は天、下は地とつながる。身体の前には立円、平円を意識し、螺旋纏絲運動を意識すること。全体の感覚としては舒展大方（大きく伸びやか）であること。

前胸

身体の前方に立円と平円を意識して、胸を含むようにする。不自然にゆったりとして力んではいけない。

后背

背骨は自然なＳ字型をしているので、そのままで自然に立ち、無理に幾何学的な直線状にしてはいけない。無理に真っ直ぐにして長期間練習すると、骨の変形や腰の痛みなど、健康上の問題を起す可能性がある。また、背中を後方に突き出すようにしてはいけない。

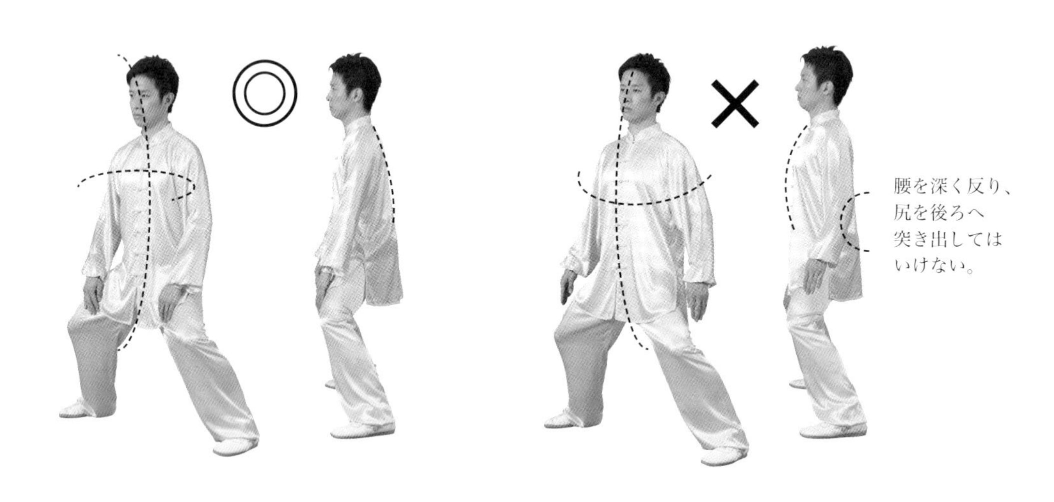

双肋

双肋は左右の肋骨のことであり、また肋骨と腕の間の空間のことでもある。「肘不貼肋」という句訣は、肘を左右の肋骨に貼り付けないようにすることを伝えている。

肩

肩は水平にして沈め、胯と対応して動かす。左右の肩は微かに前で合わせ、含胸抜背を作る。肩は自然に前後左右に緩んでいること。

肩は次ページの靠法に用いられる。前肩は、肩の前面を用いる靠法（前肩靠）に使用する。後肩は、肩の後面を用いる靠法（后肩靠）に使用する。

よくある間違い：

・一方の肩を突き出しすぎている。
・力を入れて肩を沈めていて動きが自由でない。
・肩と胯が連動せず捻れている。
・肩を前に出しすぎて含胸ができていない。
・肩が開きすぎて含胸ができていない。
・肩から先に動いて姿勢が歪んでいる。
・肩を後方に極端に突き出している。

靠

靠（こう）とは「もたれかかる」という意味であるが、中国拳法では基本的には身体の一部分を用いて当てるような技法を指す。靠には使用部位や向きによって、いくつかの種類がある。

前肩靠

肩の前面を使う靠。

后肩靠

肩の後面を使う靠。

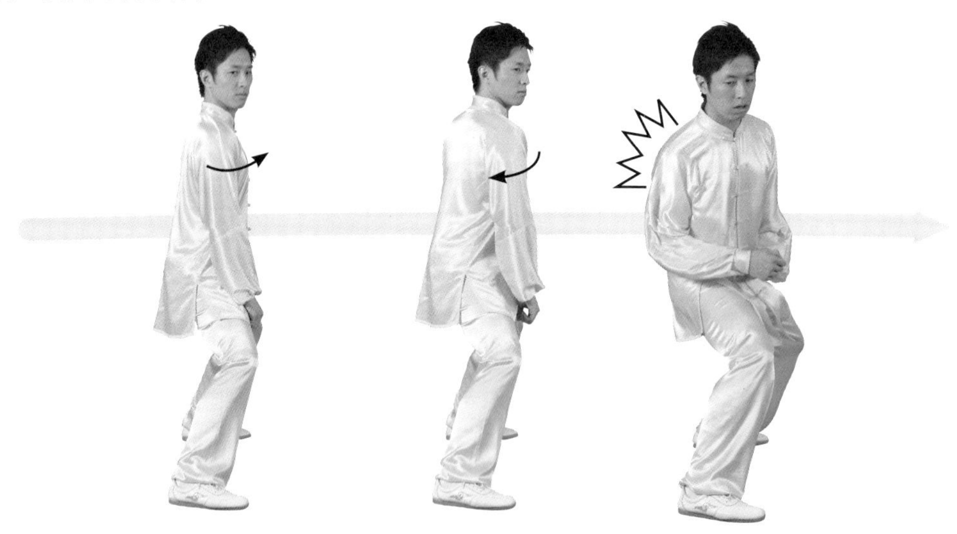

上記の他に、身靠（身体側面の靠）、転肩靠（肩先を使う靠）などがある。

長背靠

長背靠は、腕を長く伸ばして使う靠である。
なお、腕を短く曲げて使う靠は「短背靠」と言う。

靠は、太極拳を構成する八門勁の一種であり、非常に重要である。靠は、広義的に言うと、身体のある部分を相手に密接して、相手を攻撃する動作である。用いる部分としては、例えば肩、背、尻、胸などを使う。また、七寸靠や背折靠、迎門靠など様々な特殊用法も存在している。

これらの靠は、拳のような点の打撃ではなく、相手の身体に密接して当てることを特徴としている。靠を練習する場合、身体、腕、肩などの用いる部位が小さく鋭い動きをすることが必要である。

手形と部位の名称

掌

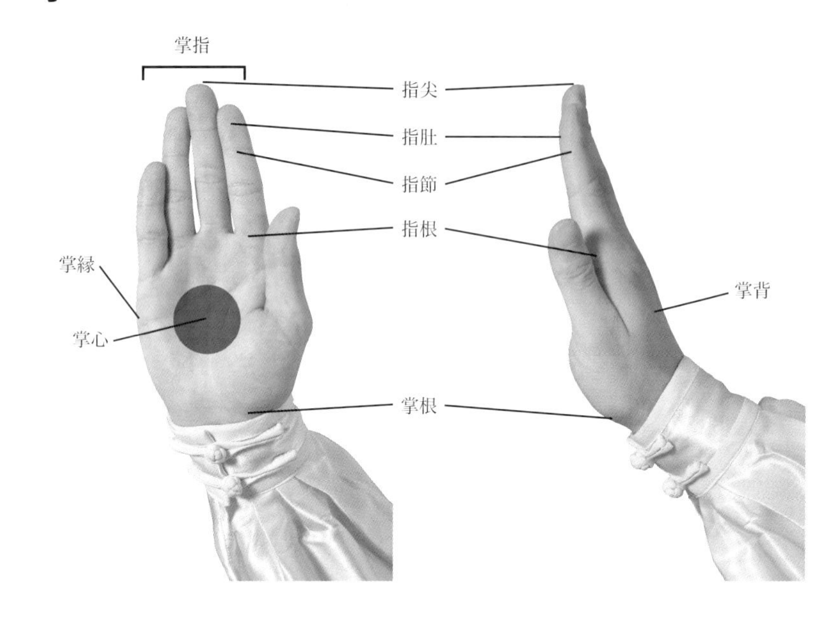

拳

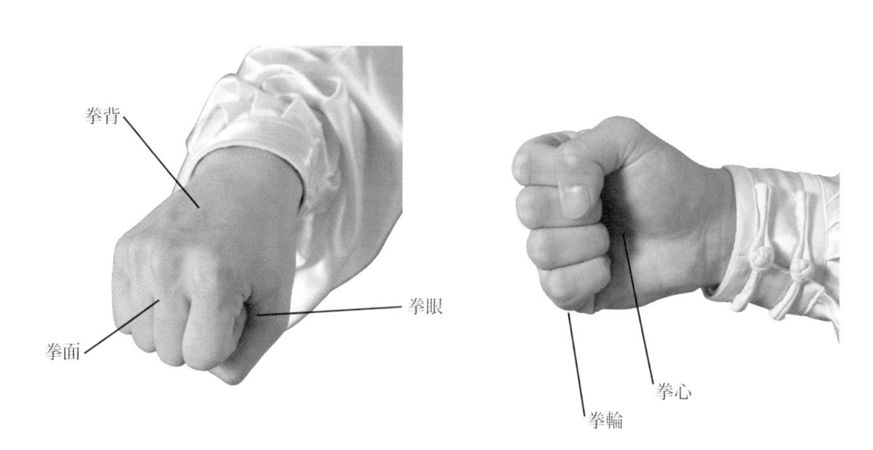

肱(こう)、肘(ひじ)、小臂(しょうひ)

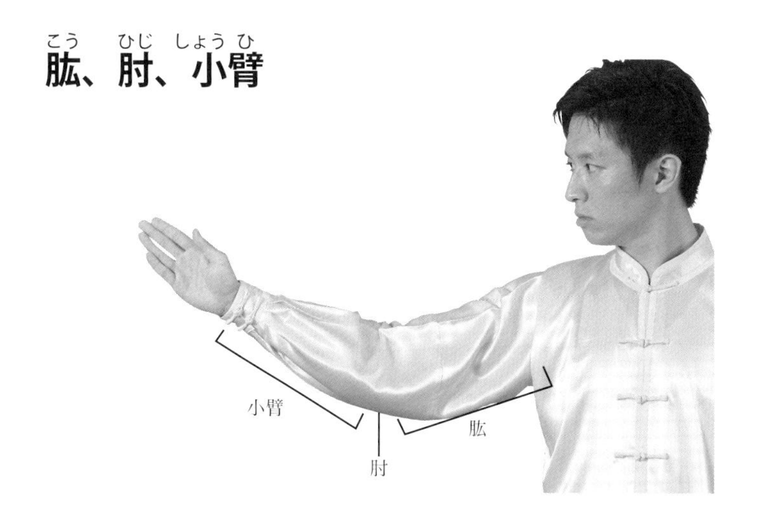

勾手

勾手(こうしゅ)を作ることを「打撮(ださつ)」というため、「勾手」のことをしばしば「打撮」という場合もある。

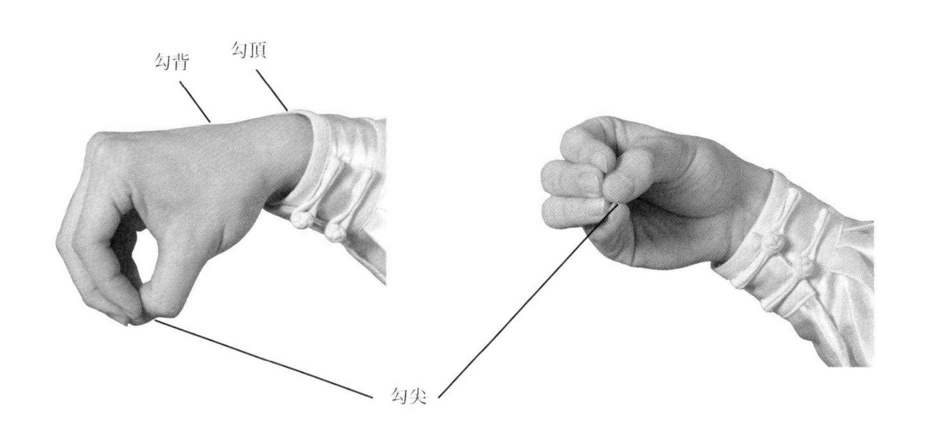

瓦壟掌

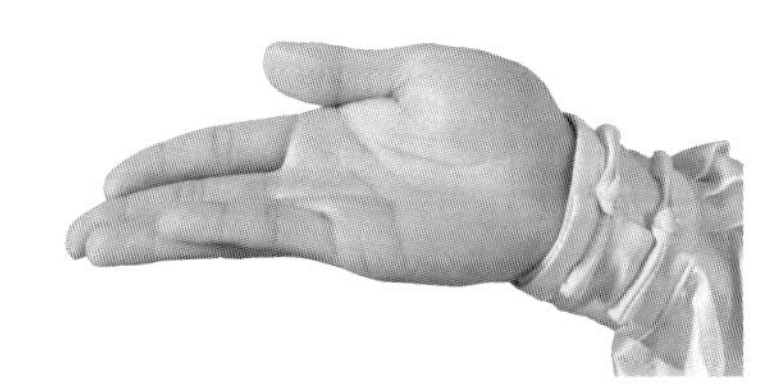

親指は自然に伸ばし、指先をわずかに開く。四指は自然に伸ばし、中指で勁を導く。親指と小指はわずかに内に合わせ、掌心にくぼみを作る。腕は自然に放鬆する。

平掌

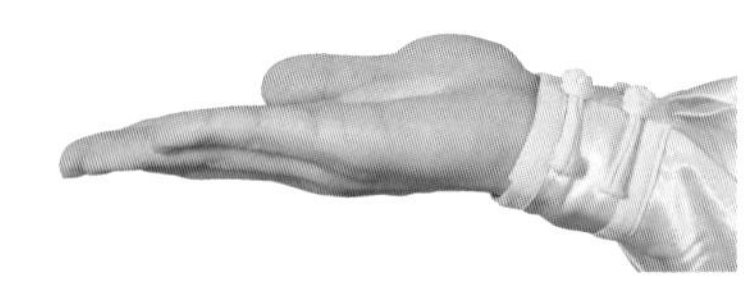

瓦壟掌に比べ、小指と親指はやや平らに開いている。手を水平に置き、指先が前に向いて伸ばす。前に押す時に用いる掌形。

弧掌

円形動作の中に使用される、掌を丸くくぼませた掌形。

蛇形掌（陽掌）

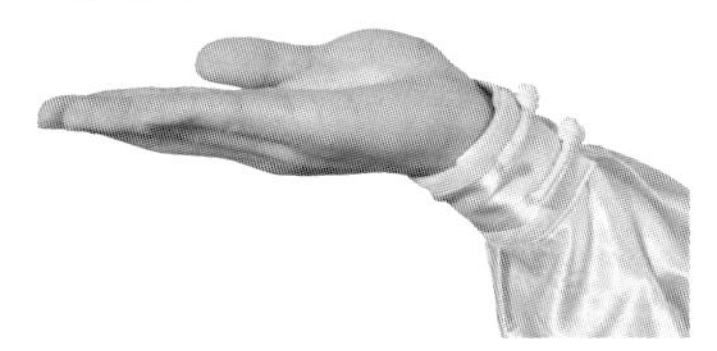

蛇形掌（陰掌）

「白蛇吐信」のように、掌心を上（陽掌）にして前方を突くか、掌心を下（陰掌）にして前方に出す時に用いる掌形。

仰掌（陽掌）

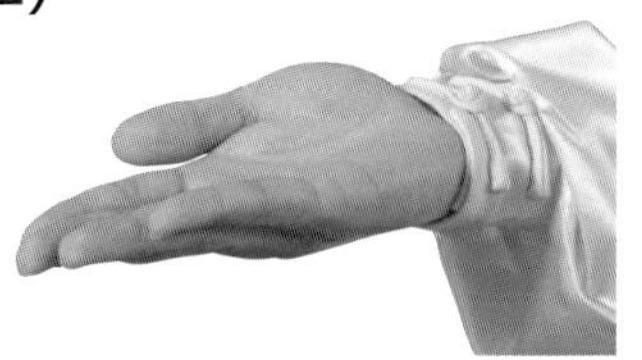

掌心を上に向けた掌形。

俯掌（陰掌）

掌心を下に向けた掌形。

立掌

指先を上に向けた掌形。

垂掌

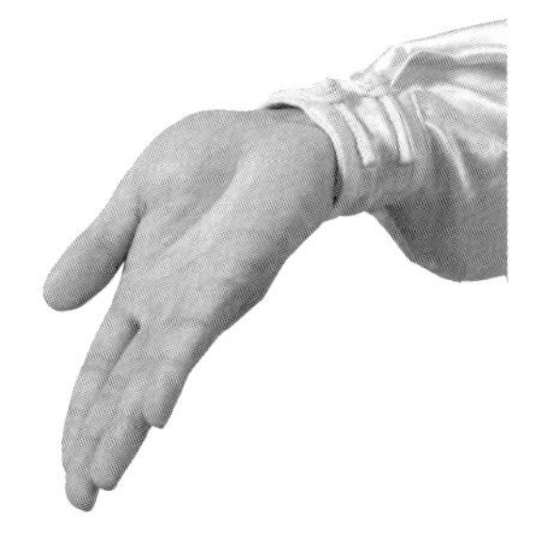

指先を下に向けた掌形。

平拳

拳眼が左右を向いている拳形。
仰拳（陽拳）と俯拳（陰拳）がある。

虚拳

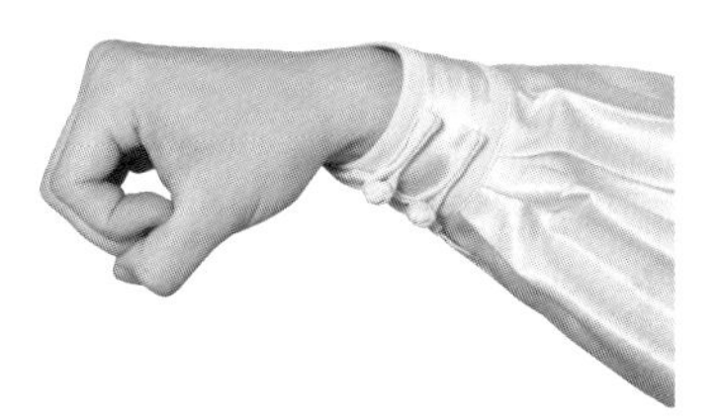

手の中（拳心）が空洞になっている拳のことを「虚拳」、または「虚握拳」をいう。これに対して、空洞のない普通の拳を「実拳」という。

竪拳

拳面を上にして拳背を立てる（上冲拳）。

横拳

拳眼は上、拳面は横を向く。

平腕（掌）

前腕と手首が平らになっている掌。

平腕（拳）

前腕と手首が平らになっている拳。

刁腕（ちょうわん）（掌）

手首を屈折させた掌。

刁腕（拳）

手首を屈折させた拳。

腕の順纏絲・逆纏絲

順纏絲

逆纏絲

纏絲勁は、「順纏絲」と「逆纏絲」に分類されている。
小指が先に回転するのを順纏絲といい、親指が先に回転するのを逆纏絲という。いずれも丹田からの纏絲勁であり、太極拳を構成する基本的な要素である。

目に関する要領と句訣としては、「雙目視手、手眼相随」がある。これは目が常に手を見ることであり、手と目が調和することである。

斜身法

「斜身法」とは、自分の中心線は真っ直ぐに保ちながら、体を傾斜させる身法のこと。この時、股関節の円膸を保つ。

斜中求直

太極拳を学ぶ者ならば、誰でも「立身中正」という要領を知っているだろう。ただし、「立身中正」とは、身体と地面の関係を 90° の鉛直にすることではない。

太極拳の要領は、幾何学や物理学的に分析・理解してはいけない部分が多く、哲学的・原理的に理解する必要がある。

太極拳には、「斜中求直」という要領がある。これは、斜めにした身体の中に「直」があることを言っている。身体の中の「直」とは、「会陰」と「百会」を結ぶ線のことを指すが、その線は幾何学的な真っ直ぐではなく、円弧線になっている。理論上、太極拳では幾何学的な直線は存在せず、形、軸線、手や足の運行軌道は、全て円弧、螺旋状になっている。

曲率が小さな、大きな円の一部分が、哲学的に「直」と認識されているのである。

また、この「直」とは、地面を基準にしておらず、3 次元の空間の中で自由に存在できる「直」である。つまり、傾いて斜めになっている「直」も存在するのである。太極拳の要領の中に、一見して矛盾していそうな要領があるが、実は矛盾していないことが大変興味深い話である。

第二編 陳氏小架一路 基礎架

1 小架一路 基礎架について

第一編第二章「5．太極拳の学習段階」で説明したように（P.72 参照）、太極拳では、入門段階で学習する套路を「基礎架」と呼ぶ。これは、太極拳の学習段階を大きく五つに分けた場合の第一層で学ぶ、一遍拳に当たる。一遍拳は「搭架子」、あるいは「盤架子」ともいい、基礎架の形を丁寧に学習することを通じて、太極拳の基礎を正しく身に付けることが主な目的である。つまり、小架一路基礎架の学習を通して、太極拳の基本を身に付けること、套路の動作や順序、向き等を覚えることが重要である。

太極拳の全体を貴重な宝に例えれば、基礎架の学習はその宝を収める箱である。この基礎架をベースにさらに高い段階の学習を進めると、套路の形や練習方法も変化して行く。

ただし、基礎架には多様な練習方法が存在している。陳氏太極拳は数百年の歴史を持ち、歴代の名師たちが研究を重ねることで発展してきたものであり、また、陳家内のそれぞれ家系によって、伝承している太極拳もそれぞれに特徴を持っている。よって、基礎架にも様々な練習方法があり、一つの動作に幾つかの練習方法が存在している。本書では、その中でも典型的で一番理解しやすいと思われる動作を紹介する。

なお、上記と同じ理由で、陳氏太極拳の動作の名称も様々あり、一つの動作に複数の名称や書き方、読み方が存在することもある。

また、細かい動作にも名称があるため、数え方によっては動作数の増減が生じる。本書では、伝統的な数え方を重視した上で、学習しやすさに視点をおいて動作名称を選定した。

太極拳は中国の素朴な農村で発展してきた。広大な中国では、特殊な文字の書き方や読み方が無数にある。現在の中国では、太極拳用語や動作名称については、国が定めている簡体字とその発音に当てはめる傾向があるが、その結果、まったく異なる発音で伝えられたり、通じない表現が出てきたりしている。

筆者は伝統を守り、本来の文化を読者に伝えたいという想いから、古来の繁体字に近い日本語の漢字を用いて動作名称を表記し、現在の中国の表音方法と太極拳の伝統的な読み方を総合的に分析して動作名称を表音している。

最後に、この小架一路基礎架の学習では、四肢の基本、円襠、立身中正、含胸抜背や放鬆など、陳氏太極拳に必要となる基本要領を身に付ける。歩法、手法、身法の学習に重点を置き、沈肩墜肘、周身放鬆、上下相随などに注意して、写真図解に従って学習してほしい。

小架一路 動作名称と順序一覧

No.	よみ	名称	中国語読み
1	よ び せい	予備勢	Yu bei shi
2	こん ごう とう たい	金剛搗碓	Jin gang Dao dui
3	らん ざつ い	攬紮衣	Lan za yi
4	ろく ふう し へい	六封四閉	Liu feng Si bi
5	たん べん	單鞭	Dan bian
6	こん ごう とう たい	金剛搗碓	Jin gang Dao dui
7	はく が りょう し	白鵝亮翅	Bai e Liang chi
8	ろう しつ よう ほ	摟膝拗歩	Lou xi Niu bu
9	しょ しゅう	初収	Chu shou
10	じょう さん ぽ	上三歩	Shang san bu
11	しゃ こう よう ほ	斜行拗歩	Xie xing Niu bu
12	さい しゅう	再収	Zai shou
13	じょう さん ぽ	上三歩	Shang san bu
14	えん しゅ すい	掩手捶	Yan shou chui
15	こん ごう とう たい	金剛搗碓	Jin gang Dao dui
16	ひ しん すい	披身捶	Pi shen chui
17	はい せつ こう	背折靠	Bei zhe kao
18	せい りゅう しゅっ すい	青龍出水	Qing long Chu shui
19	さん かん しょう	三換掌	San huan zhang
20	ちゅう てい かん けん	肘底看拳	Zhou di Kan quan
21	とう けん こう	倒捲肱	Dao juan hong
22	ちゅう ばん	中盤	Zhong pan
23	はく が りょう し	白鵝亮翅	Bai e Liang chi
24	ろう しつ よう ほ	摟膝拗歩	Lou xi Niu bu
25	しゅう せい	収勢	Shou shi
26	せん つう はい	閃通背	Shan tong bei
27	えん しゅ すい	掩手捶	Yan shou chui
28	ろく ふう し へい	六封四閉	Liu feng Si bi
29	たん べん	單鞭	Dan bian
30	うん しゅ	雲手	Yun shou
31	こう たん ま	高探馬	Gao tan ma
32	みぎ さっ きゃく	右擦脚	You ca jiao
33	ひだり さっ きゃく	左擦脚	Zuo ca jiao
34	ひだり とう こん	左蹬跟	Zuo deng gen
35	げき さん けん	撃三拳	Ji san quan
36	げき ち すい	撃地捶	Ji di chui
37	に き きゃく	二起脚	Er qi jiao
38	ご しん けん	護心拳	Hu xin quan
39	せん ぷう きゃく	旋風脚	Xuan feng jiao
40	そう ふう かん じ	双風貫耳	Shuang feng Guan er
41	とう いっ こん	蹬一跟	Deng yi gen
42	えん しゅ すい	掩手捶	Yan shou chui
43	しょう きん な	小擒拿	Xiao qin na
44	ほう とう すい ざん	抱頭推山	Bao tou Tui shan
45	ろく ふう し へい	六封四閉	Liu feng Si bi
46	たん べん	單鞭	Dan bian
47	ぜん しょう こう しょう	前招後招	Qian zhao Hou zhao
48	の ま ぶん そう	野馬分鬃	Ye ma Fen zong
49	ろく ふう し へい	六封四閉	Liu feng Si bi
50	たん べん	單鞭	Dan bian
51	ぎょく じょ せん さ	玉女穿梭	Yu nü Quan suo
52	らん ざつ い	攬紮衣	Lan za yi
53	ろく ふう し へい	六封四閉	Liu feng Si bi
54	たん べん	單鞭	Dan bian
55	うん しゅ	雲手	Yun shou
56	はい きゃく	擺脚	Bai jiao
57	てっ さ	跌叉	Die cha
58	きん けい どく りつ	金鶏獨立	Jin ji Du li
59	とう けん こう	倒捲肱	Dao juan hong
60	ちゅう ばん	中盤	Zhong pan
61	はく が りょう し	白鵝亮翅	Bai e Liang chi
62	ろう しつ よう ほ	摟膝拗歩	Lou xi Niu bu
63	しゅう せい	収勢	Shou shi
64	せん つう はい	閃通背	Shan tong bei
65	えん しゅ すい	掩手捶	Yan shou chui
66	ろく ふう し へい	六封四閉	Liu feng Si bi
67	たん べん	單鞭	Dan bian
68	うん しゅ	雲手	Yun shou
69	こう たん ま	高探馬	Gao tan ma
70	じゅう じ きゃく	十字脚	Shi zi jiao
71	し とう すい	指襠捶	Zhi dang chui
72	はく えん けん か	白猿獻果	Bai yuan Xian guo
73	ろく ふう し へい	六封四閉	Liu feng Si bi
74	たん べん	單鞭	Dan bian
75	ほ ち りゅう	鋪地龍	Pu di long
76	じょう ほ しち せい	上歩七星	Shang bu Qi xing
77	か ほ こ こ	下歩跨虎	Xia bu Kua hu
78	はい きゃく	擺脚	Bai jiao
79	とう とう ほう	當頭炮	Dang tou pao
80	こん ごう とう たい	金剛搗碓	Jin gang Dao dui
81	たい きょく しゅう せい	太極収勢	Tai ji Shou shi

1 予備勢(Yu bei shi) ～ 2 金剛搗碓(Jin gang Dao dui)

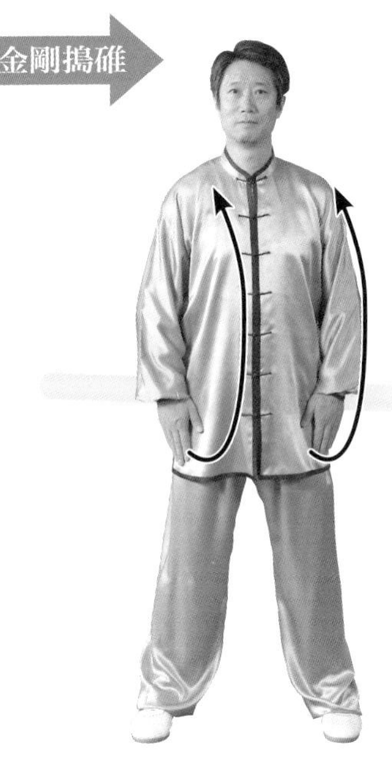

1-1（予備勢）
自然体で股関節を緩める。
肘は伸ばさずに、緩める（肘不貼肋）。全身を伸びやかに使う（舒展大方）。
心穏やかに自然呼吸をする。
立身中正､周身放鬆すること。
これは全套路に共通する。

2-1
両手を順纏絲しながら、胸の高さまで上げる。
両手の間隔は約30㎝で、掌を向き合わせる。

2-2
右足の踵を中心につま先を回す（擺歩）。
重心を右足に移しながら、身体をやや右に回転し、両手で捋をする。

2-8
右拳を左掌に下ろす。
同時に右足を下ろす。

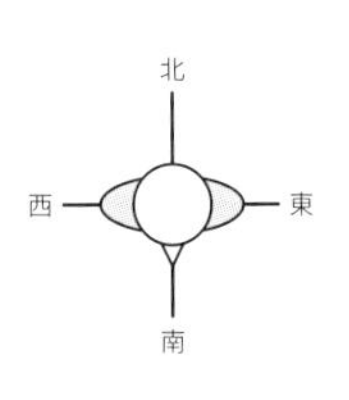

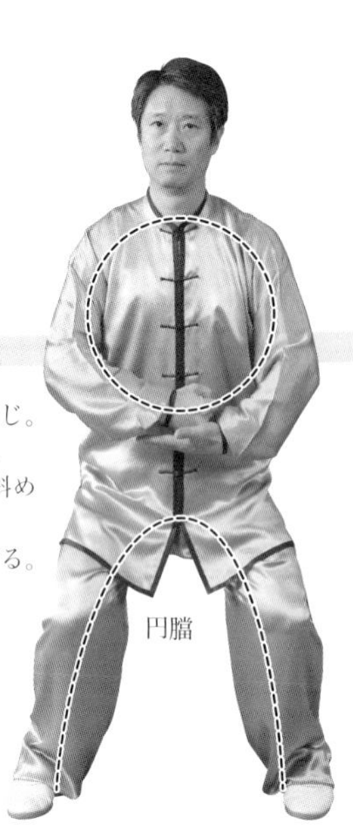

2-9
歩形は馬歩。足幅が肩幅と同じ。
肩幅より狭くならないように。
腕は円を作る。右拳の拳眼は斜め上を向く。
拳と身体の間は､拳一つ分空ける。
頭頂を上げる（虚領頂勁）。

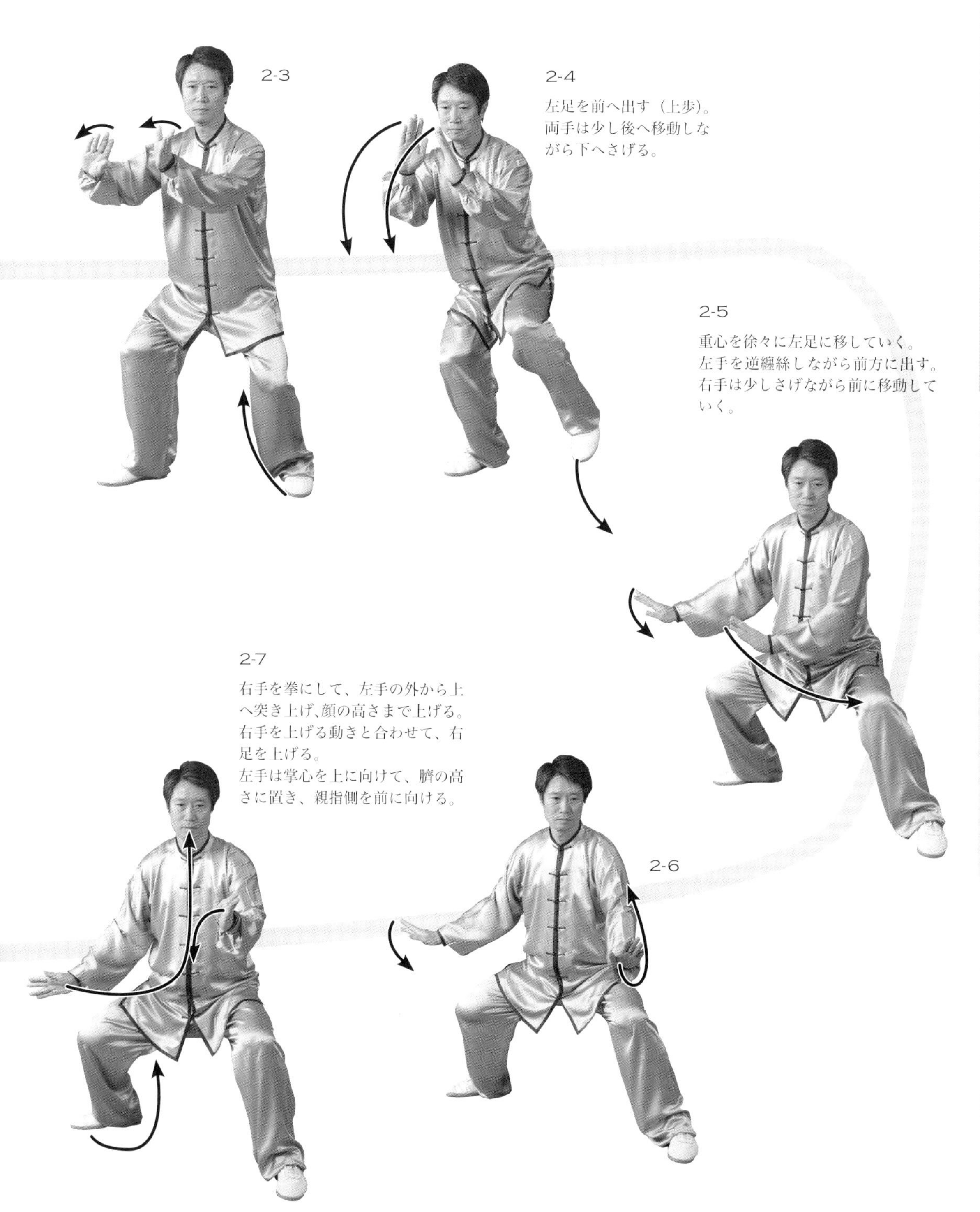
2-3
2-4
左足を前へ出す（上歩）。
両手は少し後へ移動しながら下へさげる。
2-5
重心を徐々に左足に移していく。
左手を逆纏絲しながら前方に出す。
右手は少しさげながら前に移動していく。
2-7
右手を拳にして、左手の外から上へ突き上げ､顔の高さまで上げる。
右手を上げる動きと合わせて、右足を上げる。
左手は掌心を上に向けて、臍の高さに置き、親指側を前に向ける。
2-6

3 攬紮衣

Lan za yi

2-9
右手を上へ、左手を下へ回す。

3-1

3-2
両手を順纏絲しながら、
右手を下へ、左手を上へ回す。

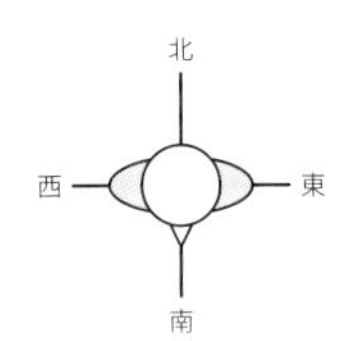

3-9
歩形は右弓歩。
右掌は肩の高さ。
目は右手中指を見る。

3-3

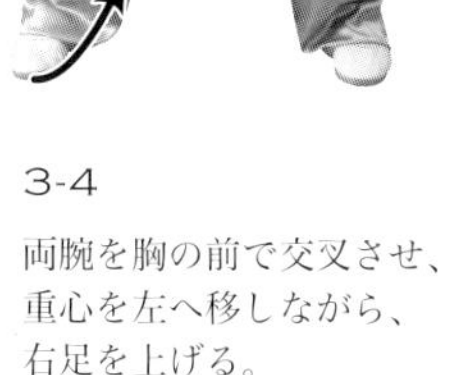

3-4

両腕を胸の前で交叉させ、
重心を左へ移しながら、
右足を上げる。

3-5

交叉した両腕と胸の間に空
間を保ちながら、右足を右
へ出し、踵から着地する。

3-6

右手を逆纏絲、左手は
順纏絲しながら、体重
を右足に移動させる。

3-7

3-8

右手を順纏絲しながら右に開き、
左手を逆纏絲しながら左腰に置く。

4 六封四閉

Liu feng Si bi

4-1

4-2

3-9

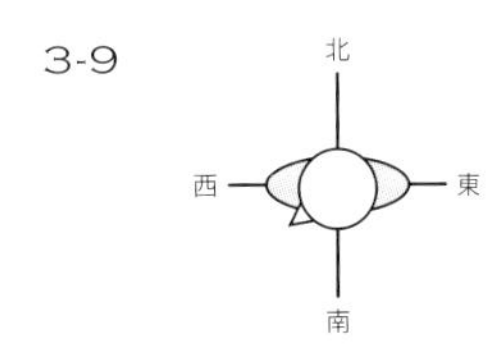

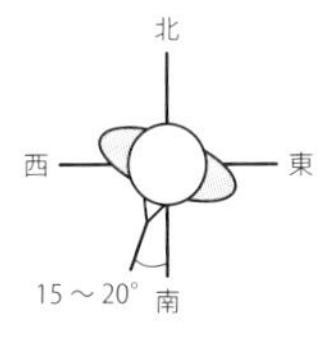

4-9

左足を寄せ、つま先を着地させる。
円艡を保持する。頭頂を上げる(虚領頂勁)。

4-10

左足は虚歩。
足幅が狭くならないように注意。

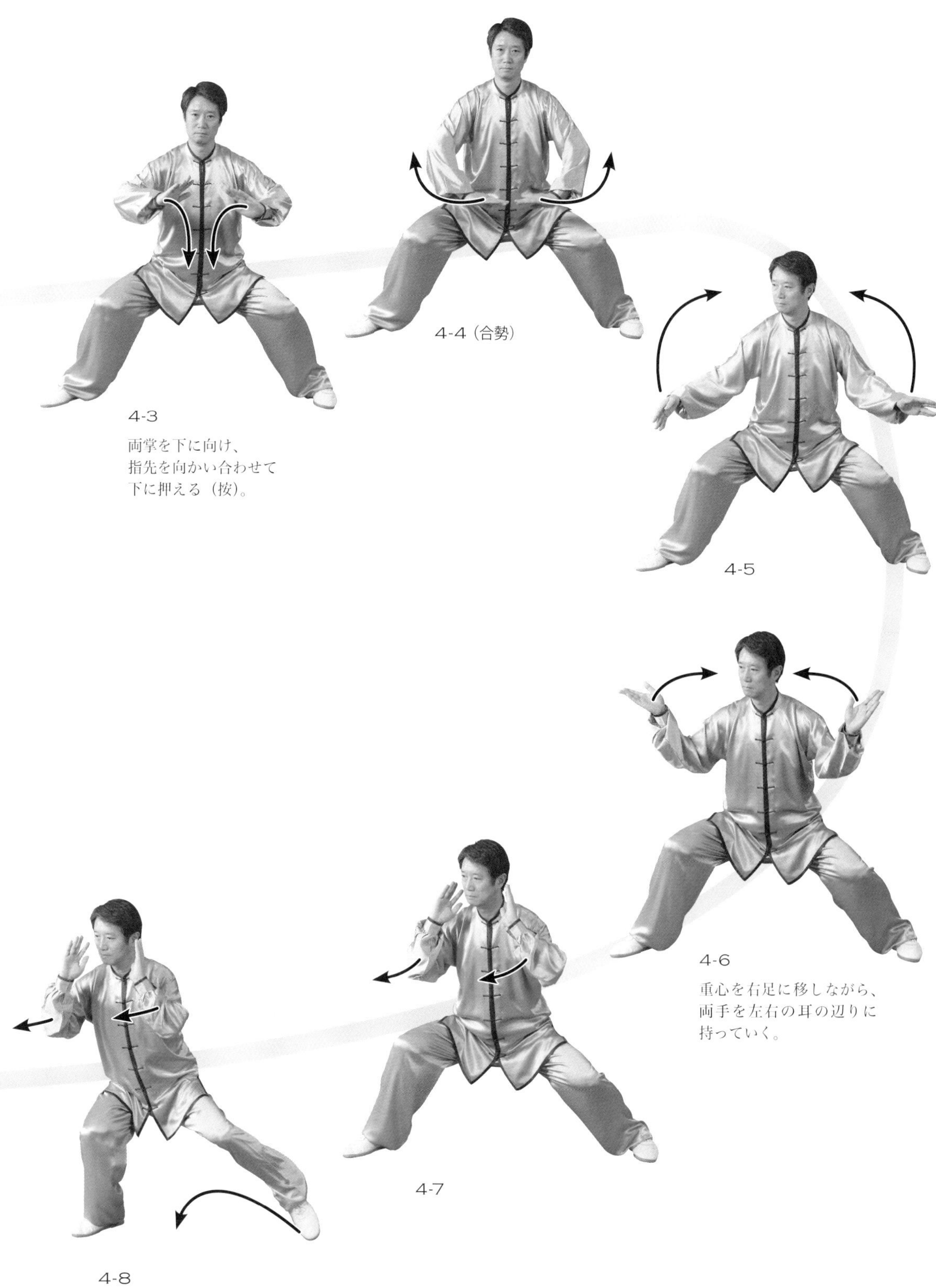

4-3
両掌を下に向け、
指先を向かい合わせて
下に押える（按）。

4-4（合勢）

4-5

4-6
重心を右足に移しながら、
両手を左右の耳の辺りに
持っていく。

4-7

4-8
小臂を押し出しながら、
左足を寄せる。
上体を捻らない。

5 單鞭

Dan bian

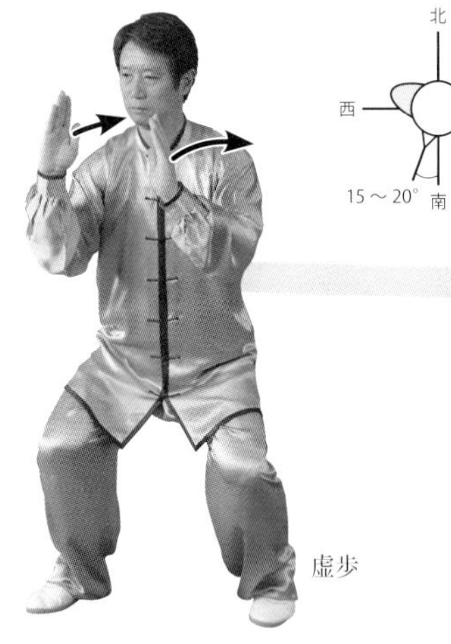

4-10

両手を左へ回転させる。

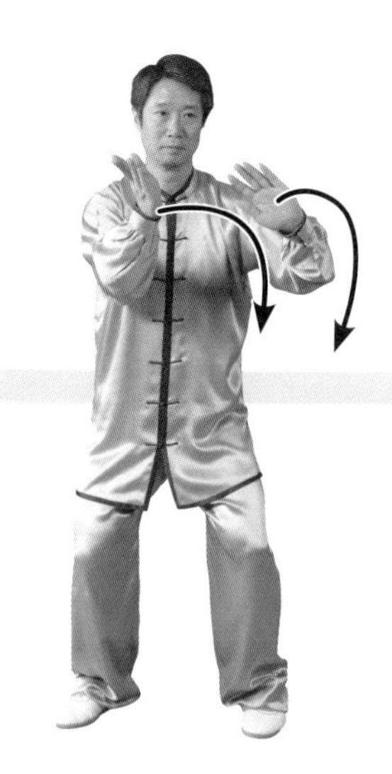

5-1

5-2

身体の前で両腕で
円を描くように回す。
その際、身体が捻じれ
ないように注意する。

5-6

脚の円襠を保持する。

5-7

左掌を逆纏絲させながら左へ開く。
身体が捻れないよう注意する。

5-8

右足のつま先を
内側に回す（扣歩）。

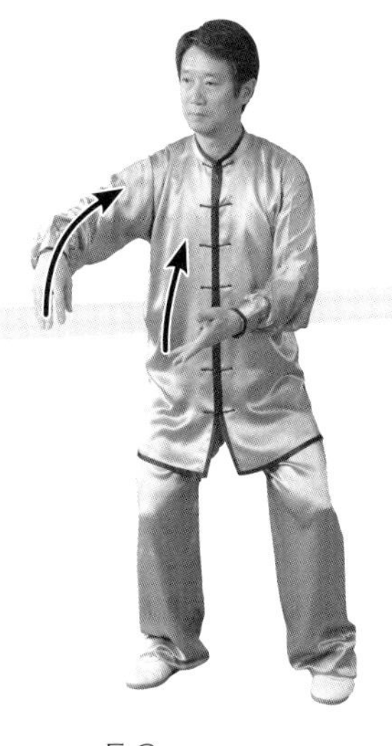

5-3
右手を勾手にする。
腰を正面に向くように回す。

5-4
両腕は胸前で円を保つ。

5-5
左足を踵から着地する。
身体が捻れないように注意し、立身中正を保持する。

5-9
両腕は、大きな水平の円の一部であると意識する。

5-10
歩形は左弓歩。
両手は肩の高さに。目は左手の中指を見る。
姿勢端正、上下相随を意識する。

6 金剛搗碓
Jin gang Dao dui

5-10

両手とも順纏絲しながら、
身体の前で円を描く。

6-1

腕を回す動作中、
両肩が上がらない
ように沈ませる。

6-2

北
西
東
南

6-5

右の股関節を
伸ばさないように
注意する。

別角度

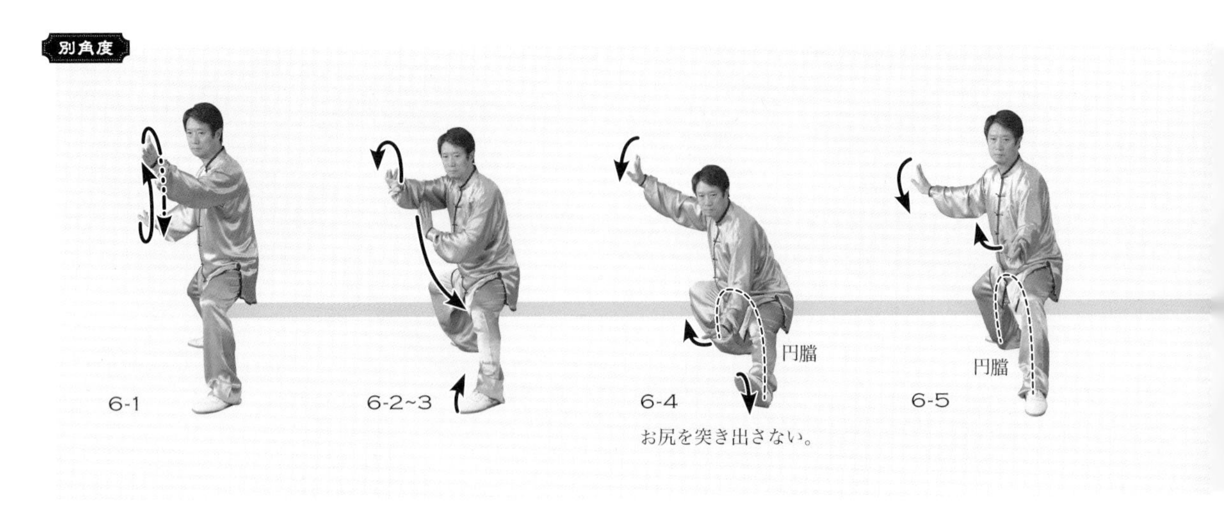

6-1

6-2~3

6-4

お尻を突き出さない。

6-5

6-3
腰を落とし、仆歩になる。
円臑を保ち、立身中正を意識する。

6-4
左足のつま先を外に回し、
重心を左足に移動させる。

6-6
右手を掌から
拳に変える。

6-7

6-8
前述の金剛搗碓と
同じ要領である。

6-6
身体が捻れないように
注意する。

6-7

6-8
歩形は小馬歩。脚の円臑と、
腕と胸で円形を保つ。

7 白鵝亮翅

Bai e Liang chi

6-8

7-1
左足を斜め後にさげる。

7-2
下肢を安定させる。

7-3
右つま先を外に回す（擺歩）。

別角度

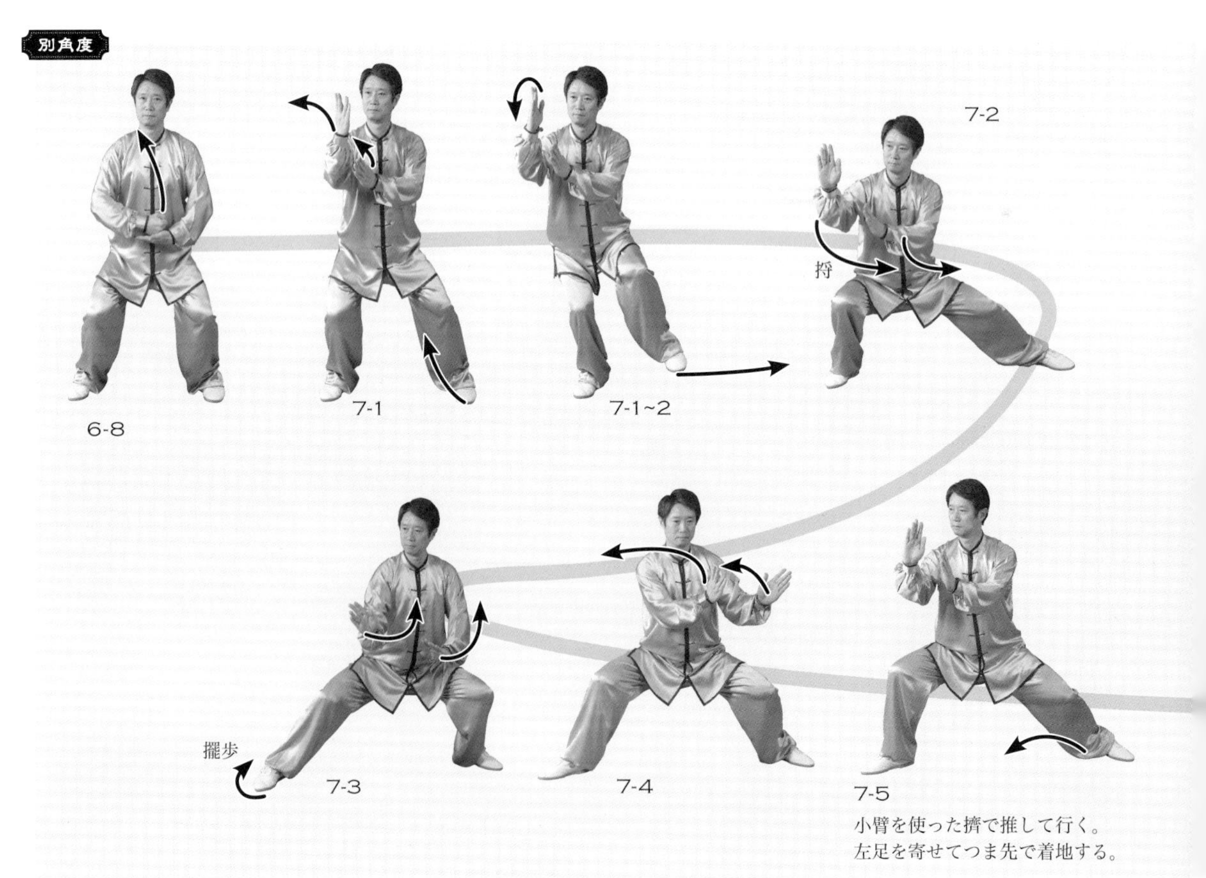

6-8

7-1

7-1~2

7-2

7-3

7-4

7-5
小臂を使った擠で推して行く。
左足を寄せてつま先で着地する。

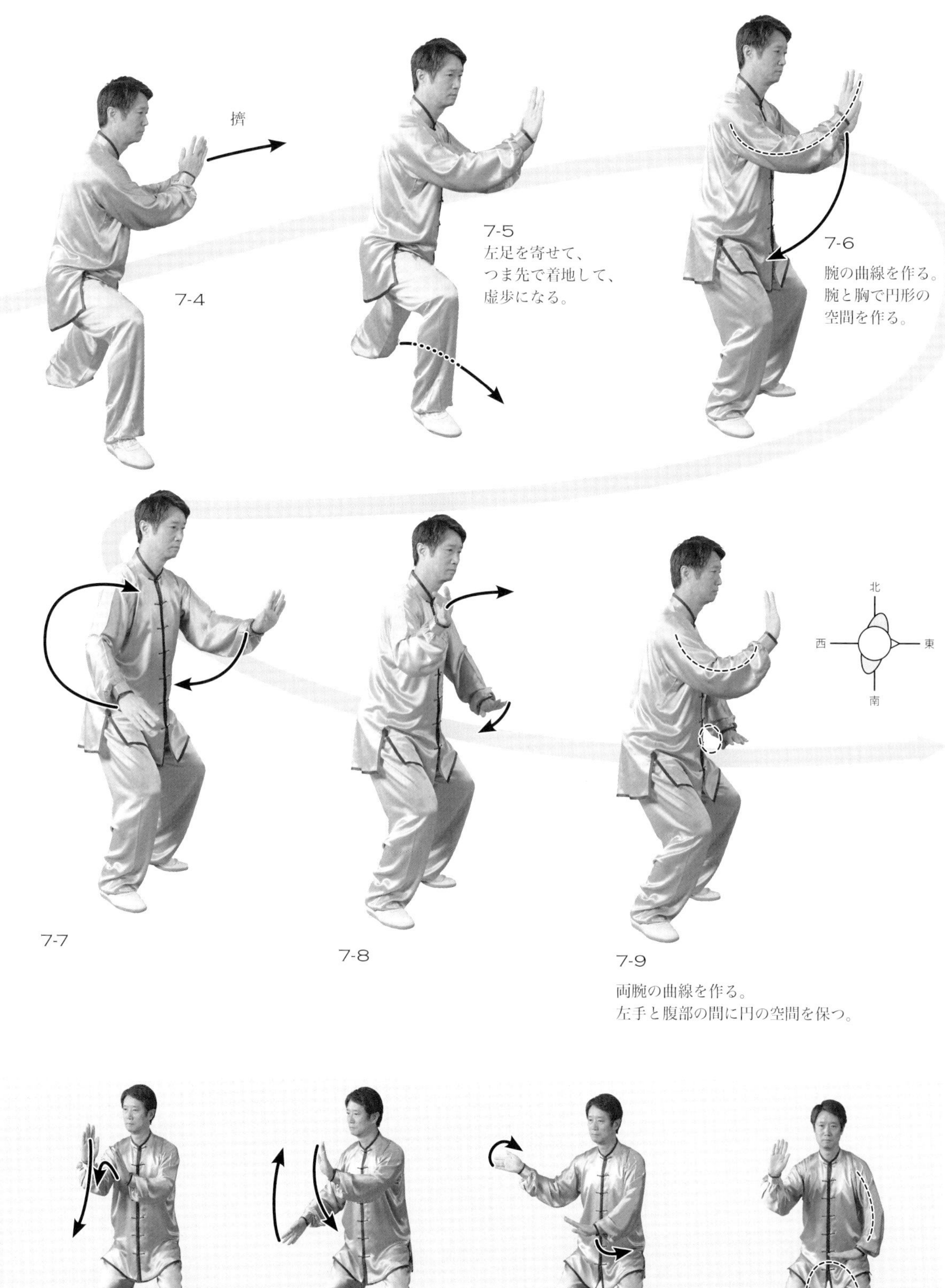

7-4

7-5
左足を寄せて、
つま先で着地して、
虚歩になる。

7-6
腕の曲線を作る。
腕と胸で円形の
空間を作る。

7-7

7-8

7-9
両腕の曲線を作る。
左手と腹部の間に円の空間を保つ。

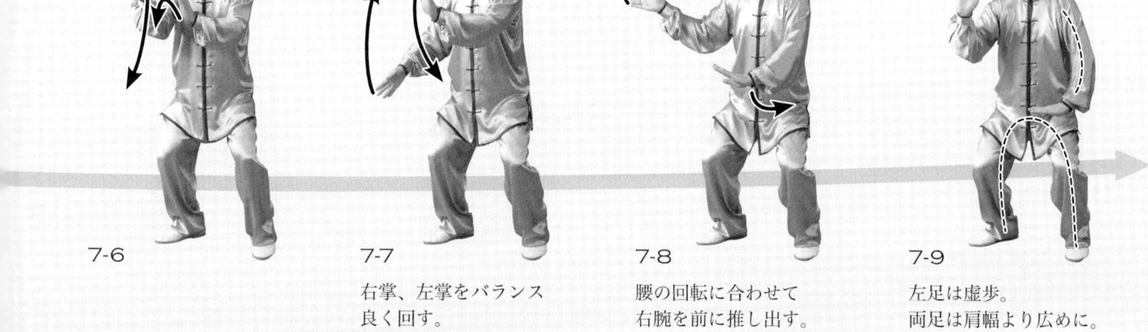

7-6

7-7
右掌、左掌をバランス
良く回す。

7-8
腰の回転に合わせて
右腕を前に推し出す。

7-9
左足は虚歩。
両足は肩幅より広めに。

8 摟膝拗歩

Lou xi Niu bu

7-9 8-1 8-2 8-3

7-9 8-1 8-2

左脚の踵から着地する。

8-3

重心は左右に偏らない。

8-4 8-5 8-6

腕を回す際に、纏絲の転換を明確にすること。
また、両腕を左右に広げる時、胸を張ってはいけない。

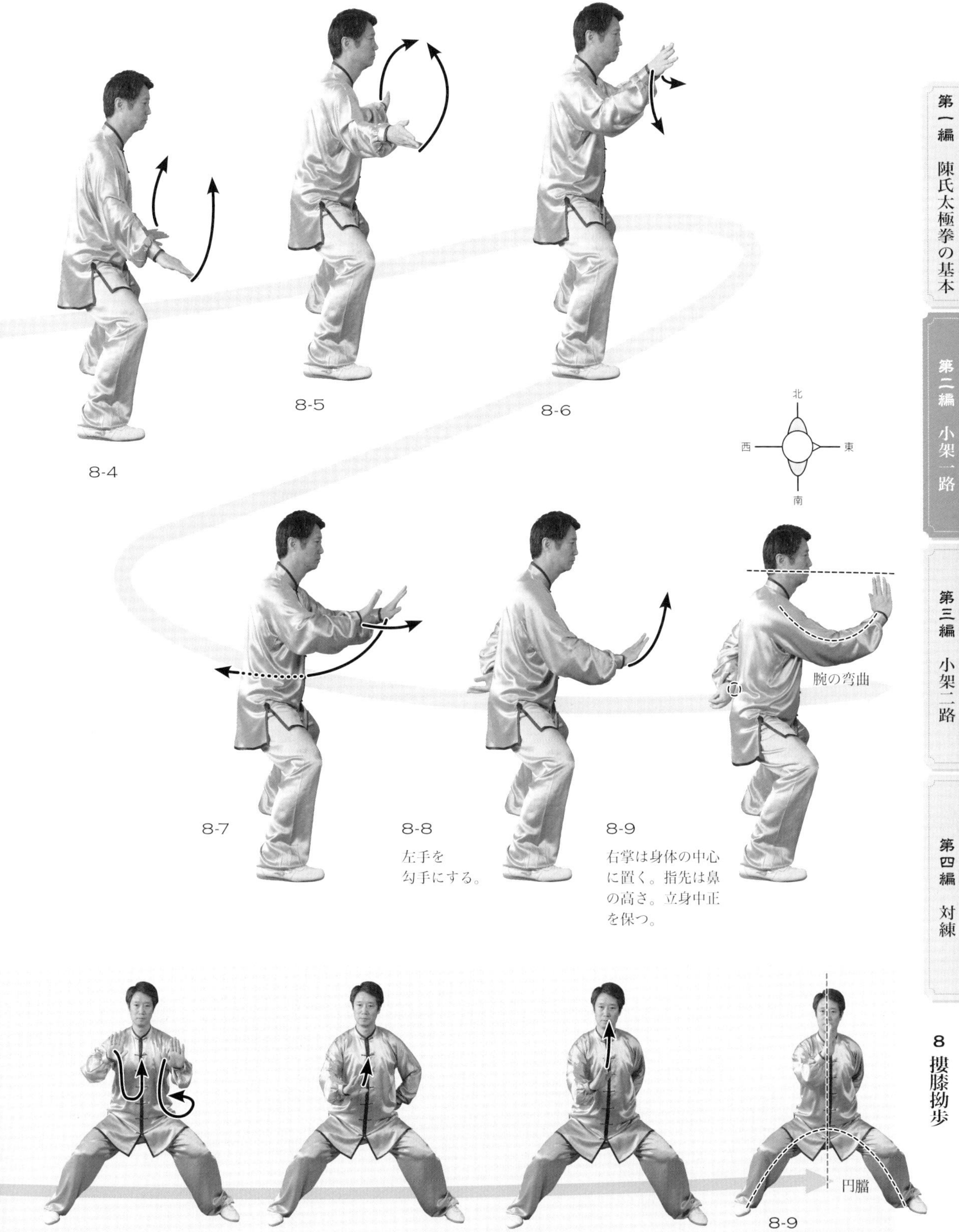

8-4

8-5

8-6

8-7

8-8
左手を
勾手にする。

8-9
右掌は身体の中心
に置く。指先は鼻
の高さ。立身中正
を保つ。

8-7

8-8
左手を掌から
勾手に変える。

8-8~9
泛臂下座の意識で、
腰を落としていく。

8-9
右掌が身体の
中心線に来る。
歩形は寛馬歩。

9 初収
Chu shou

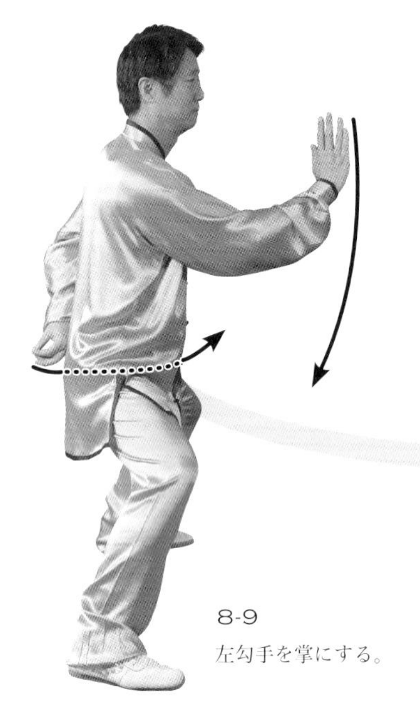

8-9
左勾手を掌にする。

9-1
右足のつま先を
外に回す（擺歩）。

9-2

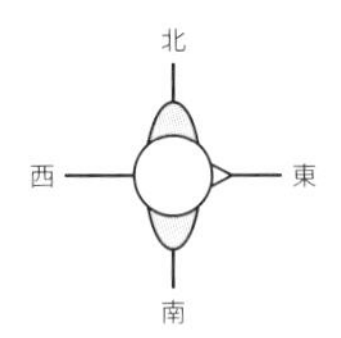

別角度

8-9

9-1

9-1~2
掤の動作が入る。

9-2
採の動作。

9-3

左足を引き寄せる際は、
いったん足を浮かせる
(別角度の写真を参照)。
上下の動作を協調させる。

9-4

両手を平行に立てる。
左足は虚歩。

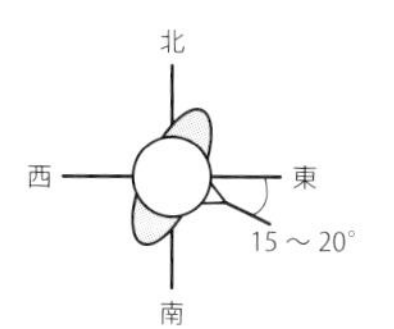

9-3

体重移動をしっかりしてから
左足を寄せる。

9-3~4

9-4

肩を沈める。左足は虚歩。
両足は肩幅よりやや広め。

10 上三歩 1/2
Shang san bu

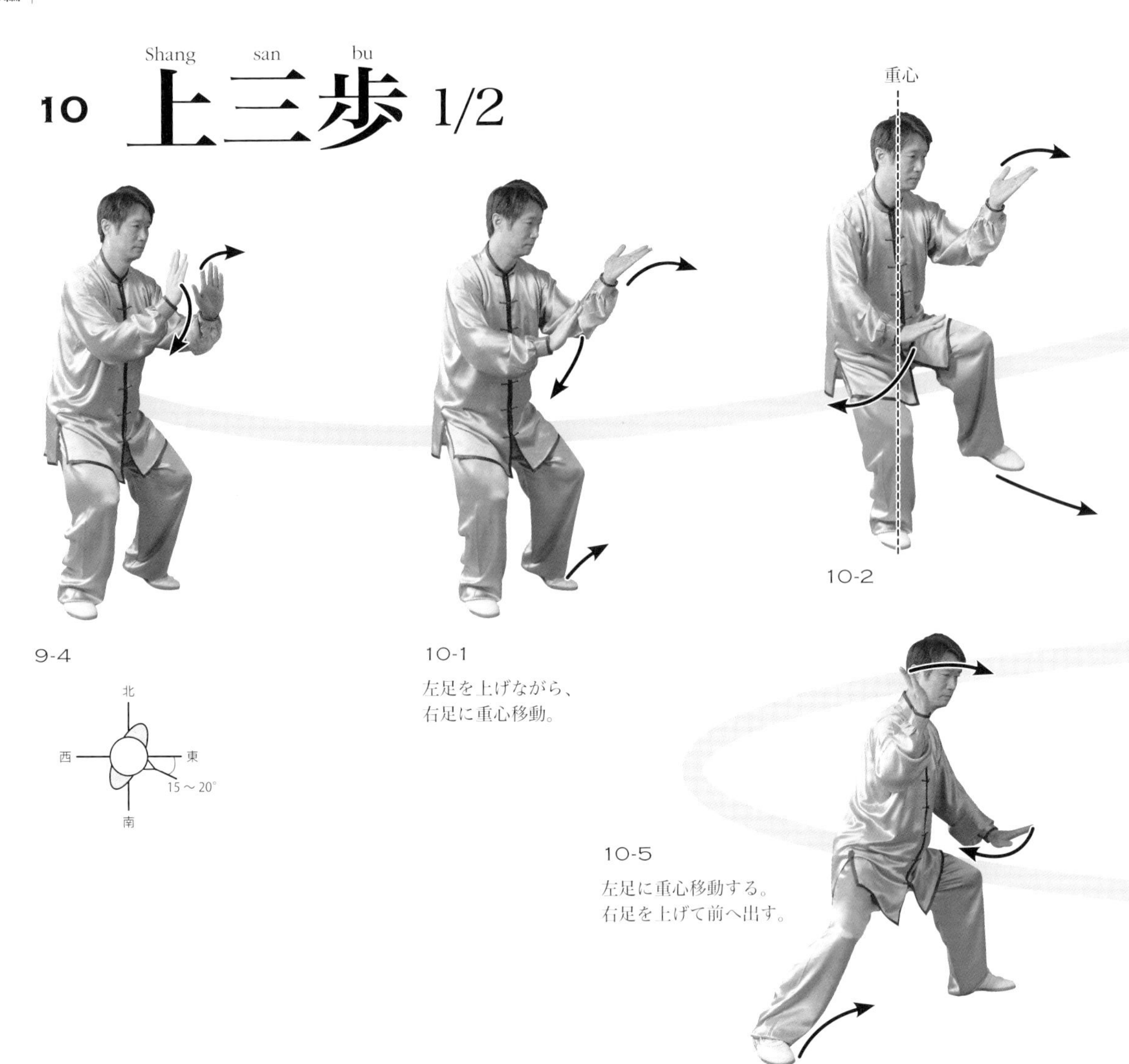

10-1
左足を上げながら、
右足に重心移動。

10-5
左足に重心移動する。
右足を上げて前へ出す。

別角度

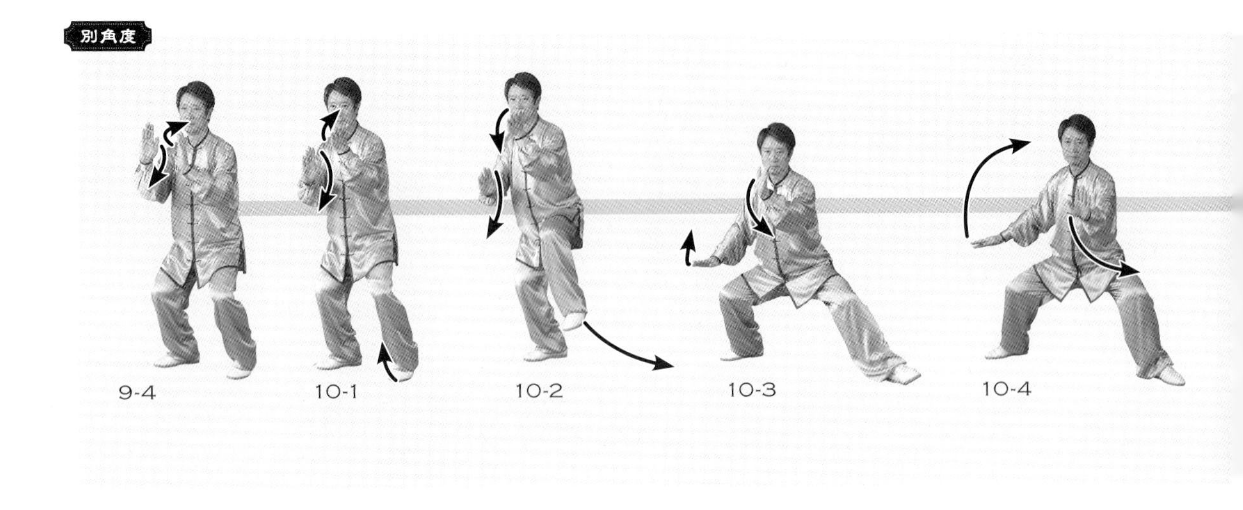

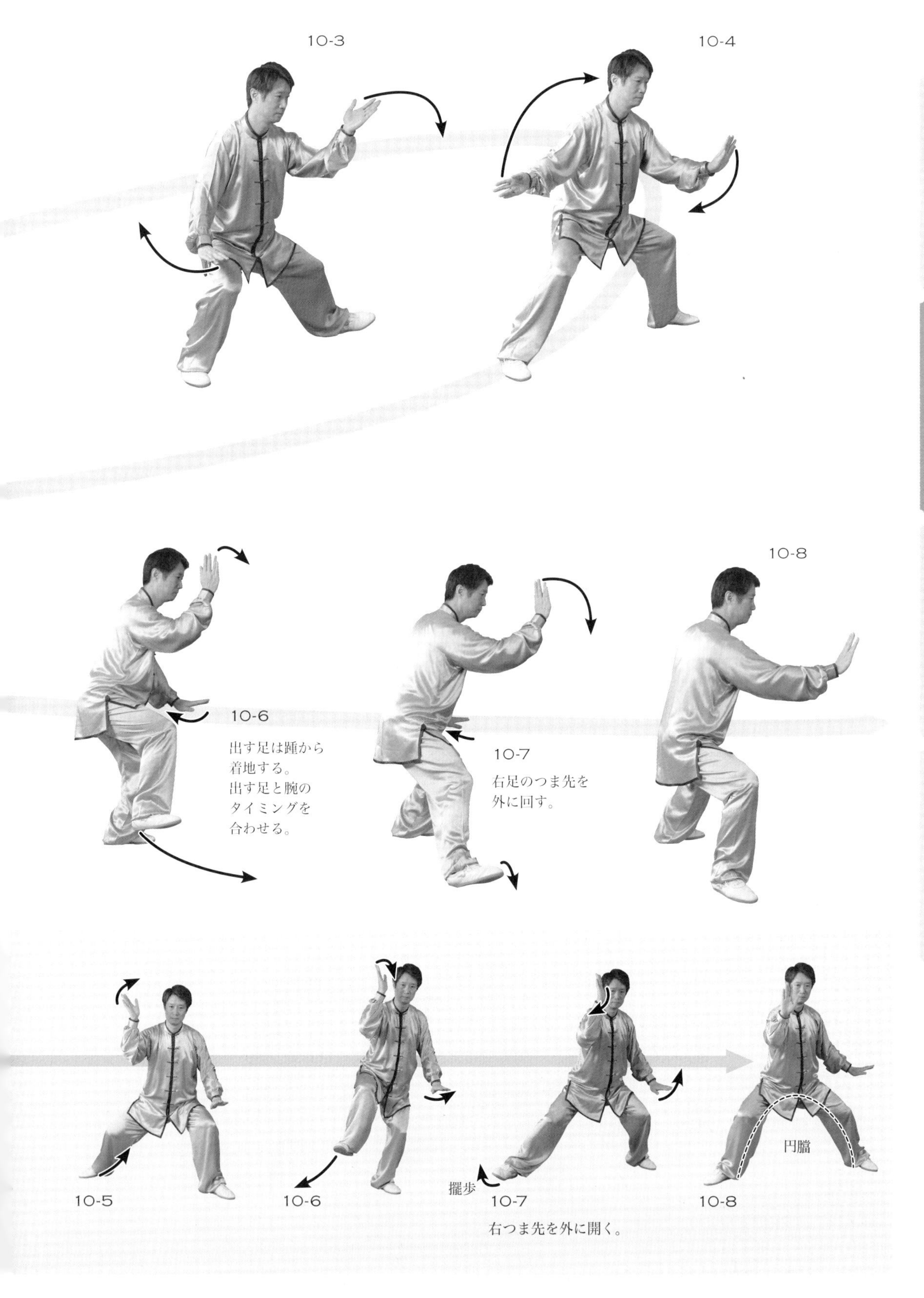
10-3
10-4
10-6
出す足は踵から
着地する。
出す足と腕の
タイミングを
合わせる。
10-7
右足のつま先を
外に回す。
10-8
10-5
10-6
擺歩
10-7
10-8
円襠
右つま先を外に開く。

10 上三歩 2/2

Shang san bu

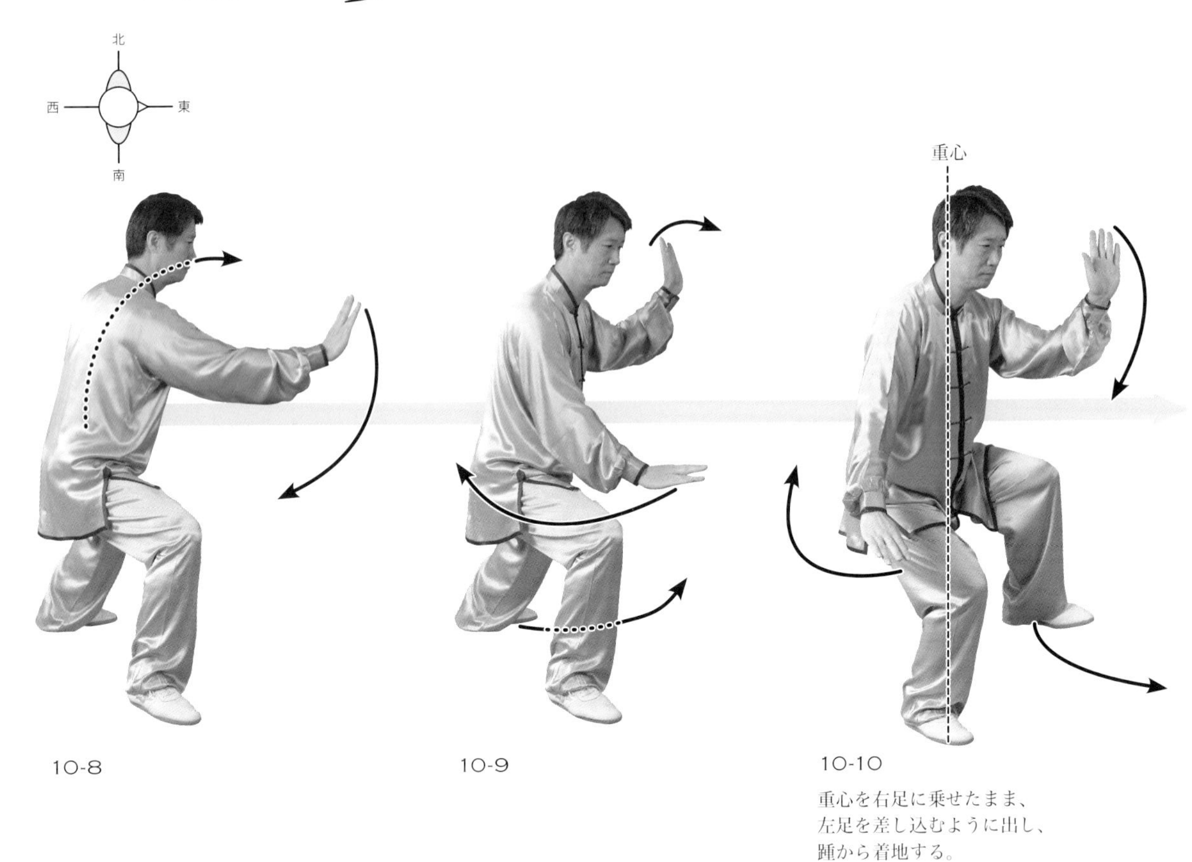

10-8

10-9

10-10

重心を右足に乗せたまま、
左足を差し込むように出し、
踵から着地する。

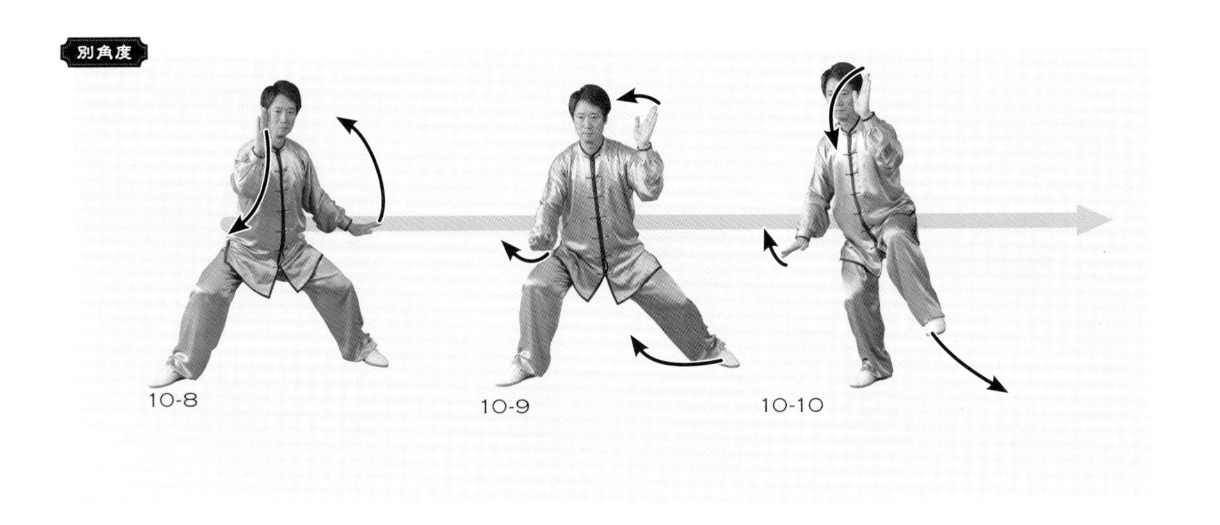

10-8

10-9

10-10

11 斜行拗歩 1/2

Xie xing Niu bu

8 摟膝拗歩に準ずる

11-1
上三歩からの流れで、斜行拗歩へ移行する。
右腕の動きと体重移動を合わせる。

11-2

11-3

11-1
上三歩からの流れで、
斜行拗歩へ移行する。

11-2

11-3
両肩を沈め、胸の前に
円の空間を保つ。

11 斜行拗步 2/2

Xie xing Niu bu

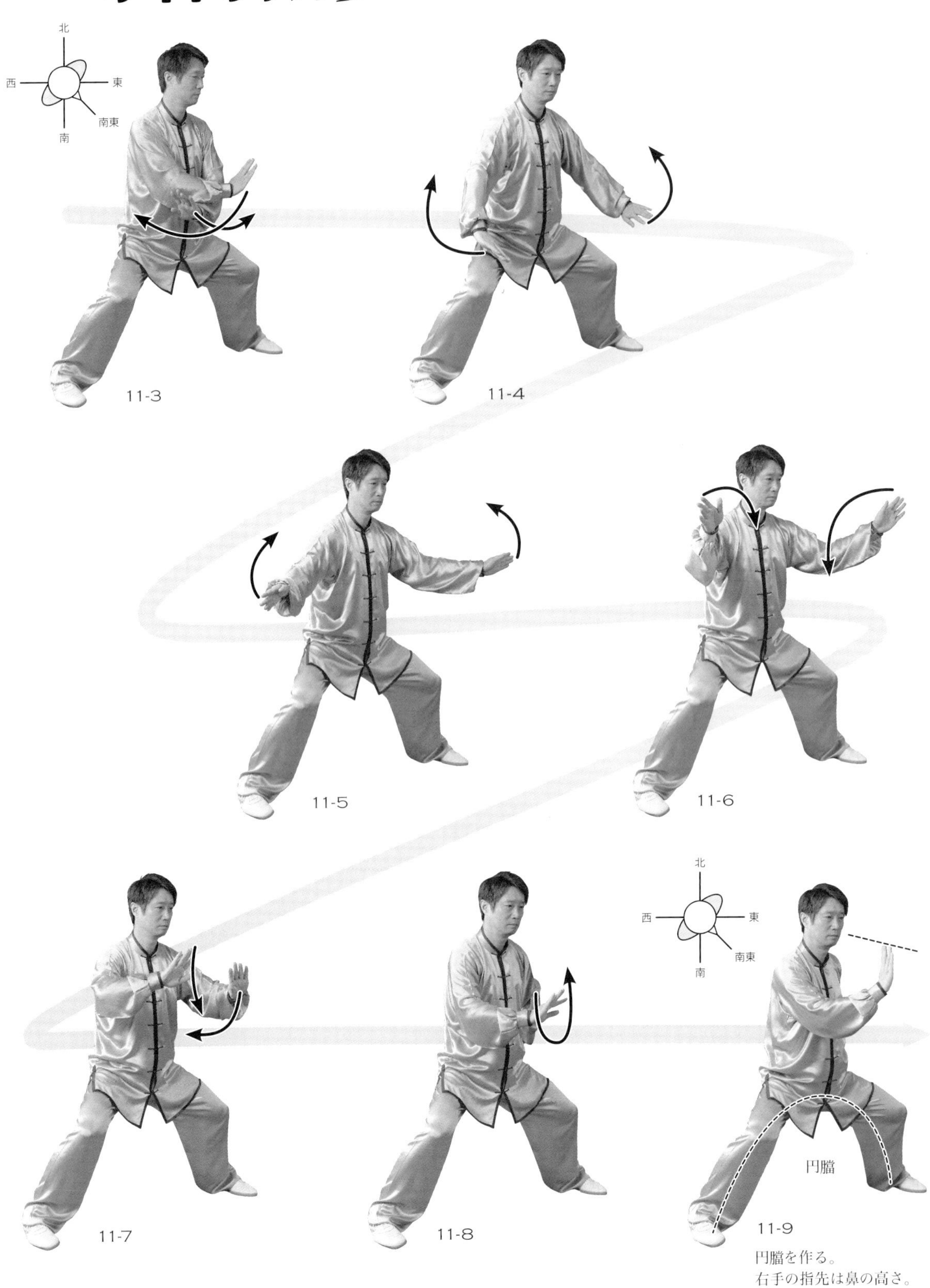

円膾を作る。
右手の指先は鼻の高さ。

12 再収（Zai shou）

9 初収に準ずる

11-9

12-1

右足のつま先を
外に回す（擺歩）。

12-2

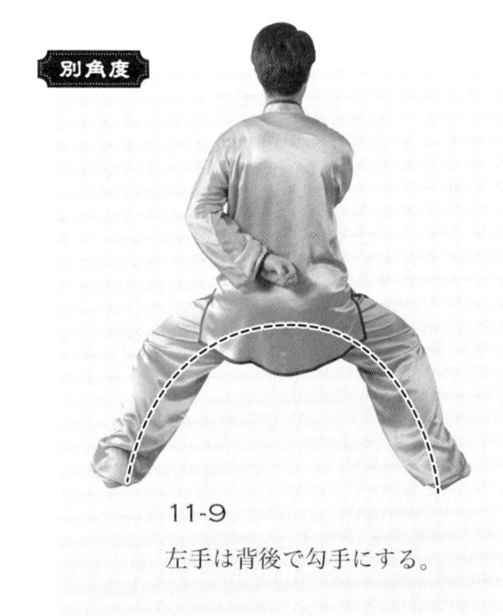

別角度

11-9

左手は背後で勾手にする。

12-3

12-4

左足は虚歩。

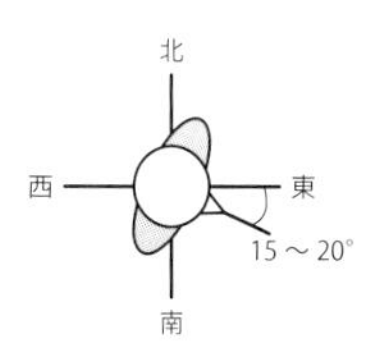

13 上三歩 (Shang san bu)

10 上三歩に準ずる

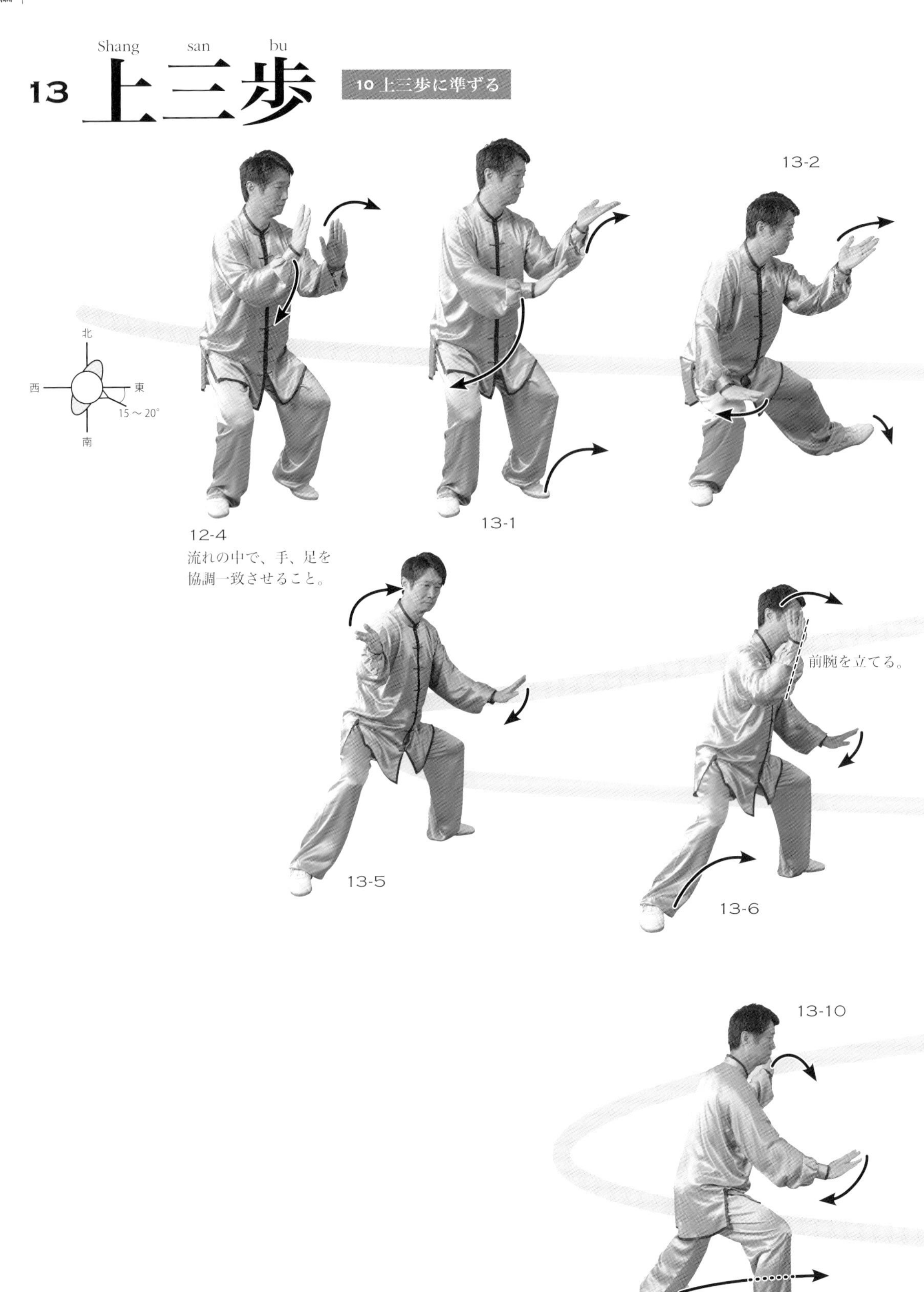

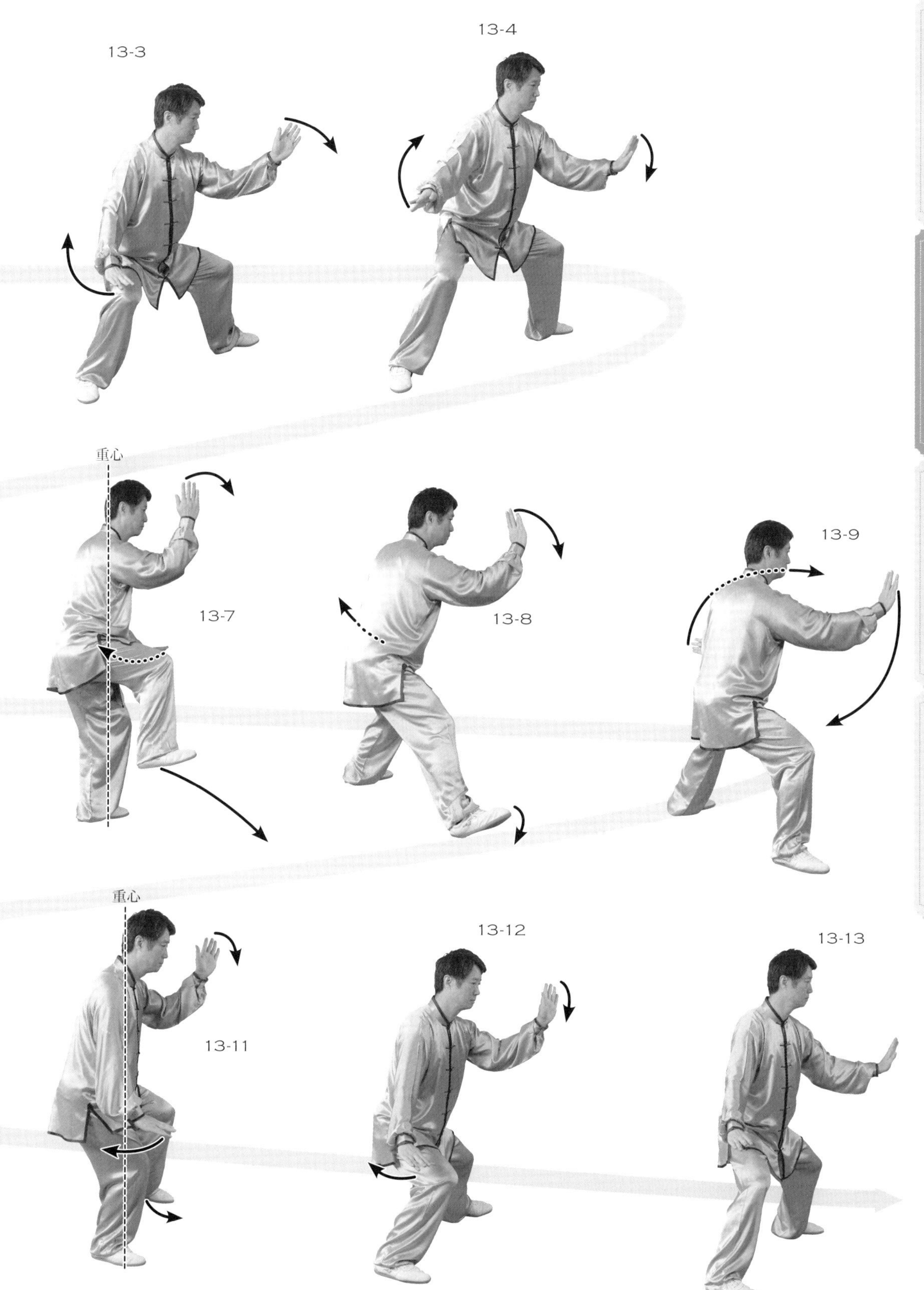
13-3
13-4
重心
13-7
13-8
13-9
重心
13-11
13-12
13-13

14 掩手捶
Yan shou chui

13-13

14-1

14-2
右手を拳にする。

13-13

14-1

14-2
右手を掌から拳に変える。

14-3

14-3
右拳をしっかり握る。
下盤を安定させ、腰の回転と
打ち出す拳を協調一致させる。

14-4

14-5
右拳を前に出す。

拡大

拳面

14-5 での拳の出し方。

14-4

14-5
右拳は正中線上に来る。

15 金剛搗碓
Jin gang Dao dui

2 金剛搗碓に準ずる

14-5
右拳を掌にする。

15-1
右足のつま先を外に回す（擺步）。

15-2
両掌で捋。
両手の間は
約 30cm 空ける。

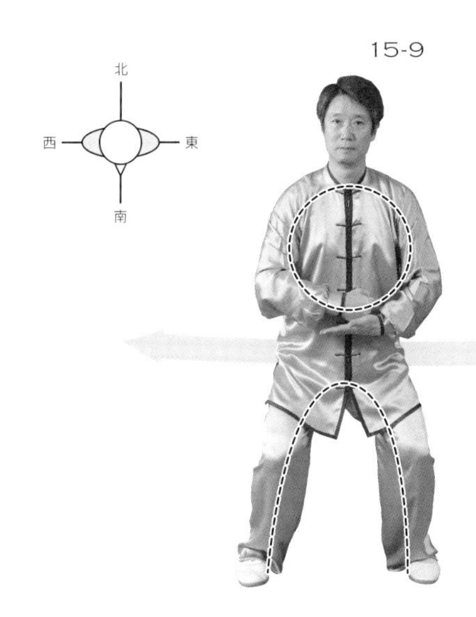

15-9

歩法で身体の向きを
90° 回転させる。

16 披身捶

Pi shen chui

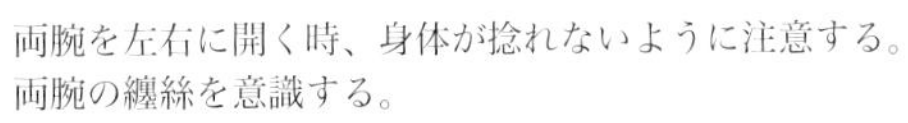

両腕を左右に開く時、身体が捻れないように注意する。
両腕の纏絲を意識する。

左拳を回して拳を左腰に当て、
手首を曲げる。
右拳は引き抜くように上げる。

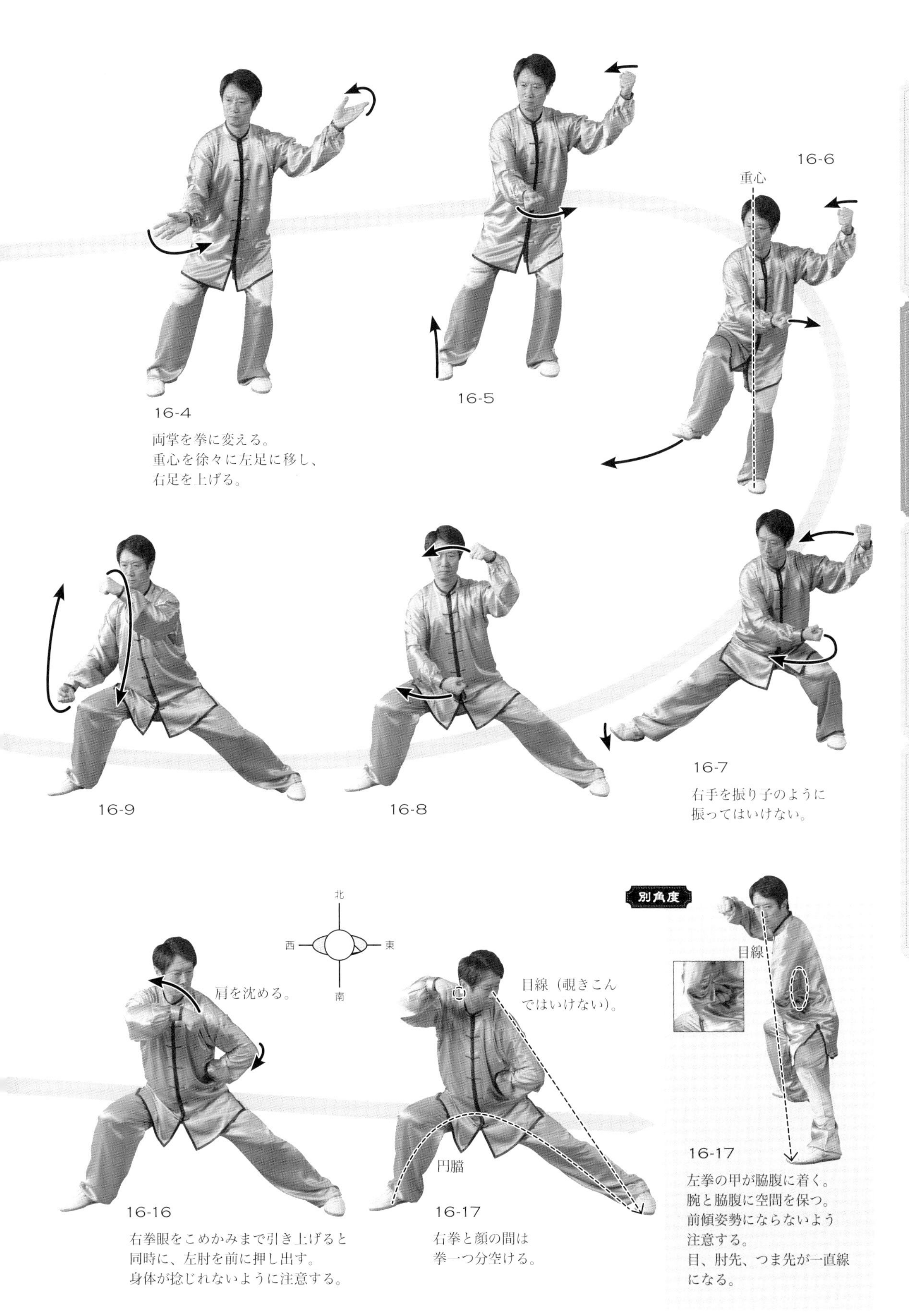

16-4
両掌を拳に変える。
重心を徐々に左足に移し、
右足を上げる。

16-5

16-6

16-7
右手を振り子のように
振ってはいけない。

16-8

16-9

16-16
右拳眼をこめかみまで引き上げると
同時に、左肘を前に押し出す。
身体が捻じれないように注意する。

16-17
右拳と顔の間は
拳一つ分空ける。

16-17
左拳の甲が脇腹に着く。
腕と脇腹に空間を保つ。
前傾姿勢にならないよう
注意する。
目、肘先、つま先が一直線
になる。

17 背折靠 (Bei zhe kao)

16-17

17-1
肩を沈め、肘が上がりすぎないように注意する。

17-2

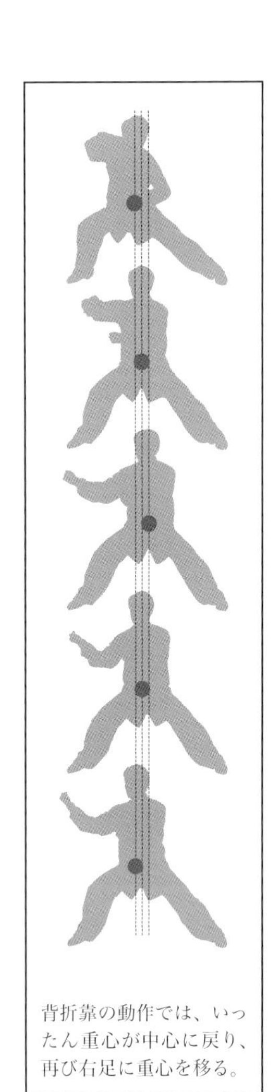

背折靠の動作では、いったん重心が中心に戻り、再び右足に重心を移る。

17-3

17-4
右腕～肩で後方へ打つ（靠）。腕は背中よりも後方へいかない。

北
西
東
南

18 青龍出水

Qing long Chu shui

17-4

18-1

身体の捻れに注意。

18-2

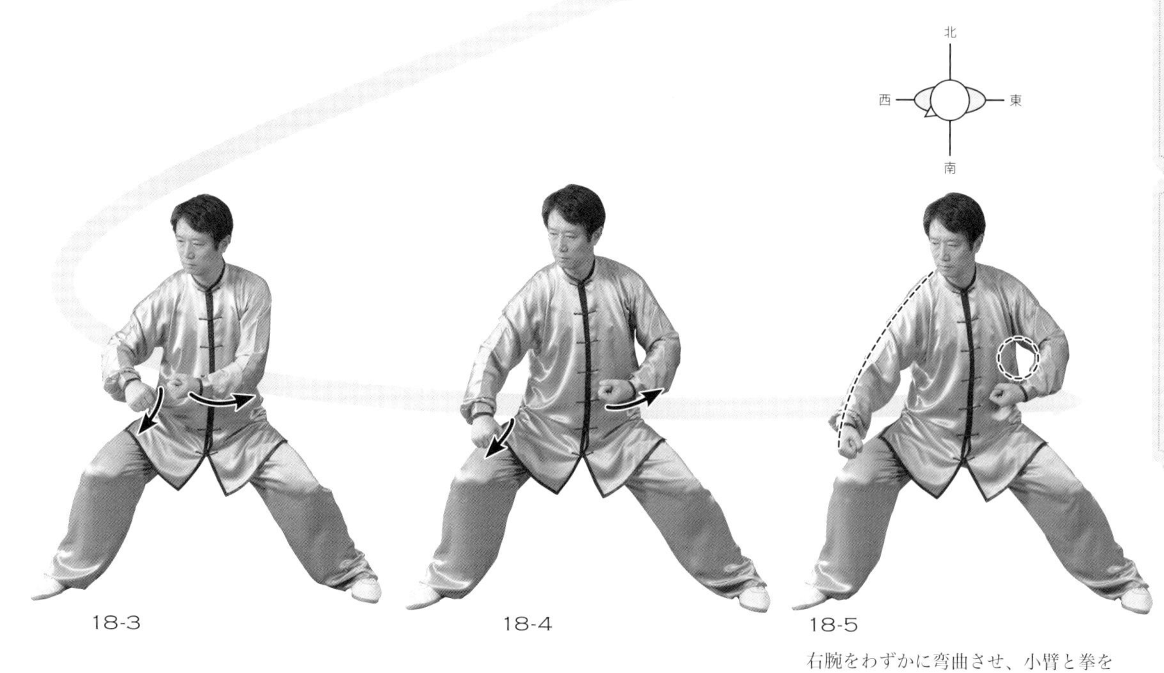

18-3

18-4

18-5

右腕をわずかに弯曲させ、小臂と拳を刀のように打ち出す（斬臂）。
左腕の円形を保つ。
下盤を安定させ、右腕を打ち出した時、身体が傾かないように注意する。

19 三換掌

San huan zhang
18-5
両拳を掌に変えながら、
小さい円を描く。
北
西
東
南
19-1
19-2
両掌を膝上から胸前まで引く（捋）。
左足のつま先を外に回す（擺歩）。
19-9
肩と肘を沈め、
右手は垂掌にする。
北
西
東
南
別角度
18-5
19-1
19-2
左つま先を外に
回す（擺歩）。
19-3
腰の回転に合わせて、
腕を回す。
19-4
19-5
19-6
腰の移動で体重移動し、
捋する。

19-7~8

19-8
両掌の間隔を一定に
保ったまま、円を描く。

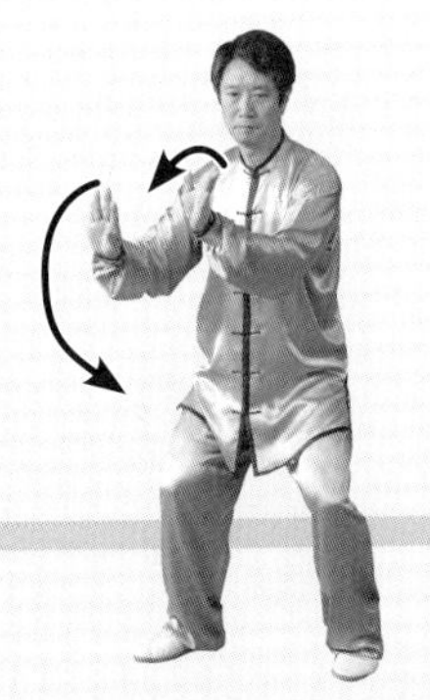

19-8~9

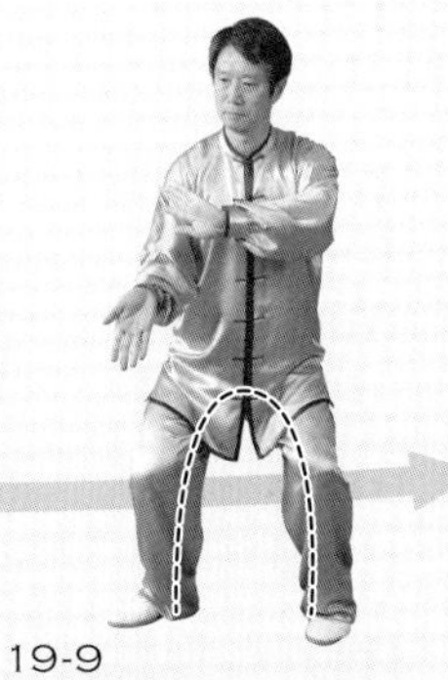

19-9
左足は虚歩。
肩と肘を沈め、胸前の円形を
保つ。右手は垂掌にする。

20 肘底看拳

Zhou di Kan quan

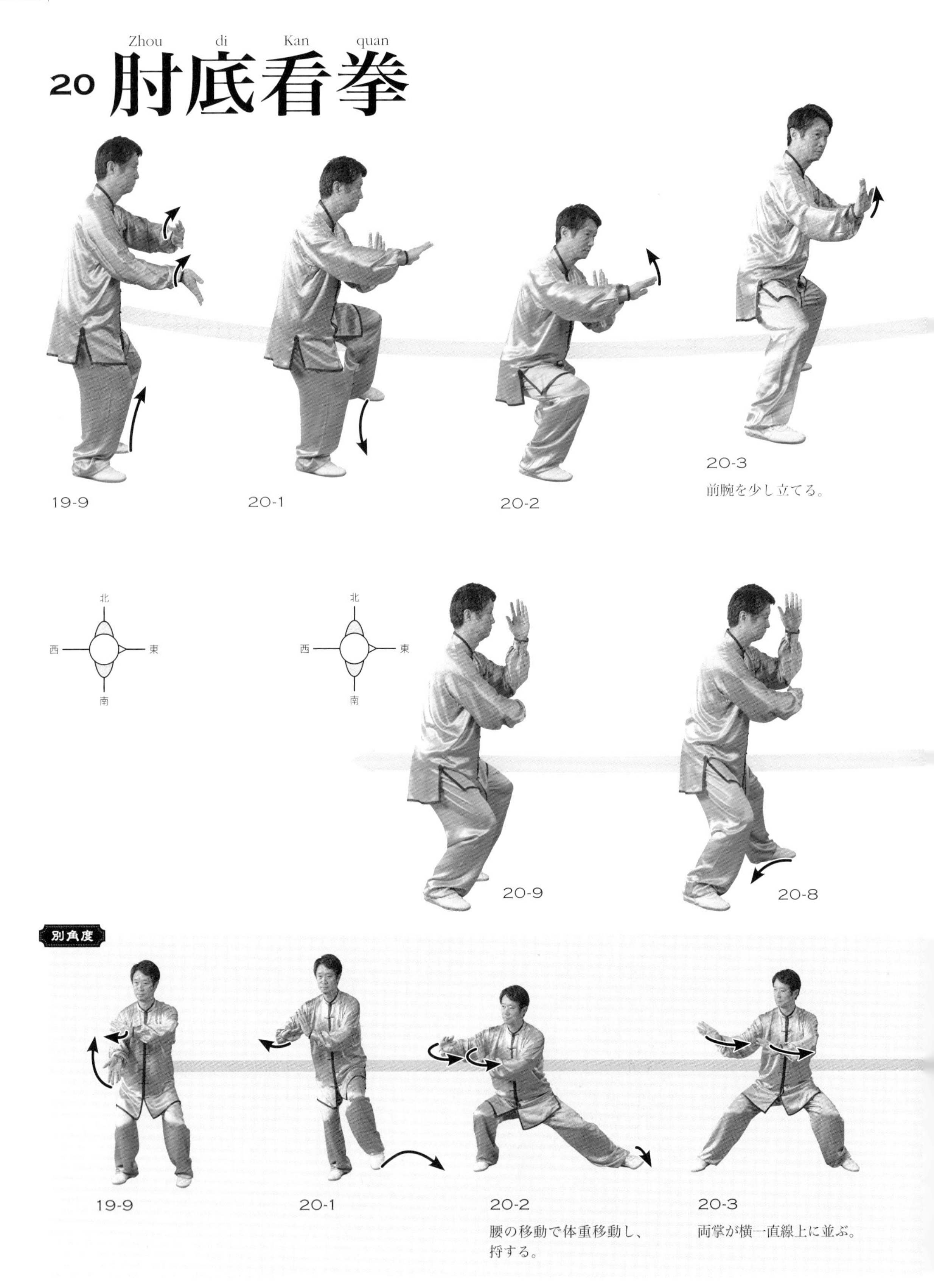

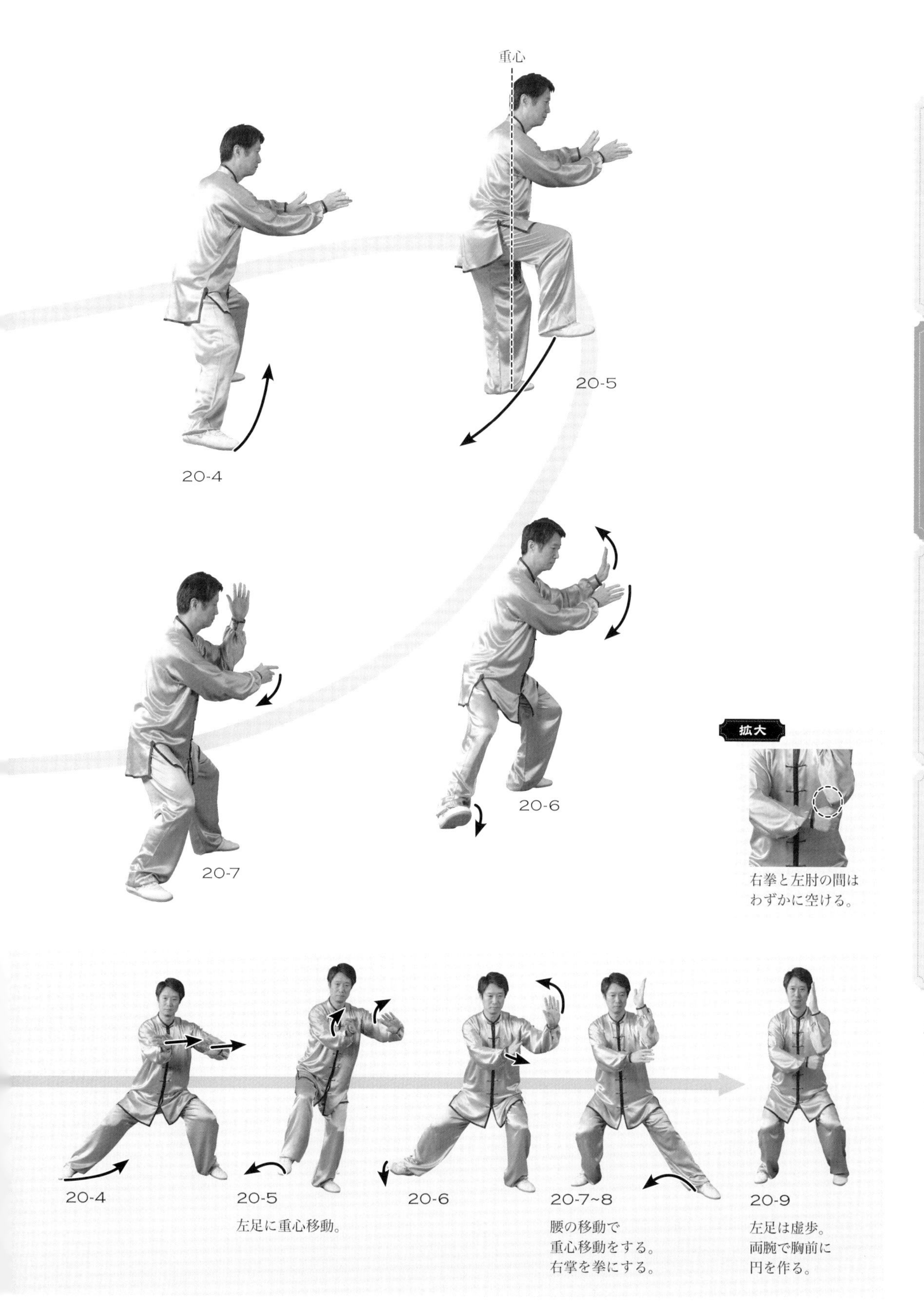

右拳と左肘の間はわずかに空ける。

左足に重心移動。

腰の移動で重心移動をする。右掌を拳にする。

左足は虚歩。両腕で胸前に円を作る。

21 倒捲肱 1/2

Dao juan hong

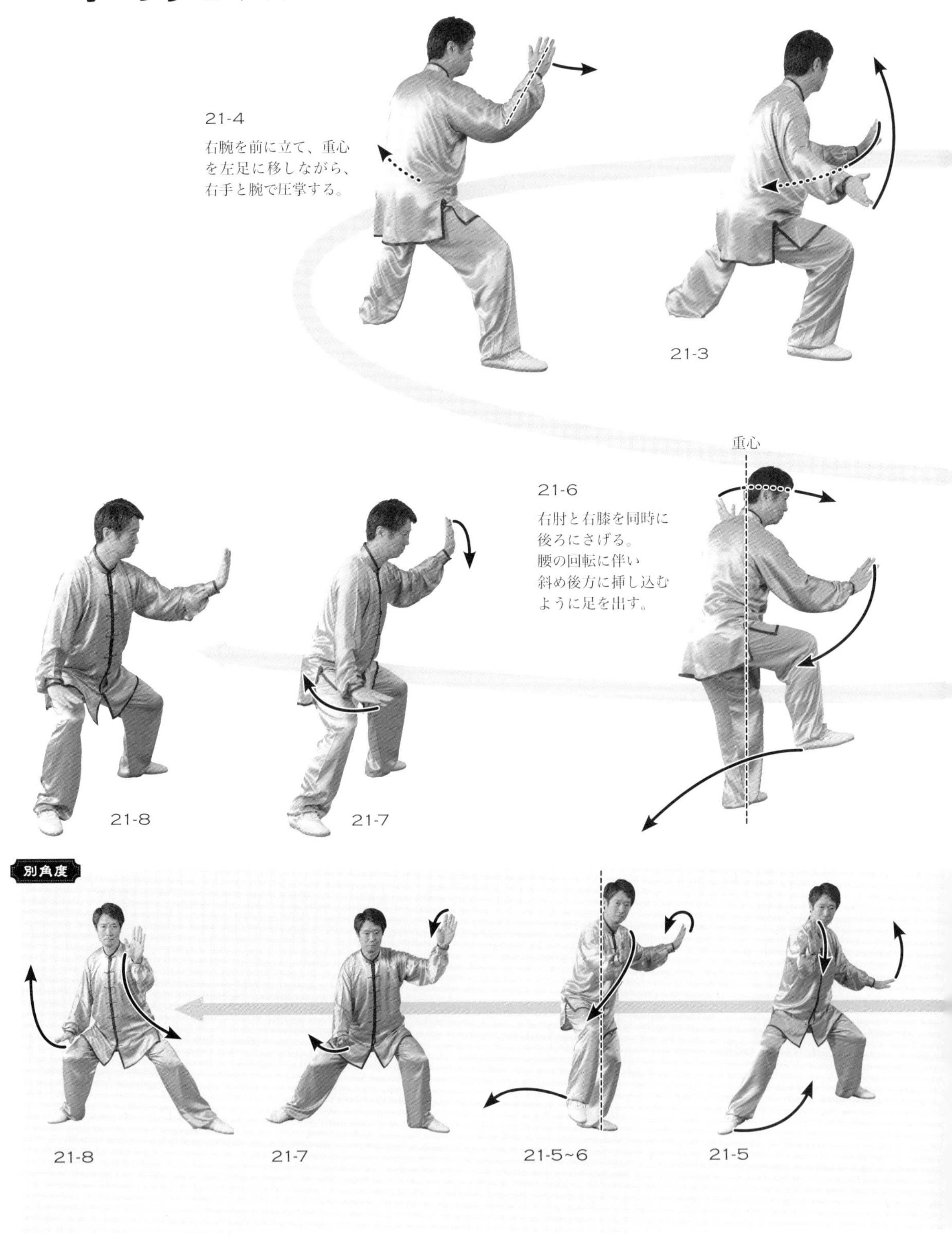

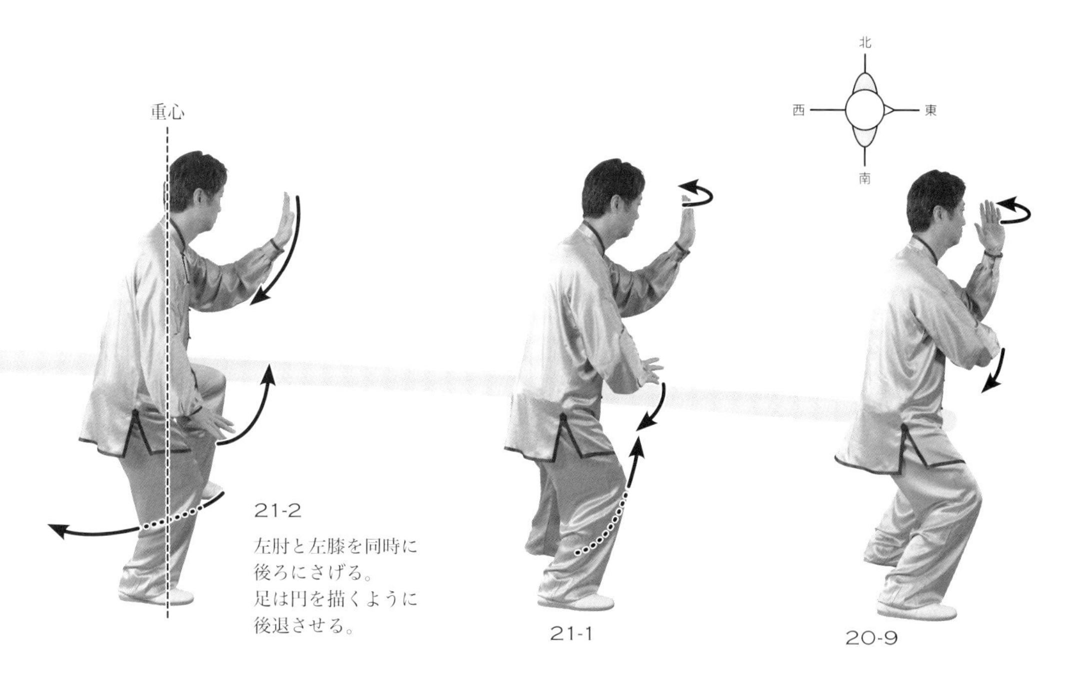

21-2
左肘と左膝を同時に
後ろにさげる。
足は円を描くように
後退させる。

21-5
両手は縦に回転をする。
足を後ろにさげる時に、
重心を左足に移動させて、
右膝を上げる。
手、足、身体のタイミングを
調和させる。

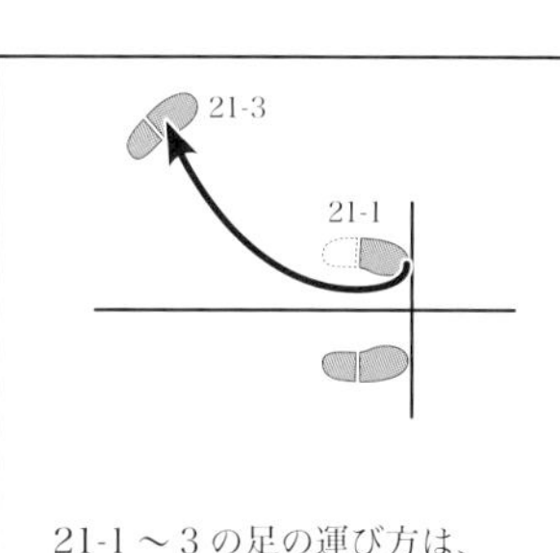

21-1～3の足の運び方は、
足で円を描くようにする。
つまり、左足は若干内側へ回
しながら後ろへさげる。

21 倒捲肱 2/2

Dao juan hong

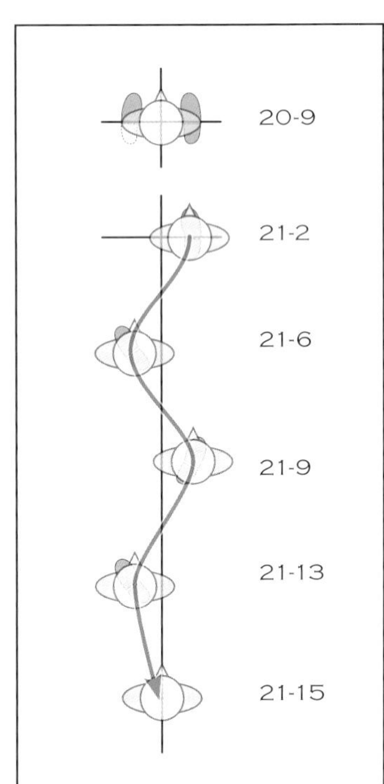

20-9の位置を基準として、倒捲肱で後退する際の重心の移動を模式図にした。
重心が左右に移動するため、その軌跡は波状になる。
腕を縦に回しながらの後退であるため、一歩足をさげるごとに、重心移動をはっきりさせるとよい。

後退の回数に基準はないが、右足を後退して終わる。

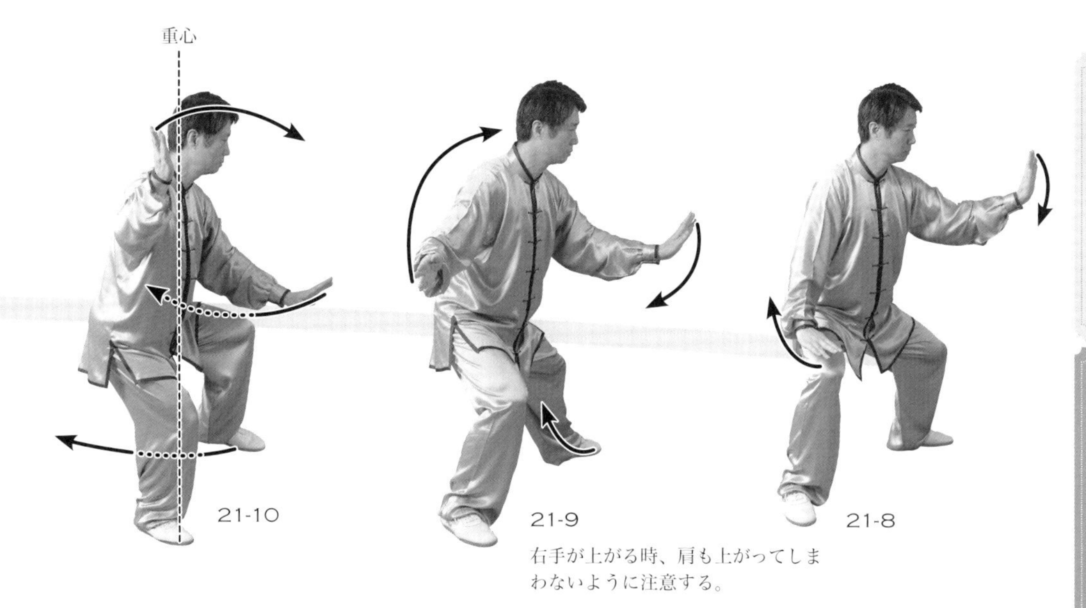

21-10

21-9

右手が上がる時、肩も上がってしまわないように注意する。

21-8

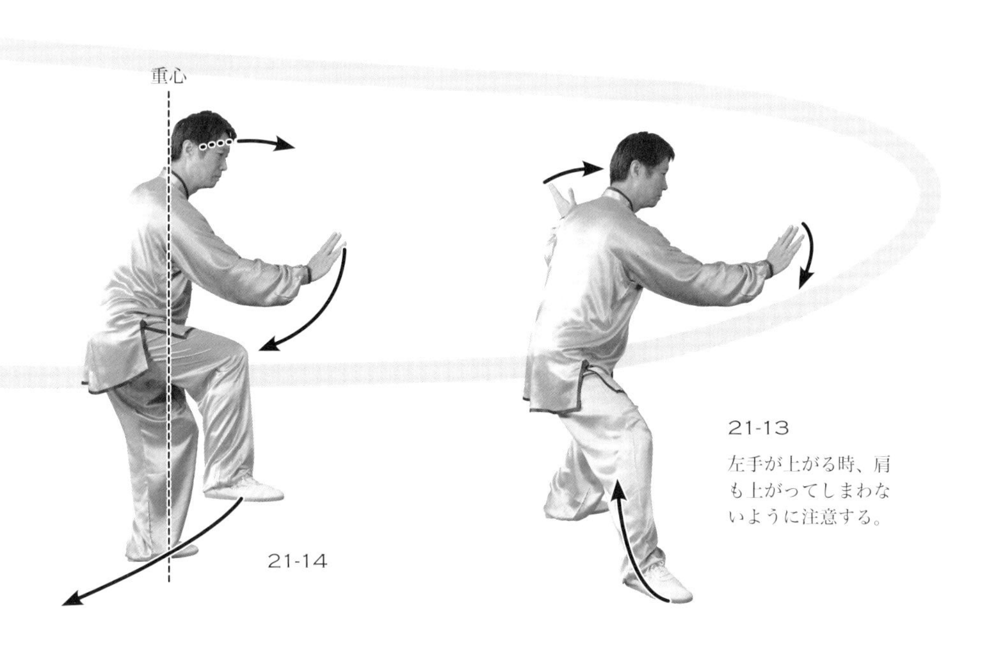

21-14

21-13

左手が上がる時、肩も上がってしまわないように注意する。

22 中盤

Zhong pan

21-16　22-1　22-2

21-16　22-1　22-2

右手を回す時に、
肩を沈めたままにする。

22-3

22-4

両掌で下に押さえる（按）。
両肩を沈め、両腕で円を作る。
歩形は馬歩。腰をゆるめ、
腰を落とす（沈臀下座）。

22-2~3

22-4

両腕を円にして按で押さえる。
押さえる場所は身体に近すぎない。

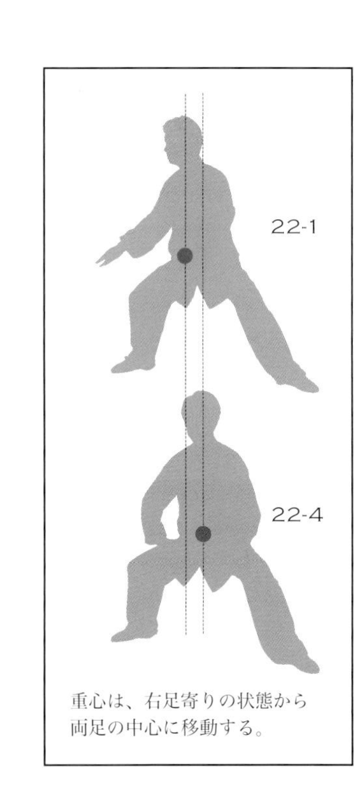

重心は、右足寄りの状態から
両足の中心に移動する。

23 白鵝亮翅

Bai e Liang chi

7 白鵝亮翅に準ずる

22-4

23-1

体重を左足にしっかり
乗せて右足を上げる。

23-2

23-5

23-6

左足を虚歩にする。

23-3

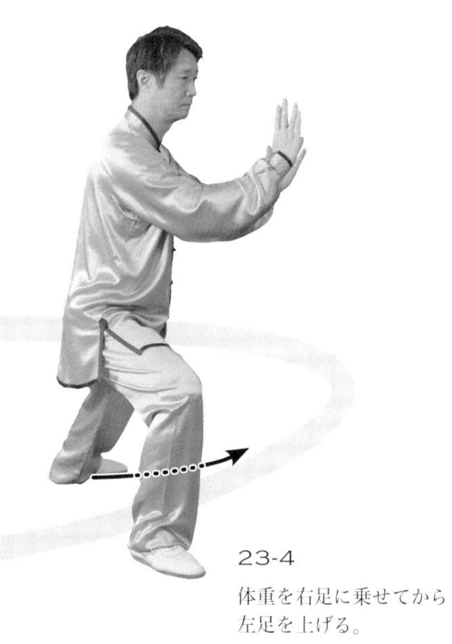
23-4
体重を右足に乗せてから
左足を上げる。

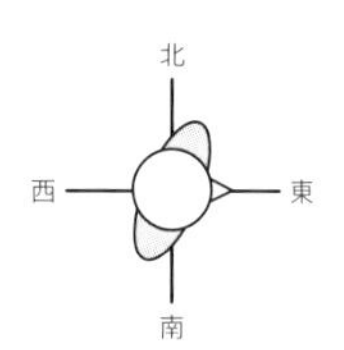

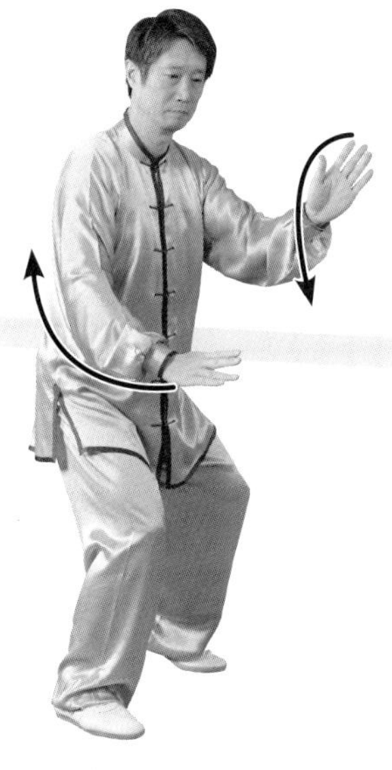

23-7

23-8

23-9
左足は虚歩。

24 摟膝拗歩

Lou xi Niu bu

8 摟膝拗歩に準ずる

23-9

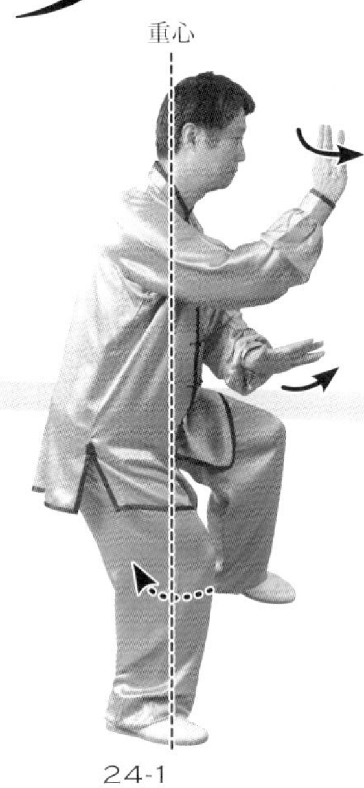

24-1

24-2

右足のつま先を内に回し（扣歩）ながら、重心を両足の中央に移す。

24-6

24-7

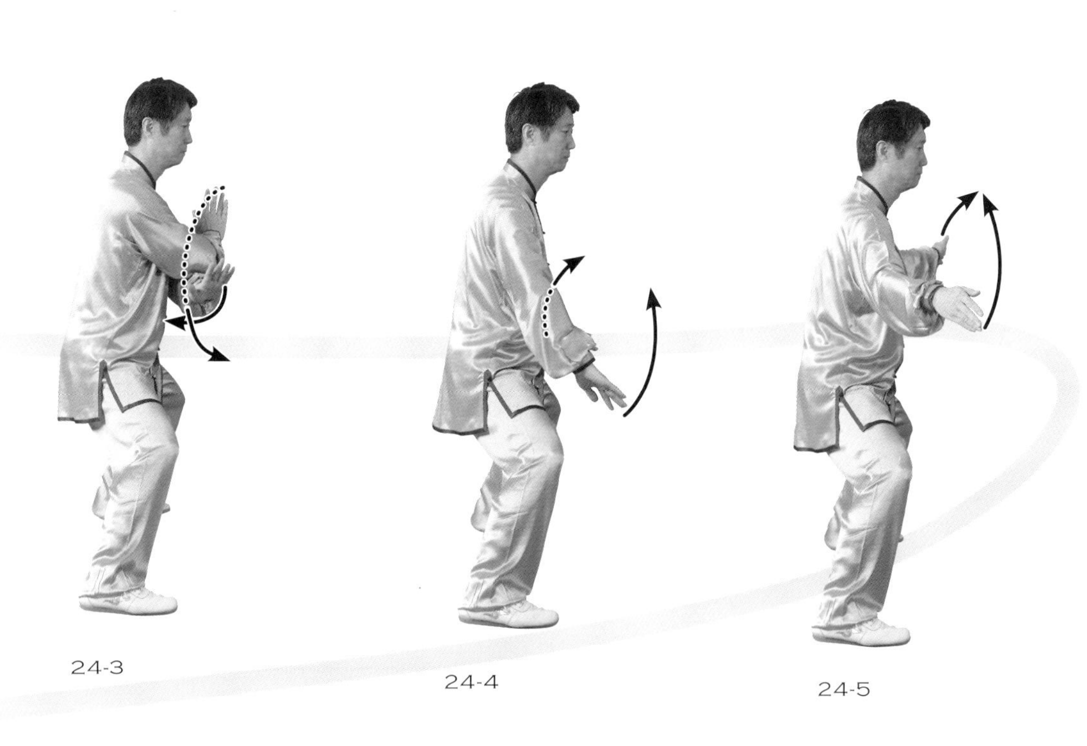

24-3

24-4

24-5

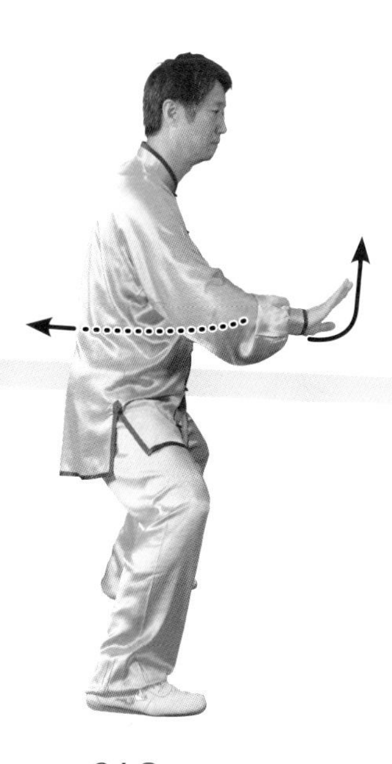

24-8

左手を掌から勾手に変えながら、
逆纏絲とともに背面まで回す。

24-9

右手の指先が、鼻の高さに来る。

25 収勢
Shou shi

9 初収に準ずる

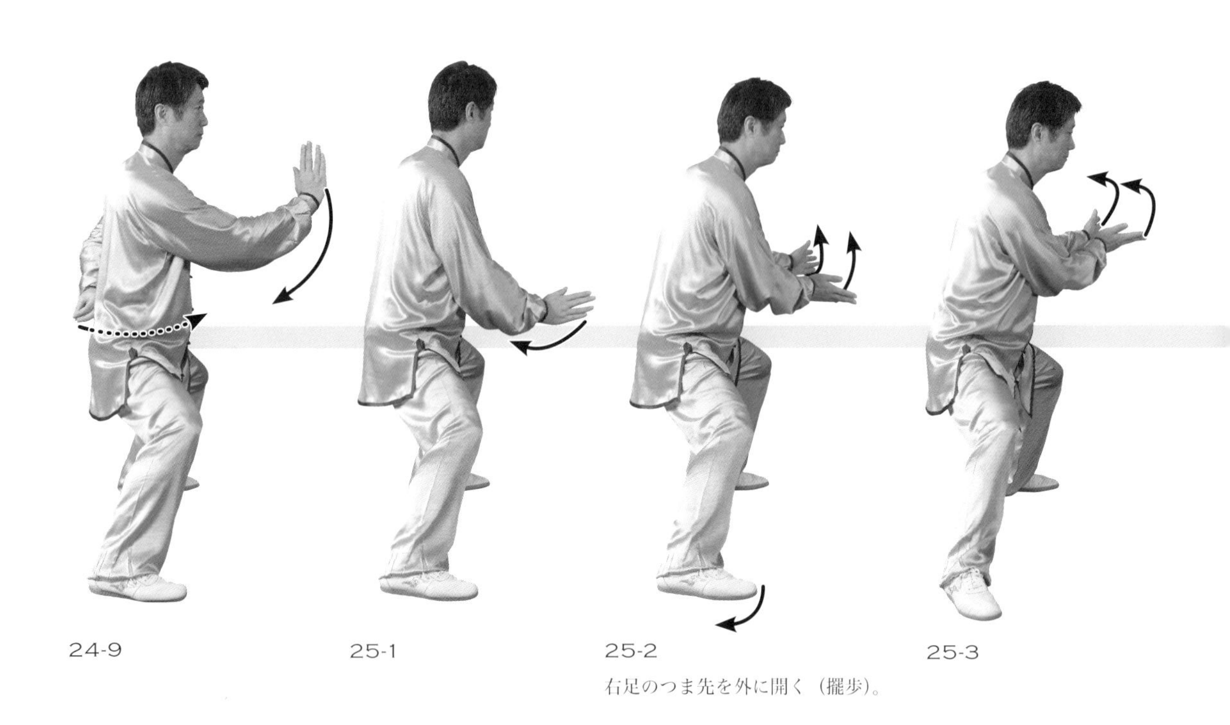

24-9　25-1　25-2　25-3

右足のつま先を外に開く（擺歩）。

別角度

24-9　25-1　25-2　25-3

掤の動作が入る。

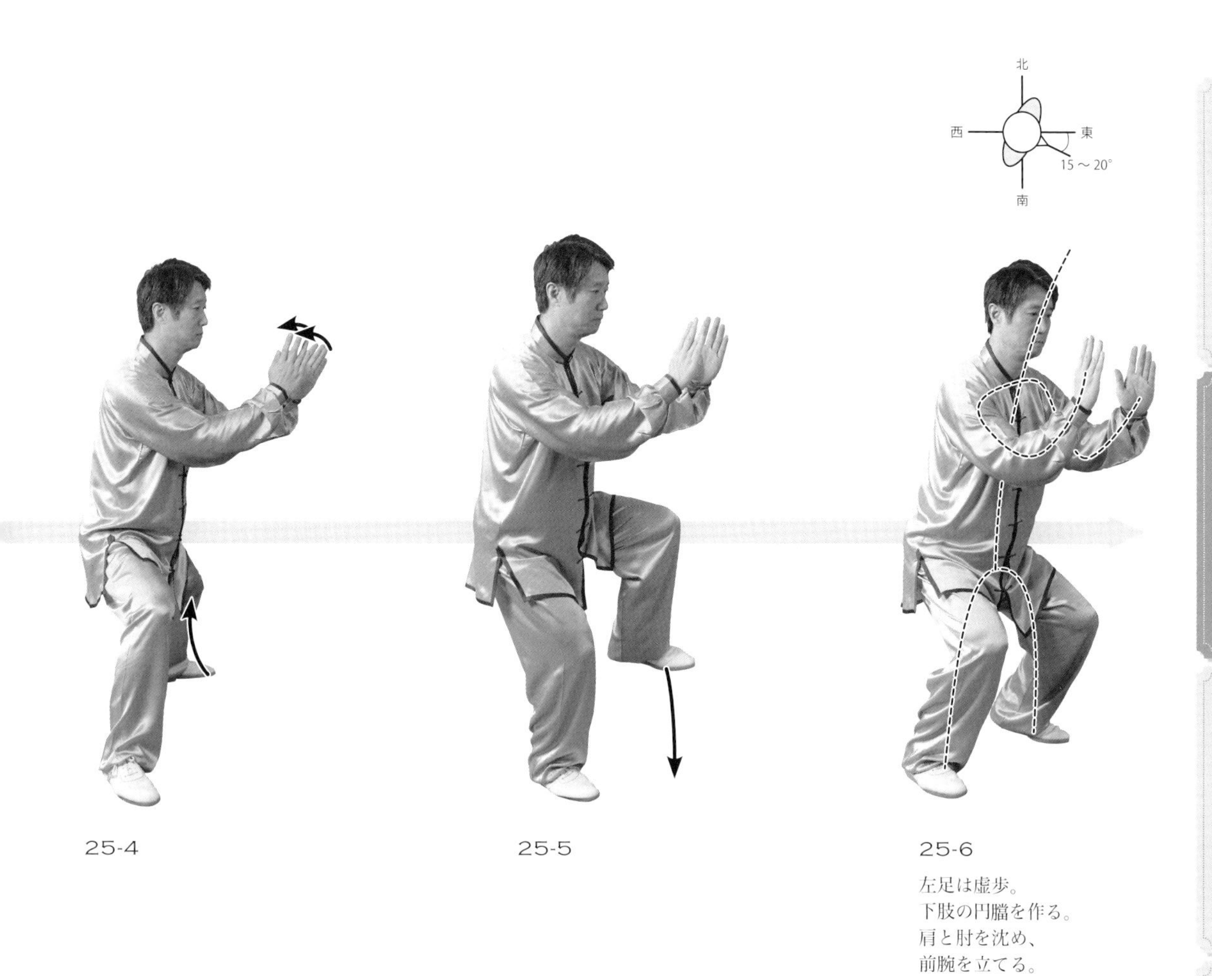

25-4

25-5

25-6

左足は虚歩。
下肢の円牆を作る。
肩と肘を沈め、
前腕を立てる。

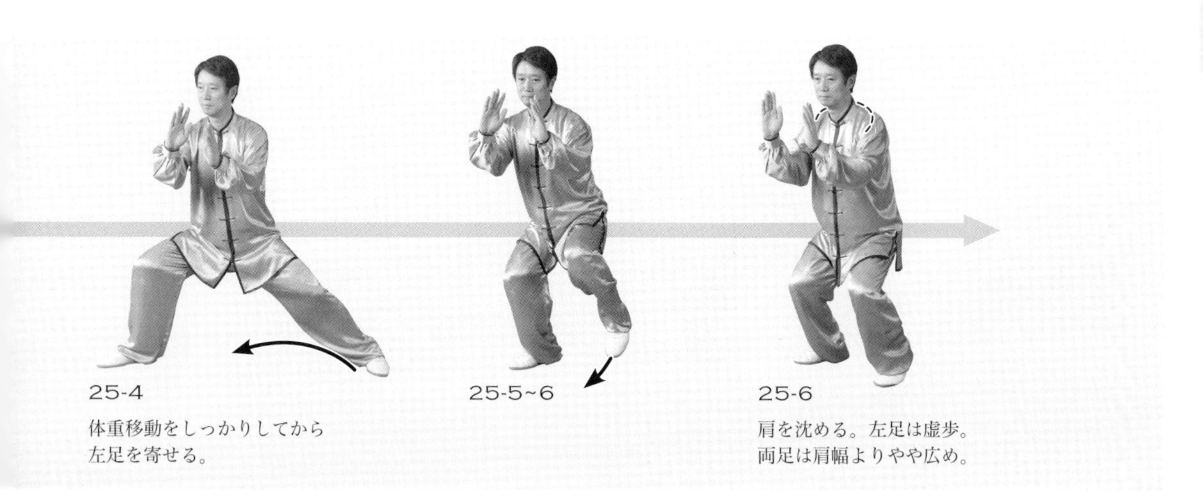

25-4

体重移動をしっかりしてから
左足を寄せる。

25-5~6

25-6

肩を沈める。左足は虚歩。
両足は肩幅よりやや広め。

26 閃通背 1/2

Shan tong bei

25-6

26-1

ここから 26-4 までの
左手の動きは蛇形掌。
甲から差し込むように
出して、若干外へ開き、
掌で押さえる。

26-2

左足の踵から着地し、
擺歩する。

26-3

26-3~4

26-3

26-2

26-8

肩を沈める。
手の向きに注意する。

26-7~8

26-7

26-6

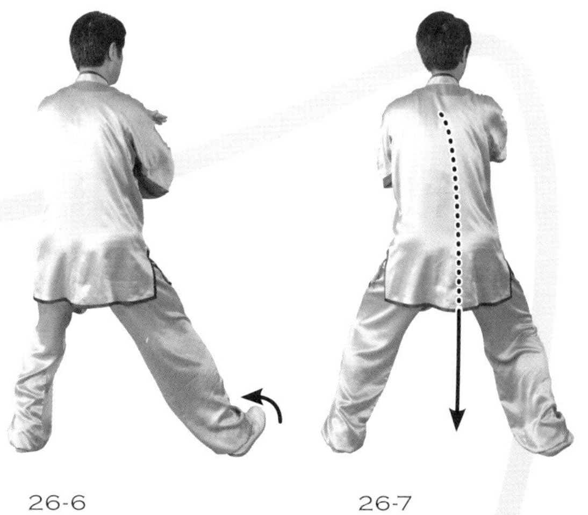

26-4（白蛇吐信） 26-5 26-6 26-7

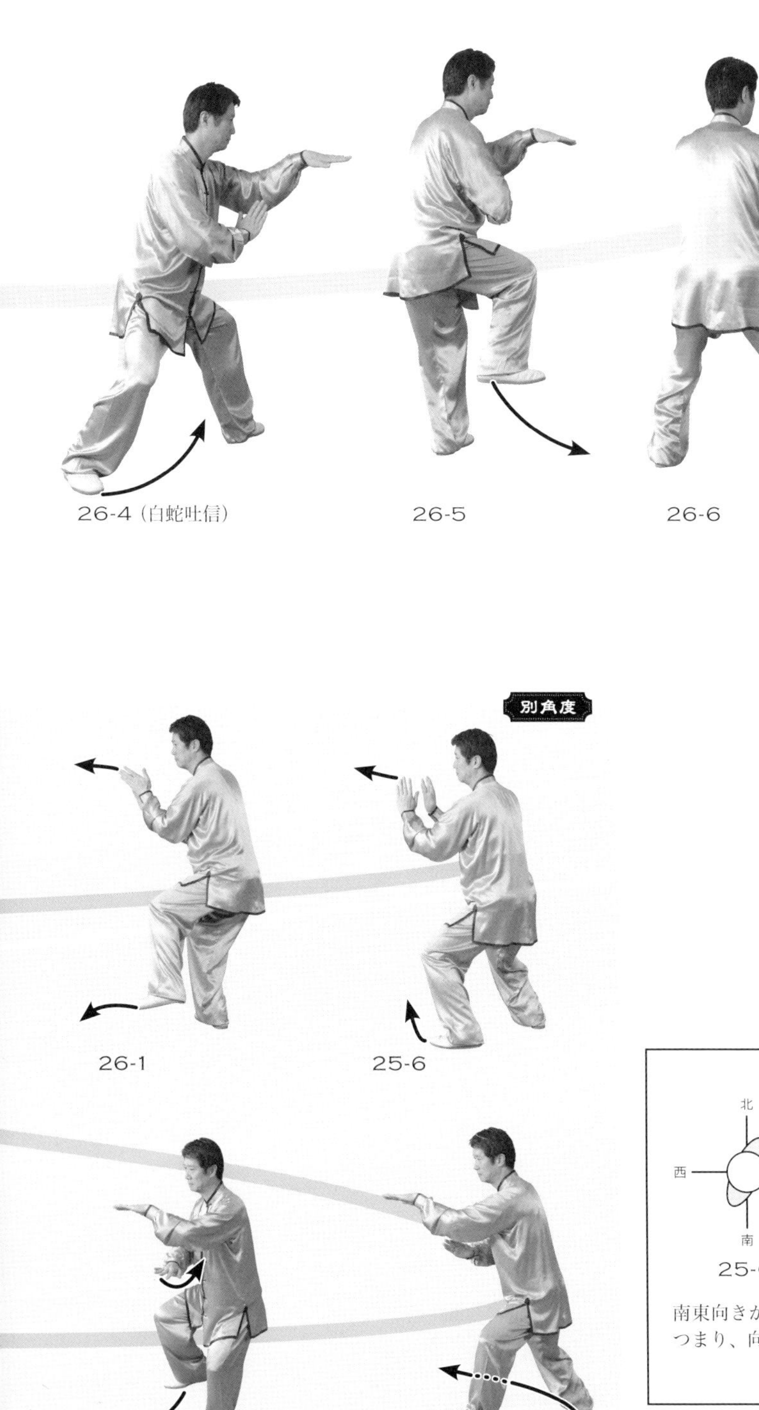

26-1 25-6

26-5 26-4

26-8
お尻を突き出してはいけない。

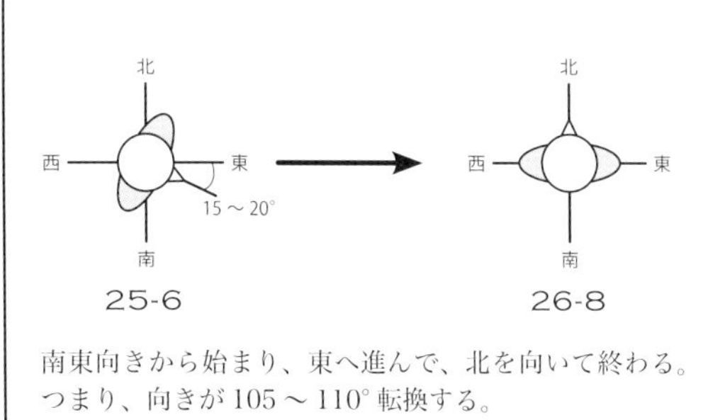

南東向きから始まり、東へ進んで、北を向いて終わる。つまり、向きが105～110°転換する。

26 閃通背 2/2

Shan tong bei

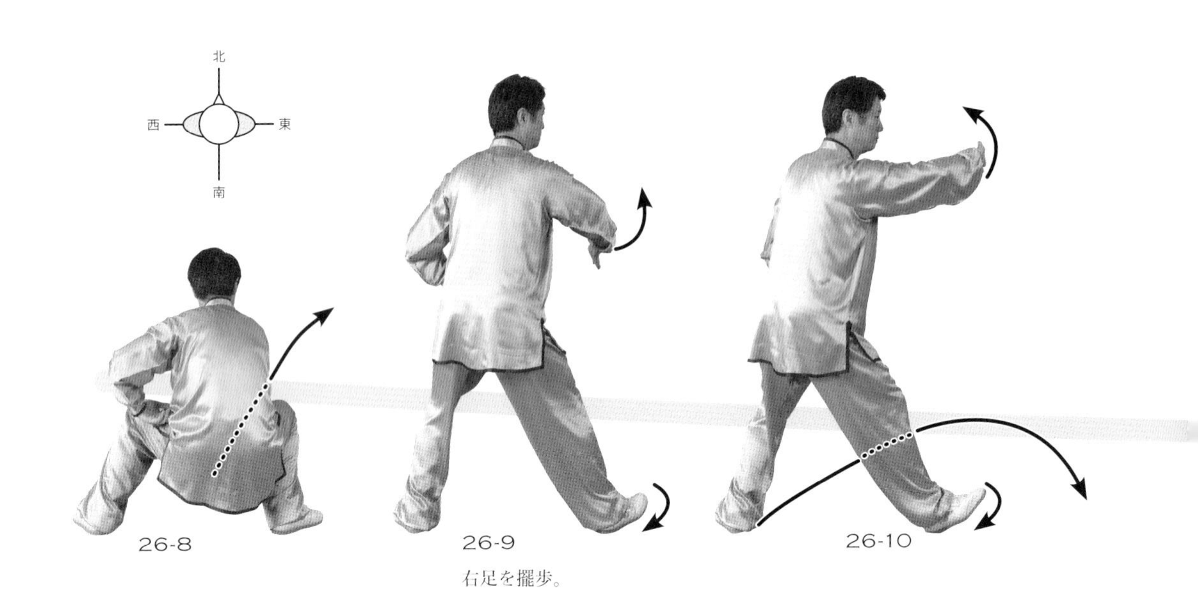

26-8

26-9
右足を擺歩。

26-10

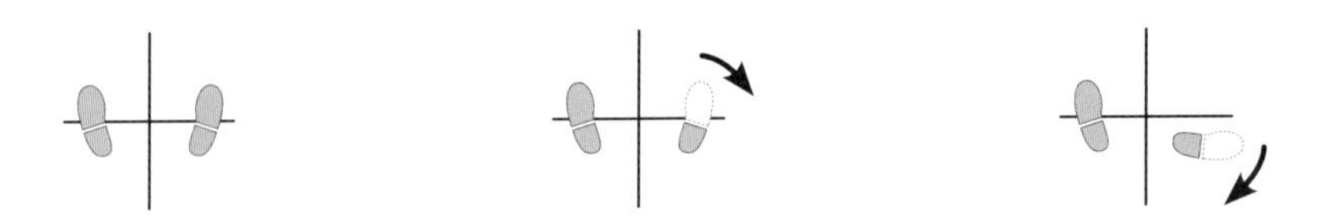

26-8

26-9

26-10

26-10~11
お尻を突き出さない。
回転は滑らかに行う。

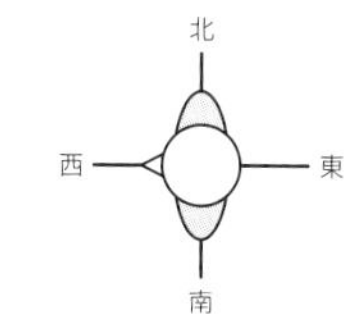

26-11

26-12

左足が着地したら、
重心を左足に移し、
すぐに右足を浮かせる。

26-13

両掌を拳に変える。
両腕を上下に分け開く動きに合わせて、右膝を上げる。
左手は内から外へ回す。

26-14

最初の向き（25-8）から
ここまでで 270° 転換。
独立歩になる。下肢の安定を保つ。上体は胸を張らず伸びやかにする。胸を張ってはいけない（含胸抜背）。

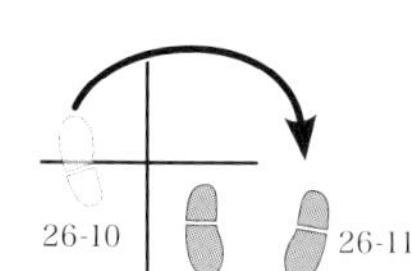

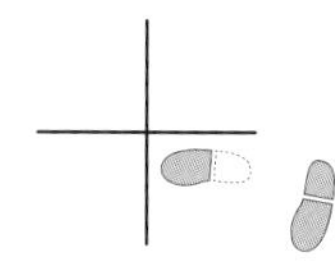

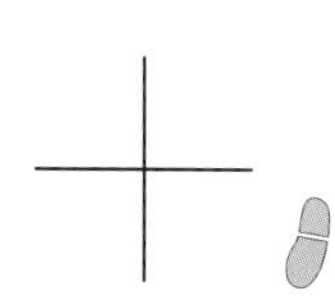

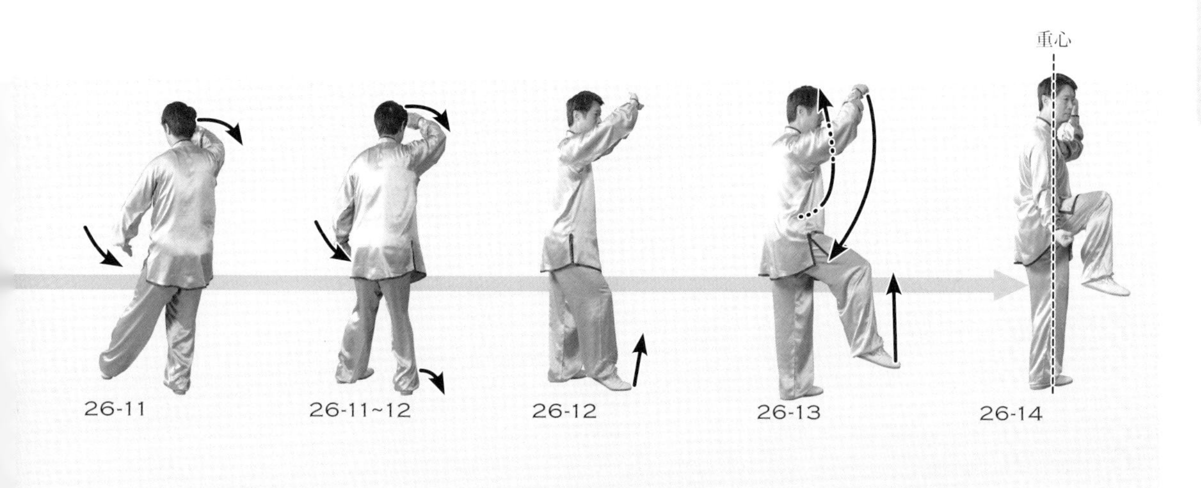

26-11　26-11~12　26-12　26-13　26-14

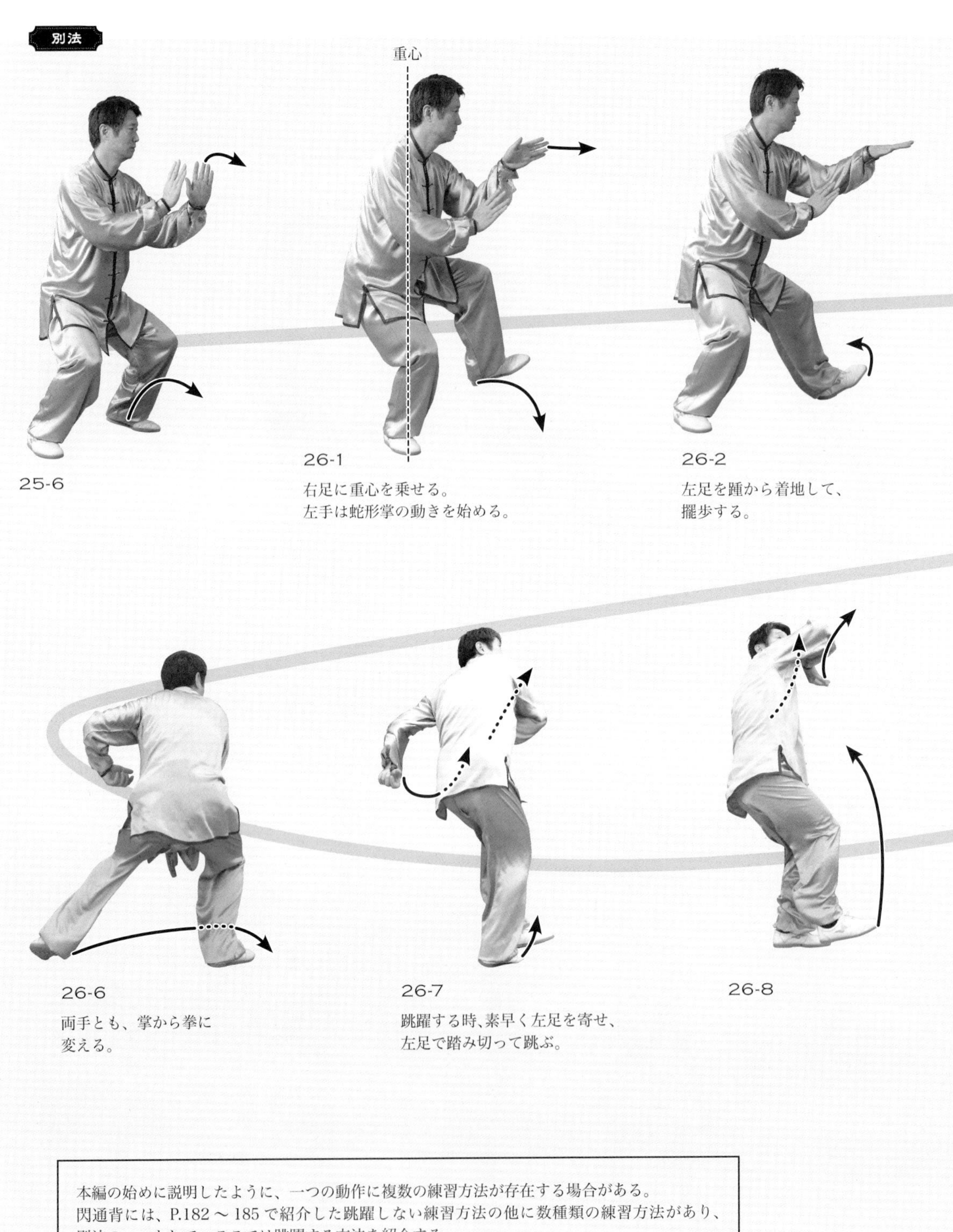

25-6

26-1
右足に重心を乗せる。
左手は蛇形掌の動きを始める。

26-2
左足を踵から着地して、
擺歩する。

26-6
両手とも、掌から拳に
変える。

26-7
跳躍する時、素早く左足を寄せ、
左足で踏み切って跳ぶ。

26-8

本編の始めに説明したように、一つの動作に複数の練習方法が存在する場合がある。
閃通背には、P.182～185で紹介した跳躍しない練習方法の他に数種類の練習方法があり、
別法の一つとして、ここでは跳躍する方法を紹介する。

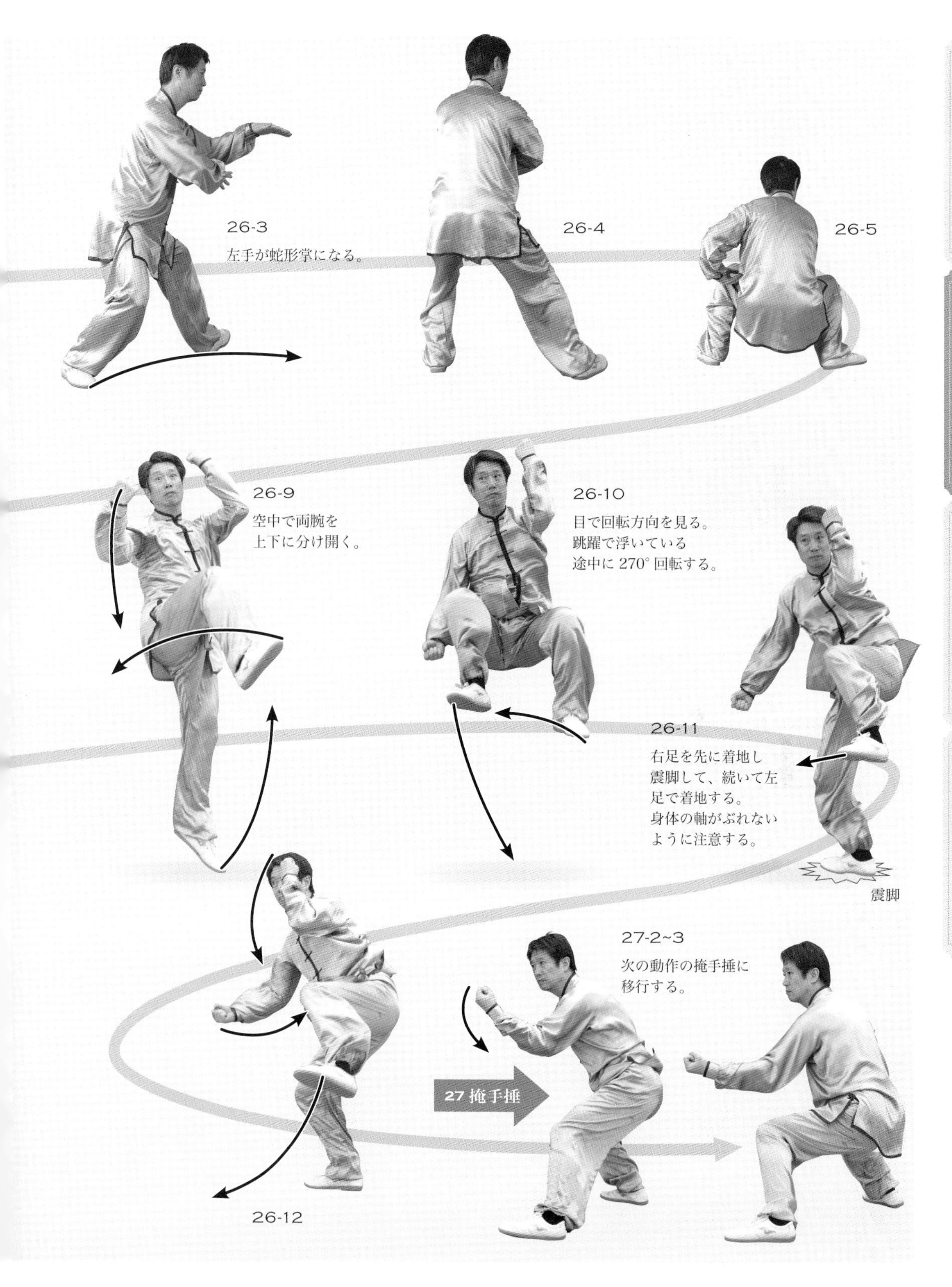
26-3
左手が蛇形掌になる。
26-4
26-5
26-9
空中で両腕を
上下に分け開く。
26-10
目で回転方向を見る。
跳躍で浮いている
途中に270°回転する。
26-11
右足を先に着地し
震脚して、続いて左
足で着地する。
身体の軸がぶれない
ように注意する。
震脚
27-2~3
次の動作の掩手捶に
移行する。
27 掩手捶
26-12

27 掩手捶（Yan shou chui）

14 掩手捶に準ずる

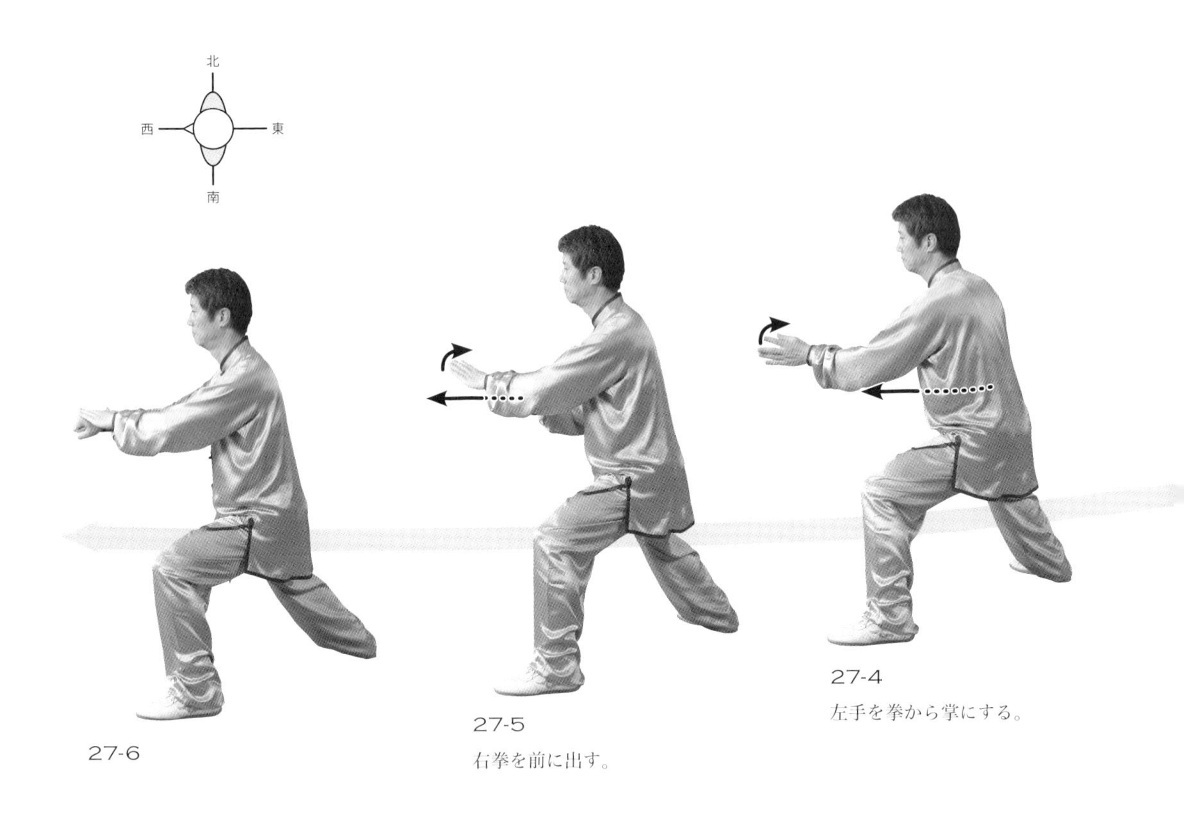

27-4
左手を拳から掌にする。

27-5
右拳を前に出す。

27-6

別角度

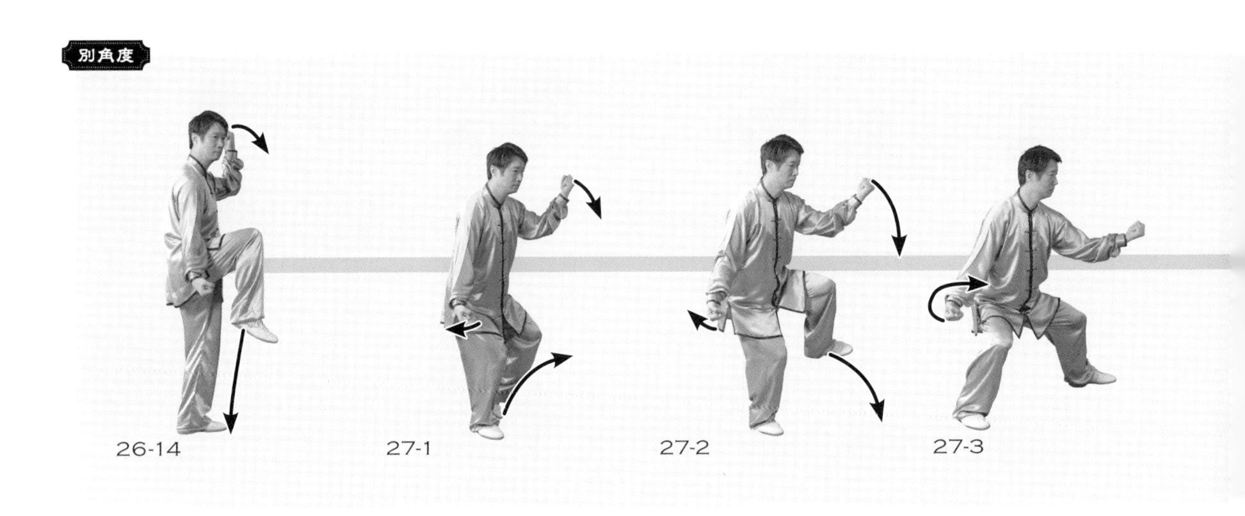

26-14

27-1

27-2

27-3

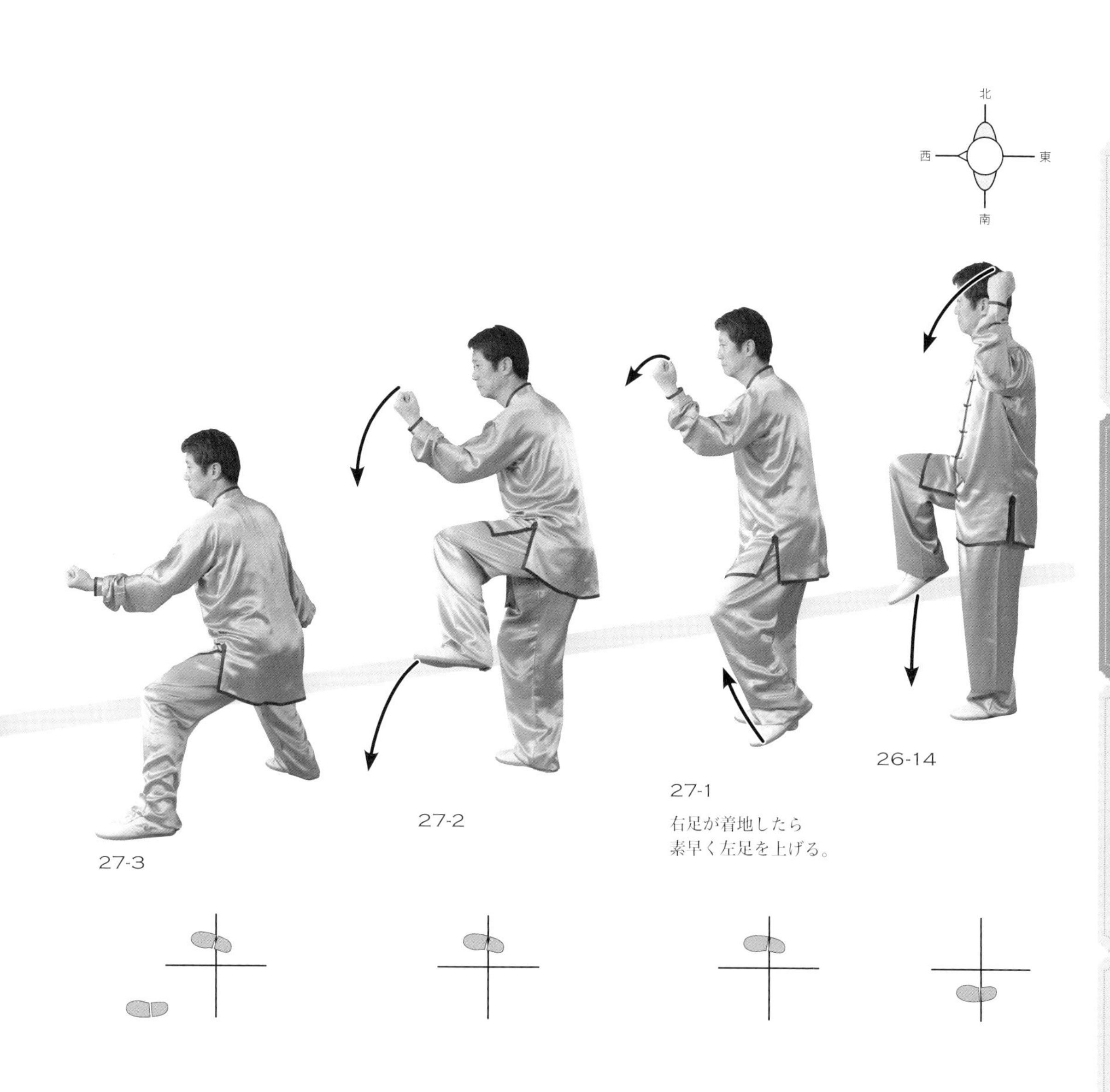

26-14

27-1
右足が着地したら
素早く左足を上げる。

27-2

27-3

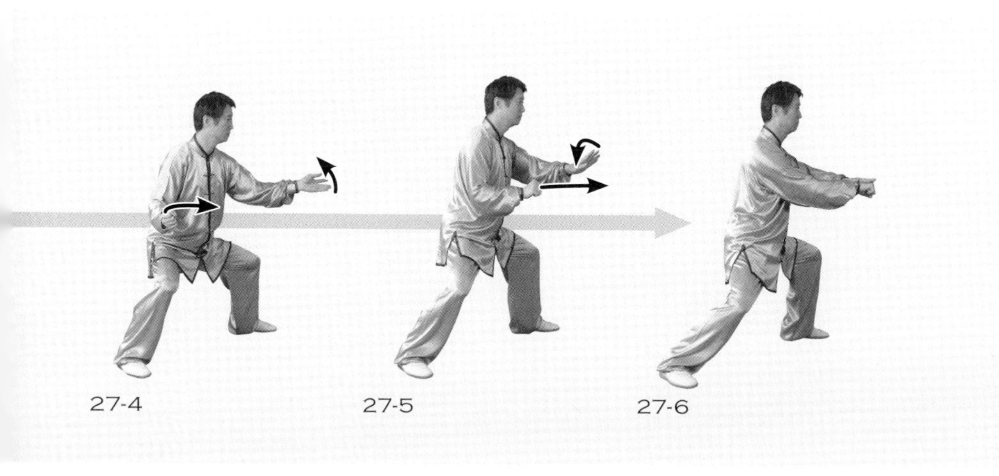

27-4

27-5

27-6

28 六封四閉 (Liu feng Si bi)

4 六封四閉に準ずる

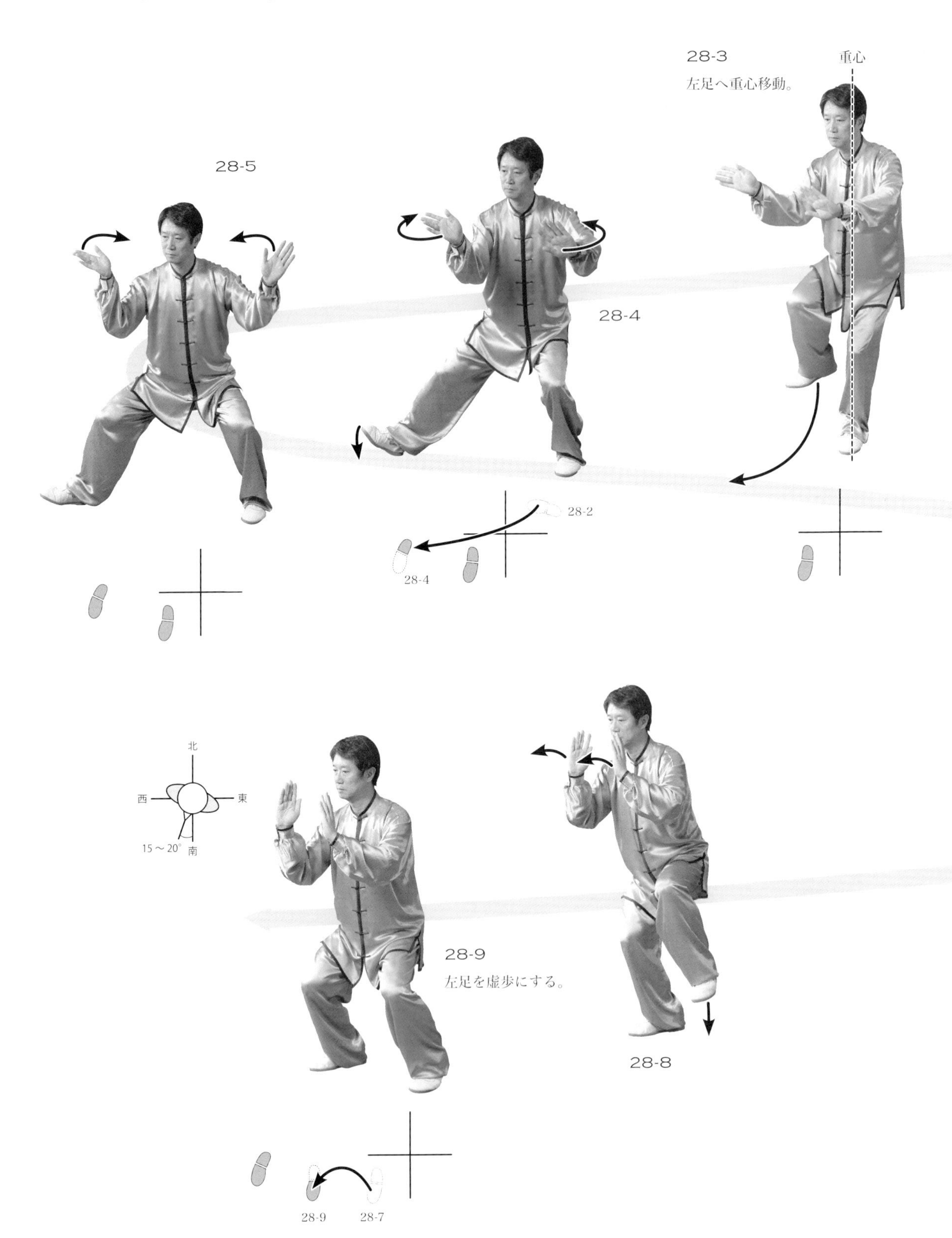

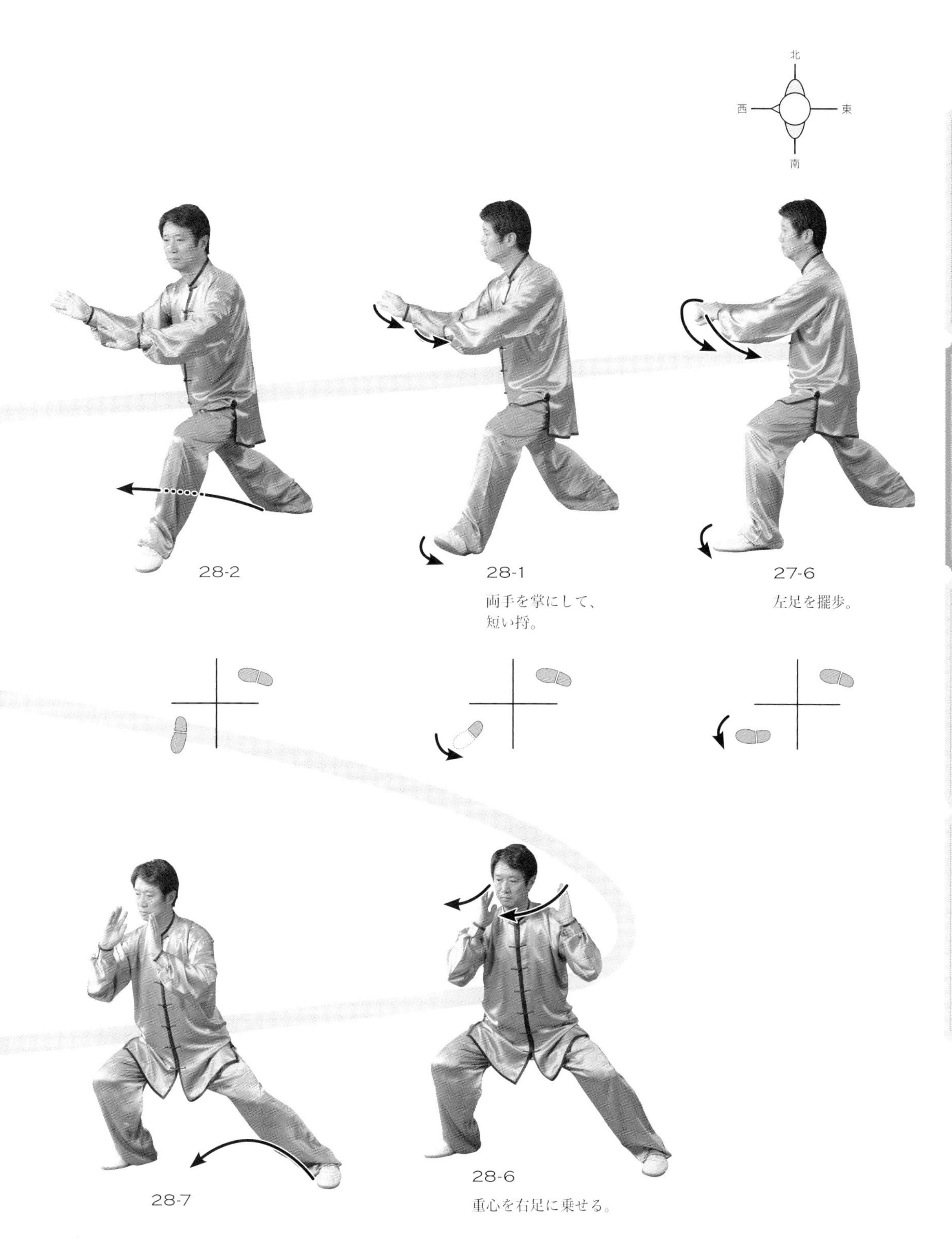

28-1 両手を掌にして、短い捋。

27-6 左足を擺歩。

28-6 重心を右足に乗せる。

29 單鞭 (Dan bian)

5 單鞭に準ずる

29-3
両腕で円形を作る。

29-4
胸の前に円形を作る。

29-8

29-9

29-10
両肩、両肘を沈める。
弓歩で脚の円襠を作る。

30 雲手 1/2

Yun shou

29-10

雲手で腕を回す間、
肩が上がらないよう
に注意する。

30-1

腕を回す時には、
手の纏絲を明確にして
転換をする。

30-2

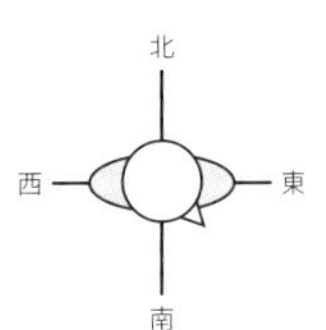

30-5

手は大きく左右に行き過ぎない。

30-6

左足に重心を移しながら、
右足を浮かせるが、
腕の回転と協調させる。

30-3　30-4

30-7
足は地面を引きずらずに、
浮かせて運ぶ。

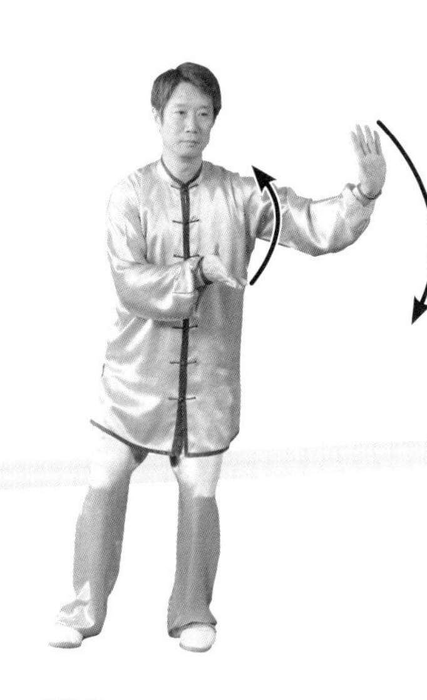

30-8
常に立身中正を意識する。

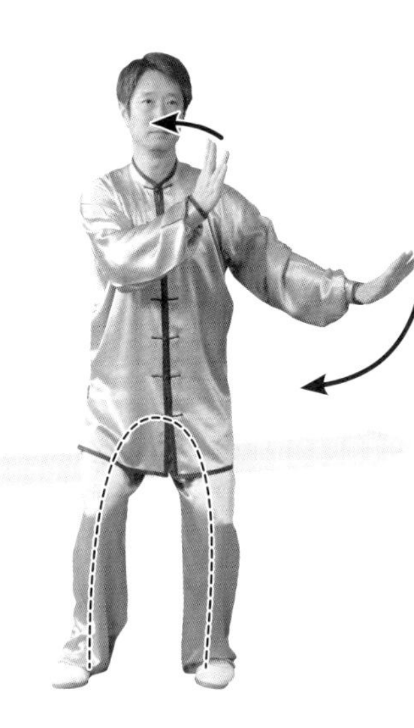

30-9
脚は棒立ちにならずに、
円艡を保つ。

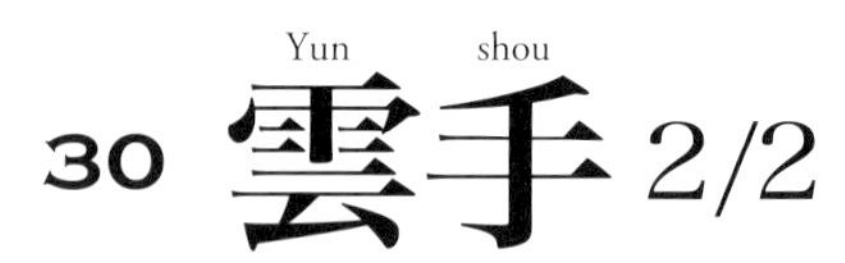

30 雲手 2/2

Yun shou

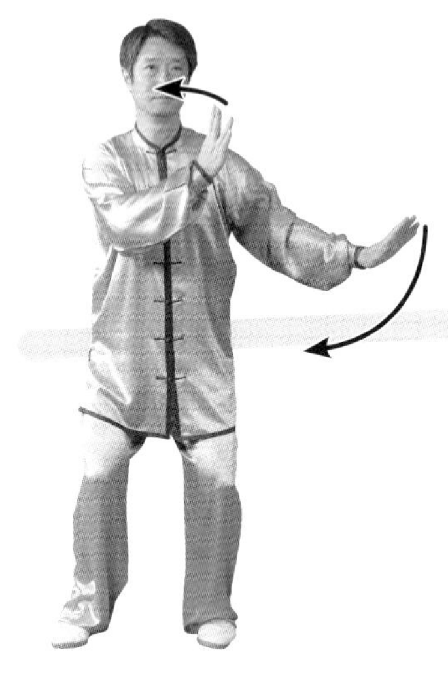

30-9

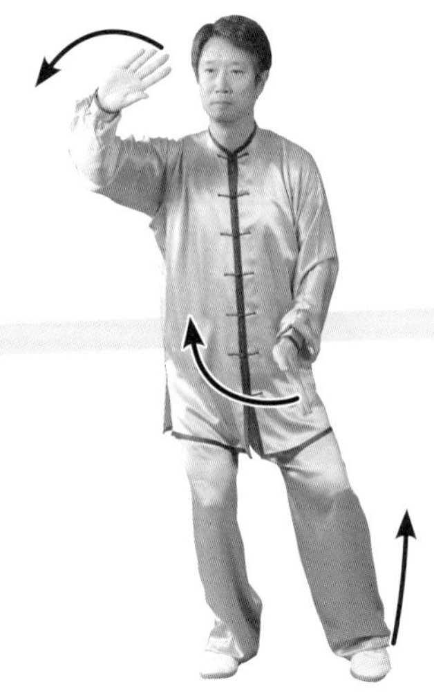

30-10

30-11

北
西 東
南

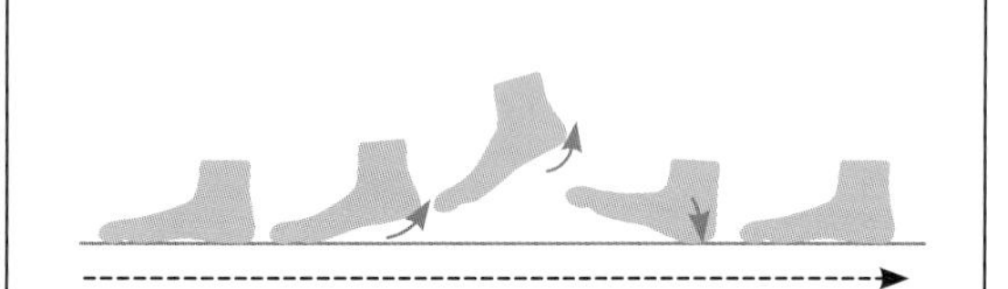

歩法は足首を柔らかく使い、踵から上げて、踵から着地する。

30-13

30-12

必ず足を出してから
重心移動をすること。

回転中の腕の位置関係は決まっている。
右手が右外にある時は､左手は身体の前にある。
左手が左外にある時は､右手は身体の前にある。
右手が腰前にある時は、左手は左上にある。
左手が腰前にある時は、右手は右上にある。
バラバラになってはいけない。

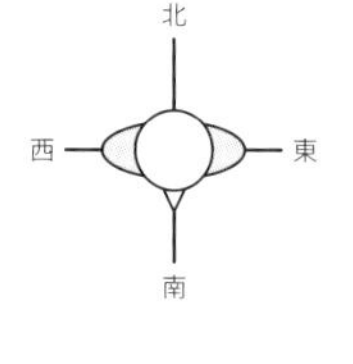

30-14

30-15

30-16

雲手は何回するか決まりがないが、高探馬に繋げるために、右足を左足に寄せた状態で終わる。

31 高探馬 1/2
Gao tan ma

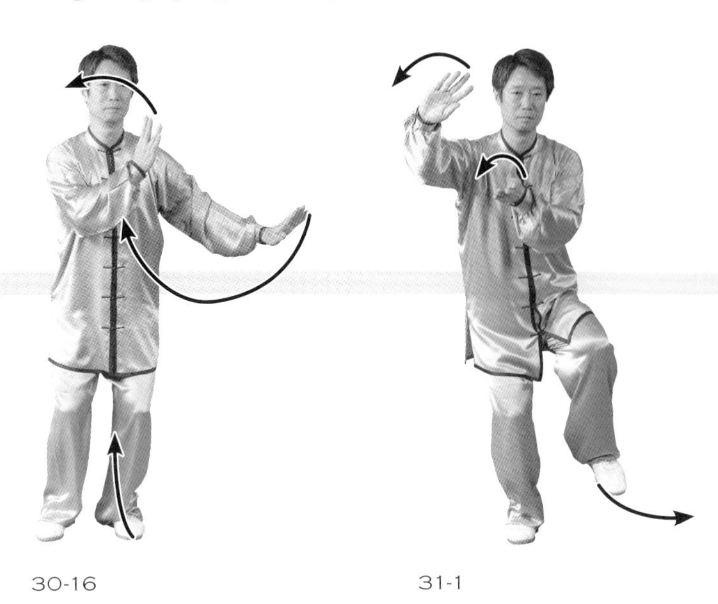

31-2
身体の回転と足を出すタイミングを合わせる。足を出す際、身体の捻れに注意。

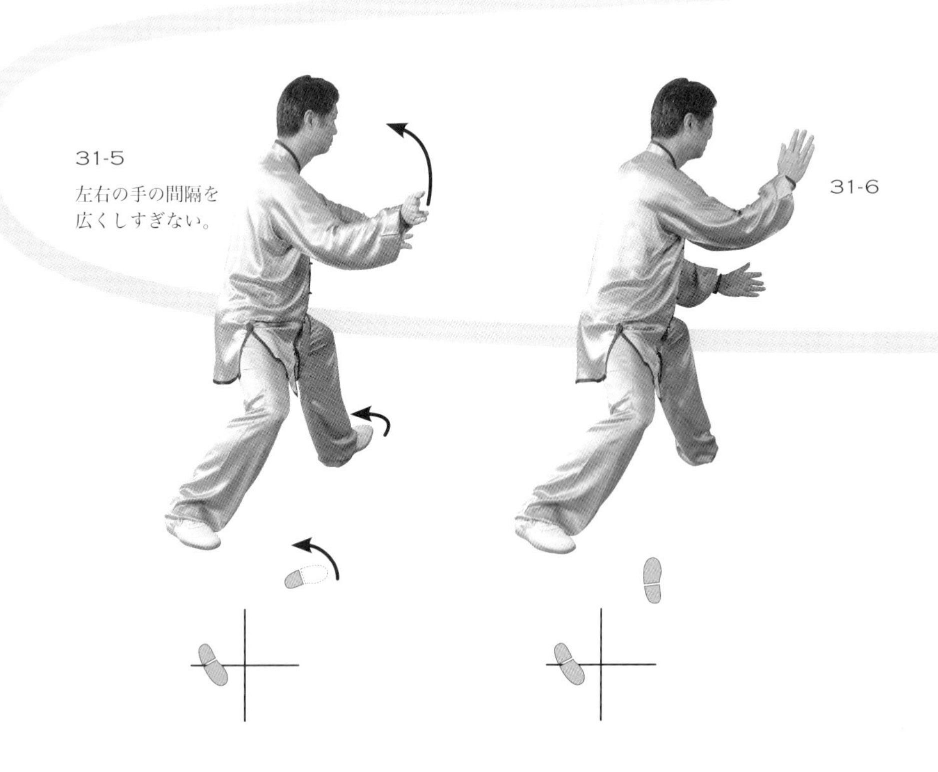

31-5
左右の手の間隔を広くしすぎない。

31-3

両肩を沈める。
両手の間隔は 30㎝程度。

31-4

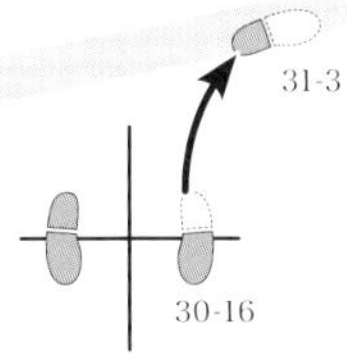

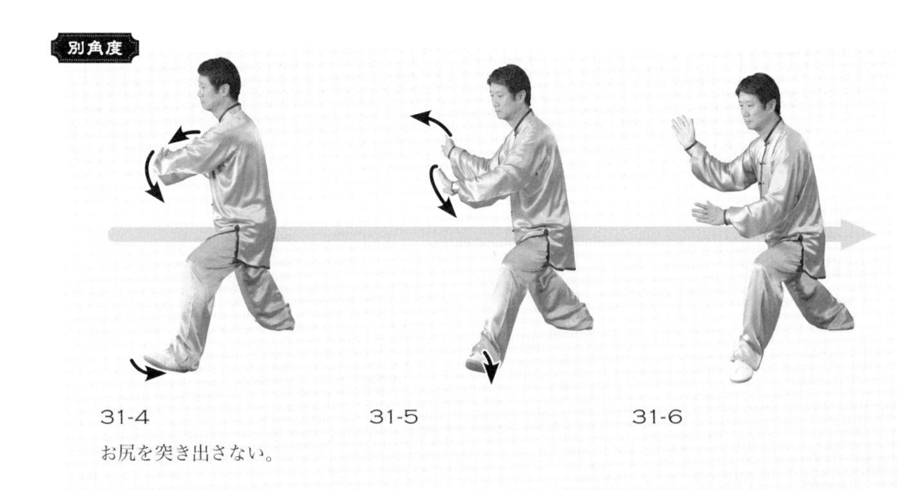

31-4 31-5 31-6

お尻を突き出さない。

31 高探馬 2/2

Gao tan ma

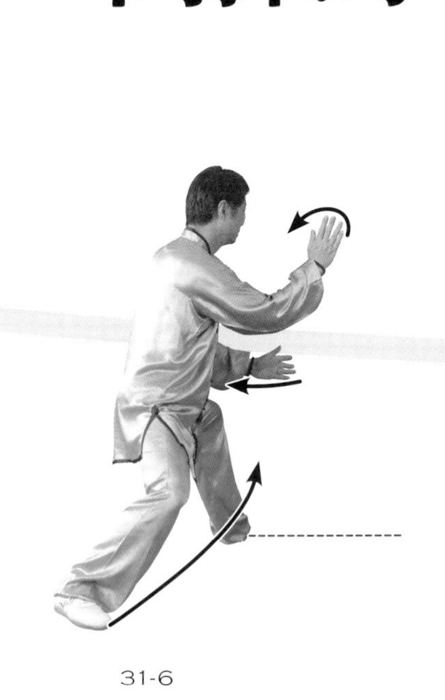

31-6

31-7

右足を寄せる時、しっかり左足に体重を移動してから、右足を運ぶ。

31-8

31-8

31-6

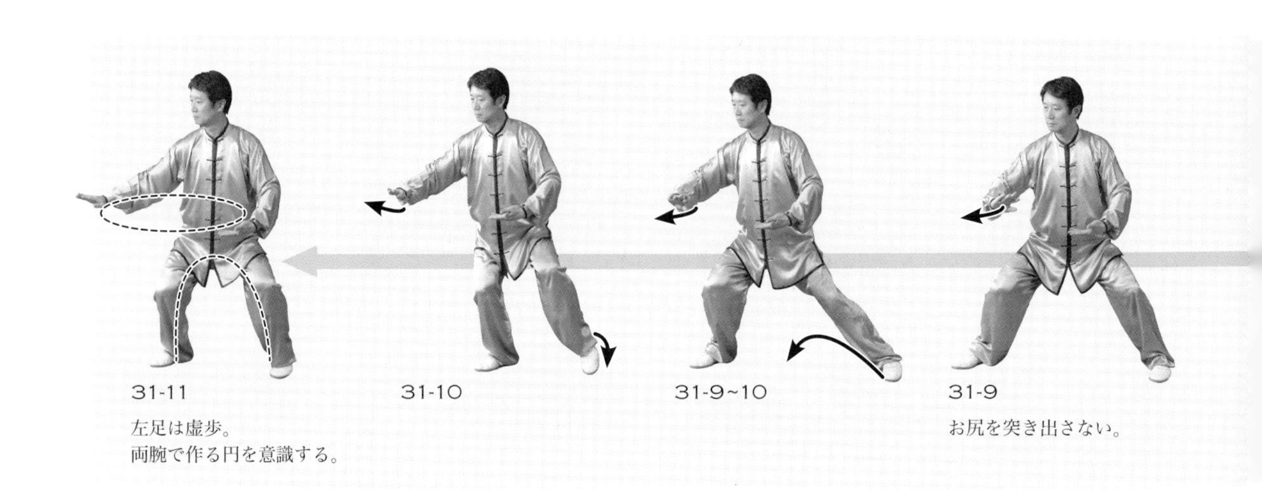

31-11

左足は虚歩。
両腕で作る円を意識する。

31-10

31-9~10

31-9

お尻を突き出さない。

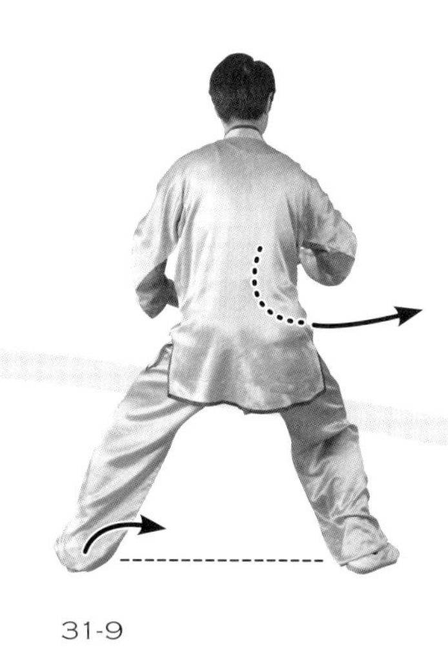

31-9
重心を右足に移す。

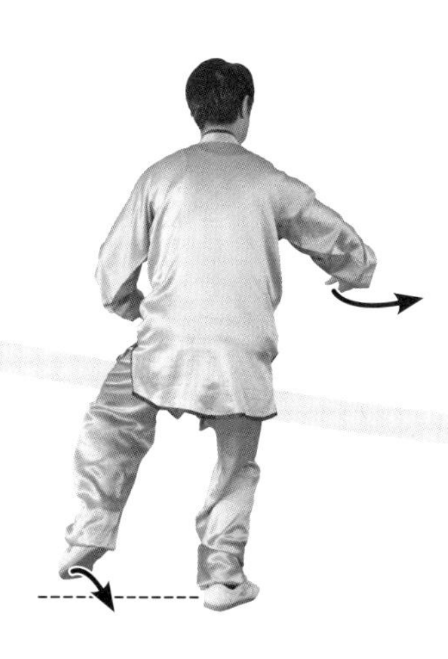

31-10
足の間隔は、肩幅より
やや広めになるように、
左足を着く。

31-11
右掌で按。
左足は虚歩。

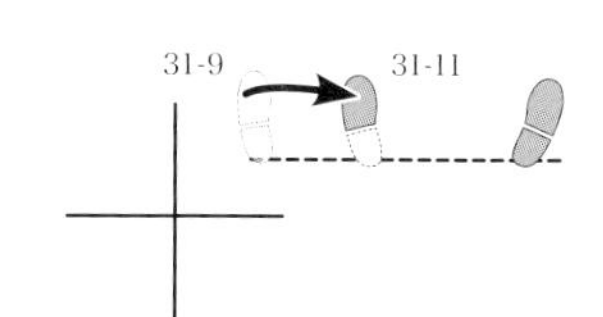

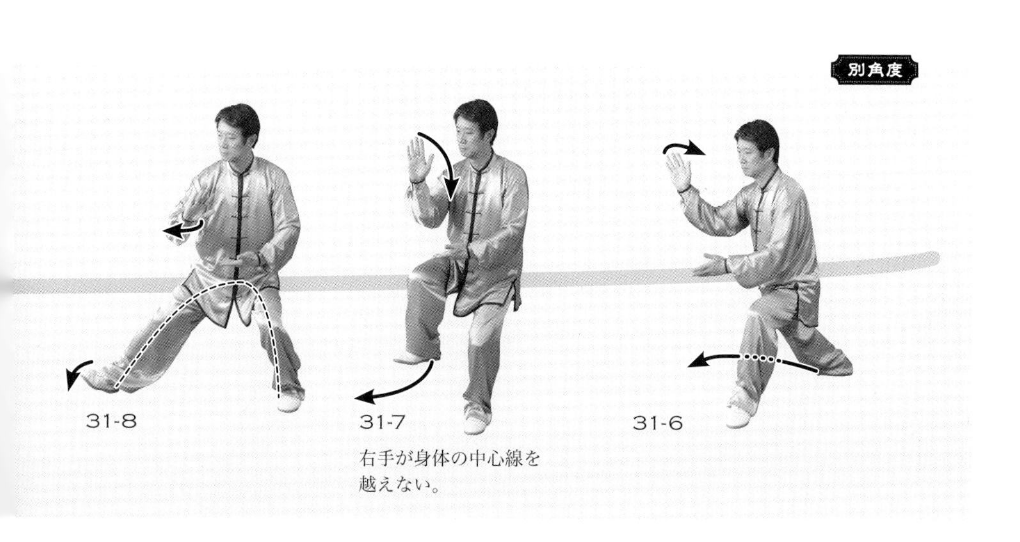

31-8

31-7
右手が身体の中心線を
越えない。

31-6

32 右擦脚

You ca jiao

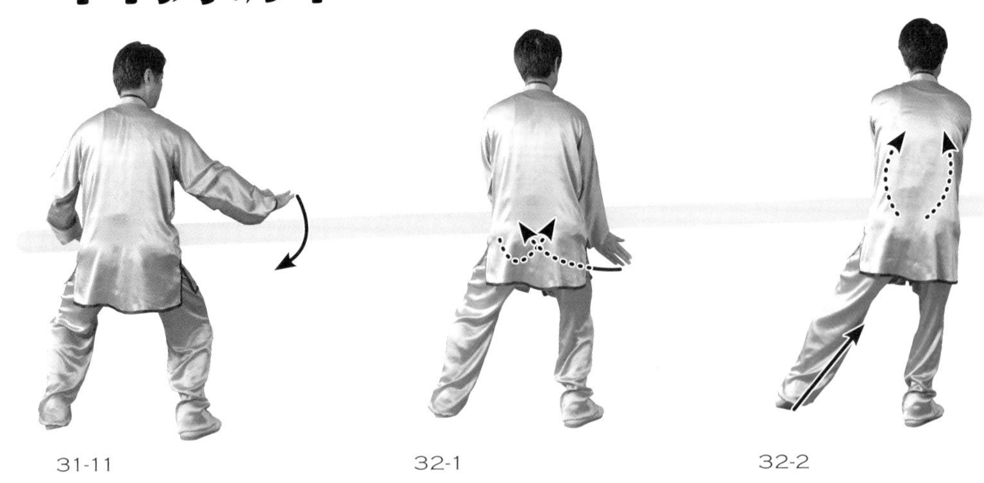

31-11　32-1　32-2

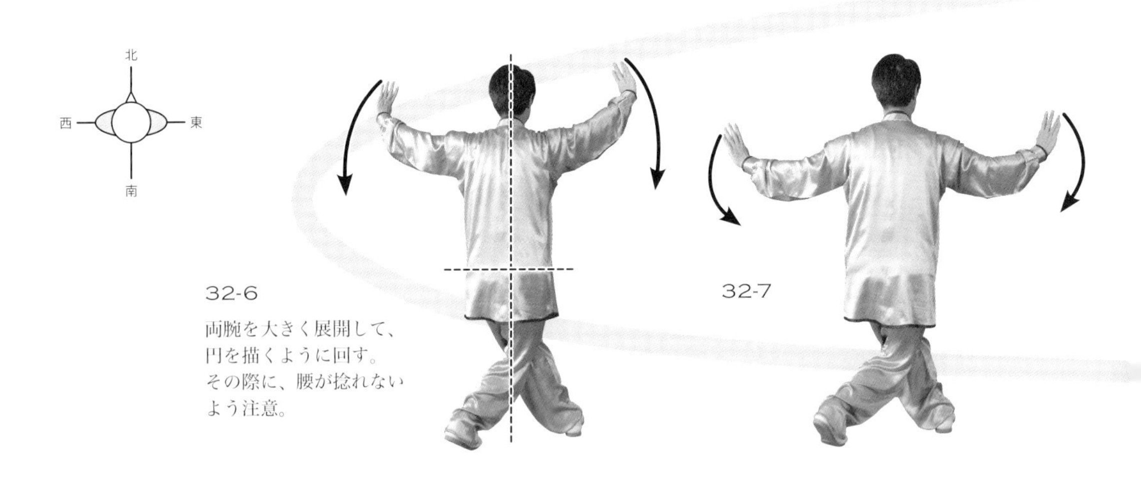

32-6
両腕を大きく展開して、円を描くように回す。その際に、腰が捻れないよう注意。

32-7

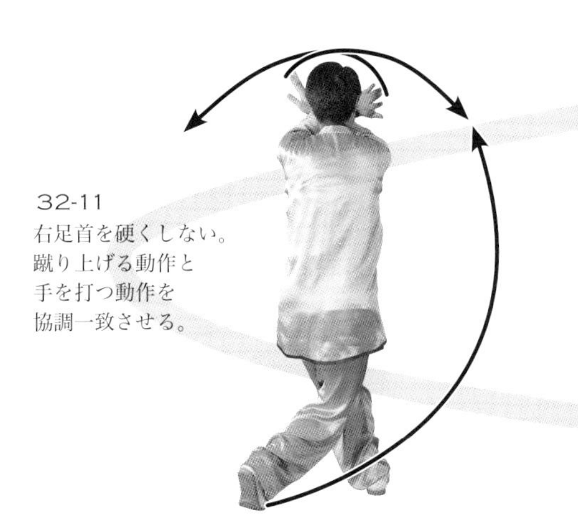

32-11
右足首を硬くしない。蹴り上げる動作と手を打つ動作を協調一致させる。

32 右擦脚

32-3
両腕を胸の前で交叉する。
(右腕が外になる。33-7 参照)

32-4
手と顔との間に空間を保つ。

32-5

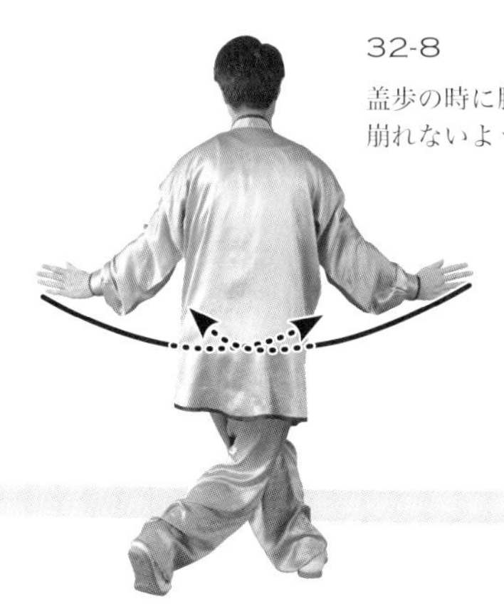

32-8
盖歩の時に脚の円膪が崩れないように注意。

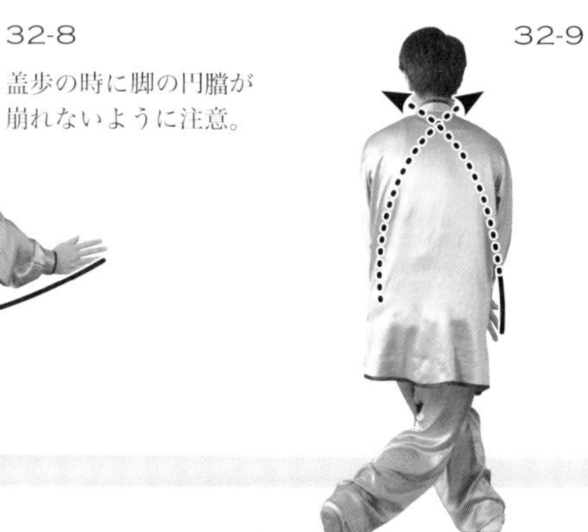

32-9

32-10

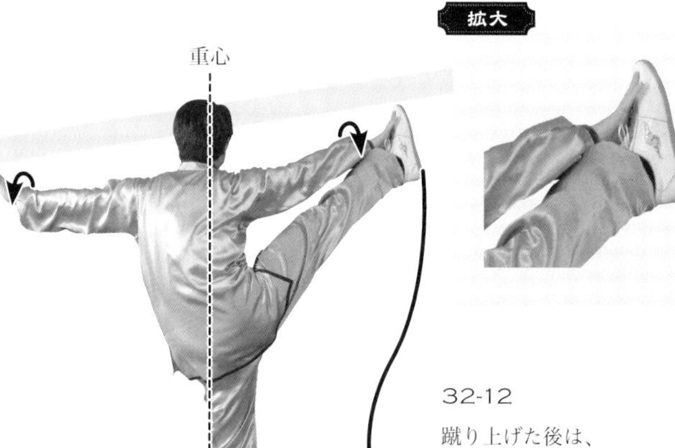

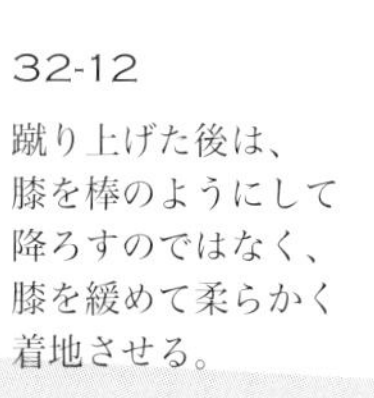

32-12
蹴り上げた後は、
膝を棒のようにして
降ろすのではなく、
膝を緩めて柔らかく
着地させる。

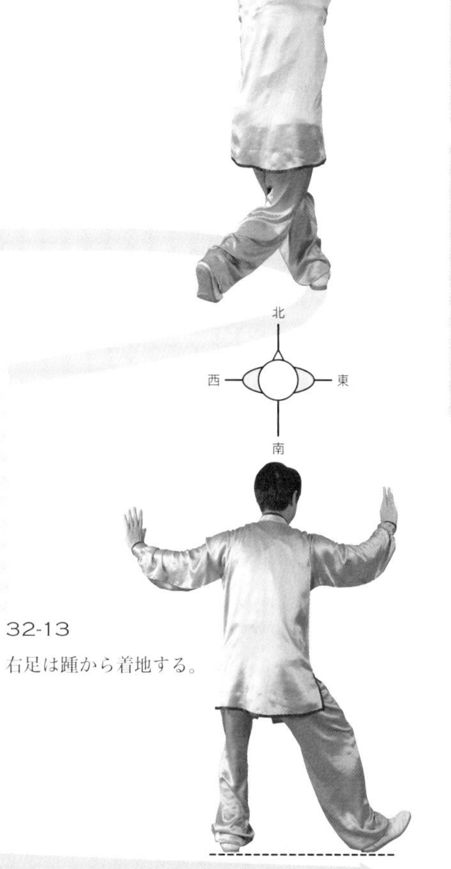

32-13
右足は踵から着地する。

33 左擦脚 (Zuo ca jiao)

32-13
足の着地点に注意する。

33-1
右足を擺歩。
全身を回していく。

33-2

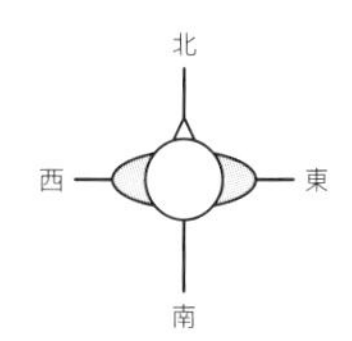

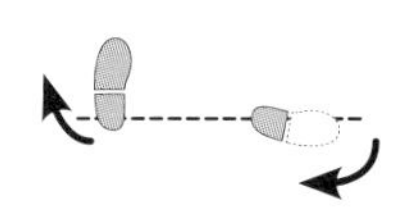

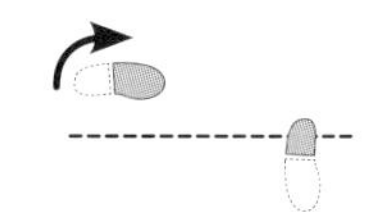

33-5
回す両腕は、真っ直ぐに伸ばさずに、
肩、肘、手首、指先まで緩めたまま、
回転する。

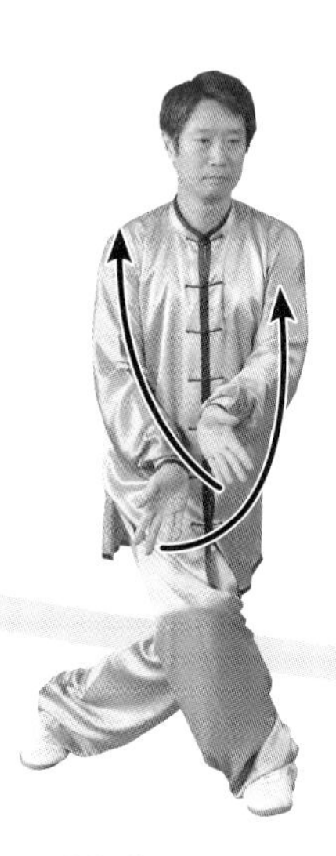
33-6

33-7

33-3

33-4

腰の回転で南に向く。
腰が捻れないように注意する。

33-8

33-9

蹴り上げる際に、身体が
伸び上がってはいけない。

34 左蹬跟 (Zuo deng gen)

34-3
回転軸をしっかり作り、
バランスを崩さないように注意。

34-6

34-7

34-6
足を下ろす時は、膝を曲げてから、
柔らかく着地する。

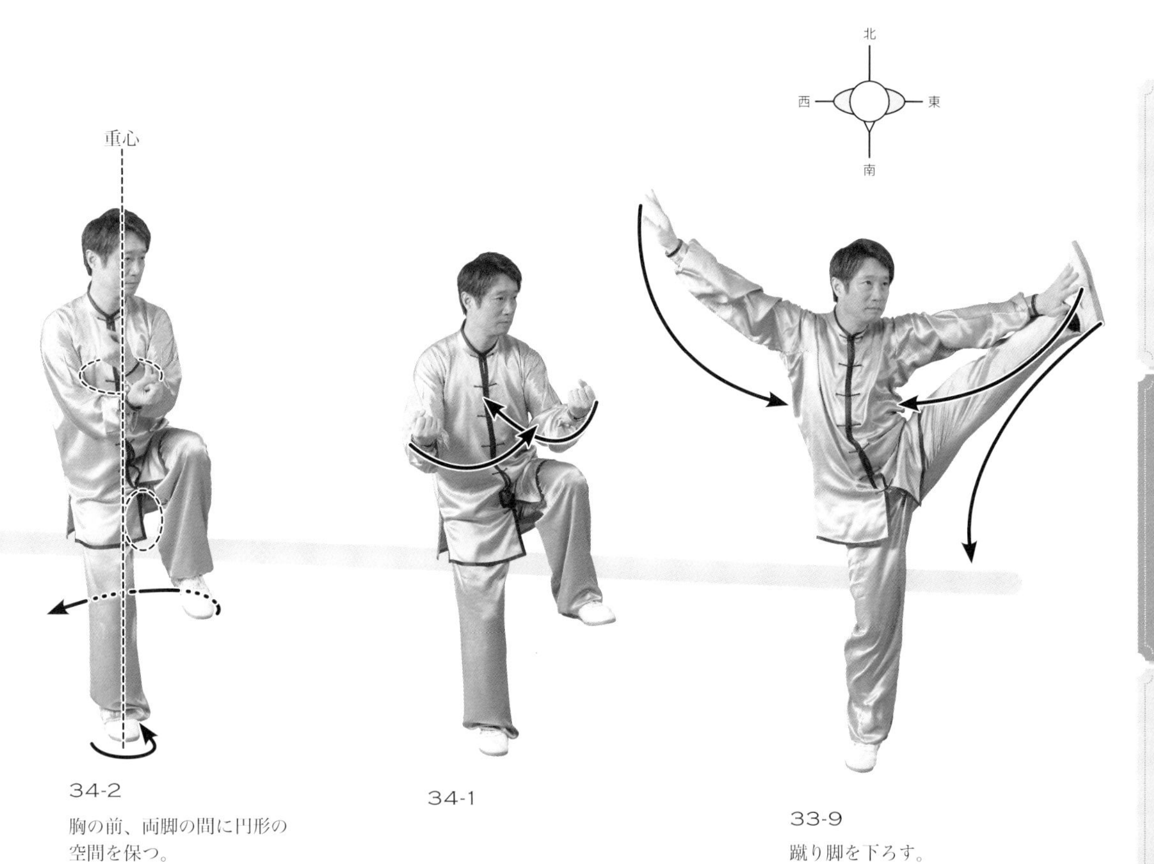

33-9
蹴り脚を下ろす。
同時に両腕を胸の高さに下ろしながら、掌を拳に変える。

34-1

34-2
胸の前、両脚の間に円形の空間を保つ。
ここから片足で踵を支点に180°回転する。

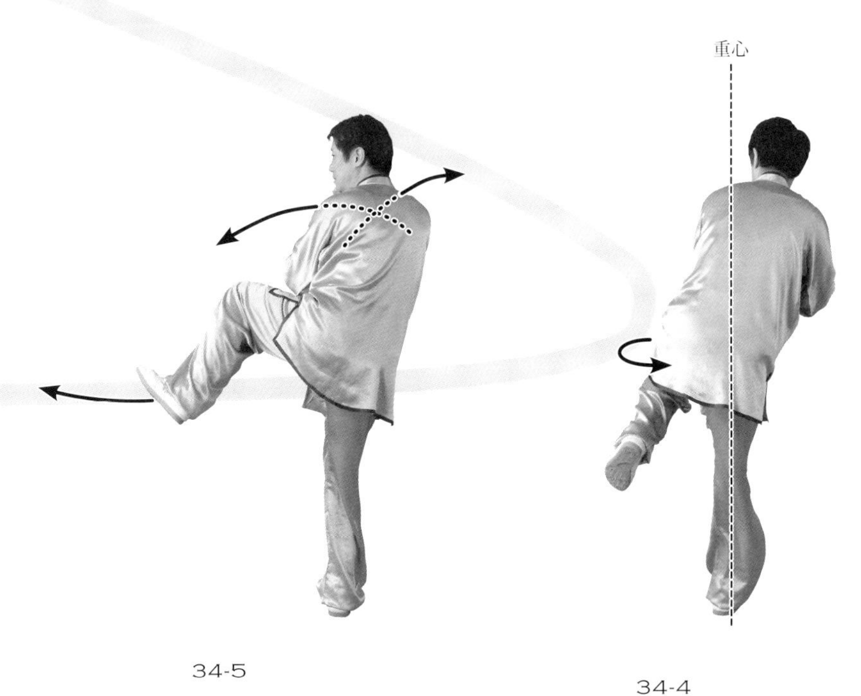

34-4

34-5
踵で蹴り出す。

35 撃三拳 (Ji san quan)

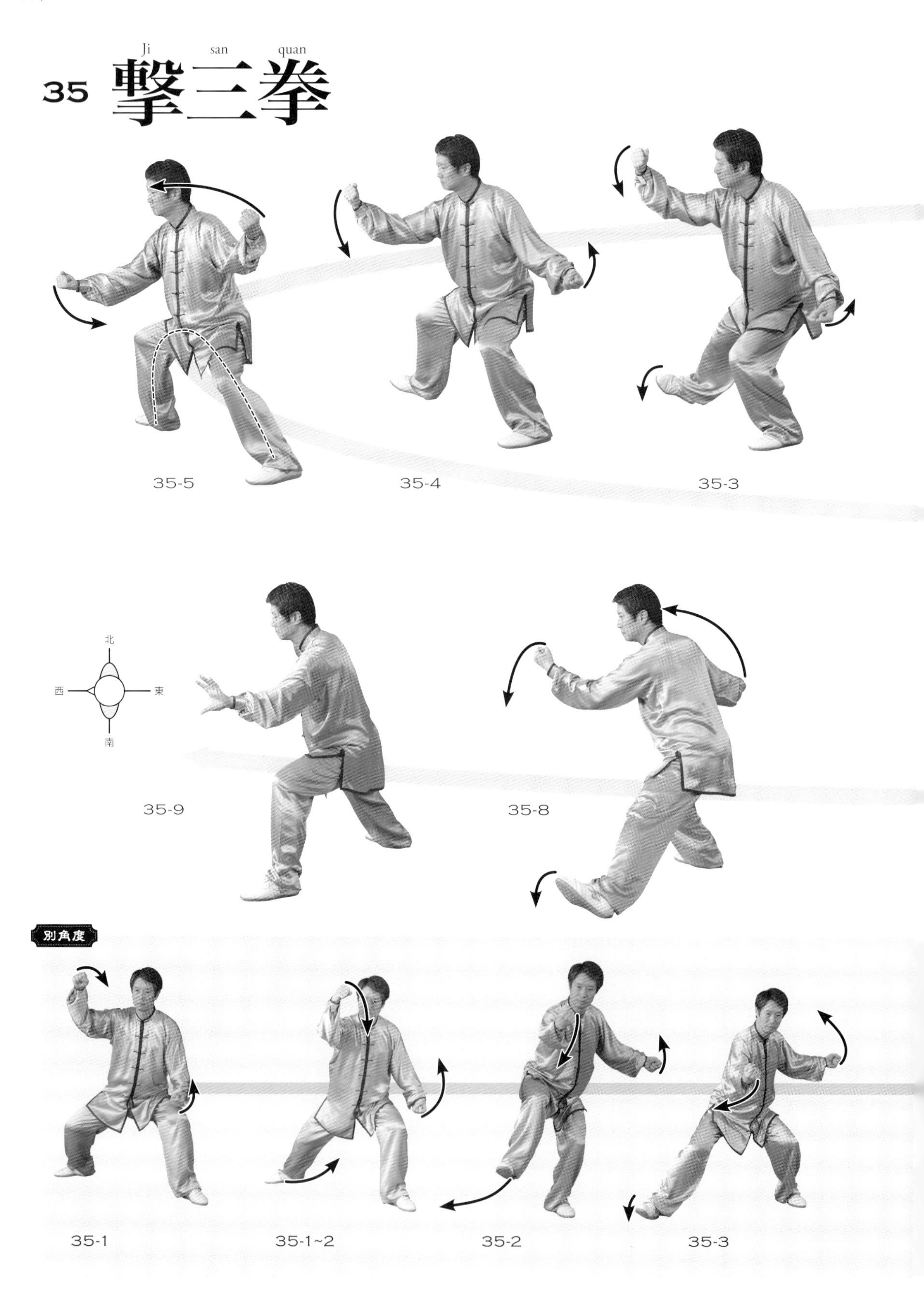

35-5　35-4　35-3

35-9　35-8

35-1　35-1~2　35-2　35-3

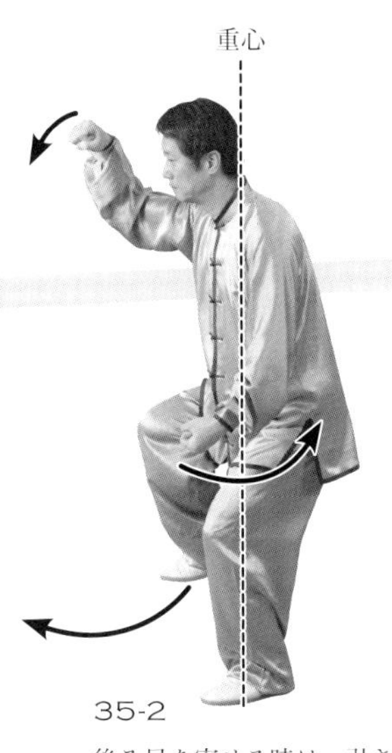

35-2

後ろ足を寄せる時は、引き抜く
ようにしてはいけない。

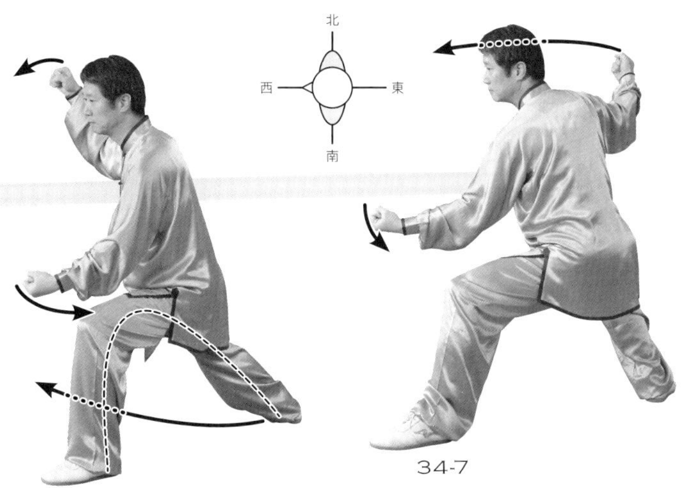

35-1

重心移動を明確に行い、
左弓歩になる。

34-7

ここから腕を回転させながら、
足を前に運ぶ。
手足のタイミングを合わせる。
両拳は纏絲を伴って回転する。

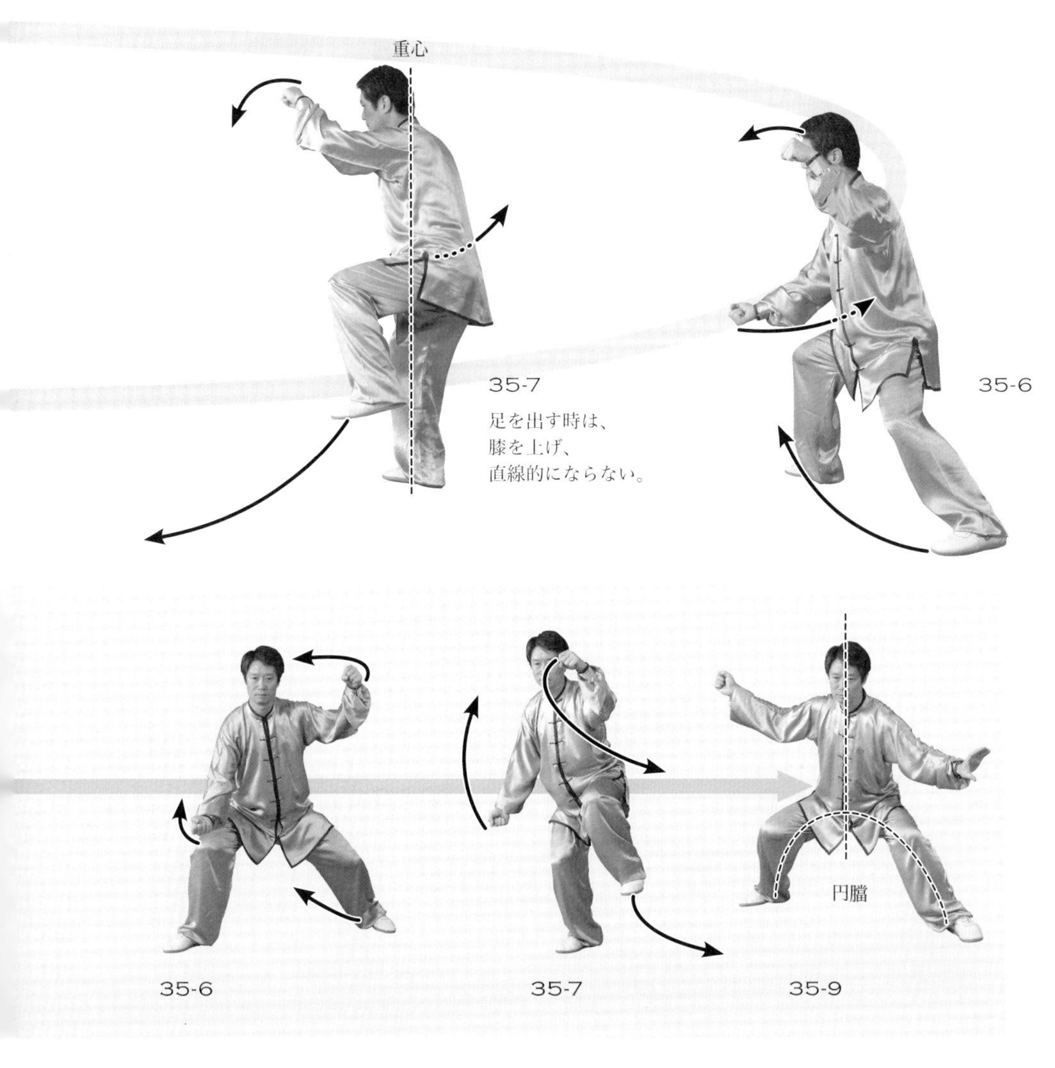

35-7

足を出す時は、
膝を上げ、
直線的にならない。

35-6

35-6

35-7

35-9

36 撃地捶

Ji di chui

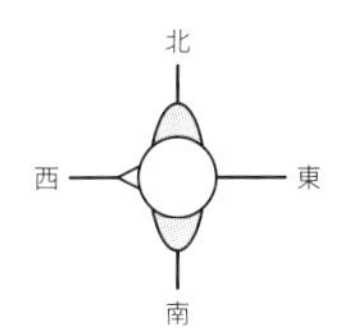

36-2

左拳は虚拳になる。

36-3

首の角度を注意する。
頭を上げすぎず、さげすぎない
(前方に頭突きするイメージ)。
お尻を突き出さない。

拡大

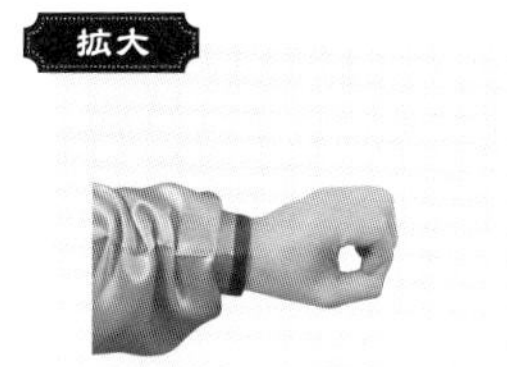

別角度

35-9

左拳を掌に変える。

36-1

36-2

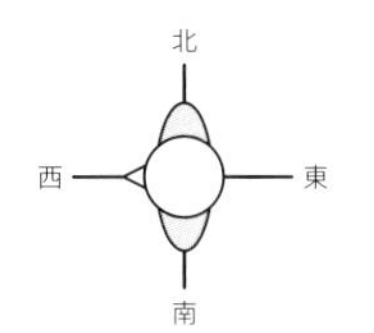

35-9
左拳を掌に変える。

36-1
頭突きをするように
股関節から上体を
前傾させる。

36-2~3

36-3
左弓歩。右膝が内に
入らないように注意する。

37 二起脚
Er qi jiao

北
西 東
南

36-3

37-1
上体を起こしながら、
肘で円を描くように回す。

37-2
右肘を下に落とすように、
右前小臂を立てる。

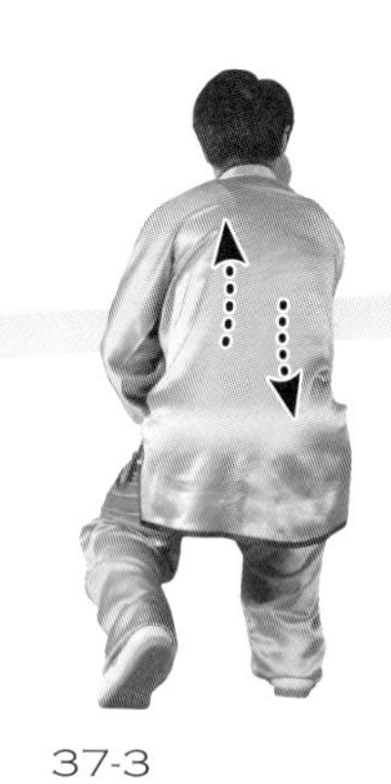

37-3

37-6
左足を高く上げる。

37-7
左足と入れ替えて、
右足を蹴り上げる。

37-8

37-12
左足で着地を
しっかりして
重心を安定させる。

37-13

37-14
両掌を拳にして、
腰に引き付ける。

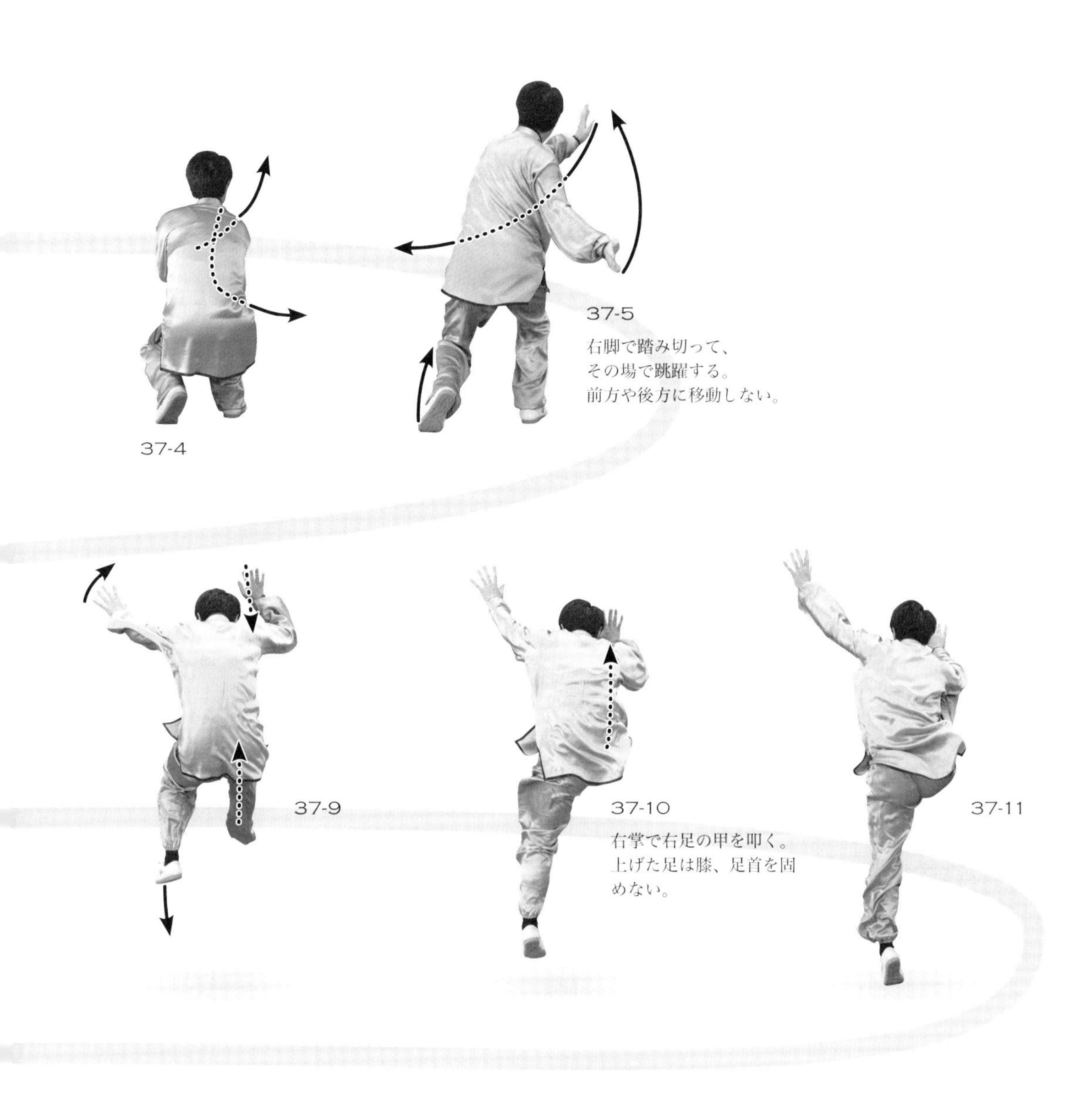

37-5
右脚で踏み切って、
その場で跳躍する。
前方や後方に移動しない。

37-10
右掌で右足の甲を叩く。
上げた足は膝、足首を固
めない。

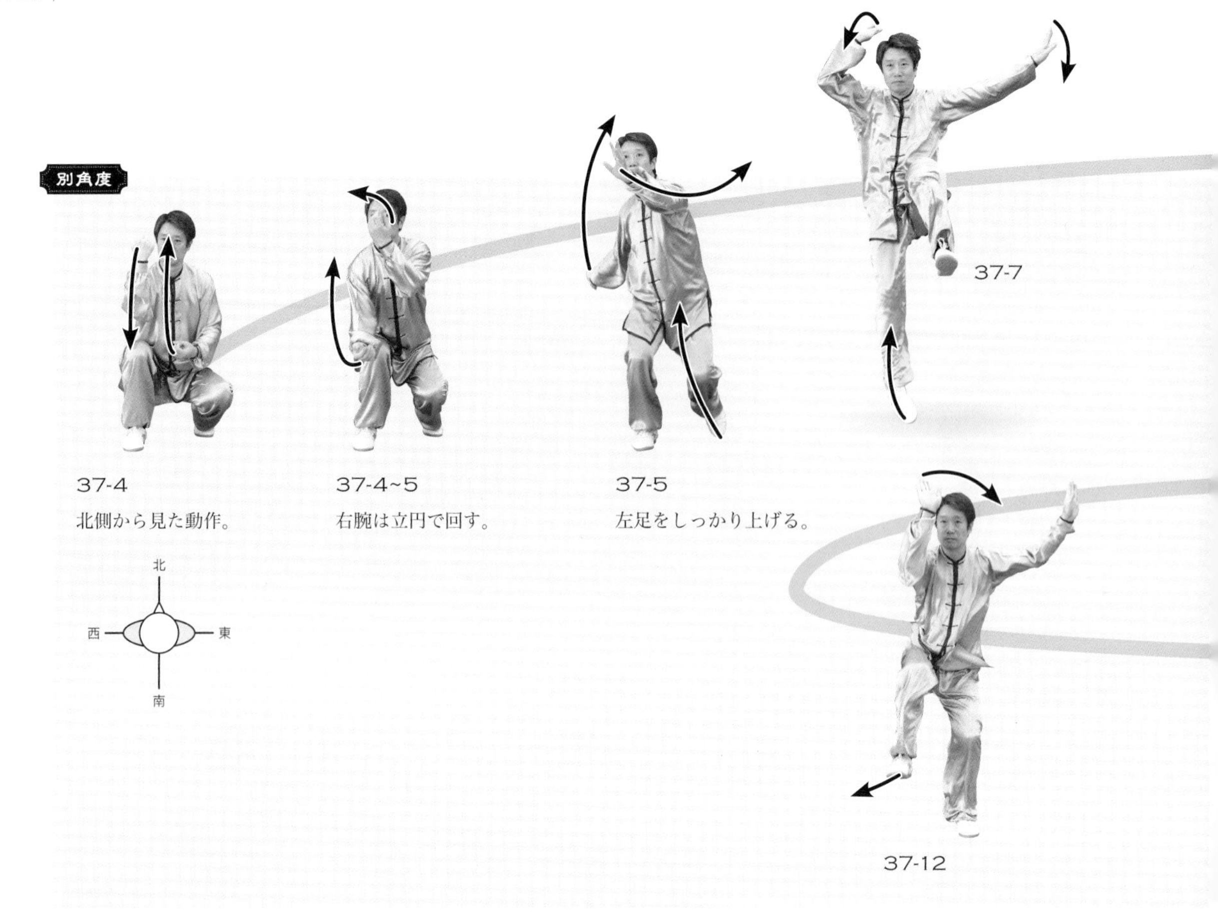

37-4
北側から見た動作。

37-4~5
右腕は立円で回す。

37-5
左足をしっかり上げる。

37-7

37-12

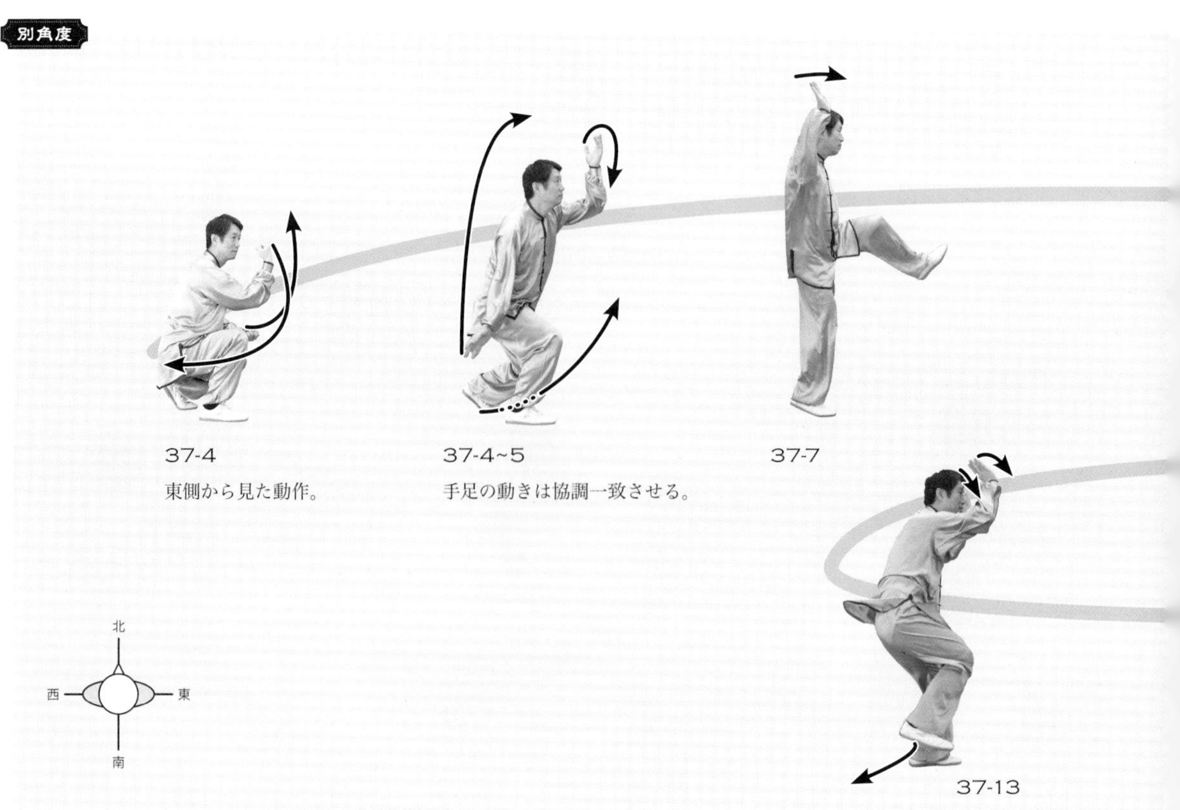

37-4
東側から見た動作。

37-4~5
手足の動きは協調一致させる。

37-7

37-13

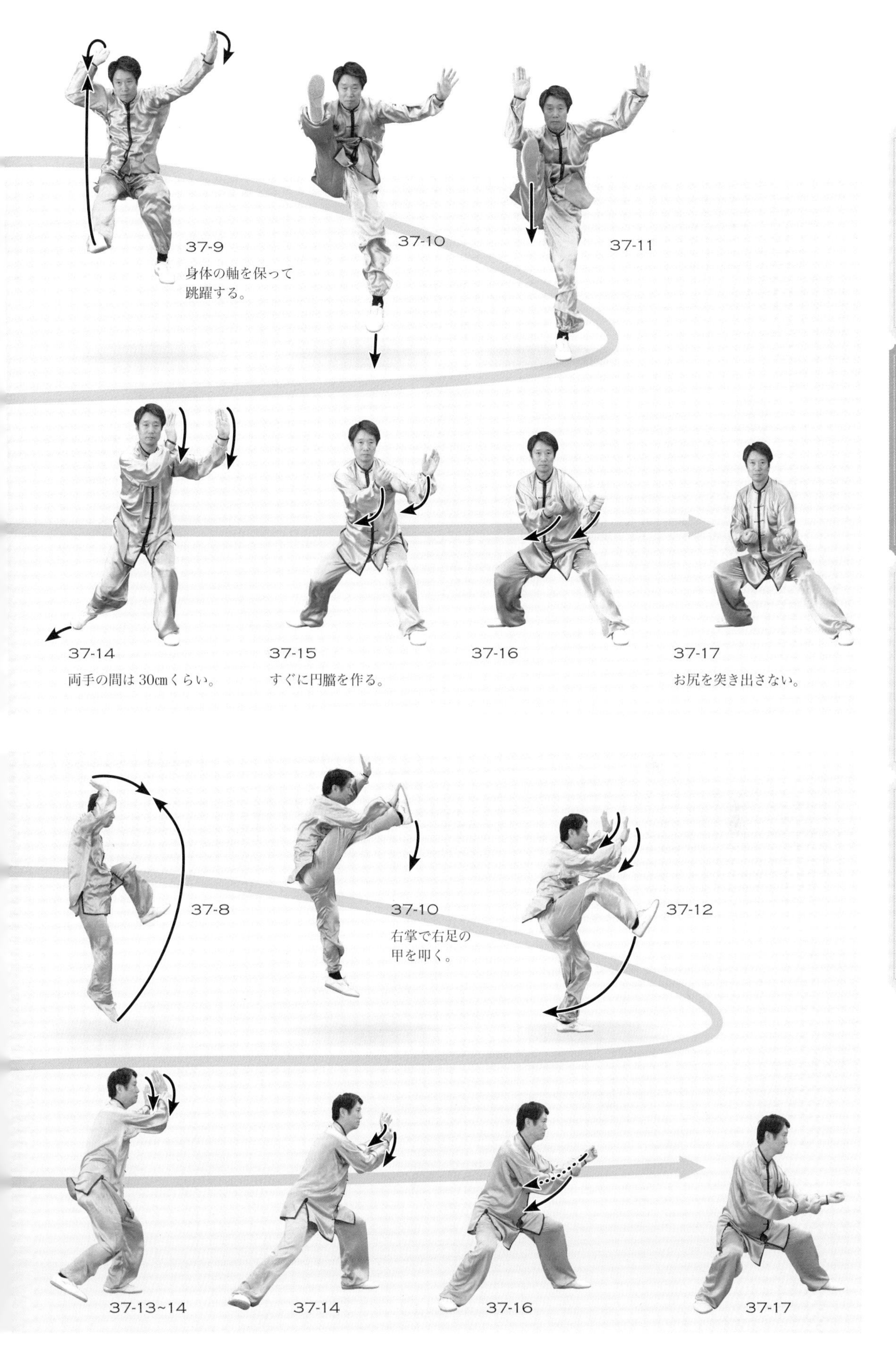
37-9
身体の軸を保って跳躍する。
37-10
37-11
37-14
両手の間は30cmくらい。
37-15
すぐに円襠を作る。
37-16
37-17
お尻を突き出さない。
37-8
37-10
右掌で右足の甲を叩く。
37-12
37-13~14
37-14
37-16
37-17

38 護心拳

Hu xin quan

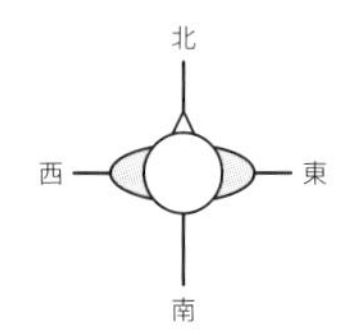

37-17

38-1

38-2

37-17　38-1　38-2

38-3

38-4

38-5
左弓歩で、両拳を胸前に推し出す。
下盤を安定させて、立身中正を守る。
前傾したり、尻を突き出してはいけない。

38-4
重心移動して左弓歩になる。

38-5
両拳を胸前に推し出すように打ち、胸前に腕で円を作る。右拳よりも左拳が少し前に出る。左拳が少し前に出るのは、やや前傾する相手の姿勢に合わせるためである。
頭頂を上に持ち上げ、立身中正を守り、前傾姿勢にならないよう注意。

39 旋風脚

Xuan feng jiao

右足を相手の下肢を
掃くように回す（掃腿）。
腕と足の回転を協調一致させる。

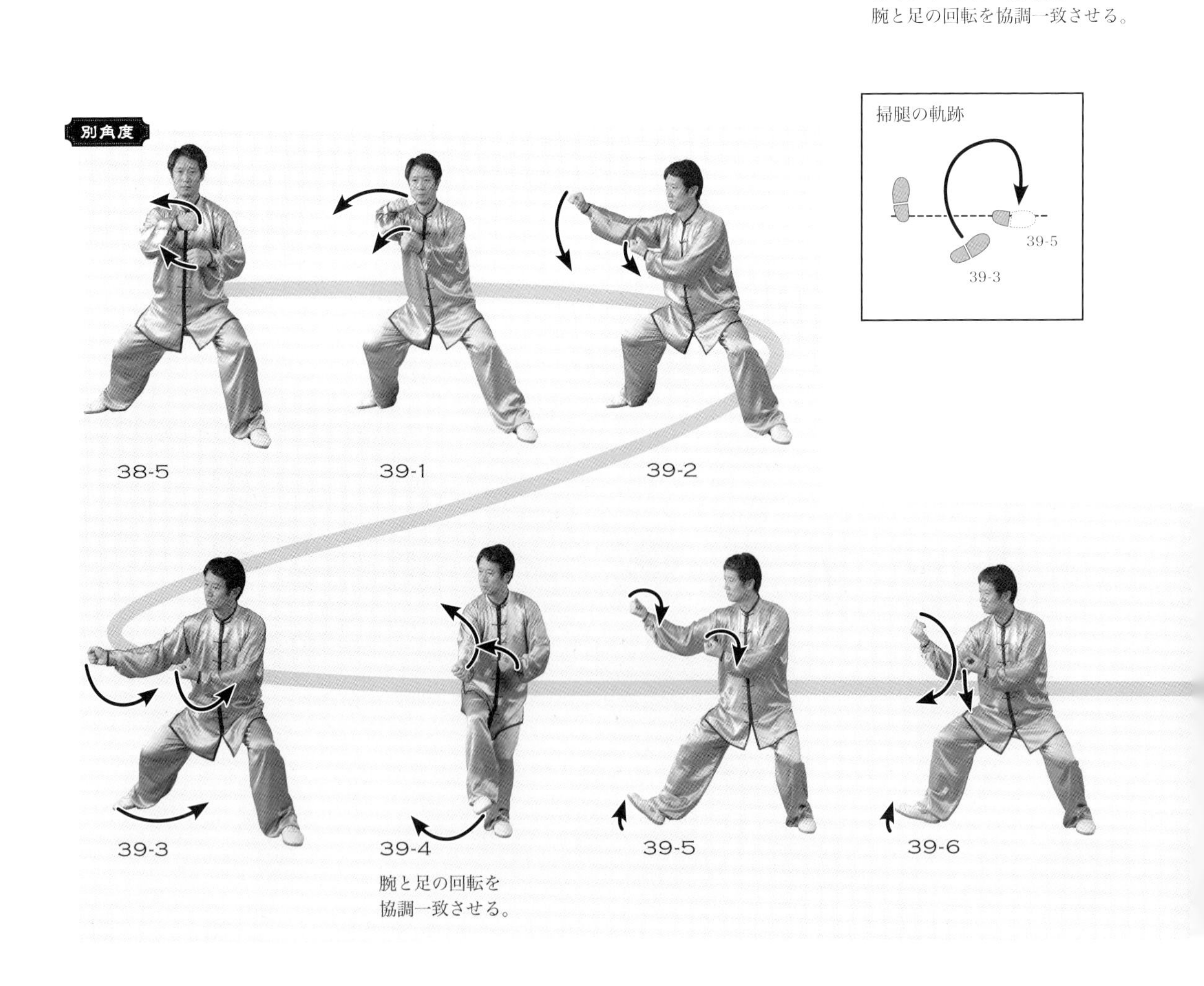

腕と足の回転を
協調一致させる。

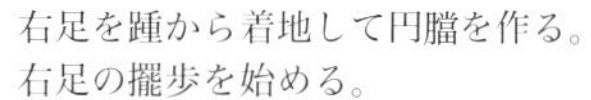
39-5
右足を踵から着地して円襠を作る。
右足の擺歩を始める。

39-7
左足を蹴り上げて、
そのままの流れで一回転する。

39-8
上げた足の内側側面を、
下から回し上げた左手で素早く打つ。

39-7
重心を右足に移し、軸足を作り、
蹴り足を外から回し上げる。

39-8
蹴り上げた足をそのまま回転させて、
身体を回す。両掌を拳に変える。

39-9

40 双風貫耳

Shuang feng Guan er

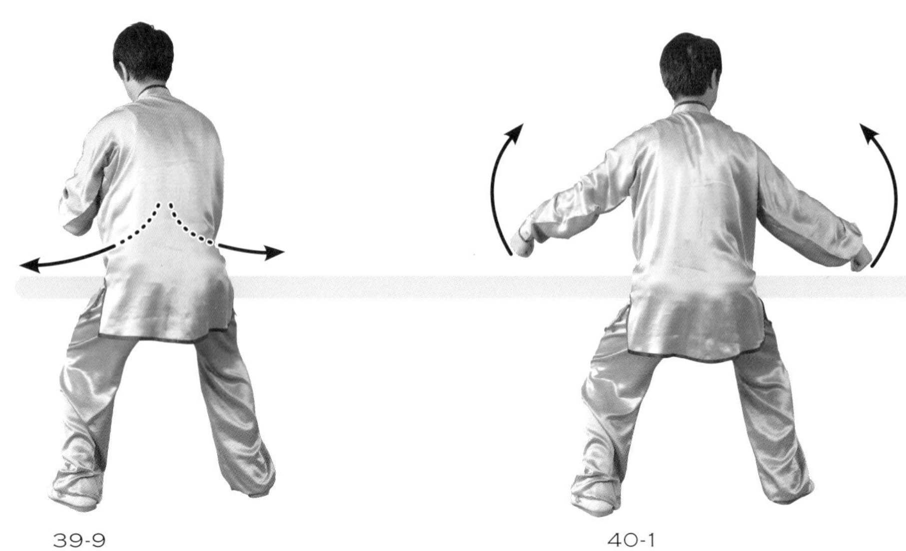

39-9

40-1

両腕を協調一致させ、円を描いて上げていく。
目の前に相手が居ることを仮定して、
両拳で相手のこめかみを挟むようにする。

別角度

39-9

掌から拳に変える。

40-1

40-2

40-3
両拳を耳の高さに上げる。
両拳は顔の幅。

40-4
歩形は馬歩。

40-2

40-3

40-4

41 蹬一跟

Deng yi gen

40-4 41-1 41-2 41-3

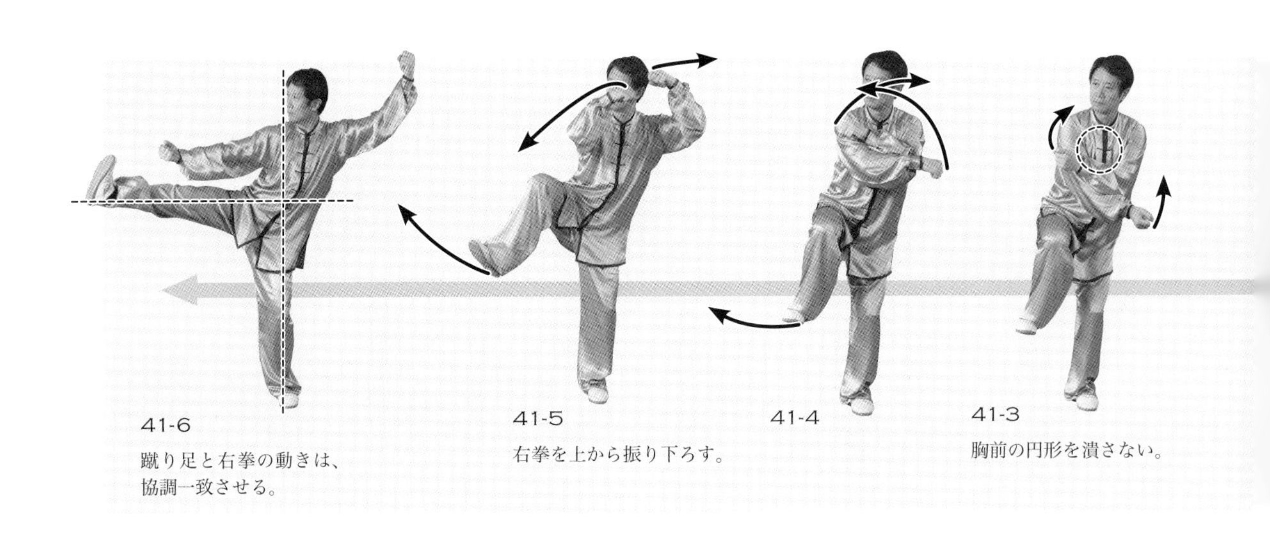

41-6
蹴り足と右拳の動きは、
協調一致させる。

41-5
右拳を上から振り下ろす。

41-4

41-3
胸前の円形を潰さない。

41-4
膝をしっかり上げて、
踵で蹴り出す。

41-5
右拳は上から下ろす。
蹴りと拳は協調して動く。

41-6
蹴り出す足は纏絲をする。

41-2~3　41-2　41-1　40-4

42 掩手捶

Yan shou chui

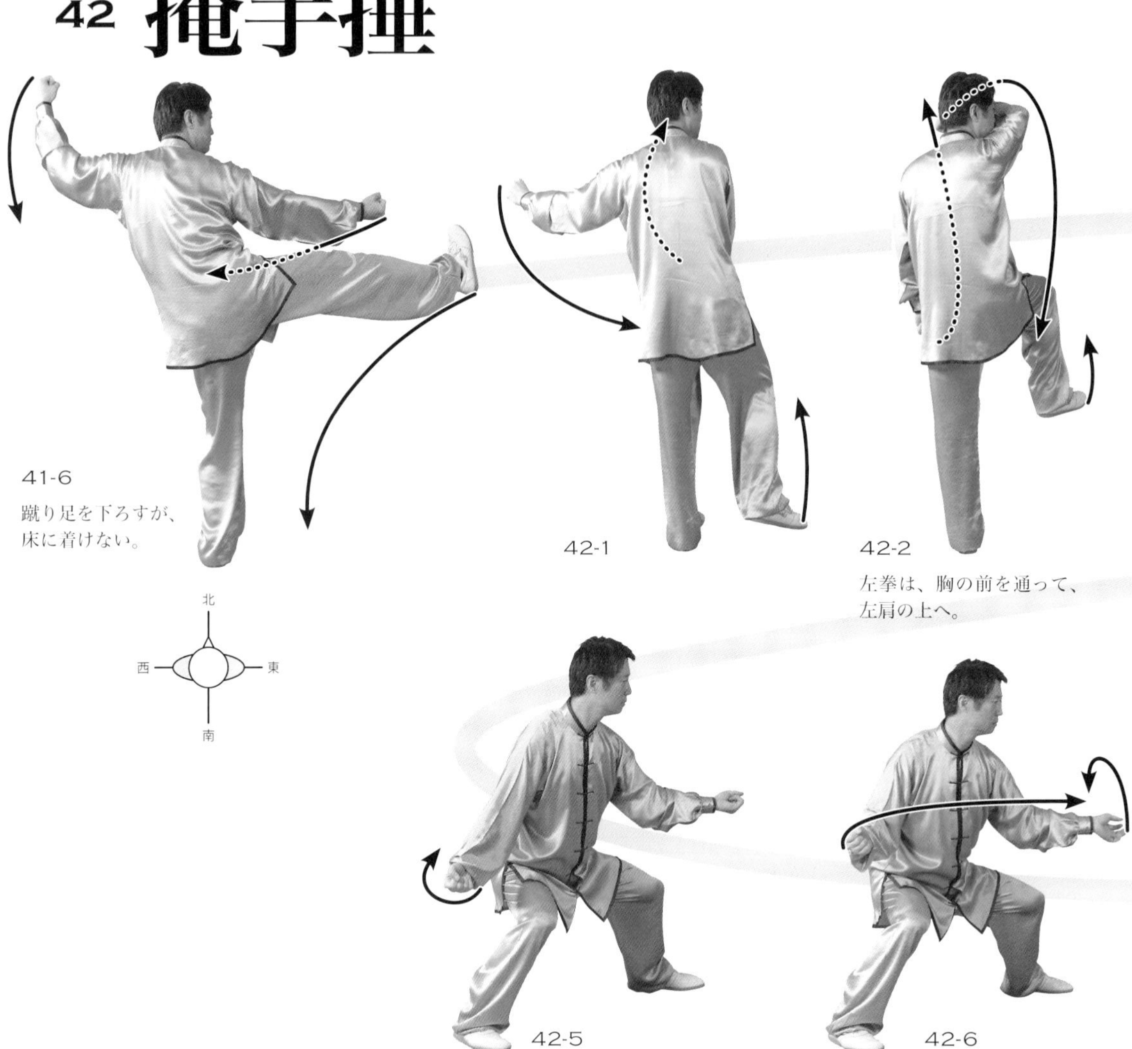

41-6
蹴り足を下ろすが、床に着けない。

42-1

42-2
左拳は、胸の前を通って、左肩の上へ。

42-5

42-6
左拳を掌に変える。

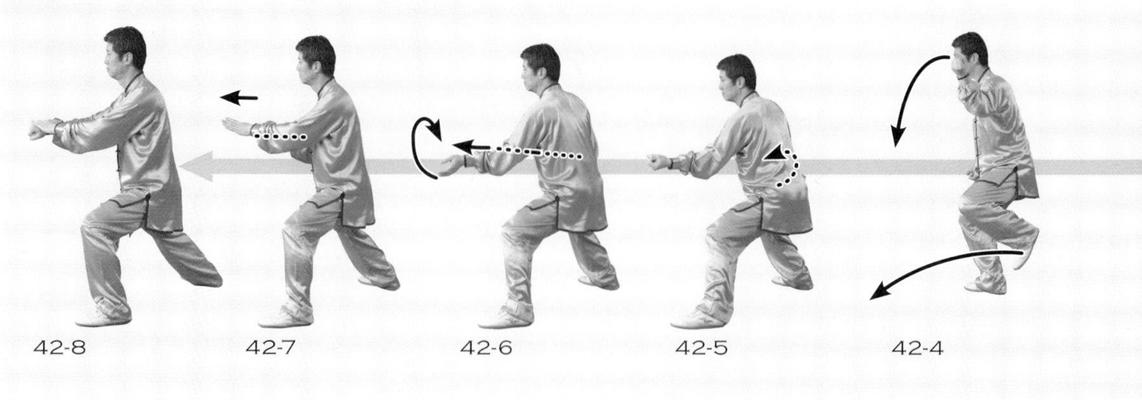

42-8　42-7　42-6　42-5　42-4

42
掩手捶

42-3
身体を右に回しながら、右足を下ろして震脚し、すぐに左足を上げる。

42-4

42-7
右拳を東に突き出す。

42-8

42-3
膝をしっかり上げる。

42-2
左右の腕を上下に分け開く。そのタイミングと膝を上げる動きを一致させる。

42-1~2

42-1

41-6

43 小擒拿

Xiao qin na

42-8

足を運ぶ時は、足首を柔らかく使い、
固めない（出歩如猫＝猫のように歩く）。
足の運びと腕の回転を協調一致させる。

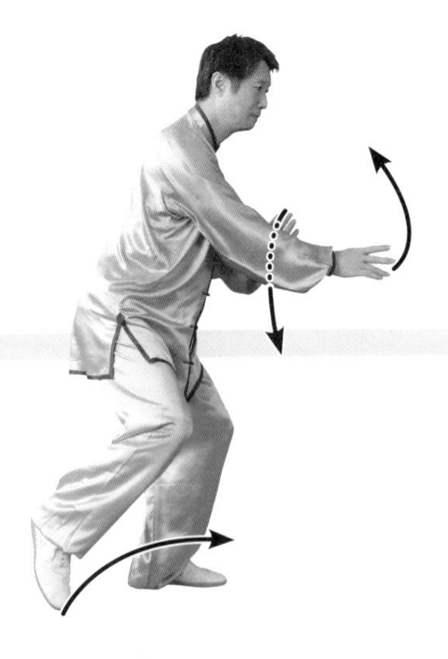

43-1

左斜め前に進む。

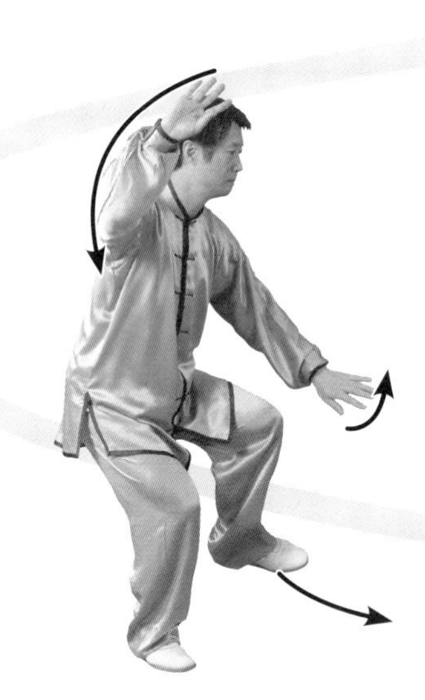

43-4

43-5

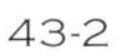
43-2

43-3
右足が着地すると同時に、
左足を引き抜くように上げる。

43-6

43-7

43-8
胸前に円形を保つ。

44 抱頭推山

Bao tou Tui shan

43-8　44-1　44-2

44-6

44-7

両腕を上げる時に、
胸を張りすぎない
（含胸抜背）。

44-3
腰の回転に合わせ
両腕を回す。

44-4
腕、腰の回転に合わせて、
右足に重心を移していく。
交叉した腕で円形を保った
まま両手を下ろす。

44-5
膝前を払うように、
両手を左右に分け開く。

44-8

44-9
小臂を推し出す。

44-10
右弓歩になり、
円膽を作る。
両肩を沈める。

45 六封四閉

Liu feng Si bi

4 六封四閉に準ずる

両腕を後ろに回す動作に合わせて、
重心を左足に移す。

別法

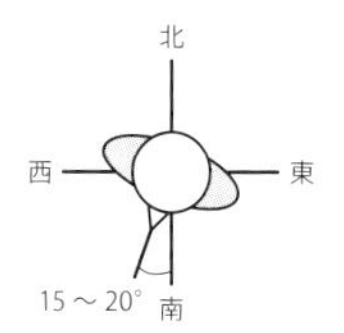

45-3

両腕を前に回す動作に合わせて、
重心を右足に移す。

45-4

右足に重心を移動させてから
左足を寄せる。

45-5

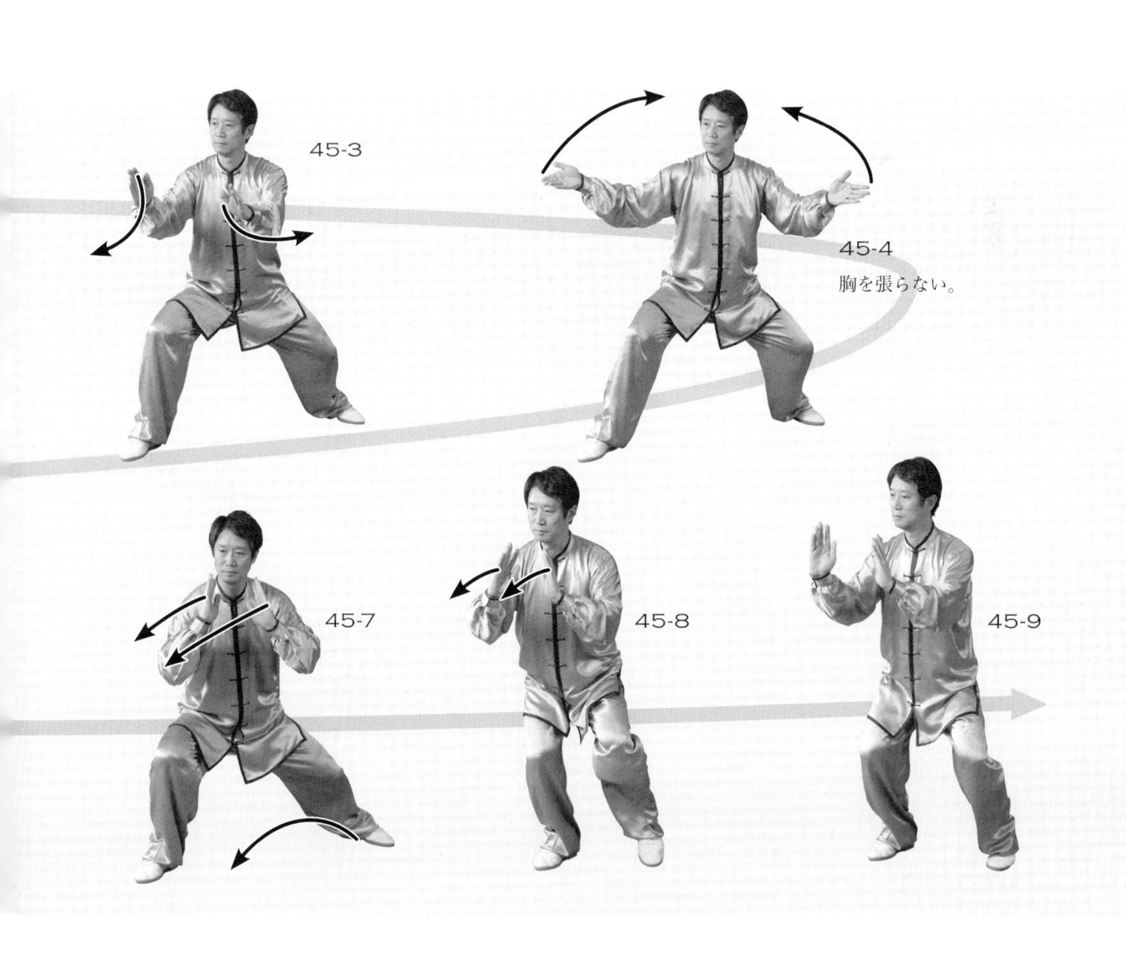

46 單鞭 Dan bian

5 單鞭に準ずる

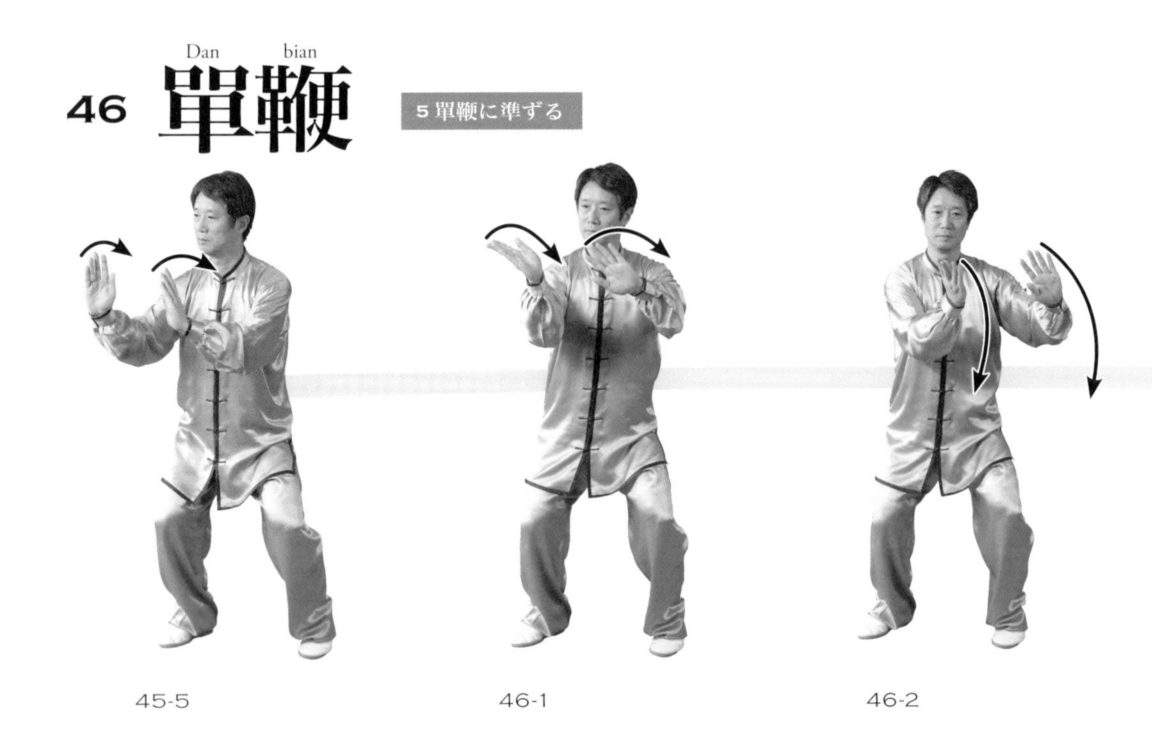

45-5

46-1

46-2

46-6

46-7

46-8

左手をしっかり纏絲する。

46-3

46-4

46-5

46-9

46-10
両肩、両肘を沈める。

47 前招后招 1/2

Qian zhao Hou zhao

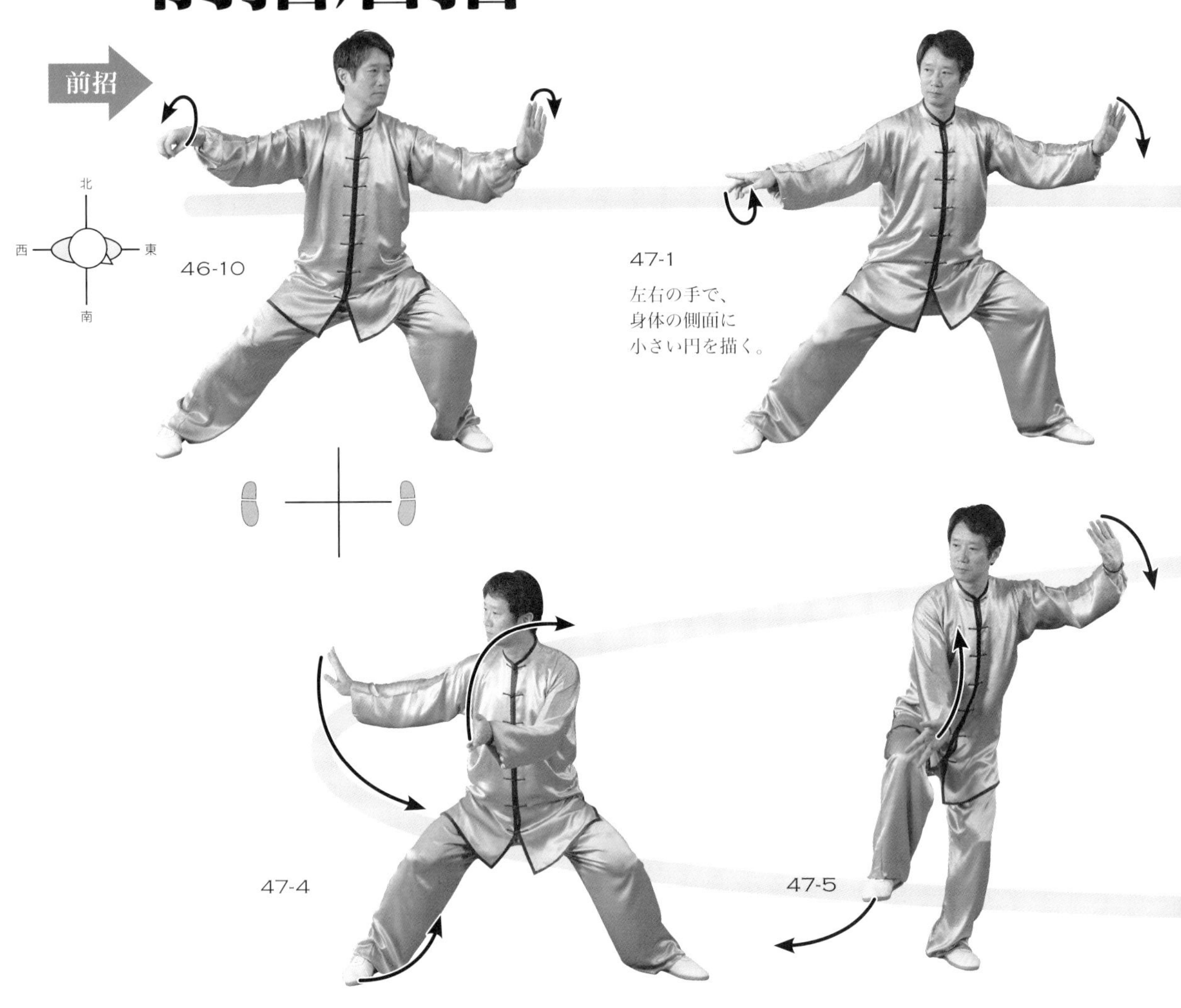

別角度

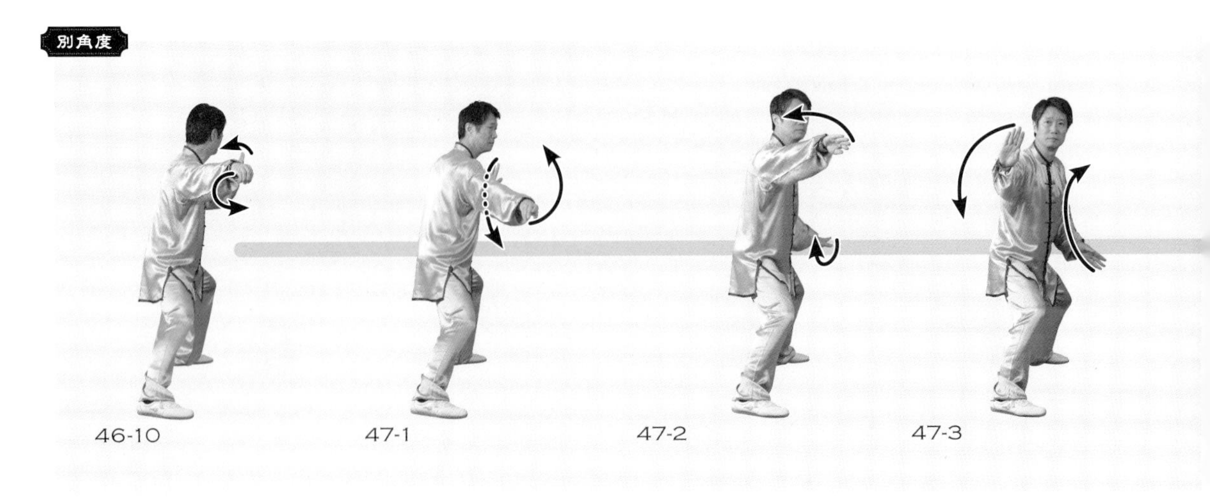

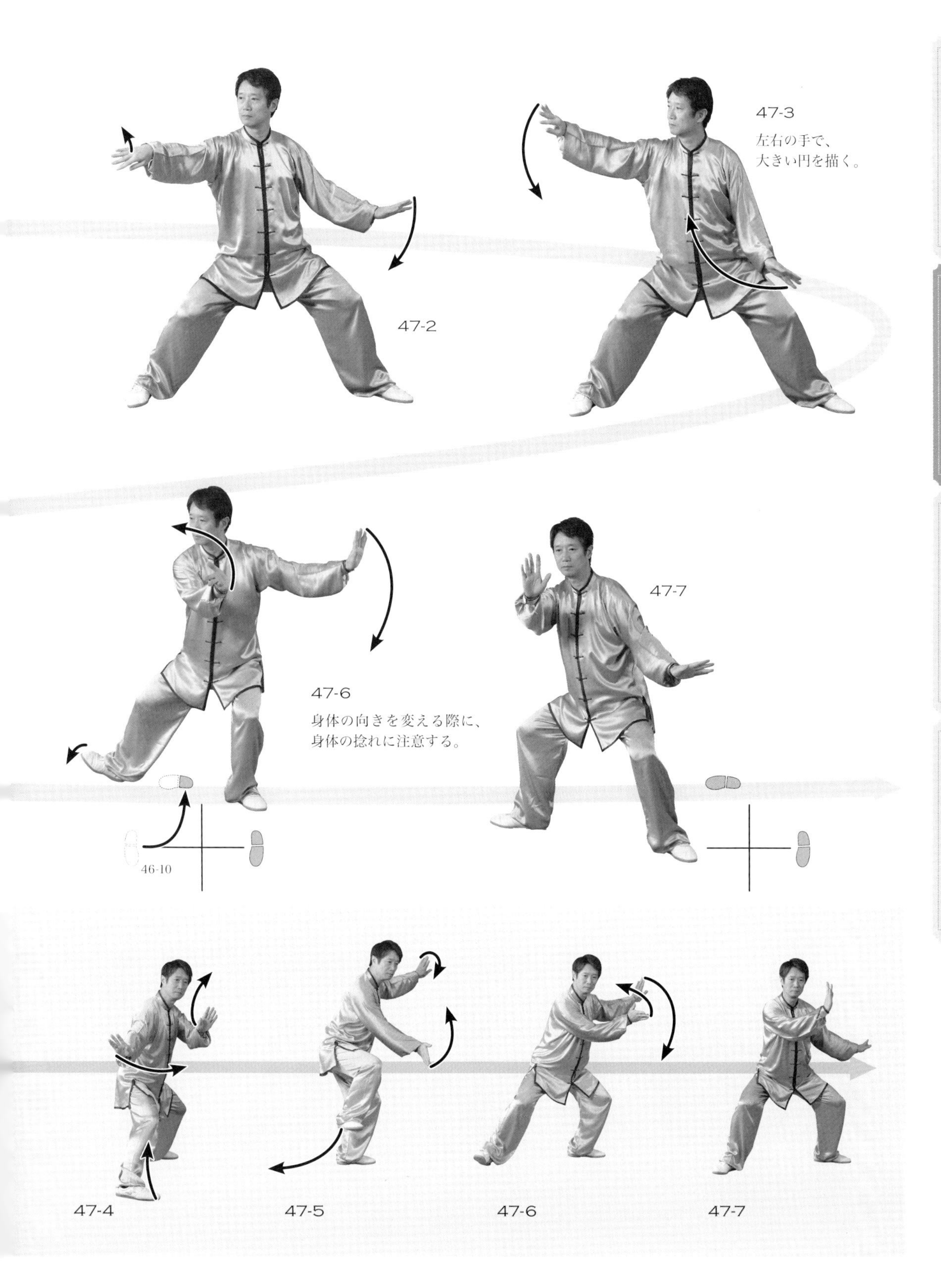
47-2
47-3
左右の手で、
大きい円を描く。
47-6
身体の向きを変える際に、
身体の捻れに注意する。
46-10
47-7
47-4
47-5
47-6
47-7

47 前招后招 2/2

Qian zhao Hou zhao

47-7

47-8

47-11

47-12

重心移動と手の動きを協調一致させる。

別角度

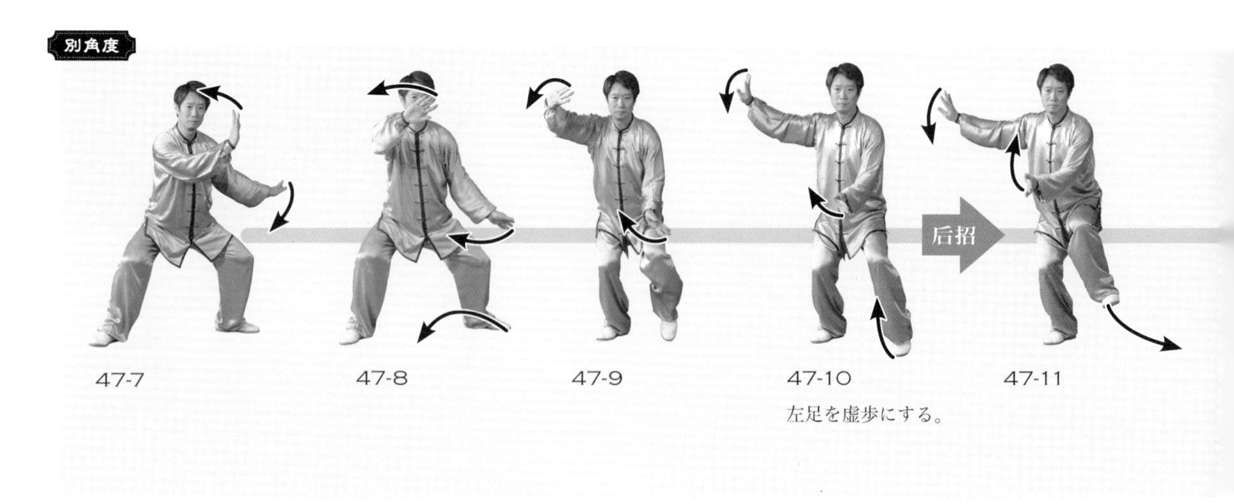

47-7 47-8 47-9 47-10 47-11

左足を虚歩にする。

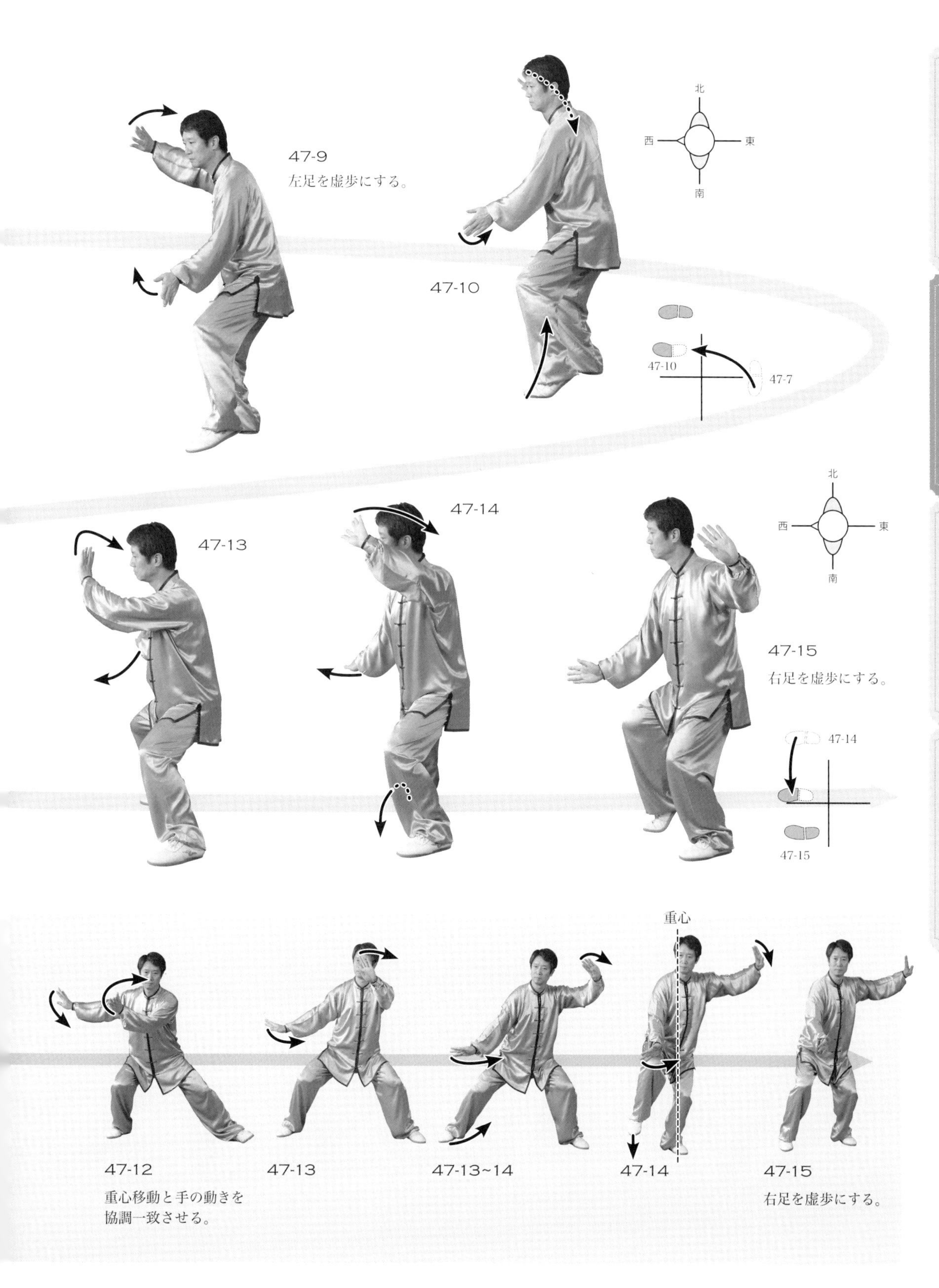
47-9
左足を虚歩にする。
47-10
北
西
東
南
47-10
47-7
47-13
47-14
北
西
東
南
47-15
右足を虚歩にする。
47-14
47-15
重心
47-12
重心移動と手の動きを
協調一致させる。
47-13
47-13~14
47-14
47-15
右足を虚歩にする。

48 野馬分鬃 1/3

Ye ma Fen zong

48-3
右足に重心移動。

48-2
右足の踵から着地して擺步。

48-7

48-6

別角度

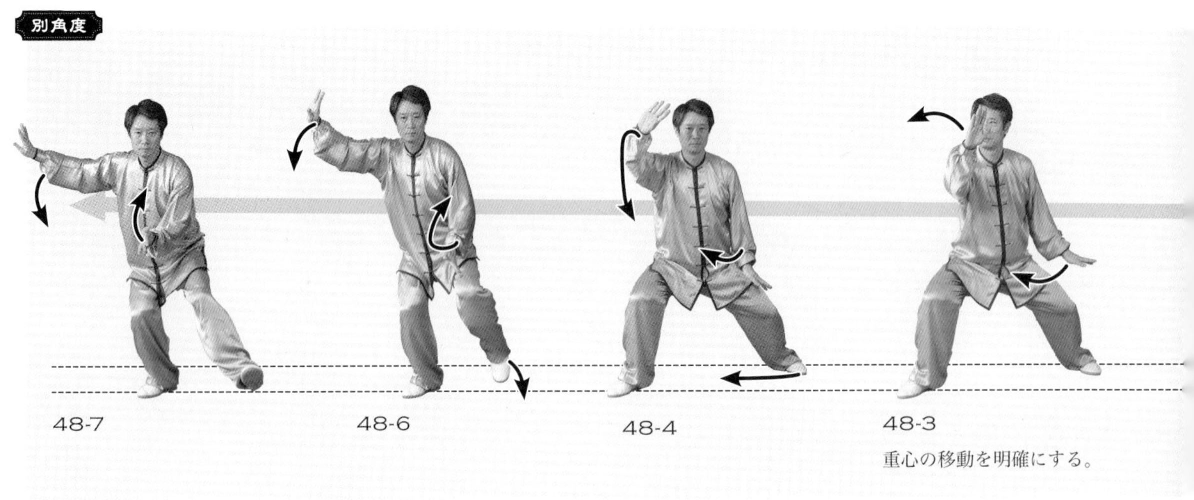

48-7

48-6

48-4

48-3
重心の移動を明確にする。

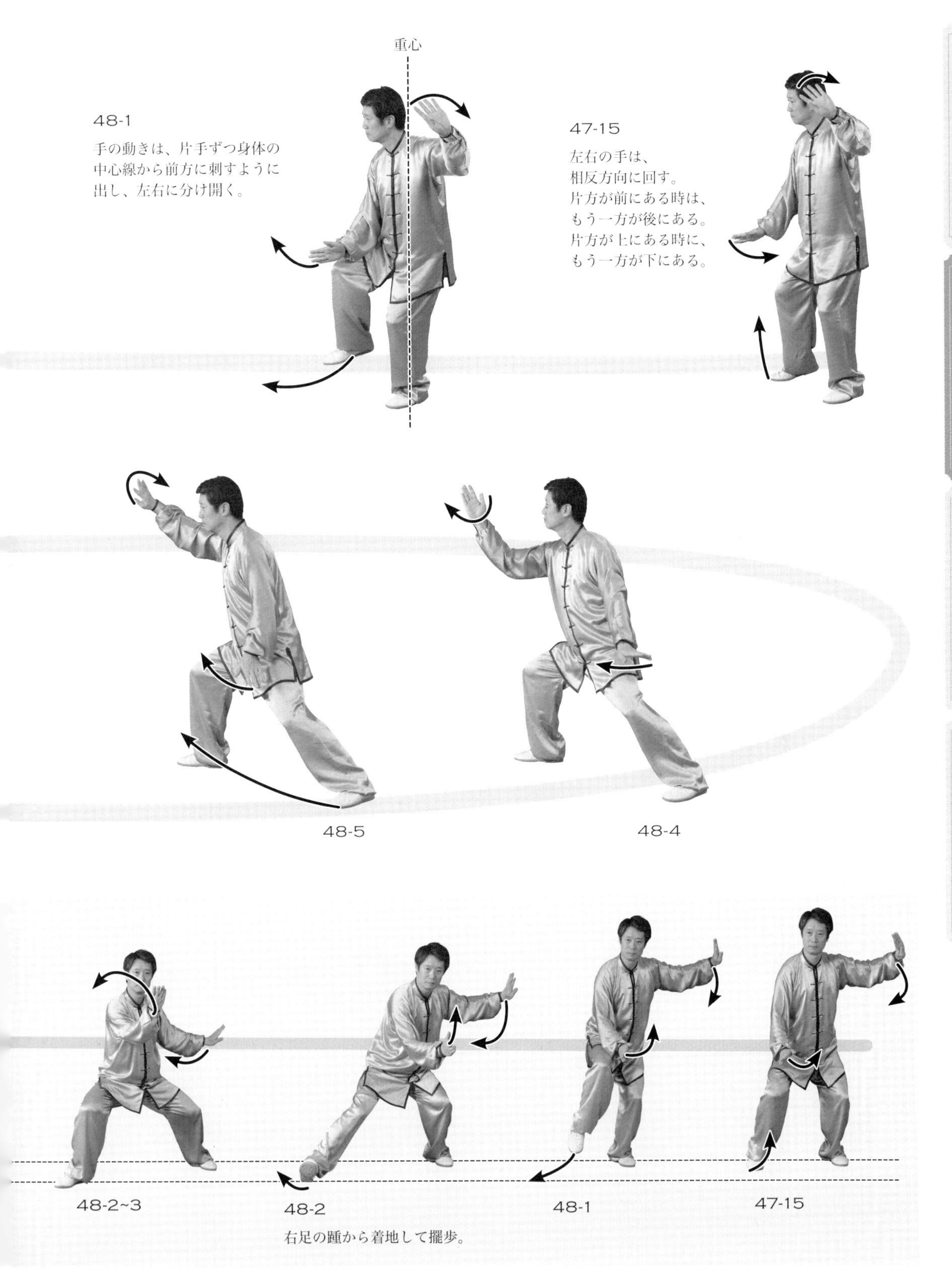
重心
48-1
手の動きは、片手ずつ身体の中心線から前方に刺すように出し、左右に分け開く。
47-15
左右の手は、相反方向に回す。片方が前にある時は、もう一方が後にある。片方が上にある時に、もう一方が下にある。
48-5
48-4
48-2~3
48-2
右足の踵から着地して擺歩。
48-1
47-15

48 野馬分鬃 2/3

Ye ma Fen zong

48-11

48-10

48-15

48-14

別角度

48-9
48-8
48-7
48-13
48-12
48-11
48-10
48-9
48-8

48 野馬分鬃 3/3

Ye ma Fen zong

別角度

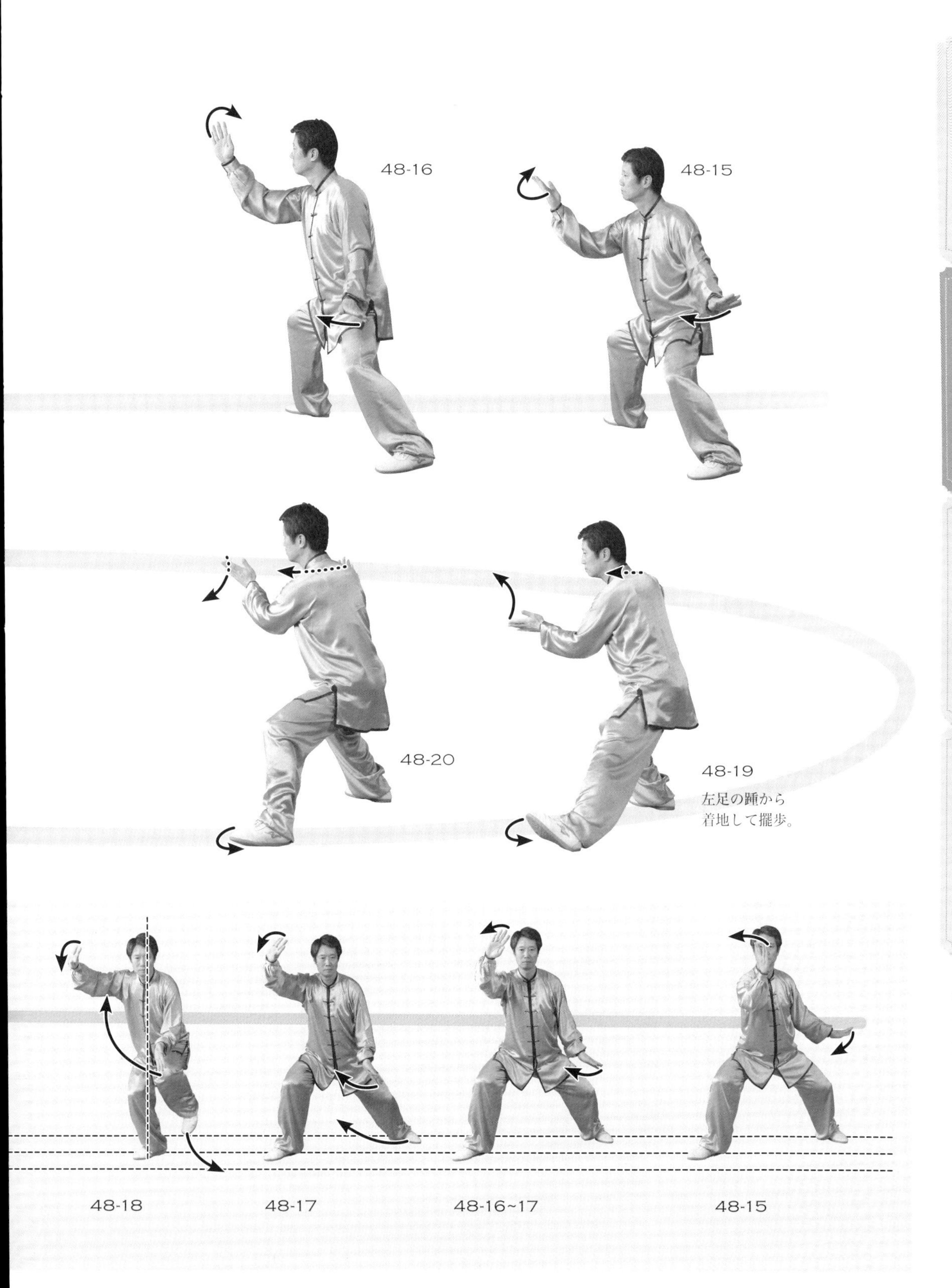
48-16
48-15
48-20
48-19
左足の踵から
着地して擺歩。
48-18
48-17
48-16~17
48-15

49 六封四閉

Liu feng Si bi

4 六封四閉に準ずる

49-2

49-3

49-6

重心を右足に乗せて、
左足を寄せる。
左足は虚歩になる。

49-7

49-1
身体を回しながら、
重心を左足に移動する。

48-22
両掌で小さく捋。

49-4

49-5
両脇は締めずに、空ける。

50 單鞭 (Dan bian)

5 單鞭に準ずる

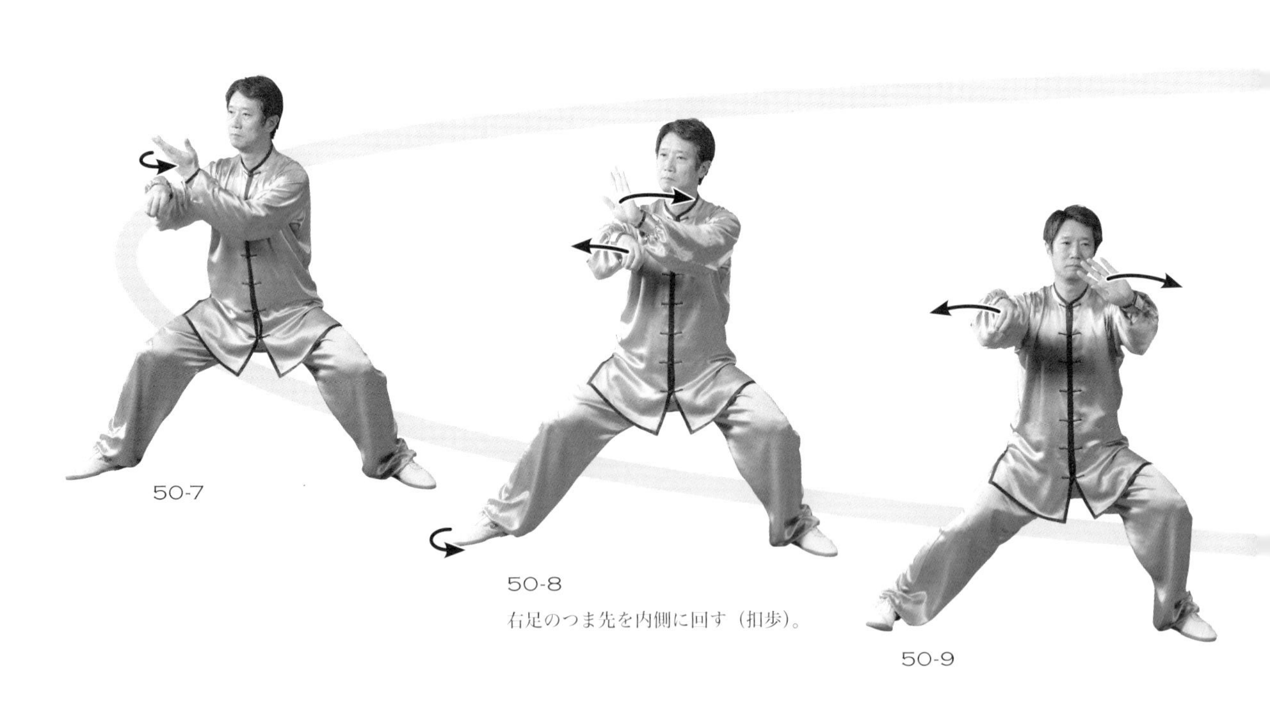

右足のつま先を内側に回す（扣歩）。

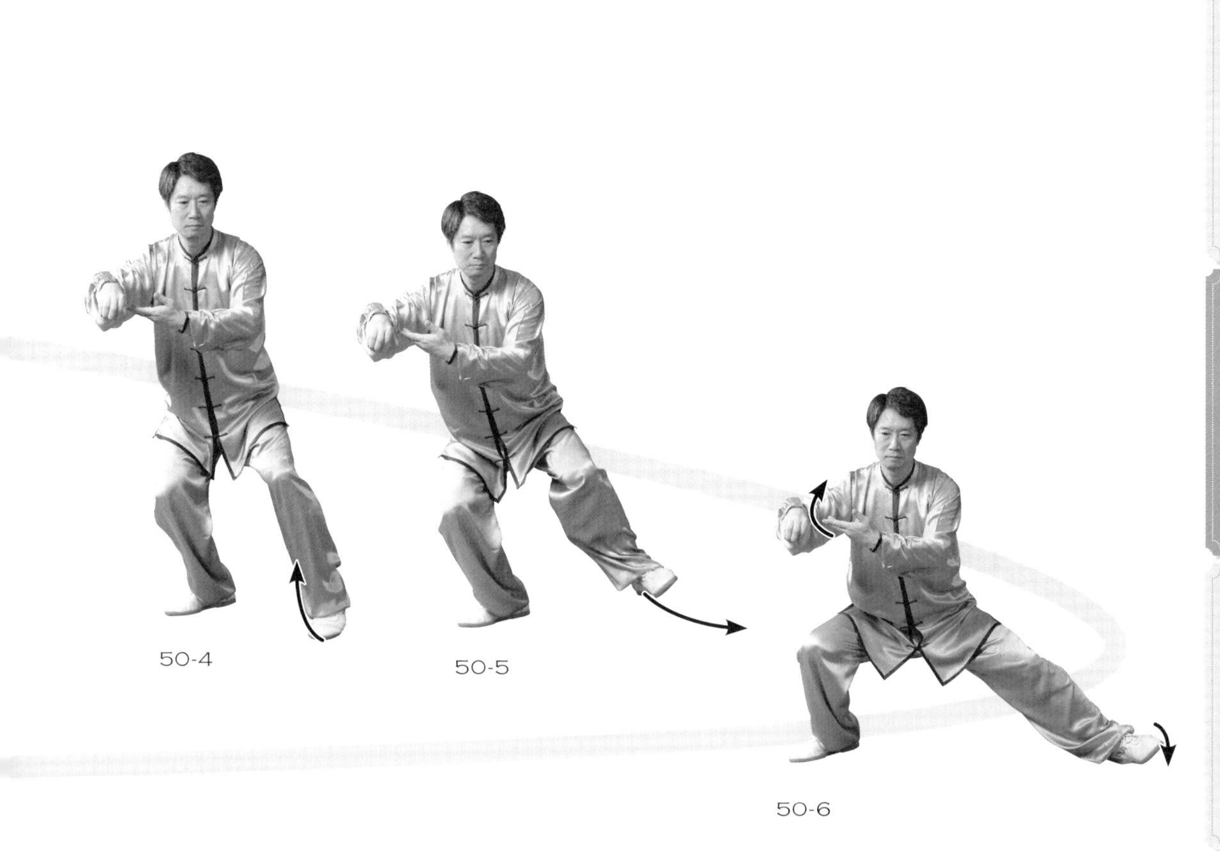

50-4

50-5

50-6

50-10

50-11

51 玉女穿梭 1/3

Yu nü Chuan suo

51-3

51-4

51-5

重心を大きく右へ移動させる時、
円臚が失われないよう注意する。

51-6

両掌で捋。

51-7

51-8

51-2

51-1

50-11

右手を勾手から掌に変えながら、
小さい円を描く。

51-9

両腕と足を下ろす動作を協調一致させる。
左足は床に軽やかに着地させる。

51-10

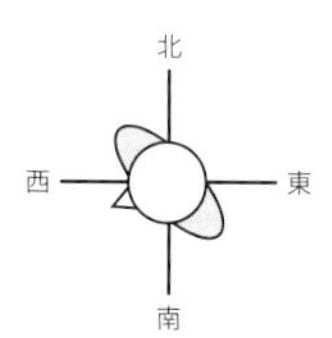

51-11

左足重心のままで、
右足は虚歩。

51 玉女穿梭 2/3

Yu nü Chuan suo

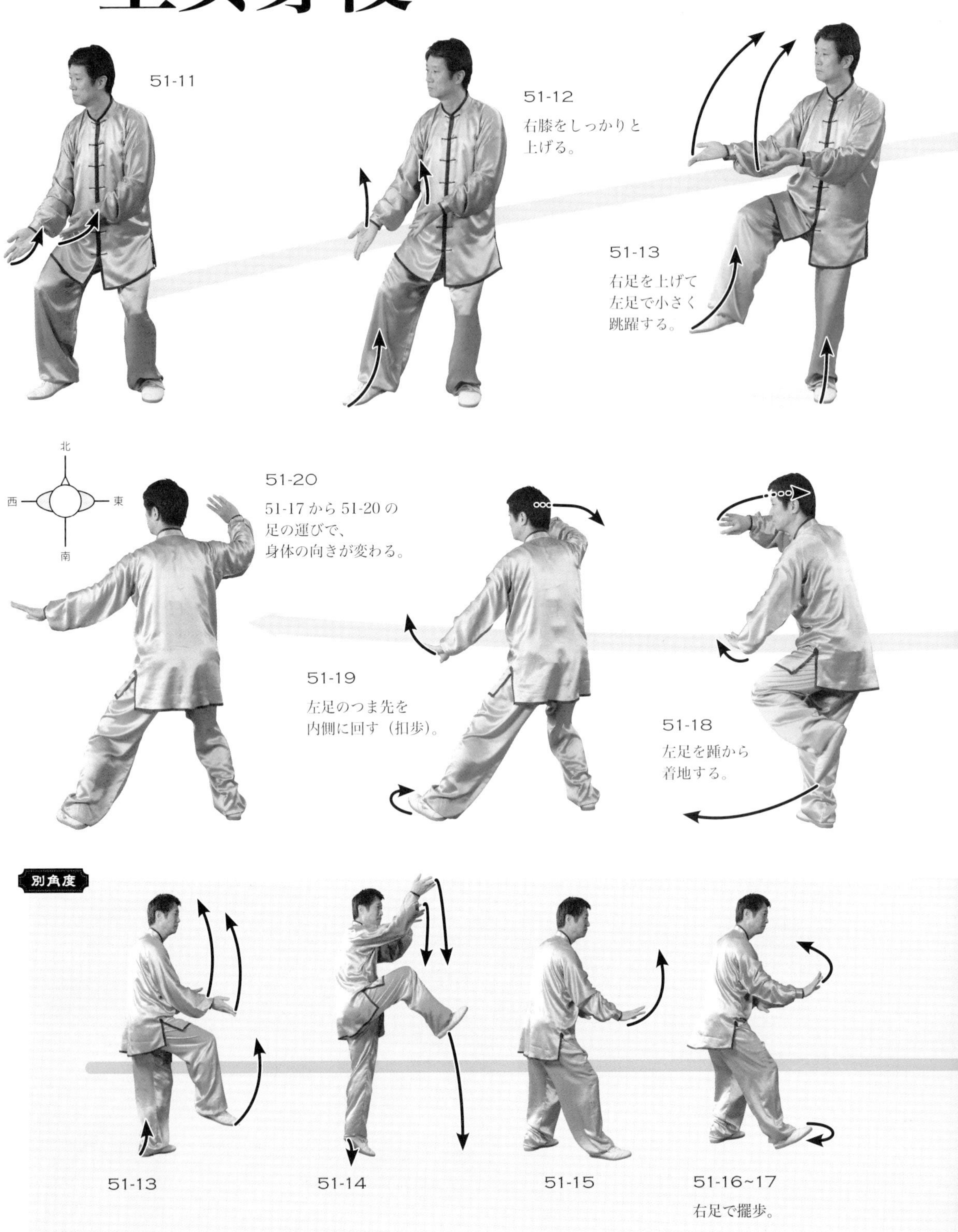

51-14

先に左足で着地して震脚し、
時間差で右足で震脚する
（左足重心のまま）。
右足の震脚に合わせて
両掌で下方に押さえる。

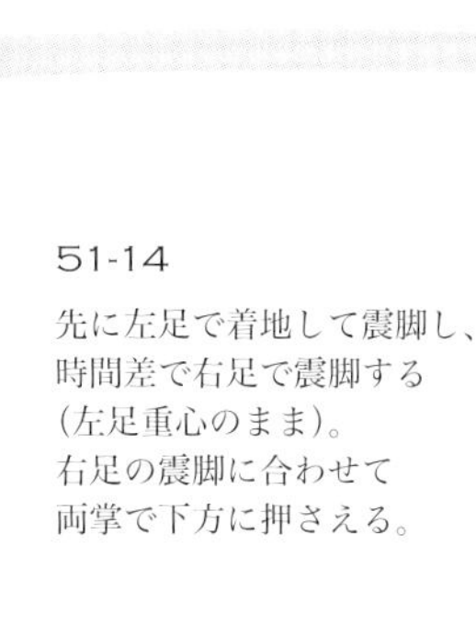

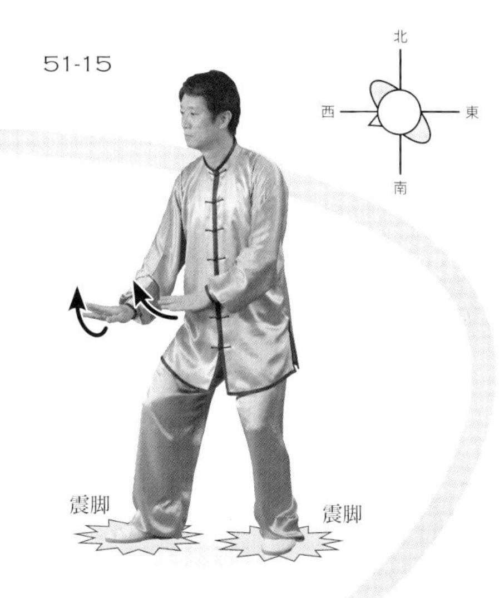

51-15

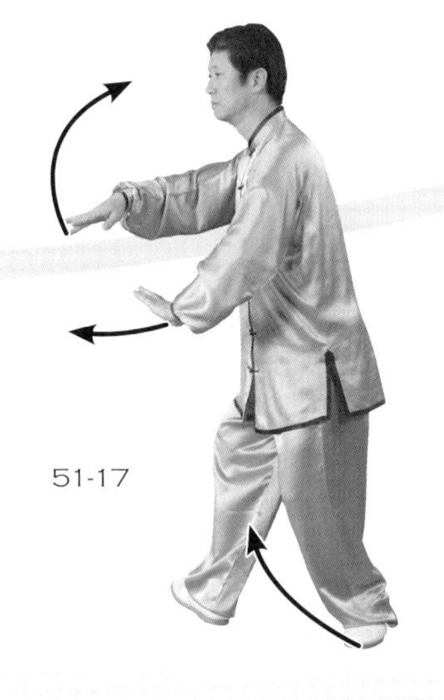

51-17

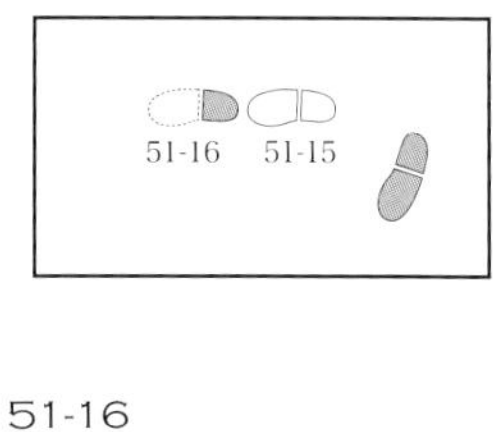

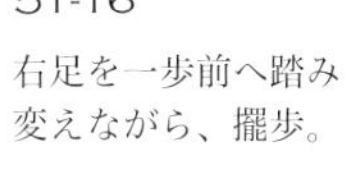

51-16

右足を一歩前へ踏み
変えながら、擺歩。

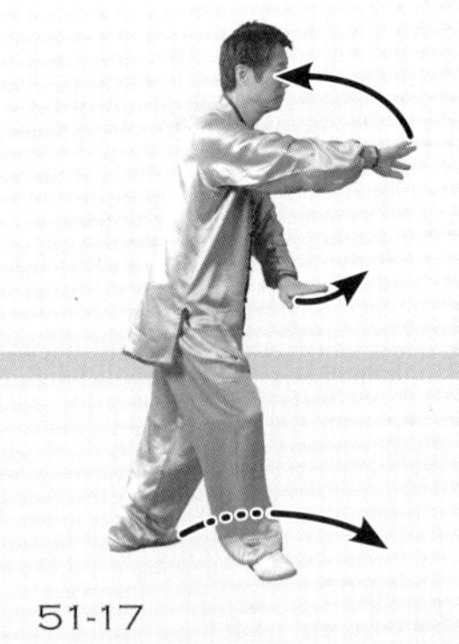

51-17

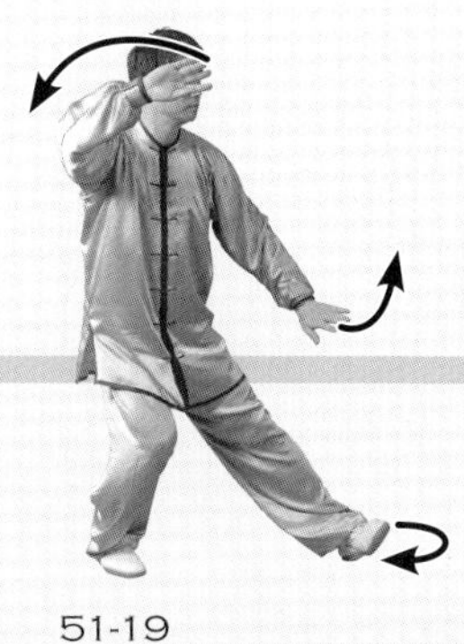

51-19

51-20

51 玉女穿梭 3/3

Yu nü Chuan suo

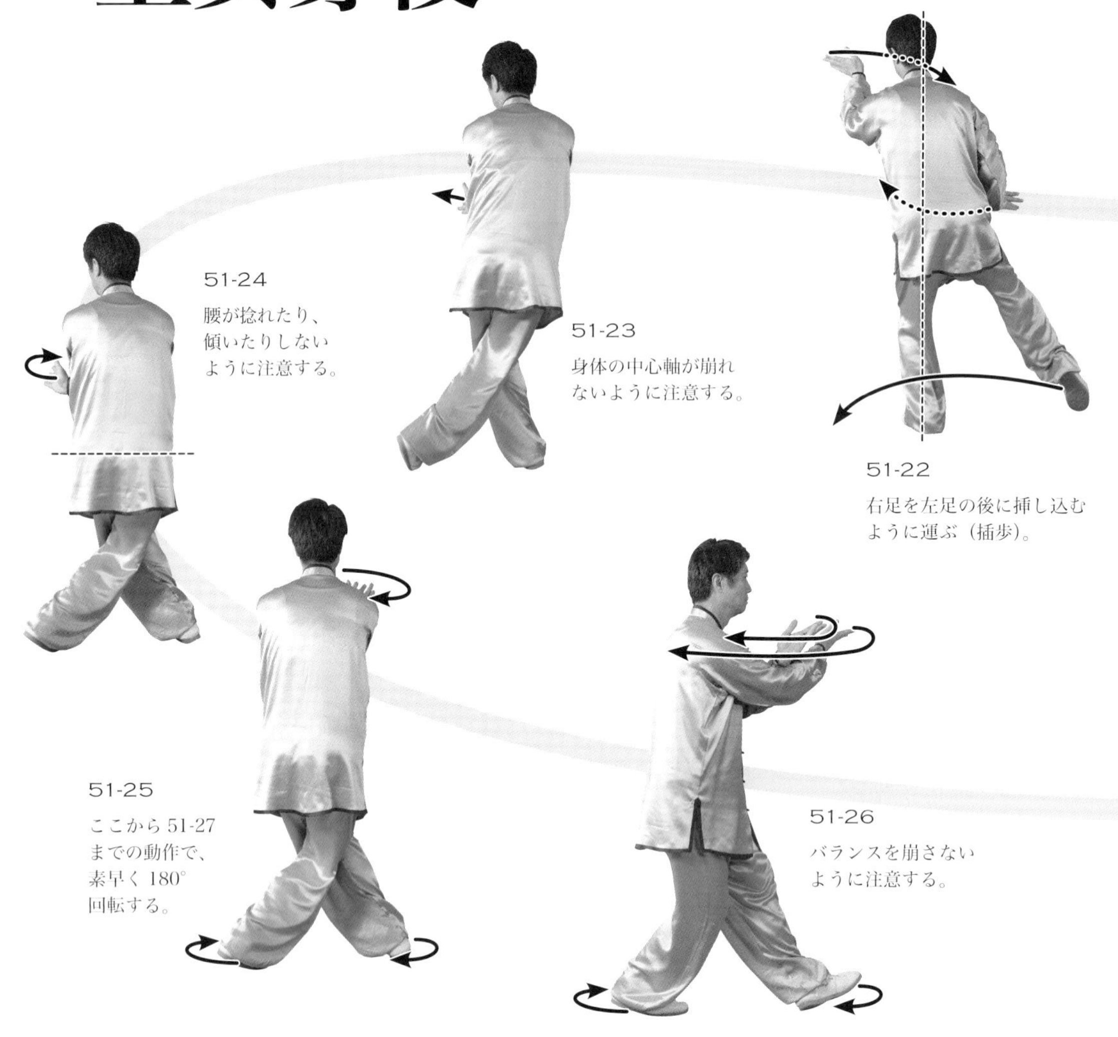

51-22

右足を左足の後に挿し込むように運ぶ（插步)。

51-23

身体の中心軸が崩れないように注意する。

51-24

腰が捻れたり、傾いたりしないように注意する。

51-25

ここから51-27までの動作で、素早く180°回転する。

51-26

バランスを崩さないように注意する。

51-27
回転が終わった時、
両足が平行になる。

51-28
歩形は馬歩。
腕で胸の前に円形を作る。
右腕は身体より後ろに行かない。

51-28
重心は偏らない。

52 攬紮衣

Lan za yi

3攬紮衣に準ずる

51-28

52-1

右掌で短い捋。

52-2

52-10

52-9

52-6
胸の前に円形の
空間を保つ。

53 六封四閉 1/2

Liu feng Si bi

4 六封四閉に準ずる

52-10

53-1

53-4

53-5

53-2

53-3

53-6
両掌で下方に押さえる（按)。

53-7 (合勢)

53 六封四閉 2/2

Liu feng Si bi

53-7

53-8

53-11

53-12

53-9

53-10

北
西　東
15～20°　南

53-13
右足に重心を乗せてから、
左足を引き寄せる。

53-14
左足を虚歩にする。

53-15
手首は曲げずに、
小臂を立てる。

54 單鞭 (Dan bian)

5 單鞭に準ずる

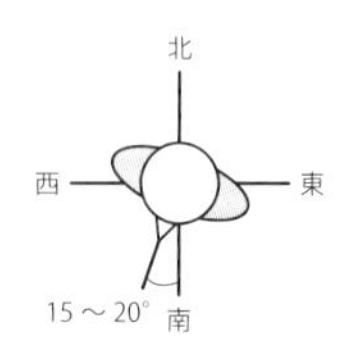

53-15

54-1

身体の前で両腕は円を描くように回す。両腕を回すのに伴い、身体が捻じれないように注意する。

54-2

54-6

右足のつま先を内側に回す（扣歩）。左掌を逆纏絲させながら左へ。身体が捻れないよう注意。

54-7

54-3

54-4
両腕は胸前で円を保つ。

54-5

54-8

54-9
歩形は左弓歩。
両手は肩の高さに。目は左手中指を見る。

55 雲手 1/2

Yun shou

30 雲手に準ずる

54-9

雲手で腕を回す間、
肩が上がらないように注意する。

55-1

55-4

55-5

55-6

55-2　55-3

55-7

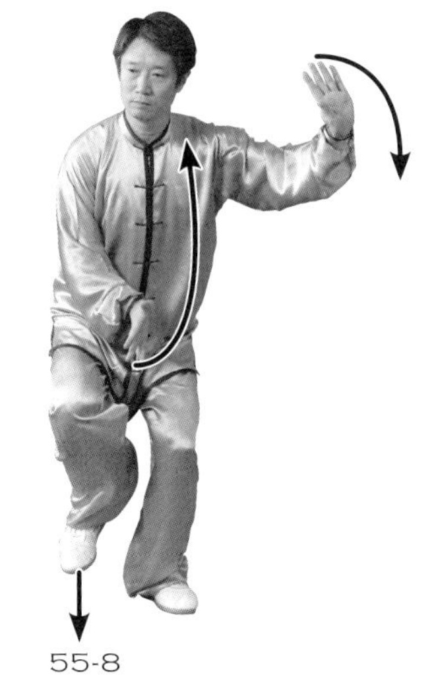

55-8

55-9

脚は棒立ちにならずに、円膽を保つ。

北
西　東
南

55 雲手 2/2
Yun shou

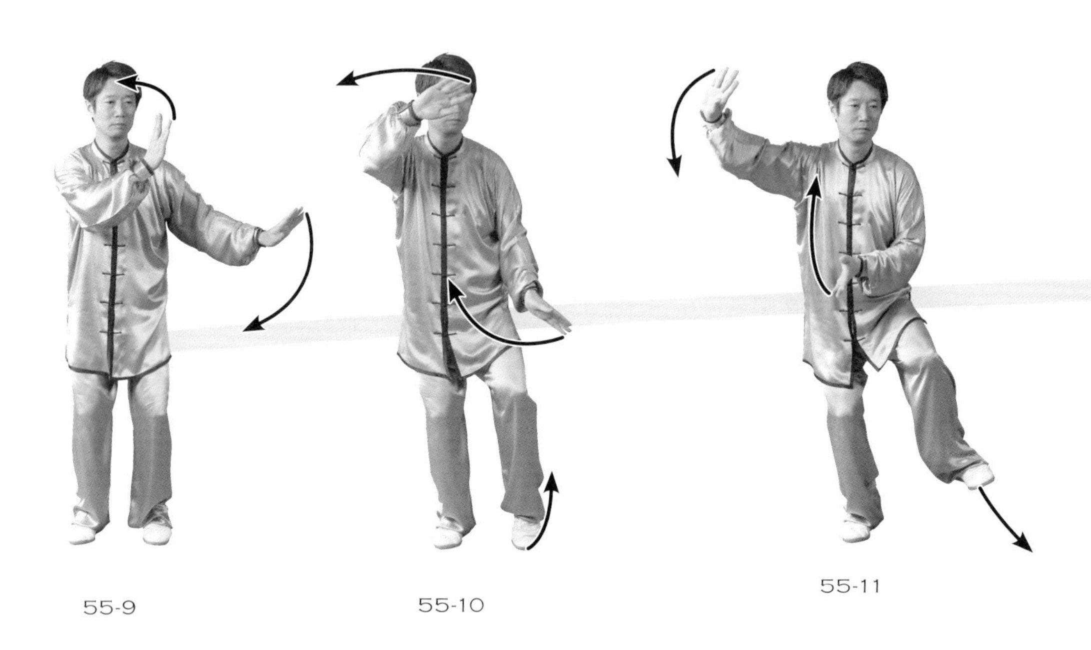

55-9 55-10 55-11

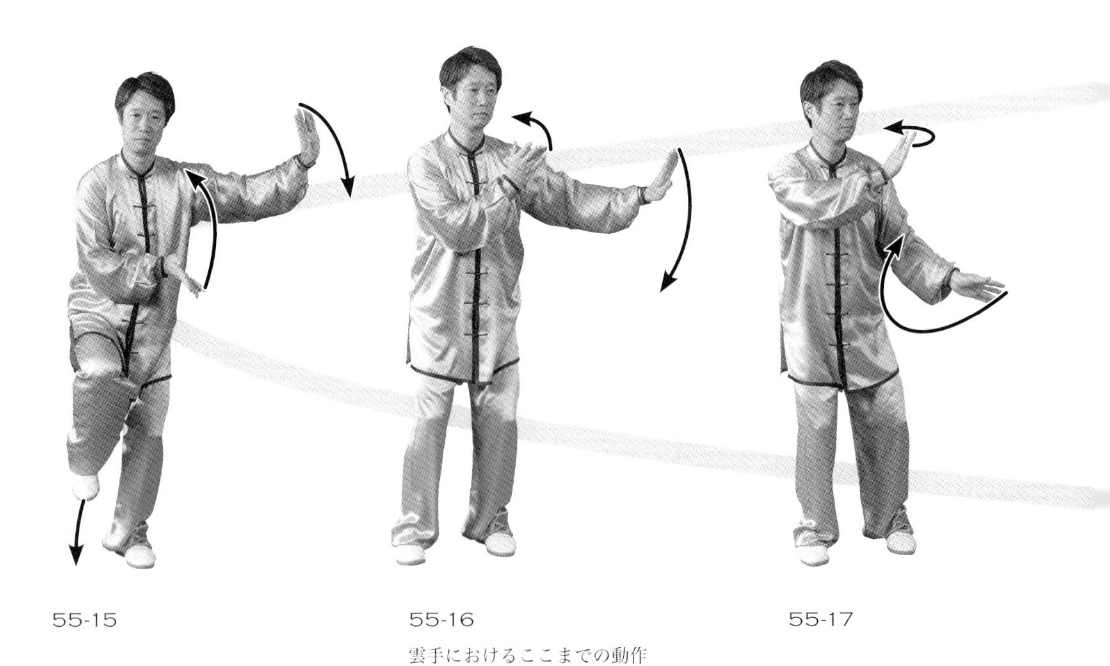

55-15 55-16 55-17

雲手におけるここまでの動作
は何回するか決まりがない。

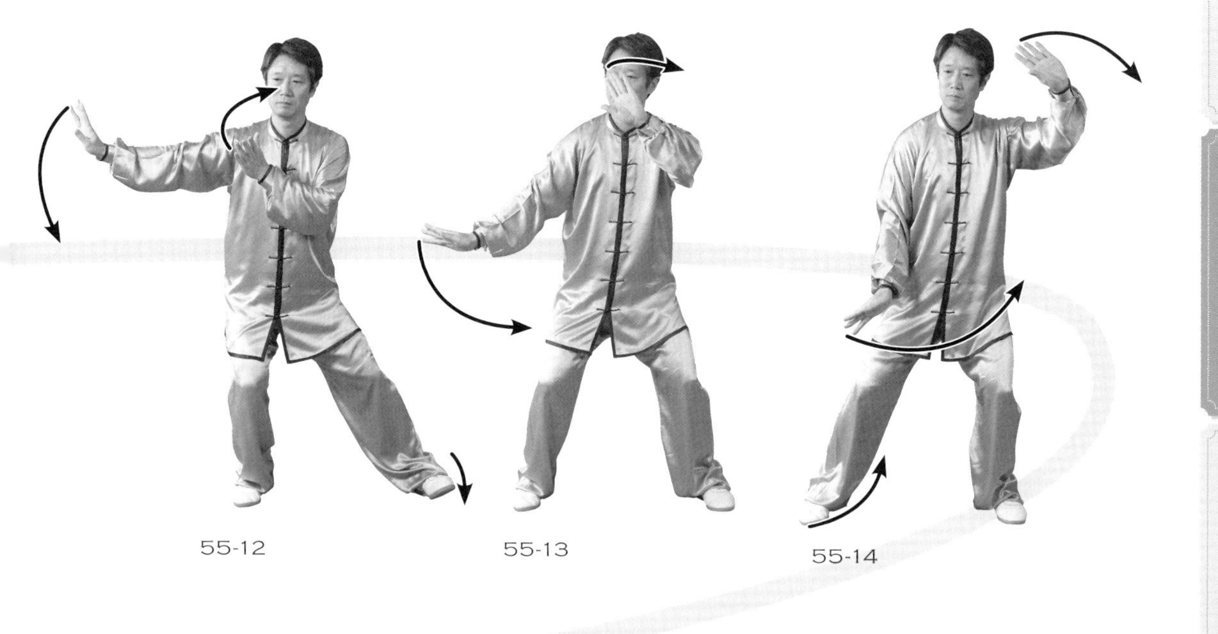

55-12 55-13 55-14

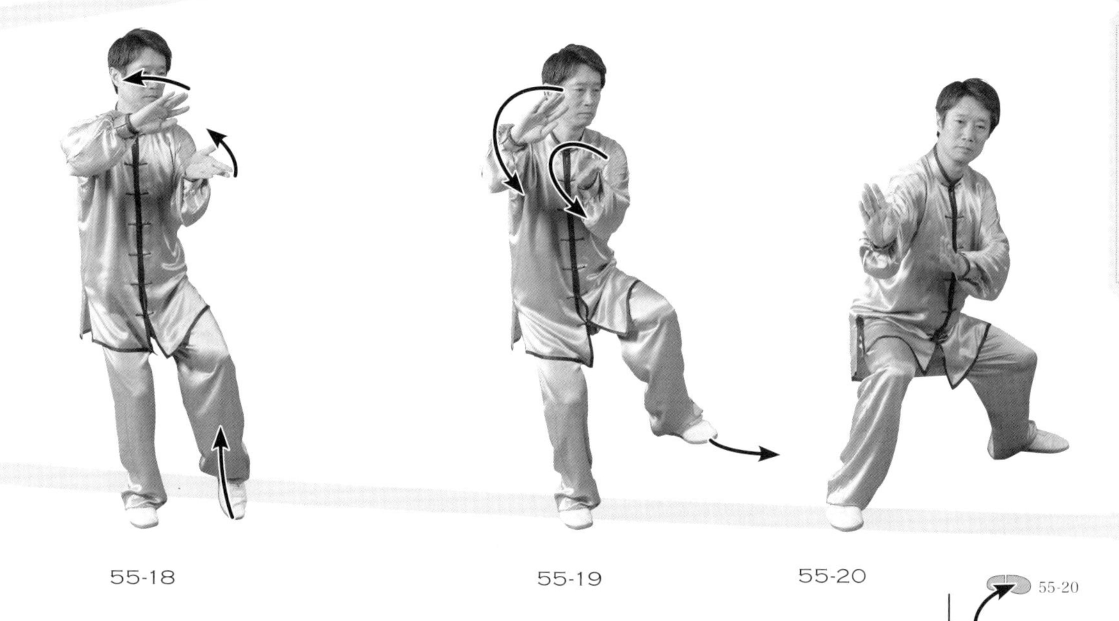

55-18 55-19 55-20

56 擺脚（Bai jiao）

55-20

56-1

56-2

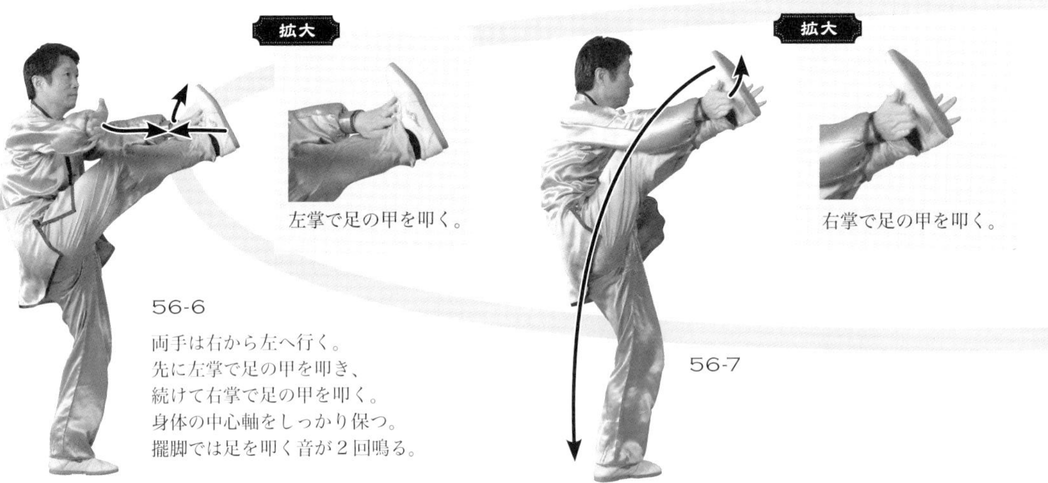

左掌で足の甲を叩く。

右掌で足の甲を叩く。

56-6

両手は右から左へ行く。
先に左掌で足の甲を叩き、
続けて右掌で足の甲を叩く。
身体の中心軸をしっかり保つ。
擺脚では足を叩く音が2回鳴る。

56-7

別角度

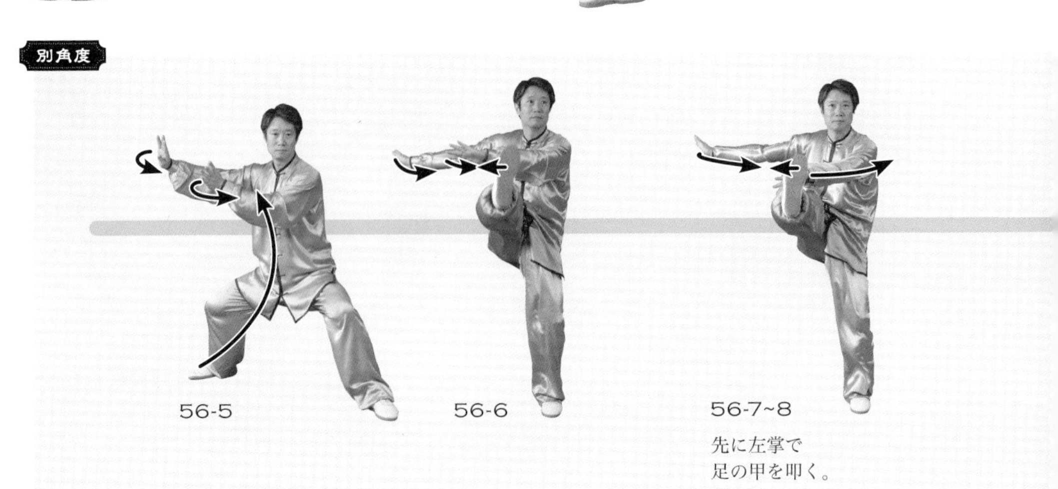
56-5

56-6

56-7~8

先に左掌で
足の甲を叩く。

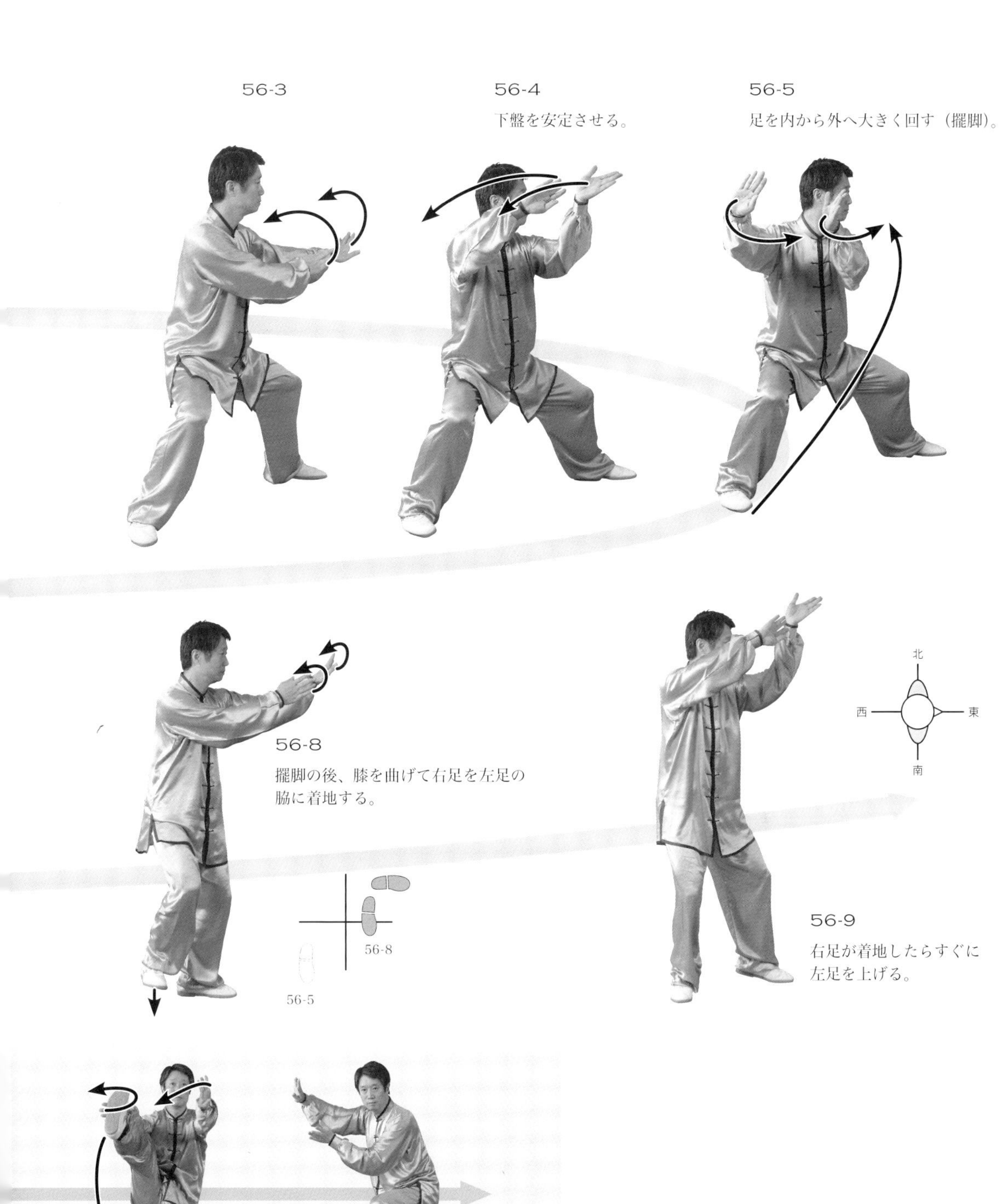

56-3

56-4
下盤を安定させる。

56-5
足を内から外へ大きく回す（擺脚）。

56-8
擺脚の後、膝を曲げて右足を左足の脇に着地する。

56-9
右足が着地したらすぐに左足を上げる。

56-7~8
続けて右掌で足の甲を叩く。

57-1
右足を着地させたら、すぐに左足を上げ、続けて跌叉へ移行する。

57 跌叉 (Die cha)

56-9

57-1

57-4

ここから57-7までの動作で、
身体の前に腕で円を描くように回す。

57-5

右膝を上げる。

別角度

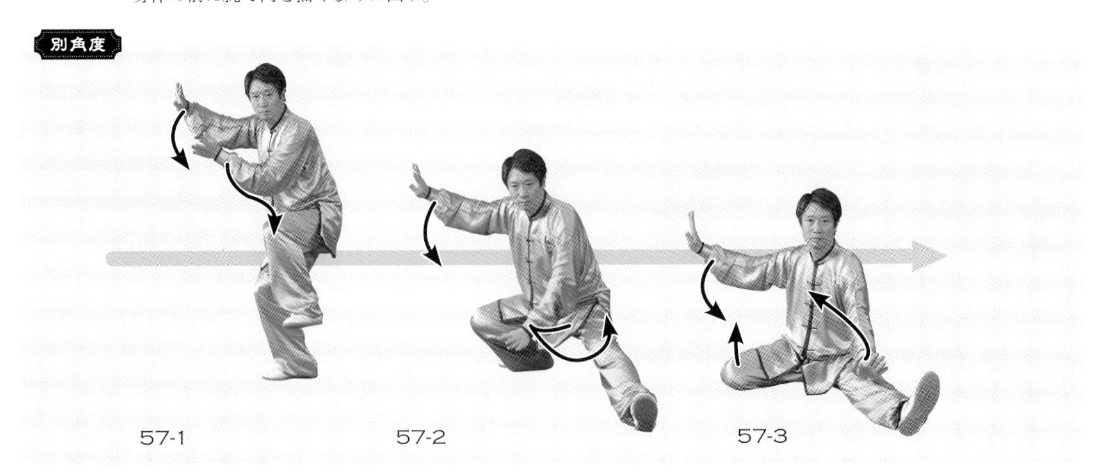

57-1　57-2　57-3

57-2

57-3

尻が地面に着き、立身中正を保つ。
両肩を沈める。
右肘も沈める意識を持って、前へ回す。

57-6

57-7

重心を左足に移してから、
右足を寄せる。

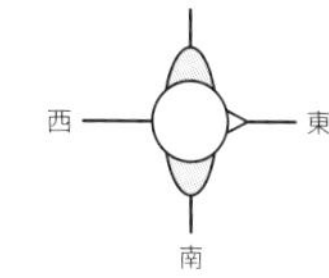

57-8

足を寄せる動作と、
右手の動作を
協調一致させる。

57-9

右足は虚歩。

別法

跌叉は、難易度の高い動作なので、無理に地面に座らないこと。座れない場合は、この別法写真のように仆歩して低くするだけでよい。

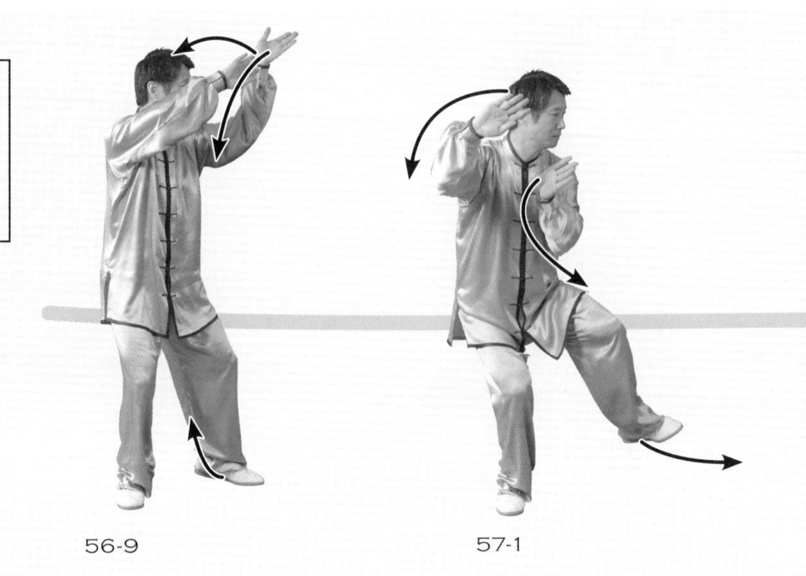

56-9

57-1

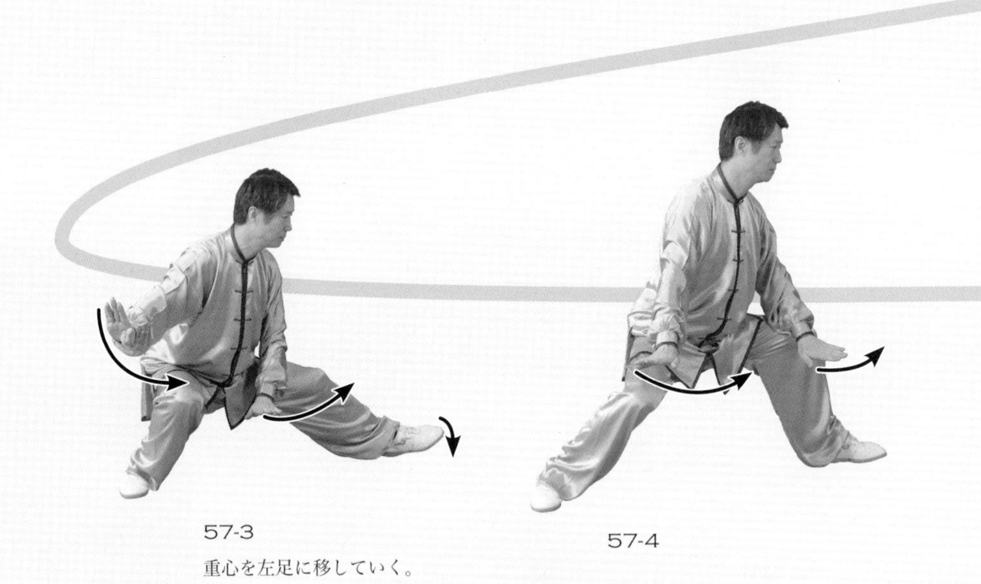

57-3

重心を左足に移していく。

57-4

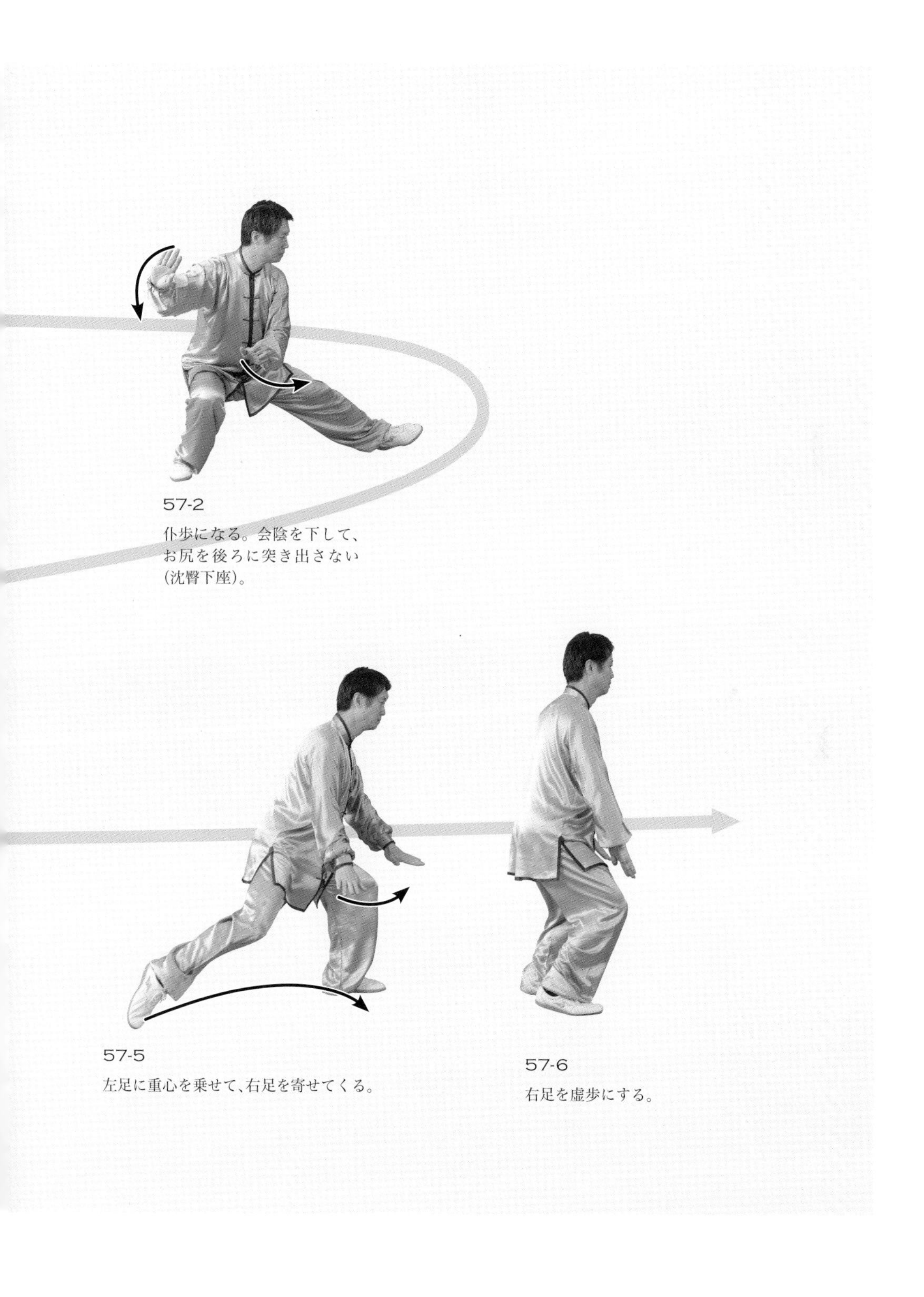

57-2

仆歩になる。会陰を下して、
お尻を後ろに突き出さない
(沈臀下座)。

57-5

左足に重心を乗せて、右足を寄せてくる。

57-6

右足を虚歩にする。

58 金鶏獨立 1/2

Jin ji Du li

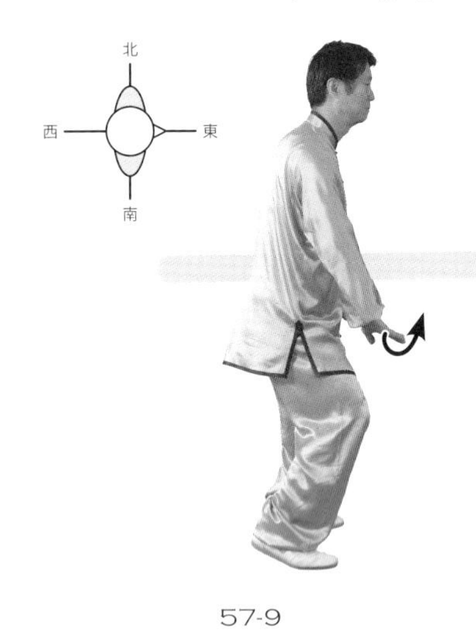

57-9

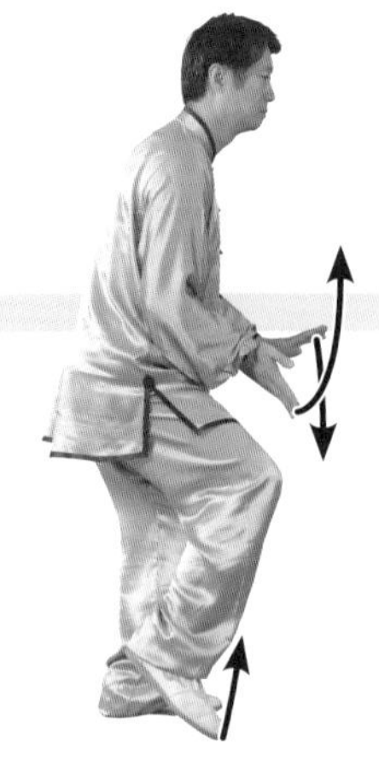

58-1

58-2

58-5

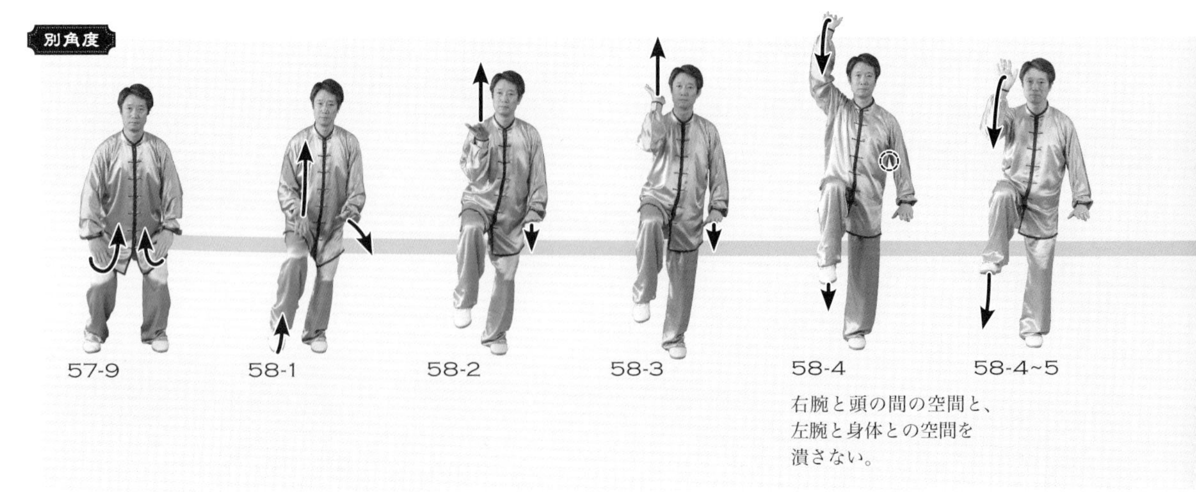

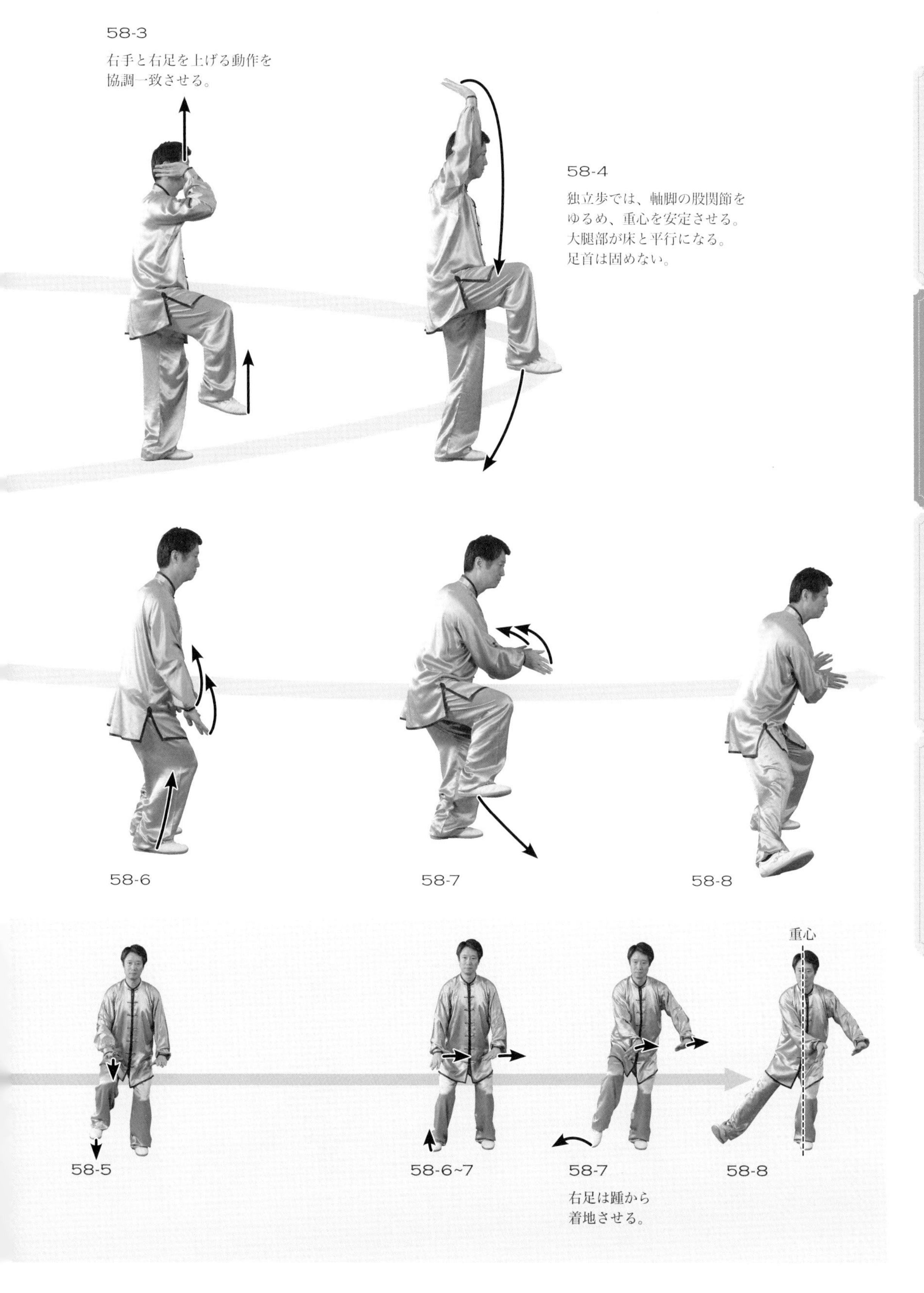
58-3
右手と右足を上げる動作を
協調一致させる。
58-4
独立歩では、軸脚の股関節を
ゆるめ、重心を安定させる。
大腿部が床と平行になる。
足首は固めない。
58-6
58-7
58-8
重心
58-5
58-6~7
58-7
右足は踵から
着地させる。
58-8

58 金鶏獨立 2/2

Jin ji Du li

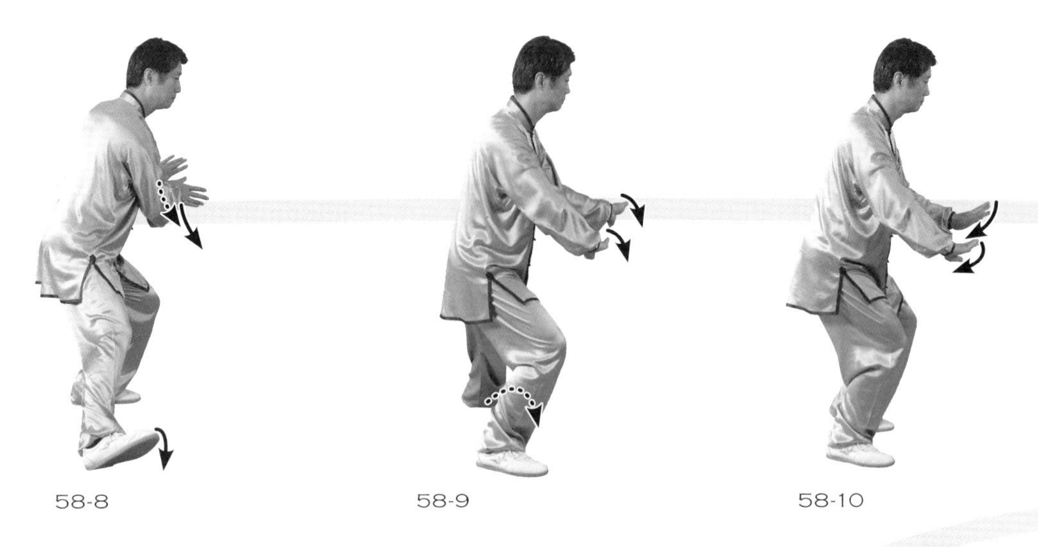

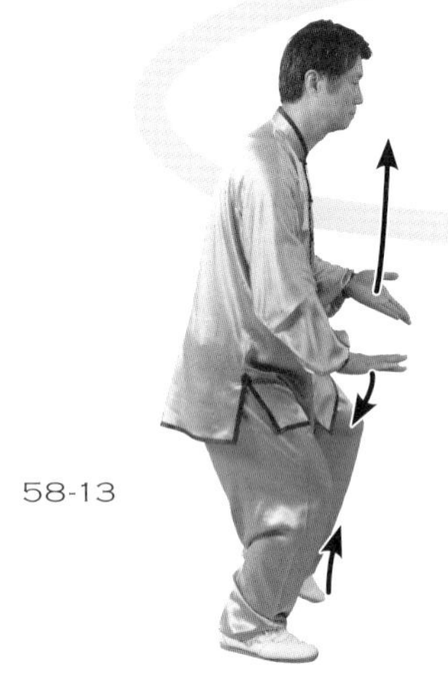

別角度

両掌で短い捋。

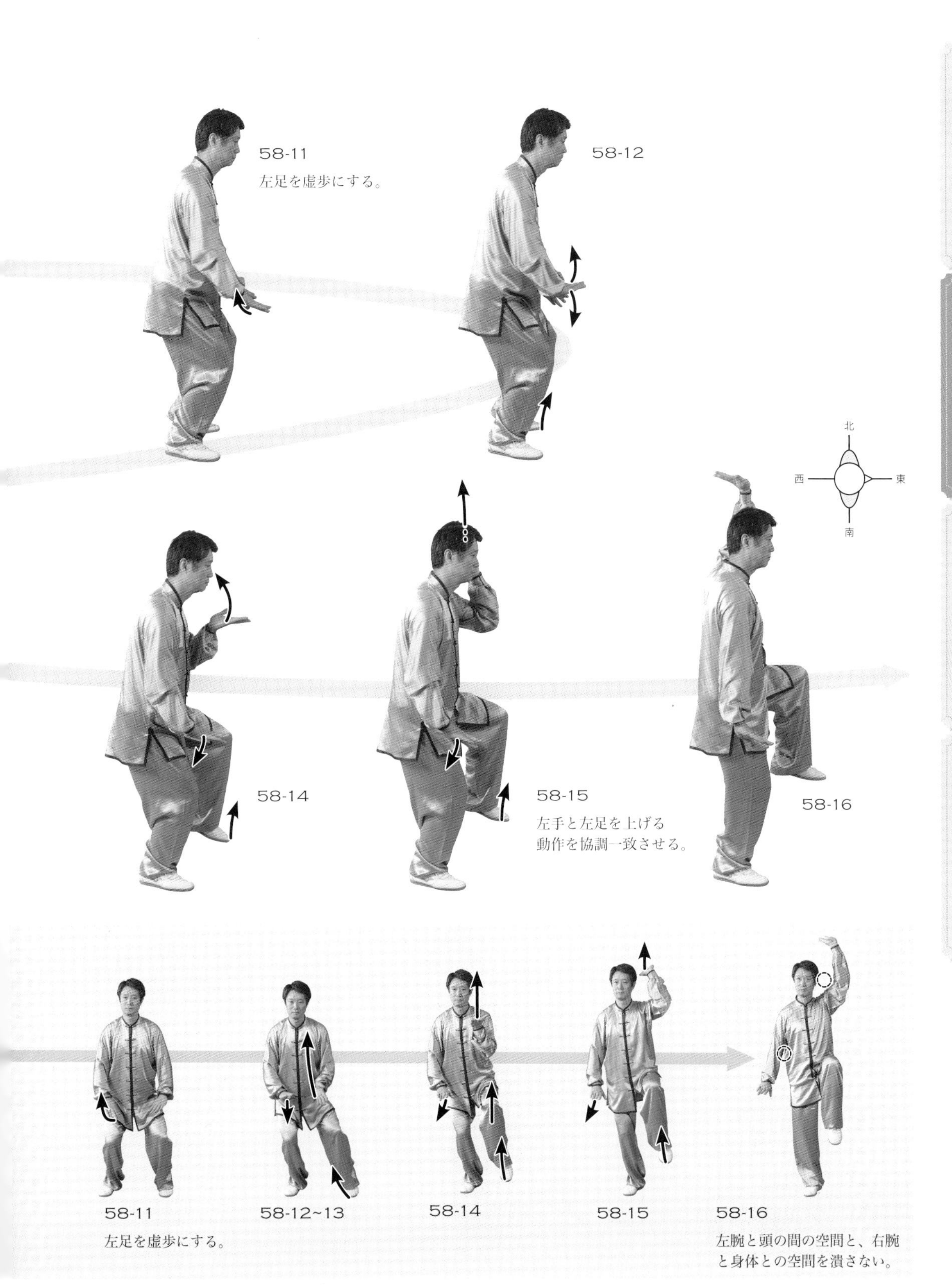
58-11
左足を虚歩にする。
58-12
北
西
東
南
58-14
58-15
左手と左足を上げる
動作を協調一致させる。
58-16
58-11
左足を虚歩にする。
58-12~13
58-14
58-15
58-16
左腕と頭の間の空間と、右腕
と身体との空間を潰さない。

59 倒捲肱 1/2
Dao juan hong

21 倒捲肱に準ずる

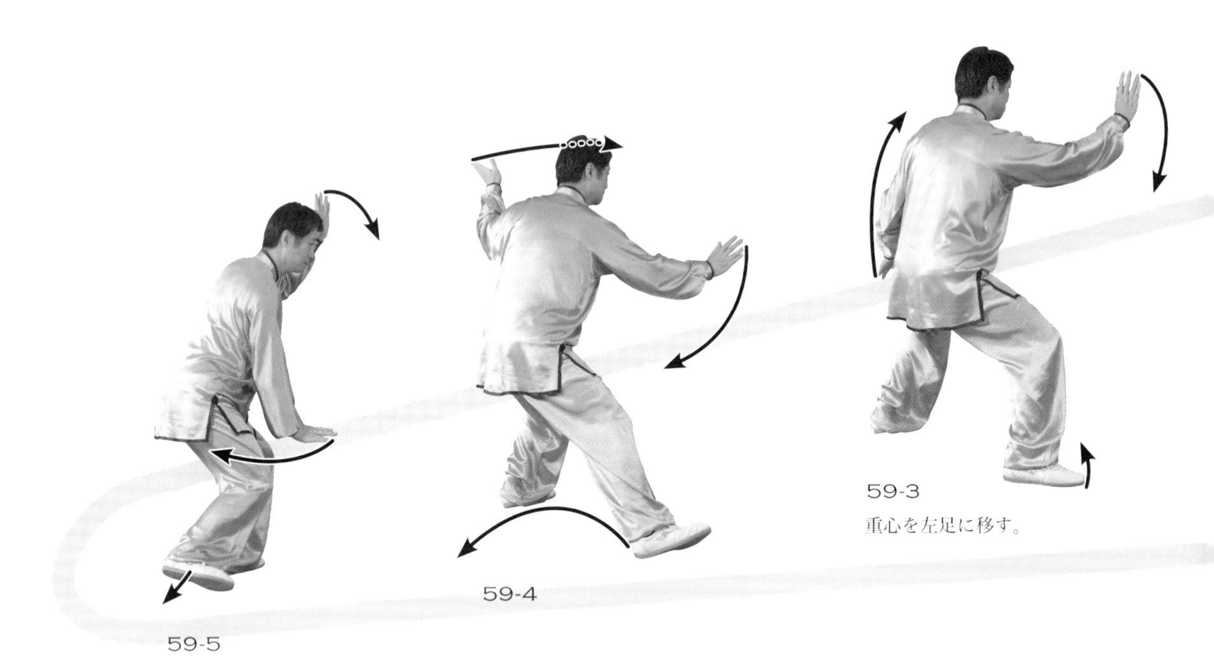
59-3
重心を左足に移す。

59-4

59-5

59-8

59-9

59-10

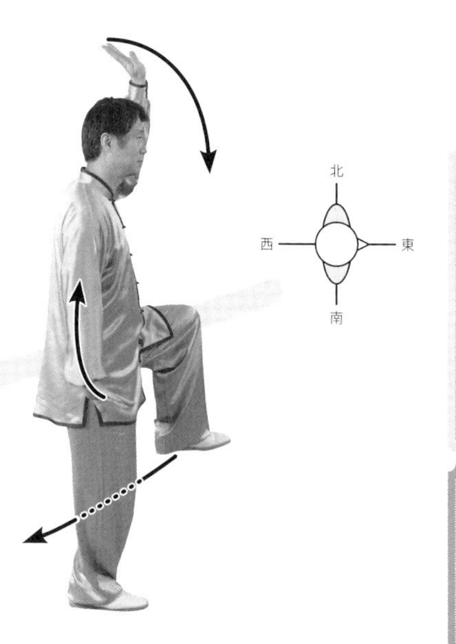

58-16

後退しながら、両腕を回す。
手足のタイミングを合わせる。

59-1

足は円を描くように
後退させる。

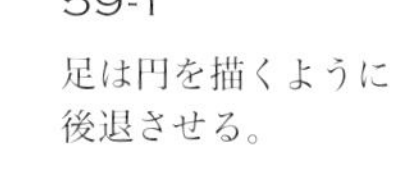

59-2

59-6

重心を右足に移す。

59-7

59 倒捲肱 2/2

Dao juan hong

59-10
重心を左足に移す。

59-11

59-12

59-13

60 中盤
Zhong pang

22 中盤に準ずる

59-13
倒捲肱からの流れで中盤の動作に入る。

60-1

60-2

60-3

60-4

61 白鵝亮翅 (Bai e Liang chi)

7 白鵝亮翅に準ずる

60-4

61-1
左足に重心を移す。

61-2

61-7

61-8

61-9

61-3

右足を踵から着地させる。

61-4

右つま先を外に回す（擺歩）。

61-5

61-6

61-10

61-11

61-12

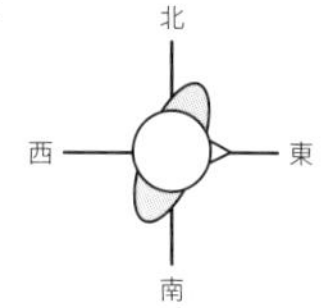

62 摟膝拗歩 (Lou xi Niu bu)

8 摟膝拗歩に準ずる

61-12

62-1

62-2

62-6

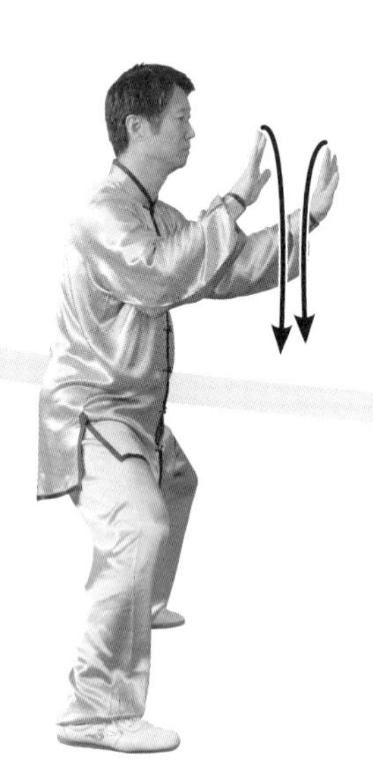

62-7

62-3

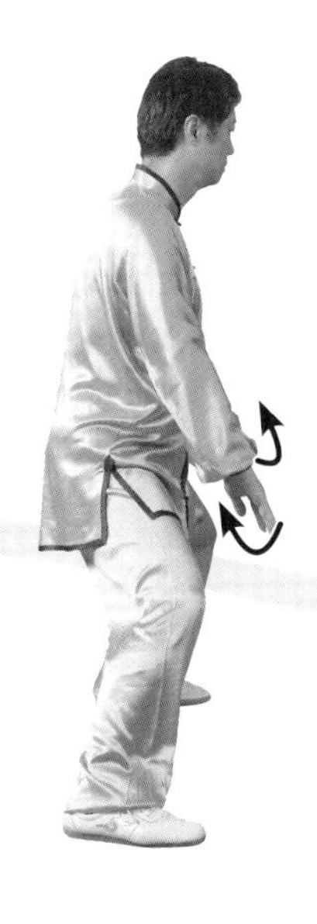

62-4
馬歩になる。

62-5

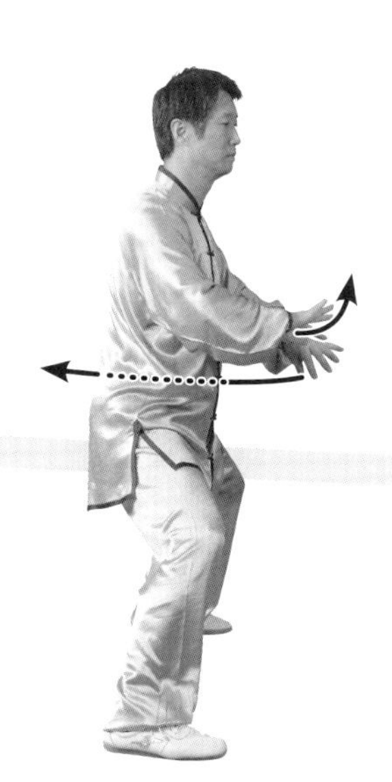

62-8

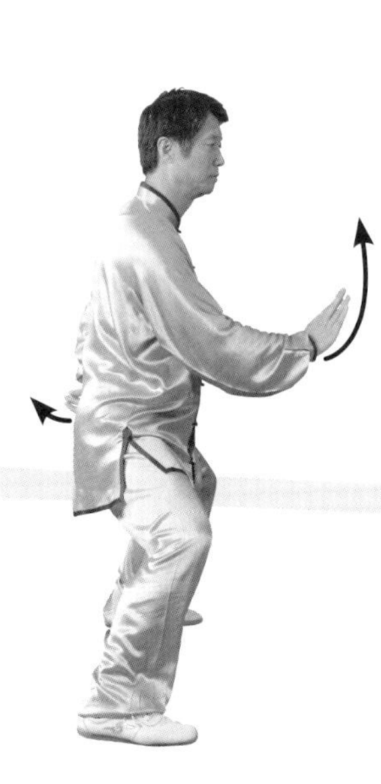

62-9
左手を勾手にする。

62-10
右手の指先は鼻の高さ。
歩形は馬歩で、円臑を保つ。

63 収勢 (Shou shi)

9 初収に準ずる

右足のつま先を外に回す（擺歩）。

左足は虚歩。

64 閃通背 1/2

Shan tong bei

26閃通背に準ずる

64-4
左手を蛇形掌にする。

64-8
お尻を突き出してはいけない。

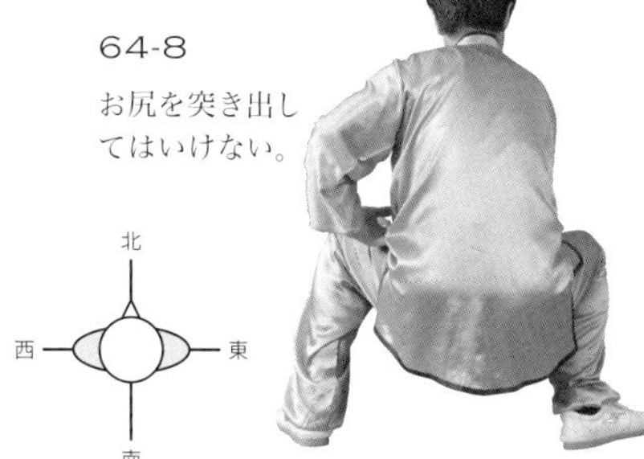

64 閃通背 2/2

Shan tong bei

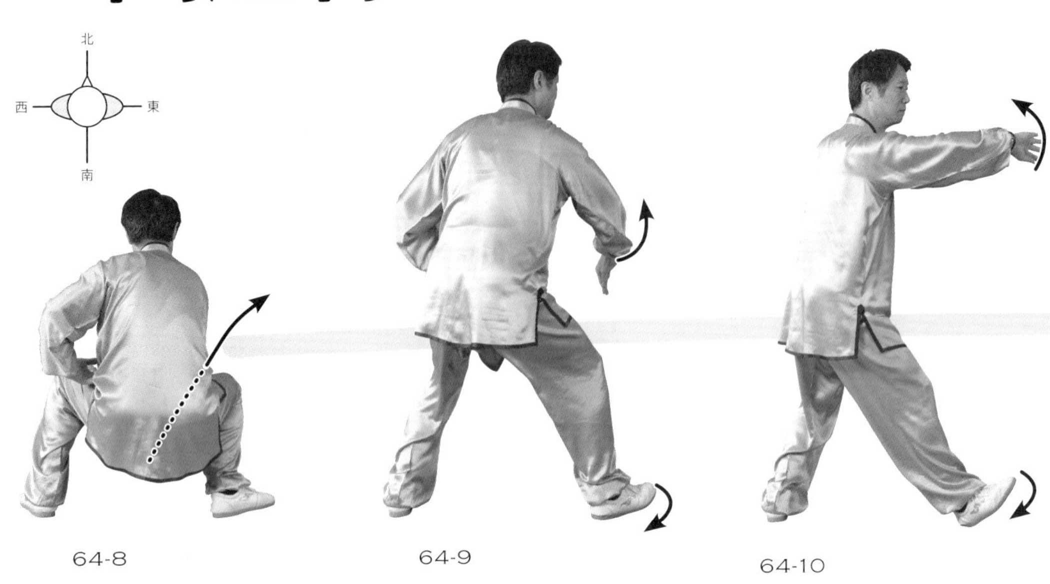

64-8

64-9

64-10

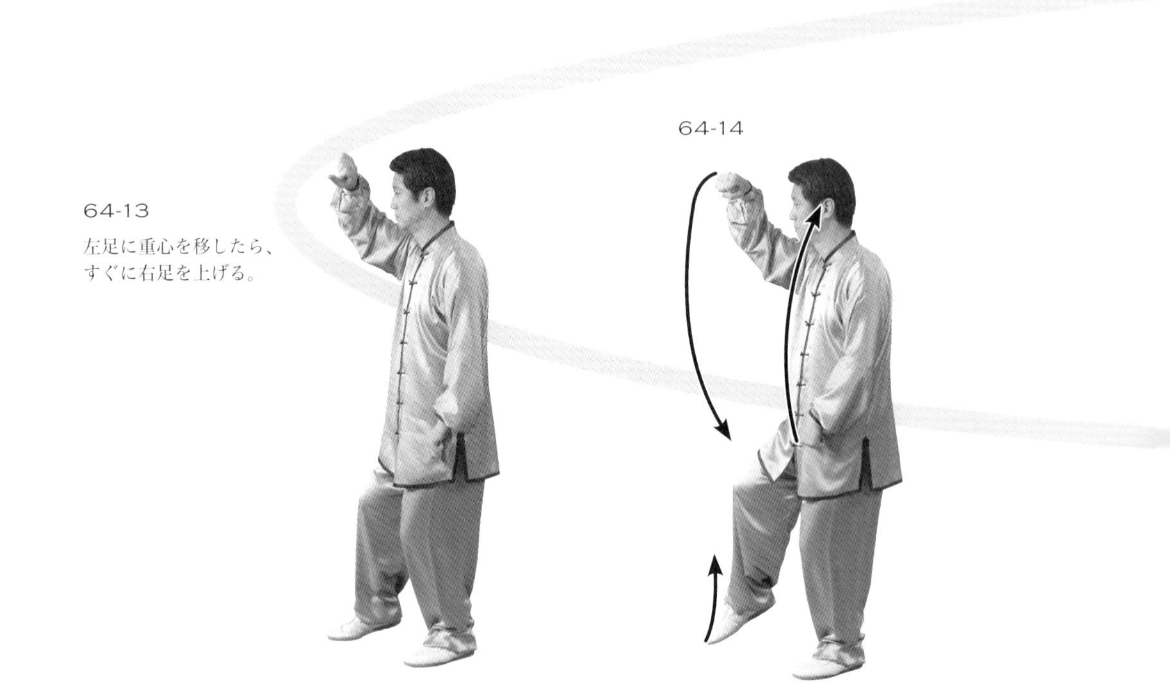

64-13

左足に重心を移したら、
すぐに右足を上げる。

64-14

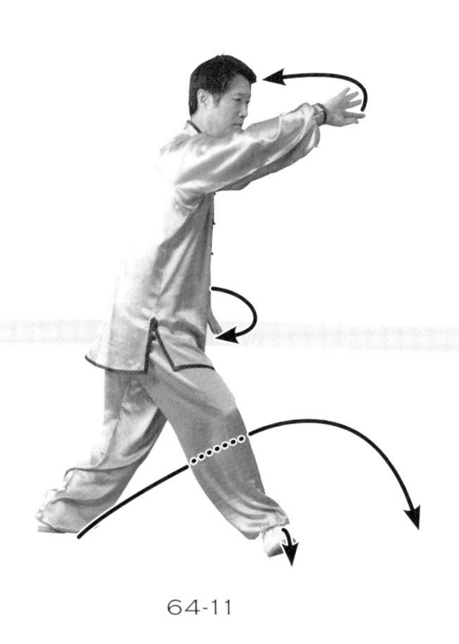

64-11

64-12

左足を回して、
身体の向きを変える。

64-15

64-16

独立歩になる。
下肢の安定を保つ。
上体は胸を張らず
伸びやかにする
(含胸抜背)。

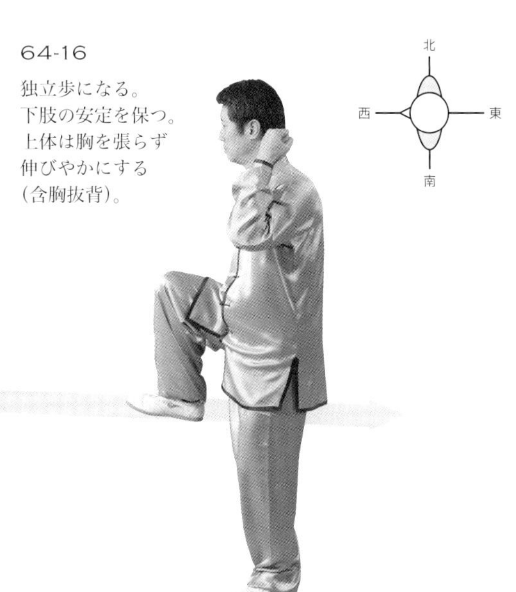

65 掩手捶 (Yan shou chui)

14 掩手捶に準ずる

65-3

65-2

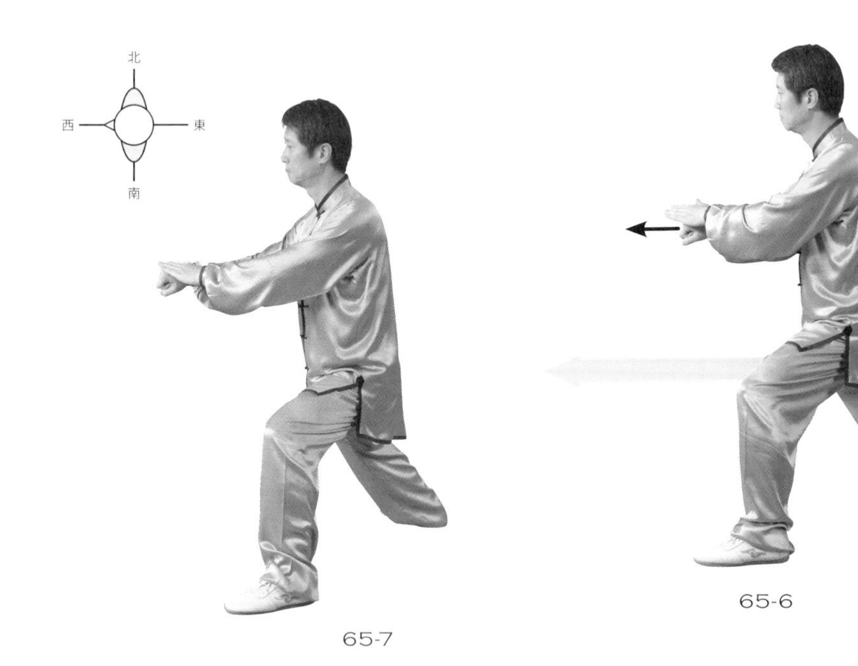

65-7

65-6

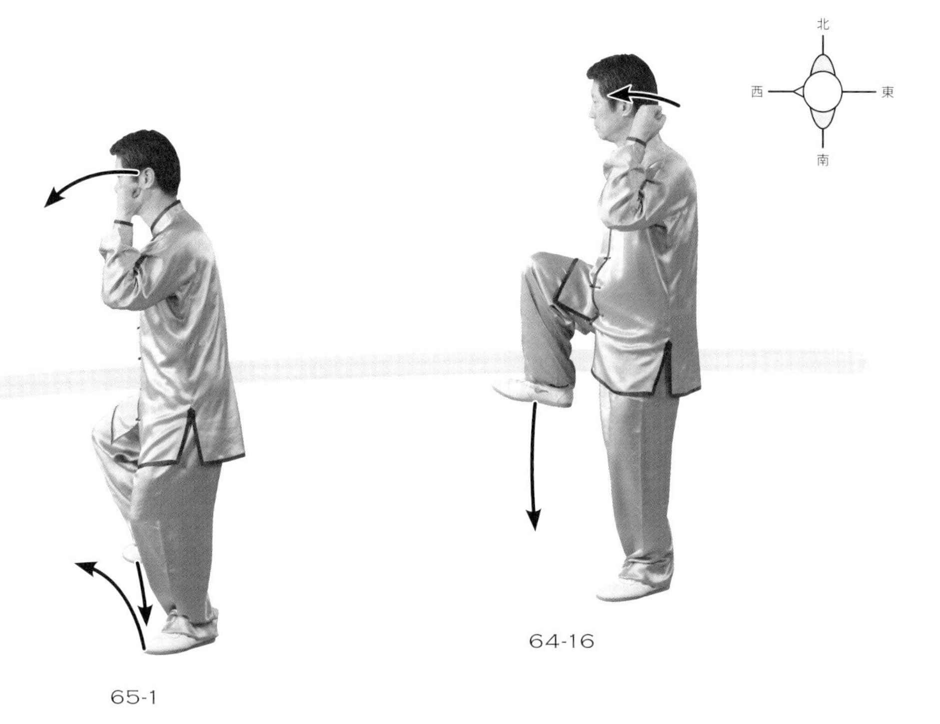

64-16

65-1

65-4

左手を拳から掌に変える。

65-5

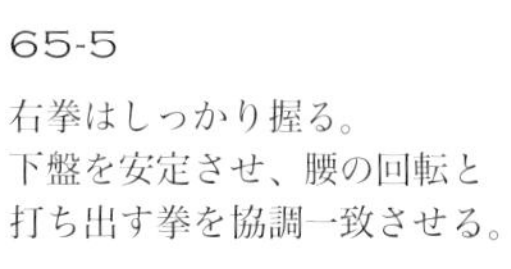

右拳はしっかり握る。
下盤を安定させ、腰の回転と
打ち出す拳を協調一致させる。

66 六封四閉

Liu feng Si bi

4 六封四閉に準ずる

66-5 66-4 66-3

66-6 66-7

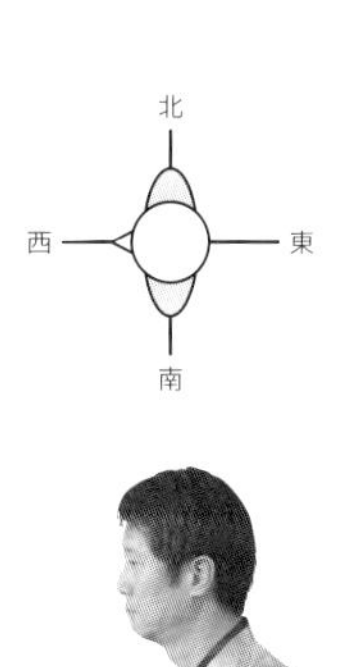

65-7

66-1

66-2

66-8

66-9

67 單鞭 (Dan bian)

5 單鞭に準ずる

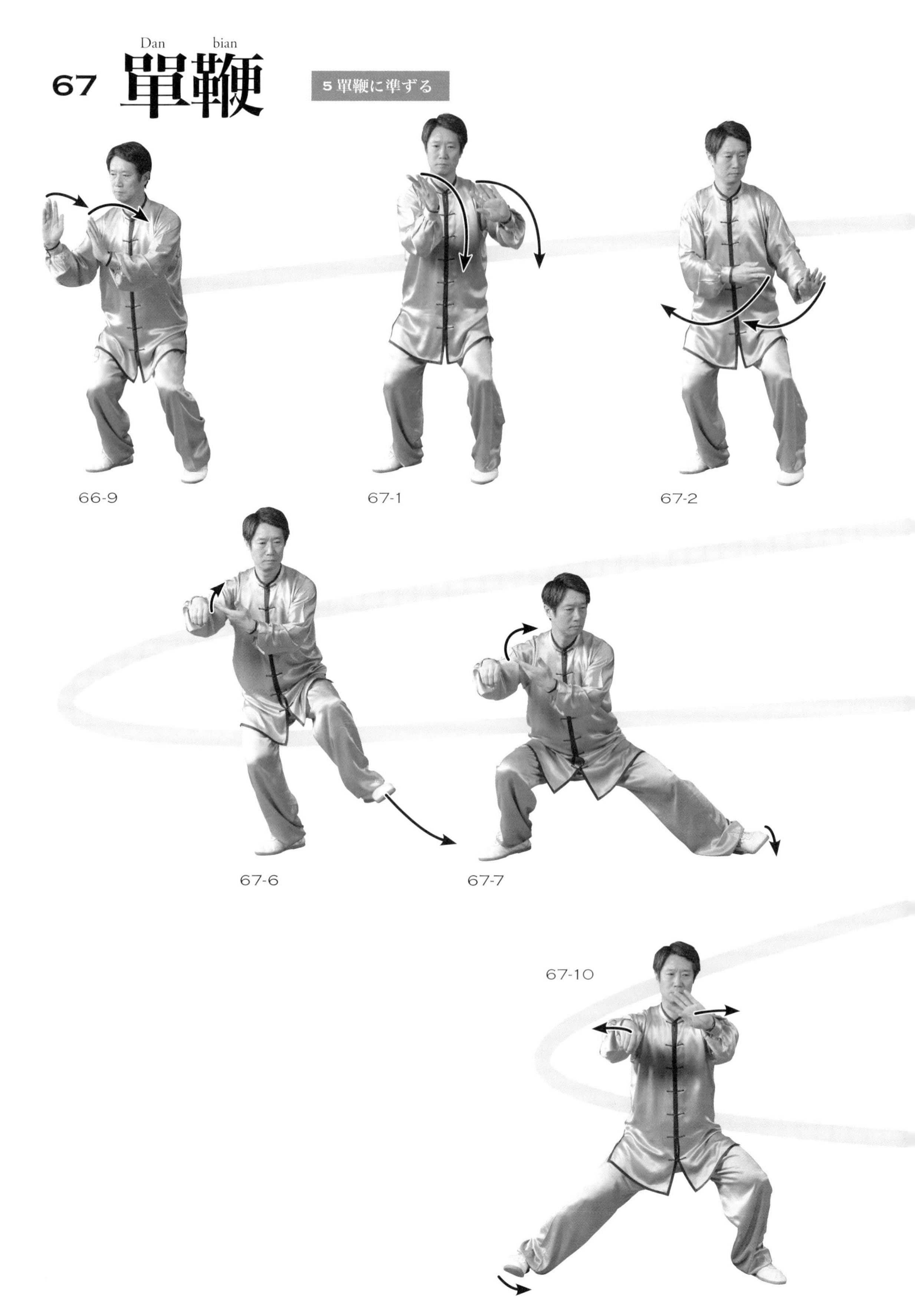

右足のつま先を内側に回す（扣歩）。

68 雲手 1/2

Yun shou

30 雲手に準ずる

67-12

68-1

68-4

68-5

68-2

68-3

68-6

68-7

68-8

68 雲手 2/2
Yun shou

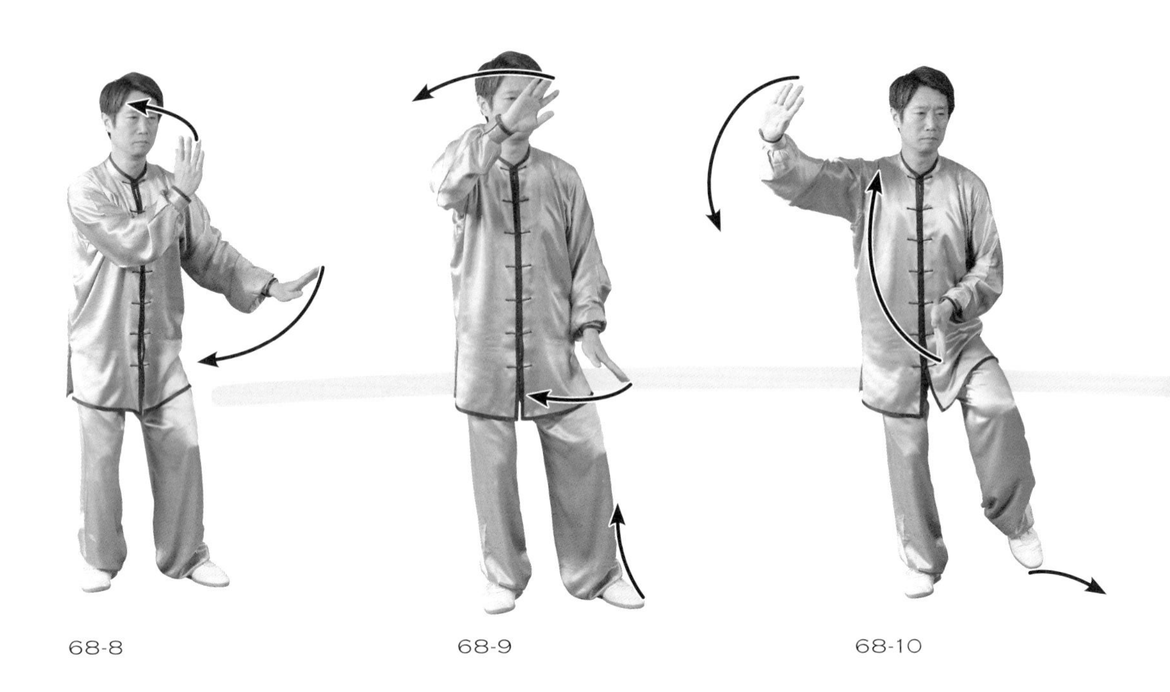

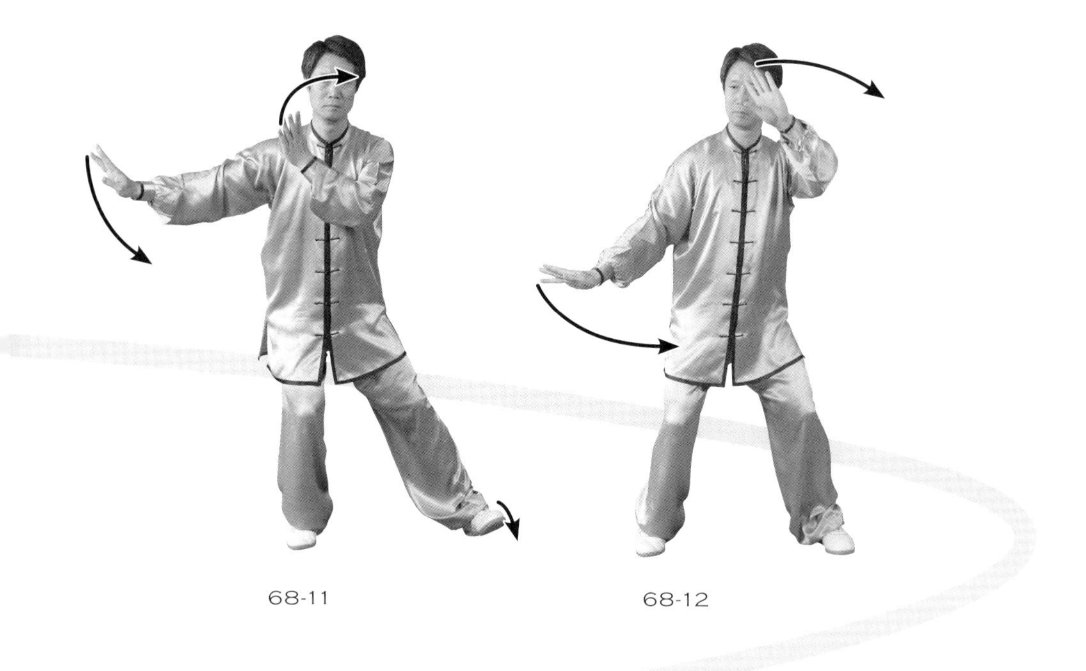

68-11　68-12

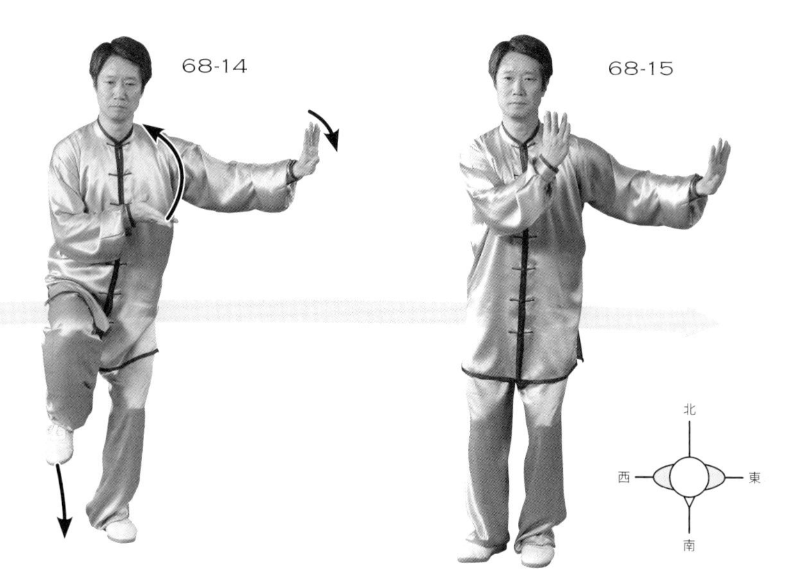

68-14　68-15

69 高探馬

Gao tan ma

31 高探馬に準ずる

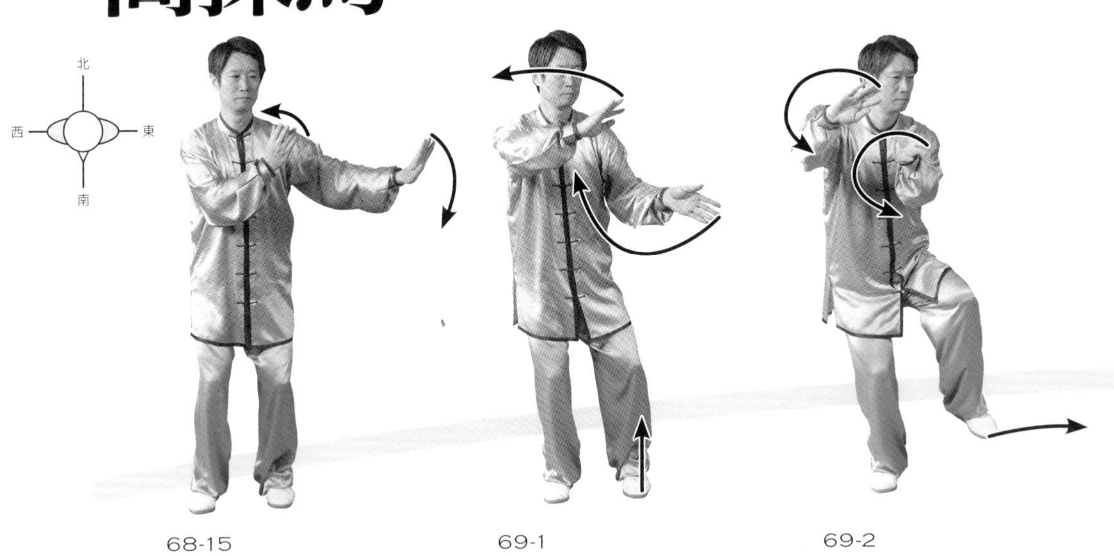

68-15　69-1　69-2

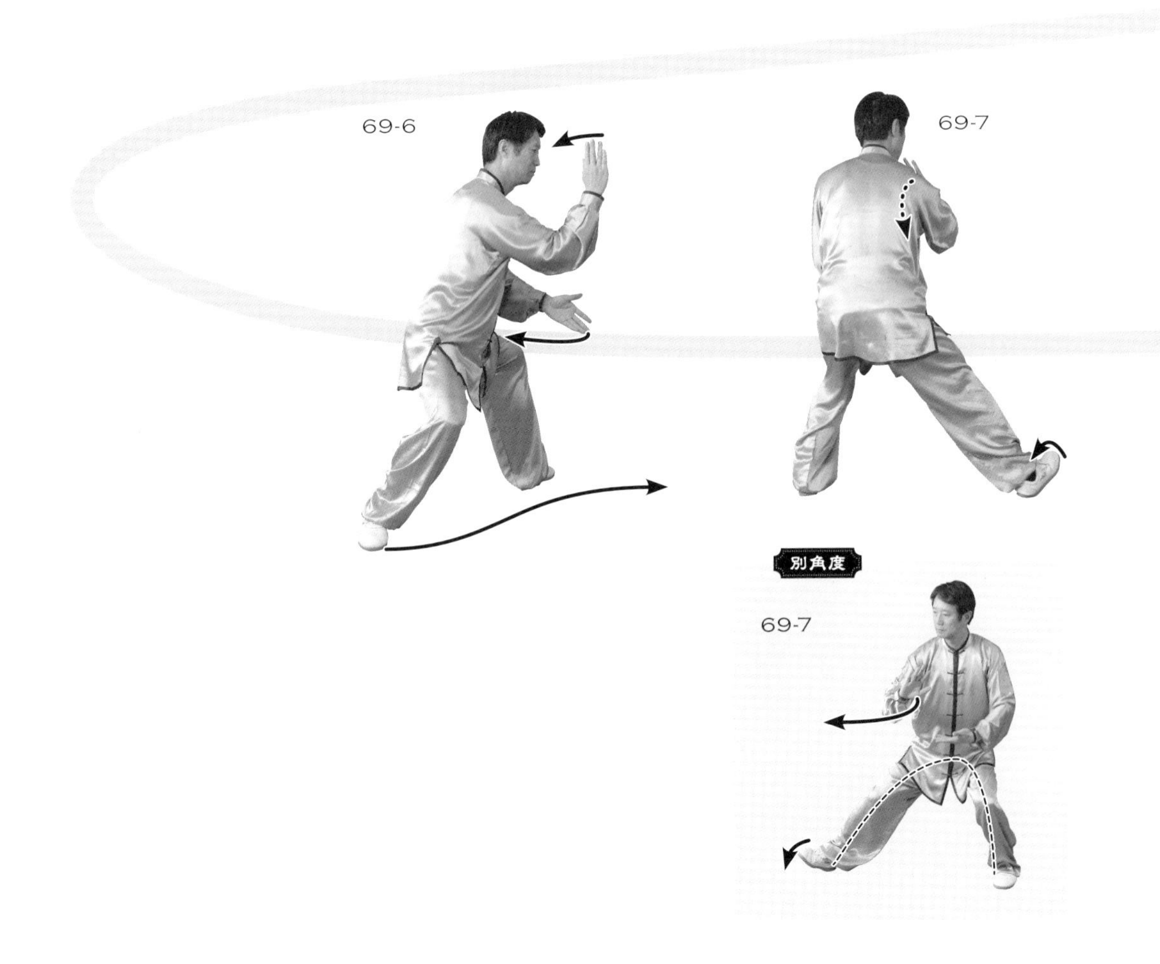

69-6　69-7　69-7

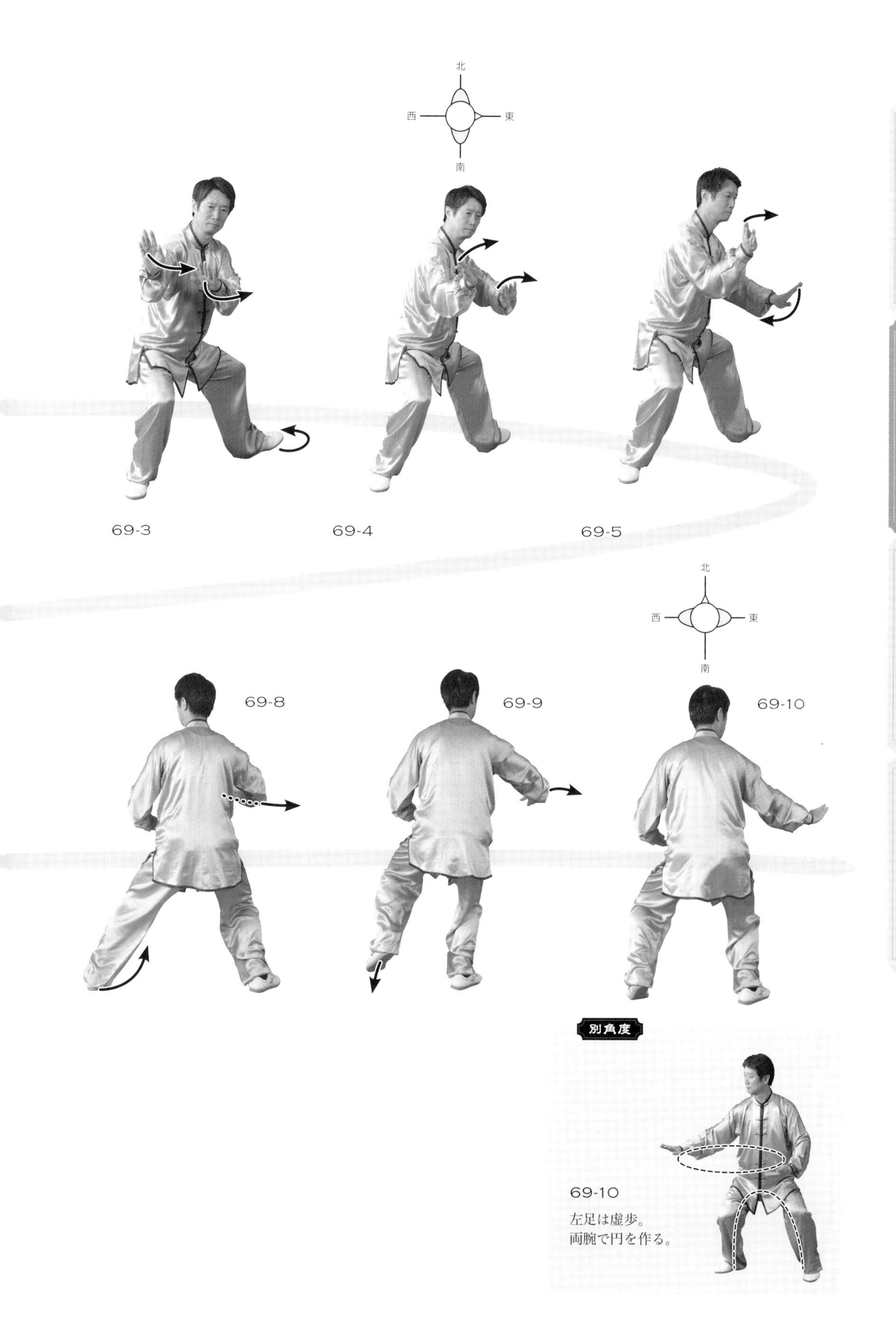
北
西
東
南
69-3
69-4
69-5
北
西
東
南
69-8
69-9
69-10
別角度
69-10
左足は虚歩。
両腕で円を作る。

70 十字脚 1/2

Shi zi jiao

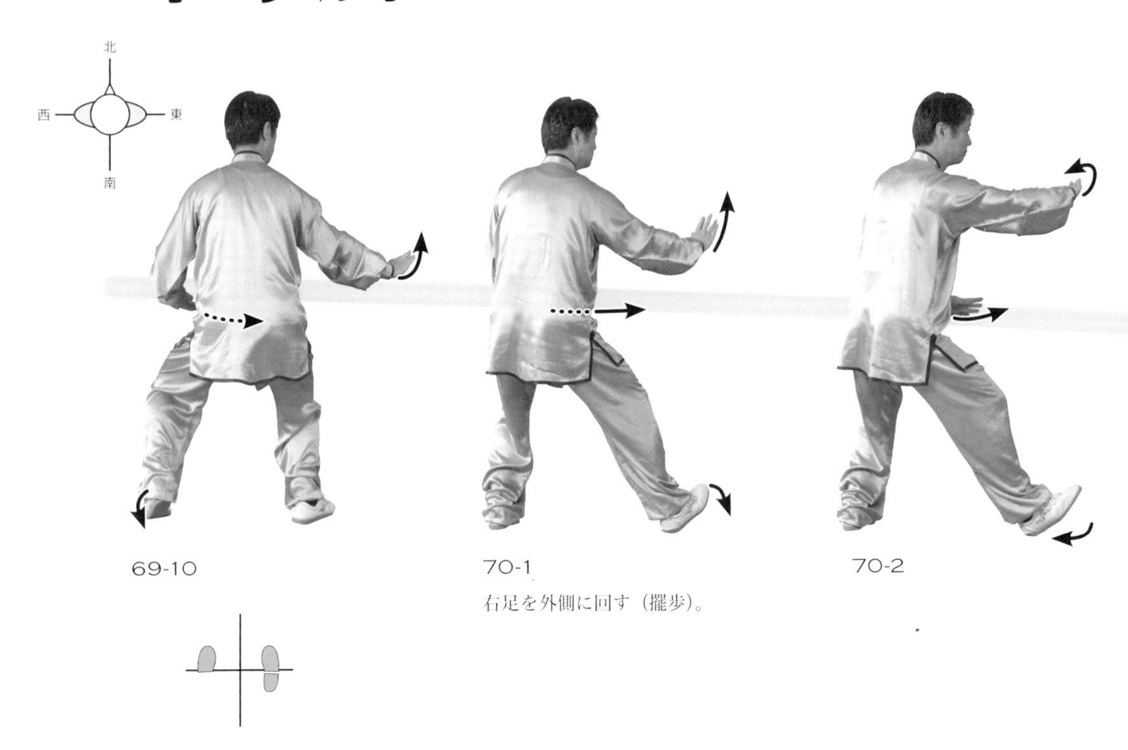

69-10

70-1
右足を外側に回す（擺歩)。

70-2

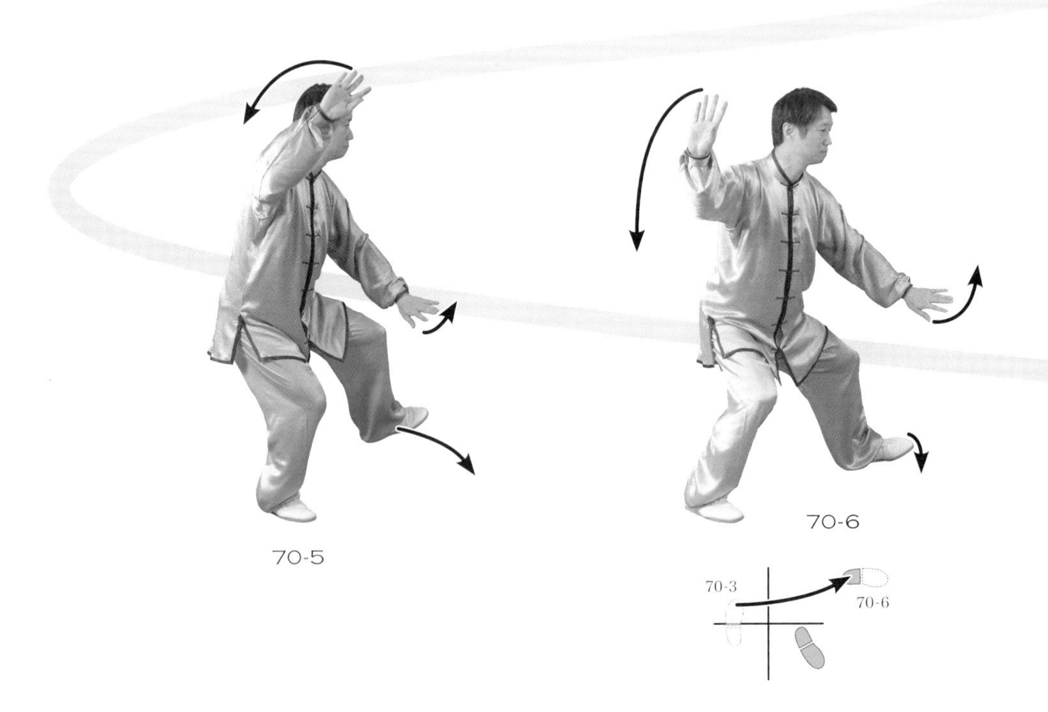

70-5

70-6

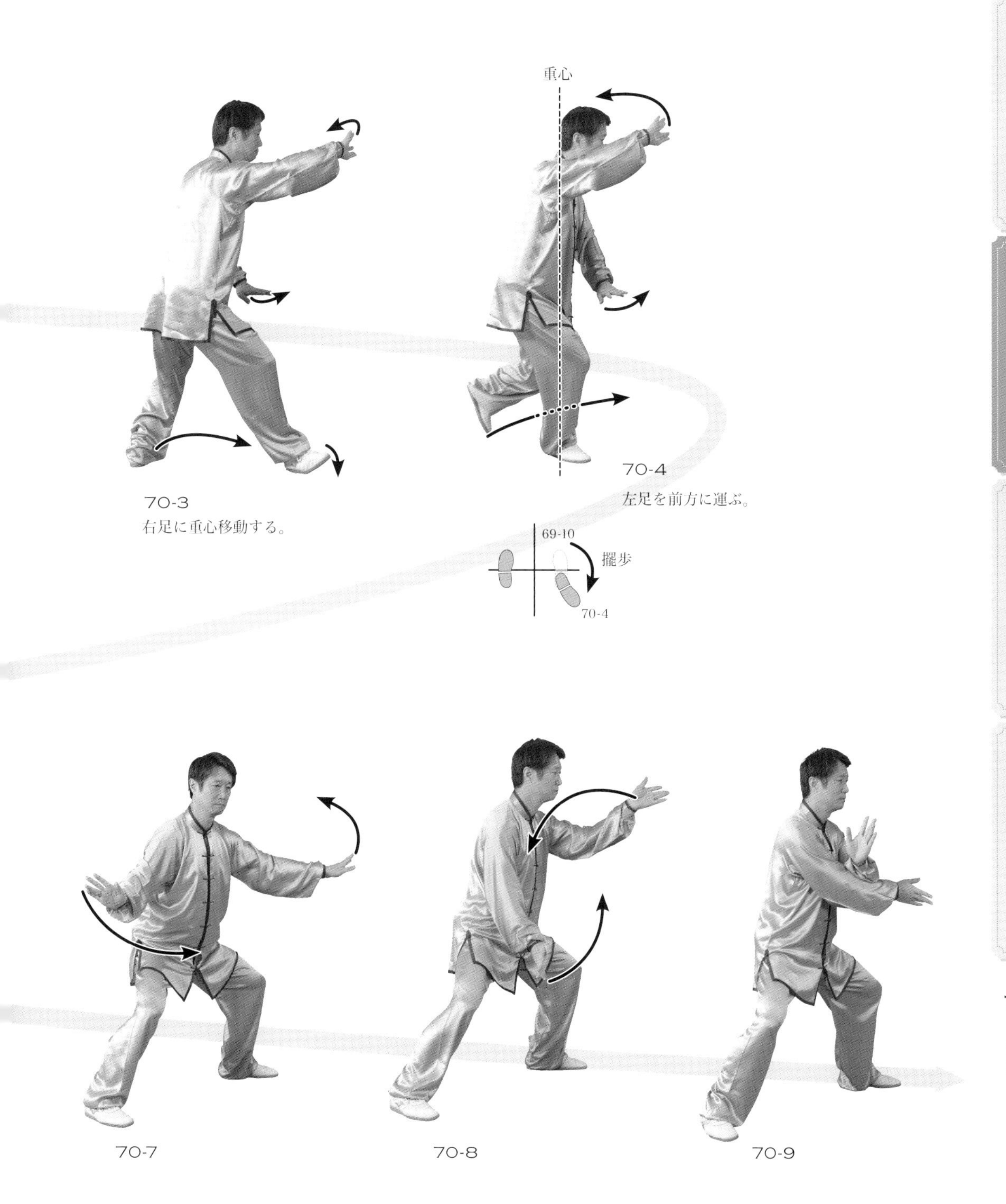

70-3
右足に重心移動する。

70-4
左足を前方に運ぶ。

70-7

70-8

70-9

70 十字脚 2/2

Shi zi jiao

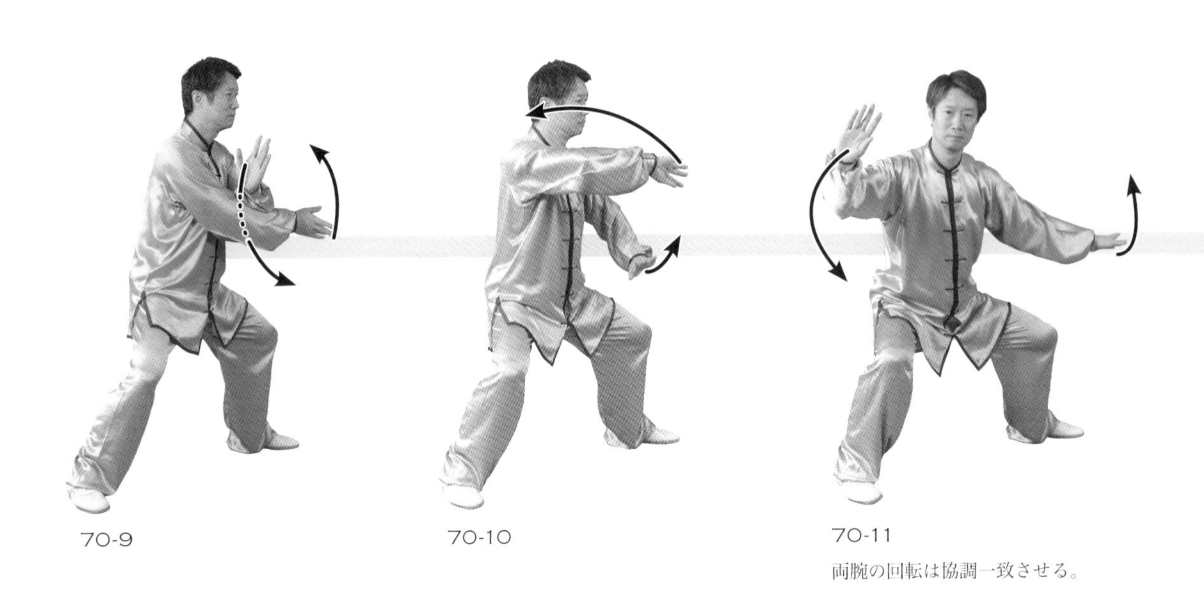

70-9

70-10

70-11

両腕の回転は協調一致させる。

別角度

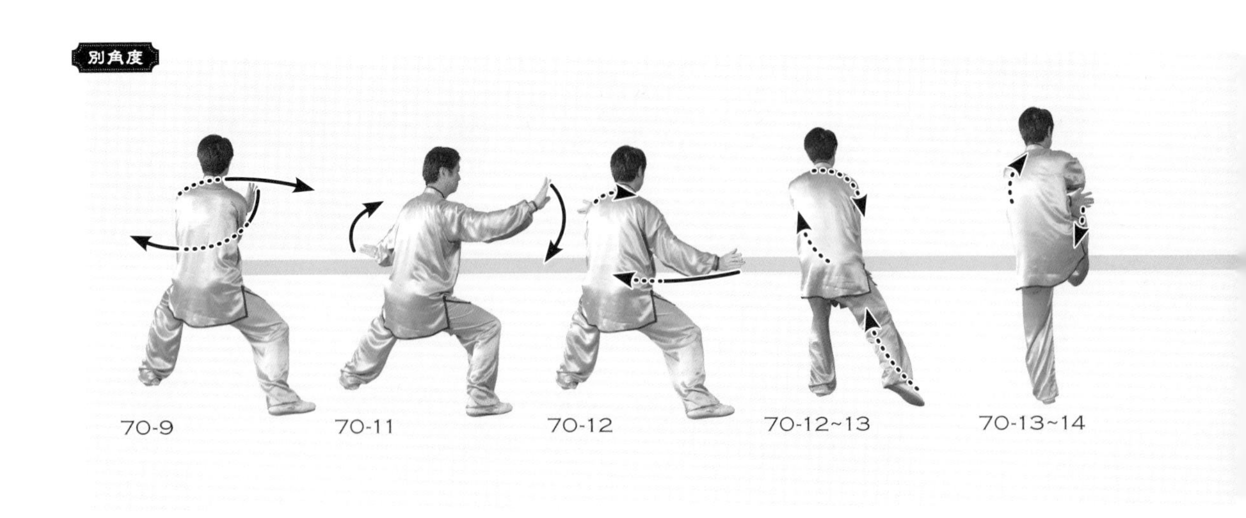

70-9

70-11

70-12

70-12~13

70-13~14

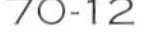
70-12

70-13

左脚を軸にする。
左脚の股関節を緩め、
膝に余裕を持たせておく。
片足で立つ時は、身体を安定させ、
前後に傾かないように注意する。

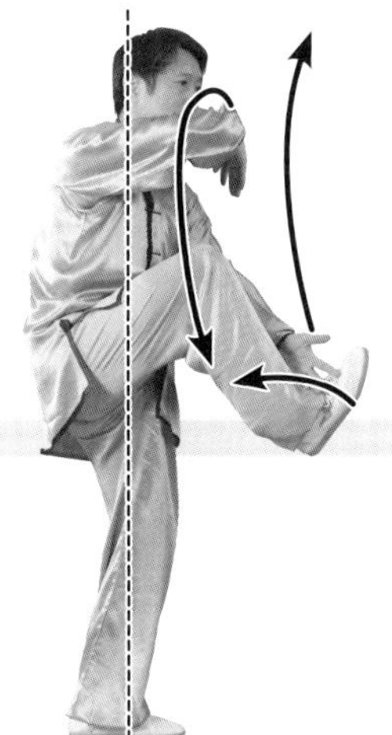
70-14

左手の甲で、
右足の甲を叩く。

70-15

続いて、右手の甲で、
右足の甲を叩く。

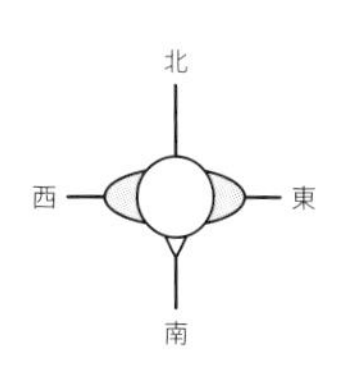

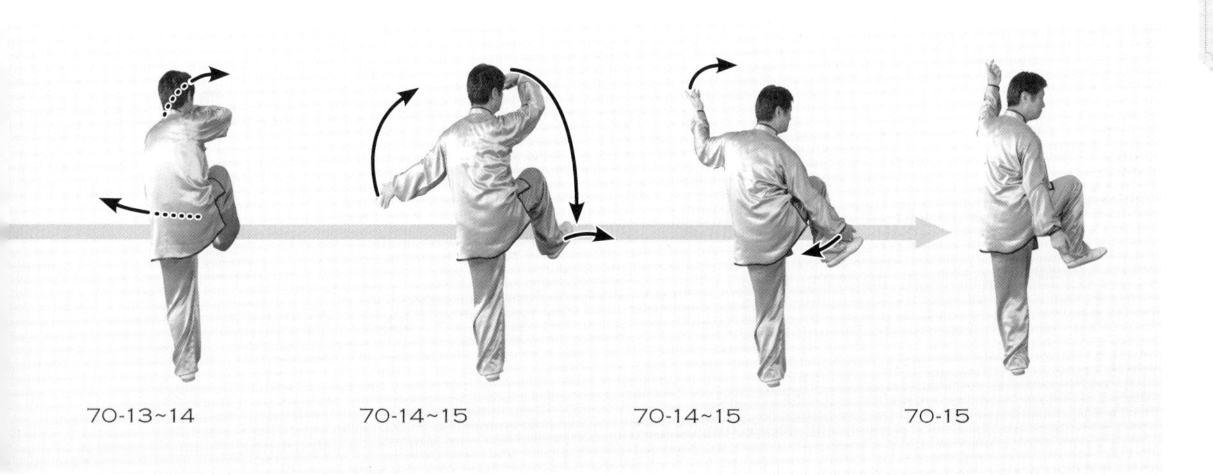

71 指襠捶

Zhi dang chui

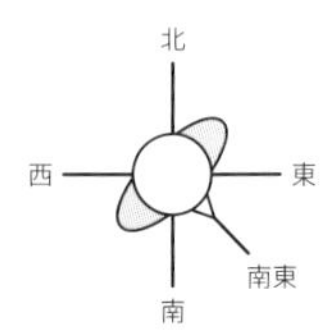

70-15

71-1

右足を着地させる際に、
震脚して下肢を安定させる。
両腕を回しながら、
両手を掌から拳に変える。

71-2

71-3

足運びで身体の向きを変える
（70-15から135°回転する）。

別角度

70-15

右足を下ろしてから、
左足を上げて、
身体の向きを変える。

71-3

71-4

左手甲が下向き。

71-5

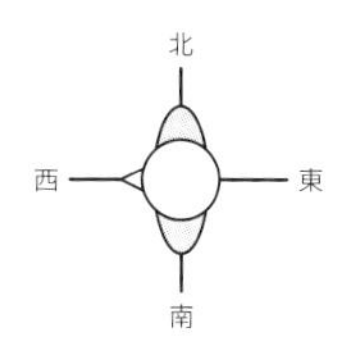

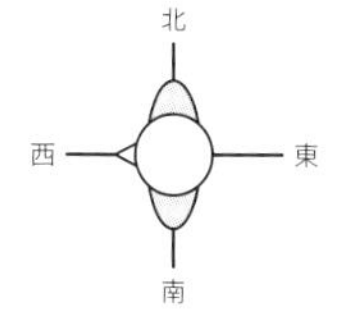

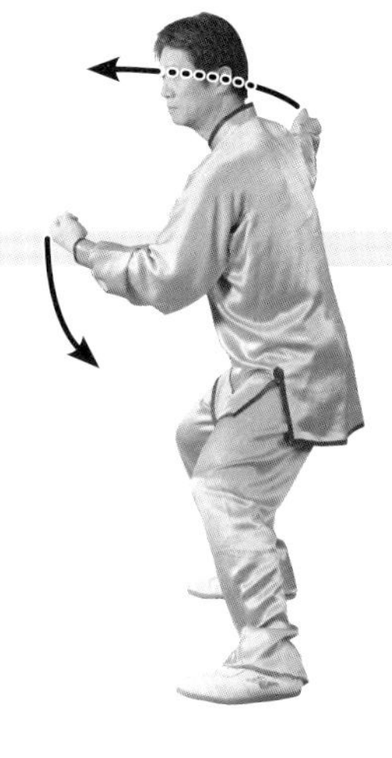

71-4

左拳で膝上を外に払う。

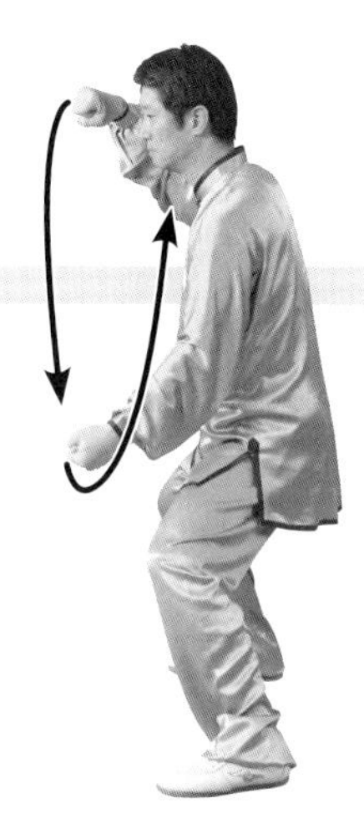

71-5

71-6

71-7

歩形は馬歩。
胸を張らず
腰を安定させる
(含胸塌腰)。

71-6

右拳を下に、左拳を上に
向ける。

71-7

脇を締めない。
馬歩で円襠を作り、
下盤を安定させる。

72 白猿獻果
Bai yuan Xian guo

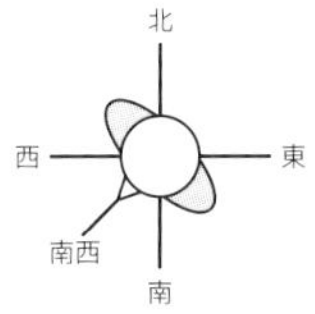

71-7

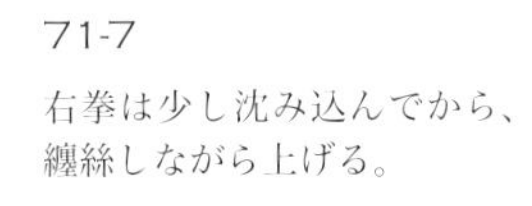
右拳は少し沈み込んでから、
纏絲しながら上げる。

72-1

72-2

72-3

右肘を前に出す。
身体は南西を向く。

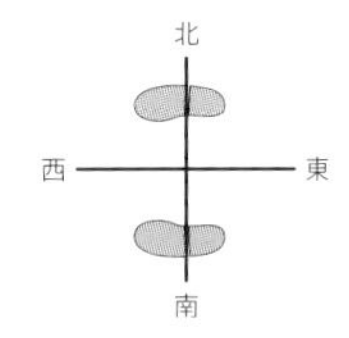

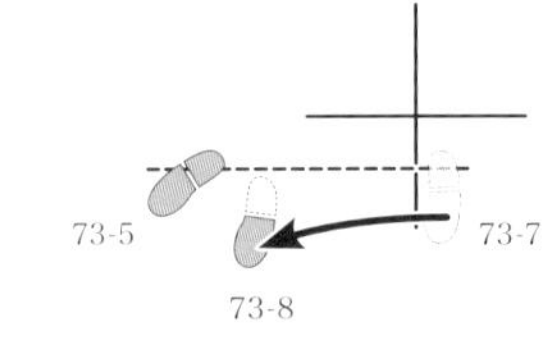

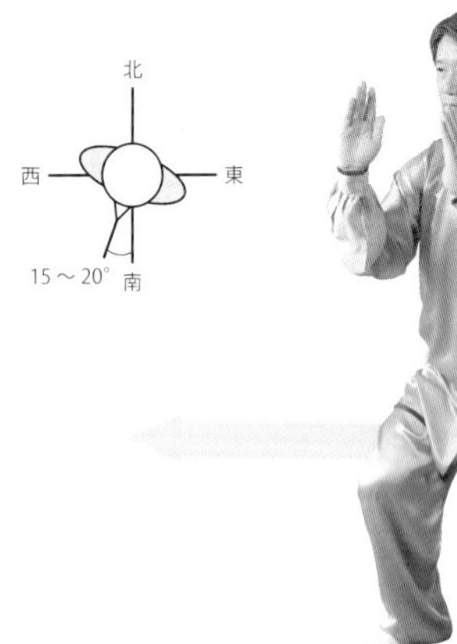

73-8

左足は虚歩。

73-7

73 六封四閉 (Liu feng Si bi)

4 六封四閉に準ずる

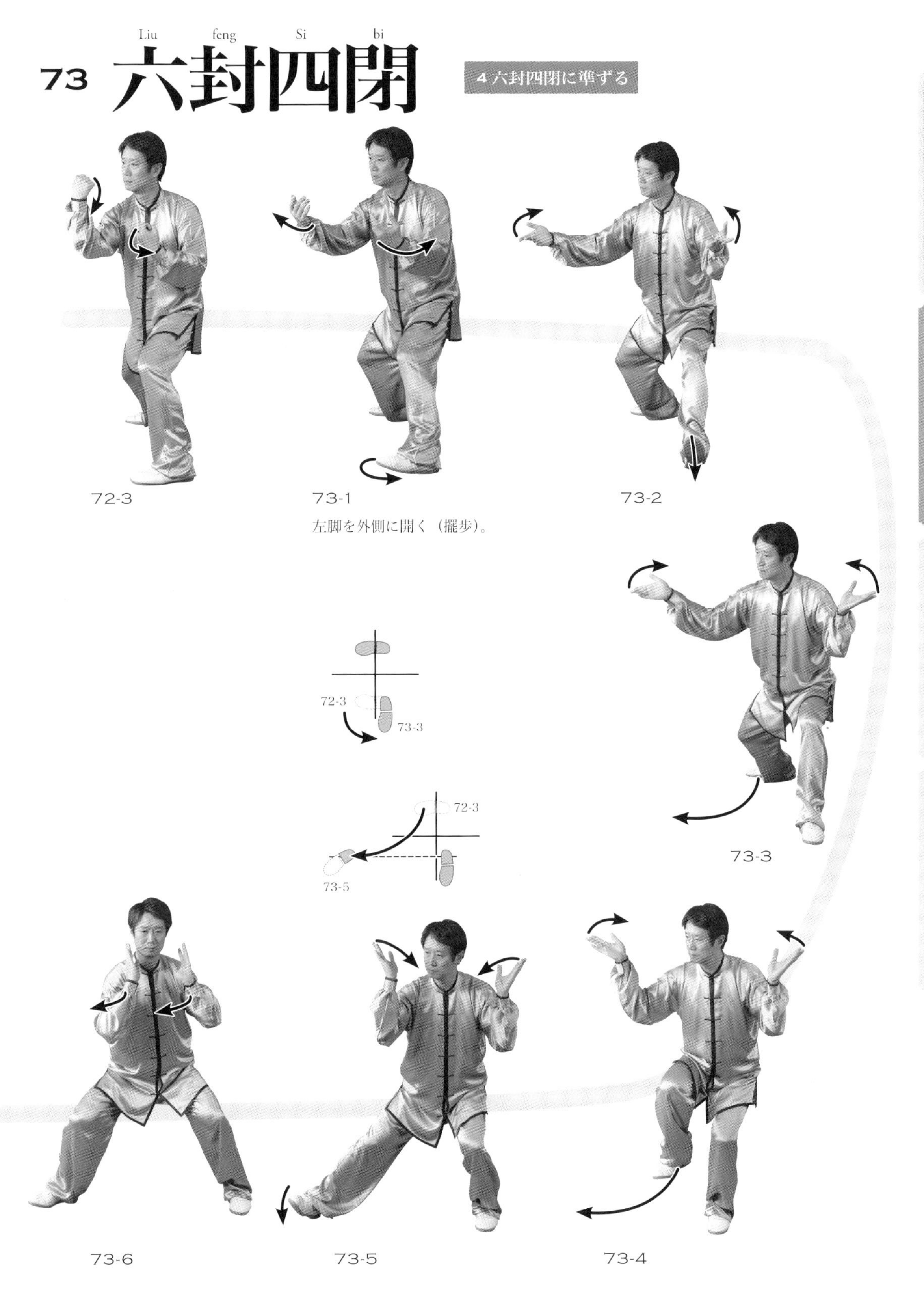

左脚を外側に開く（擺歩）。

74 單鞭 (Dan bian)

5 單鞭に準ずる

74-4

74-5

74-6

74-7

74-8

74-9

74-3
74-2
74-1
73-8

74-10
右足のつま先を内側に回す（扣歩）。
74-11
74-12

75 鋪地龍

Pu di long

74-12
右手を勾手から掌に変える。

75-1

75-3
左足のつま先を外側に回す。
左手は胸や右腕に付けない。

75-4
両腕を回しながら、掌から拳に変える。

別角度

74-12

75-1

75-2
左脚を擺歩。

75-3

75-2

75-6での左拳の向き。
拳眼が東を向く。

75-5

75-6
姿勢は低いが、脚は円襠を作る。
足首を固めない。
拳の向きに注意する。

拡大

左拳眼の向きに
注意する。

75-5

75-6
百会を上に、会陰を下に向ける。
お尻を突き出さず、上体が前に
傾かないよう注意する。

76 上步七星

Shang bu Qi xing

75-6

76-1

腕の回転に合わせて、
重心を左足に移していく。

76-2

左足に重心移動してから、
右足を上げ、寄せる。
右足を引きずるように
してはならない。

76-3

両腕を交叉して
斜め前方上へ押し出す。

76-4

右足は虚歩。
組んだ腕の間から
斜め下を見る。

76-2

76-2~3

76-4

腕と胸の間に
円形の空間を保つ。

77 下歩跨虎 1/2

Xia bu Kua hu

77-3

右足の踵で震脚。
同時に、左足をわずかに前に出して震脚。

77-4

両脚の震脚と同時に左掌の甲で前に打ち出す（擠）。
右掌は左掌に添える。
震脚時には、重心は両脚の真ん中にある。

77-5

両手を胸の方に回しながら、重心を右足にかける。

77-6

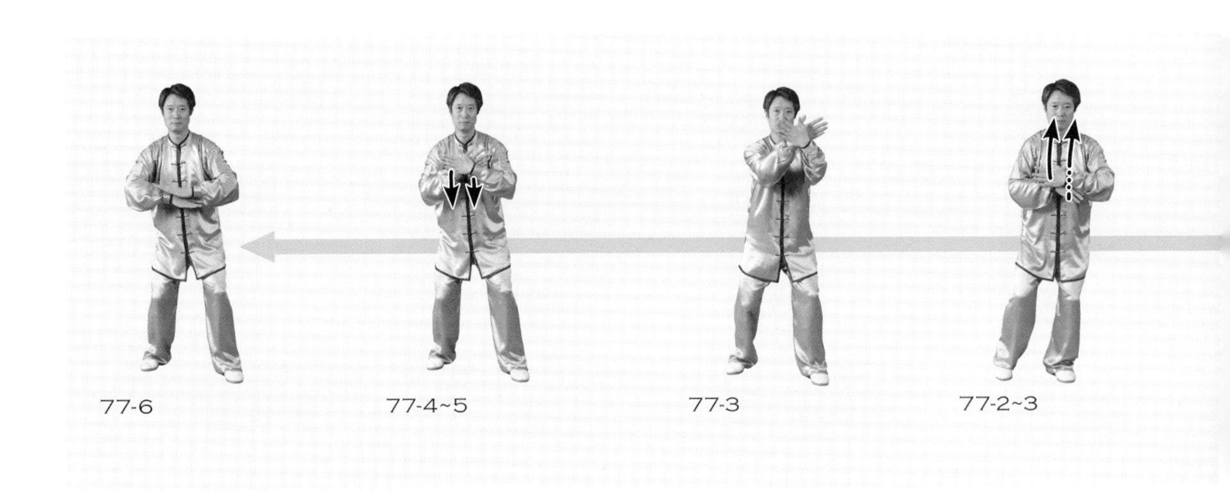

77-6　77-4~5　77-3　77-2~3

76-4

右足は虚歩。

77-1

両手を拳から掌に変える。

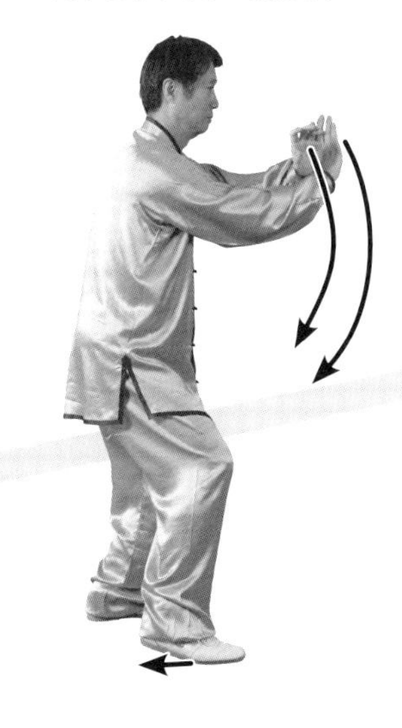

77-2

右足のつま先を滑らせるように後ろにさげる。

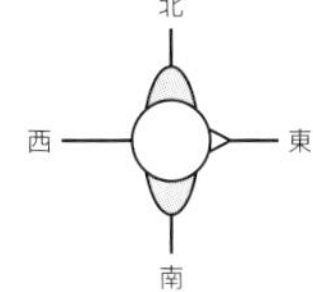

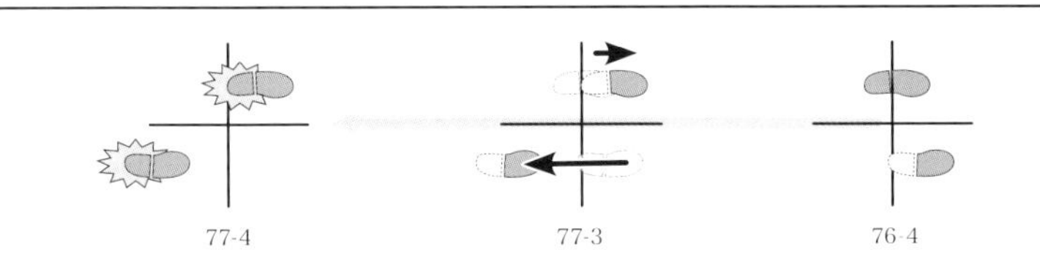

下歩跨虎の歩法について解説する。
右足は、虚歩の状態からつま先を滑らせるように半歩さげ、踵をすぐに下ろし震脚する。
左足は、右足をさげると同時に半足分程度前に滑らせて出し、踵をすぐに下ろし震脚。
左右の足を同時に震脚する（両足を同時に滑らせながら震脚することもできる）。
なお、下歩跨虎の間は両足は閉じず、間隔を保つ。

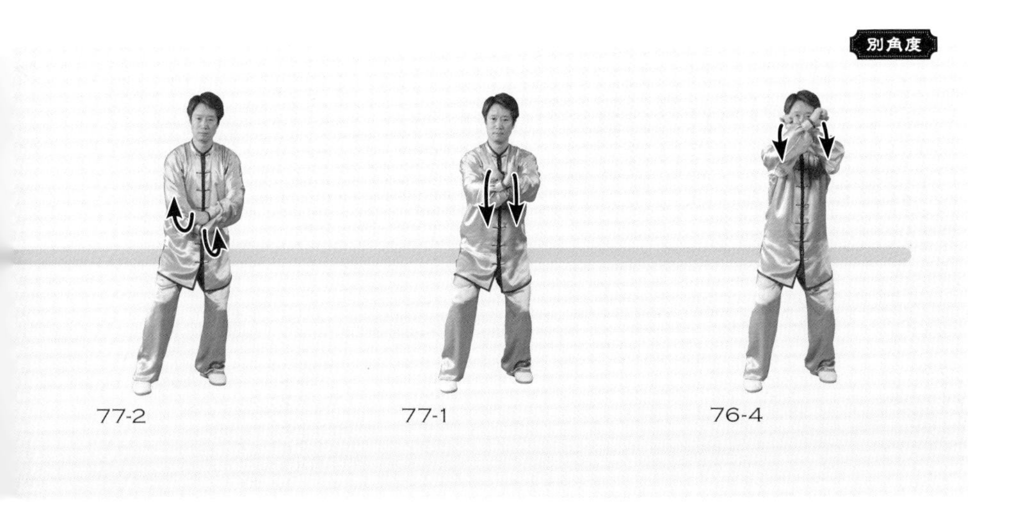

77 下歩跨虎 2/2

Xia bu Kua hu

77-9

77-10

右足に重心の乗せてから、
左足を軽やかに運ぶ。

77-11

77-12

左足は虚歩。
脇を締めずに、
左腕と身体との間に
空間を保つ。

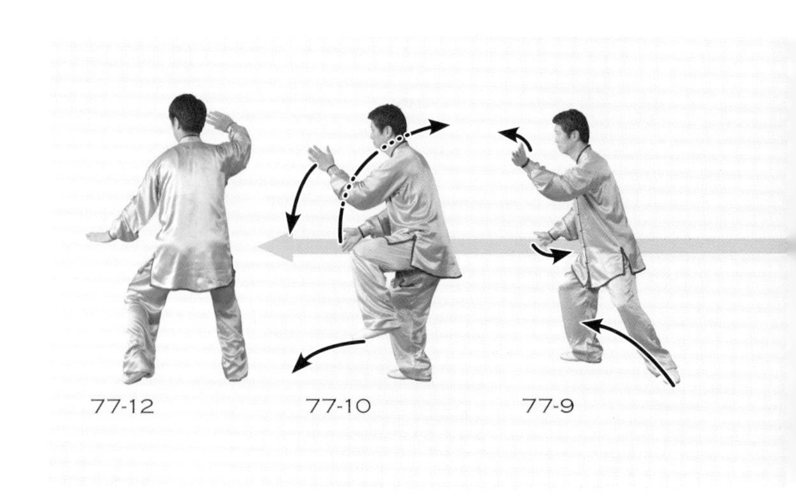

77-12 77-10 77-9

77-8

77-7

右足の擺歩とともに、
身体を右に回していく。

77-6

ここから 77-12 までに
180° 回転する。
身体の中心軸を崩さない
ように注意する。

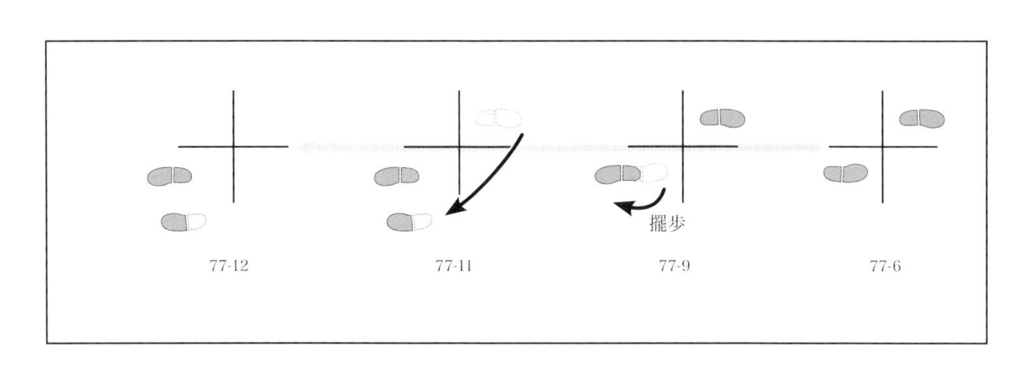

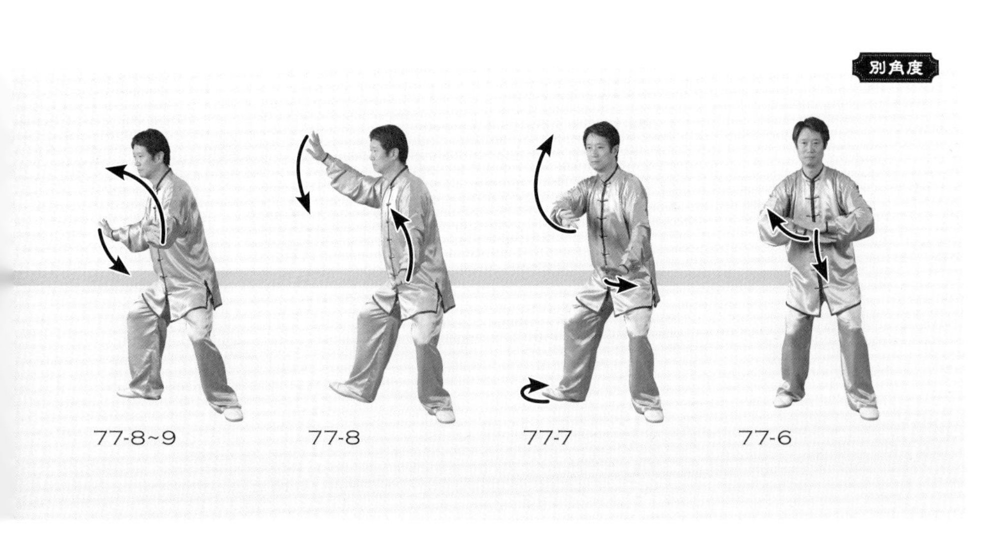

77-8~9 77-8 77-7 77-6

78 擺脚 (Bai jiao)

56 擺脚に準ずる

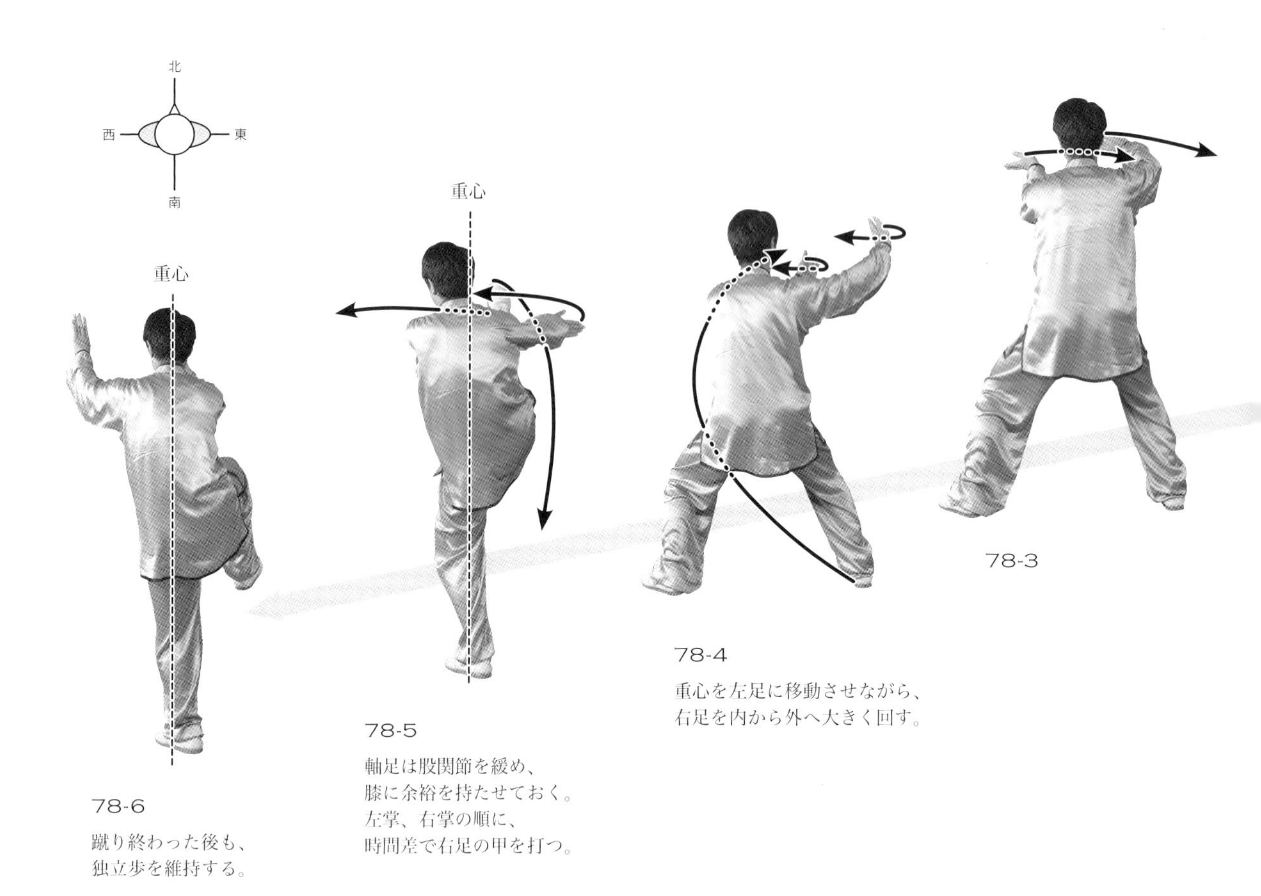

78-3

78-4
重心を左足に移動させながら、
右足を内から外へ大きく回す。

78-5
軸足は股関節を緩め、
膝に余裕を持たせておく。
左掌、右掌の順に、
時間差で右足の甲を打つ。

78-6
蹴り終わった後も、
独立歩を維持する。

別角度

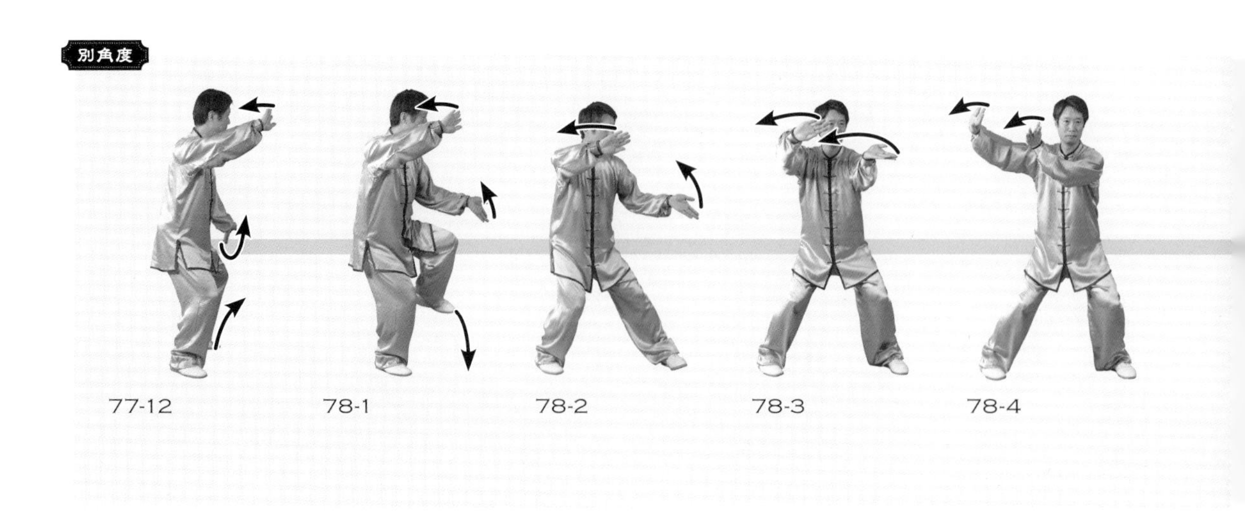

77-12 78-1 78-2 78-3 78-4

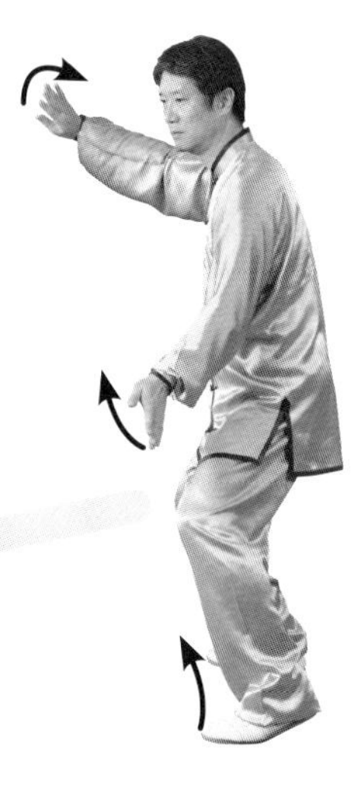
77-12

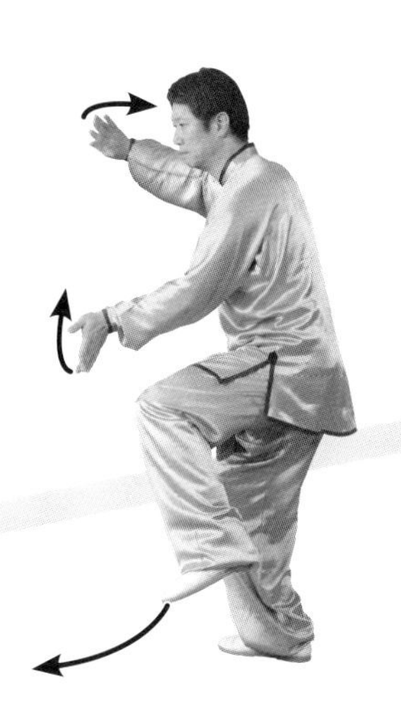
78-1

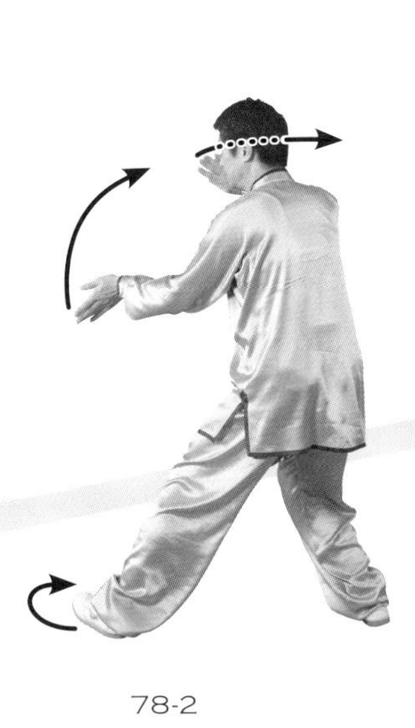
78-2

重心を右足に乗せたまま、
左足を内側に回す（扣歩）。

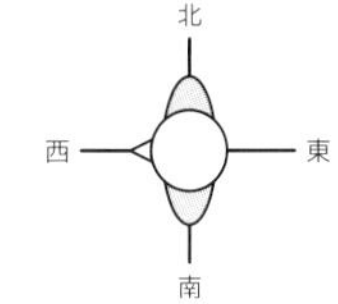

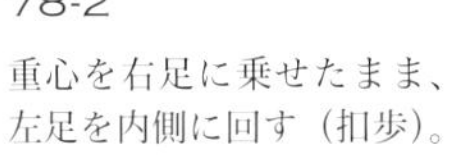

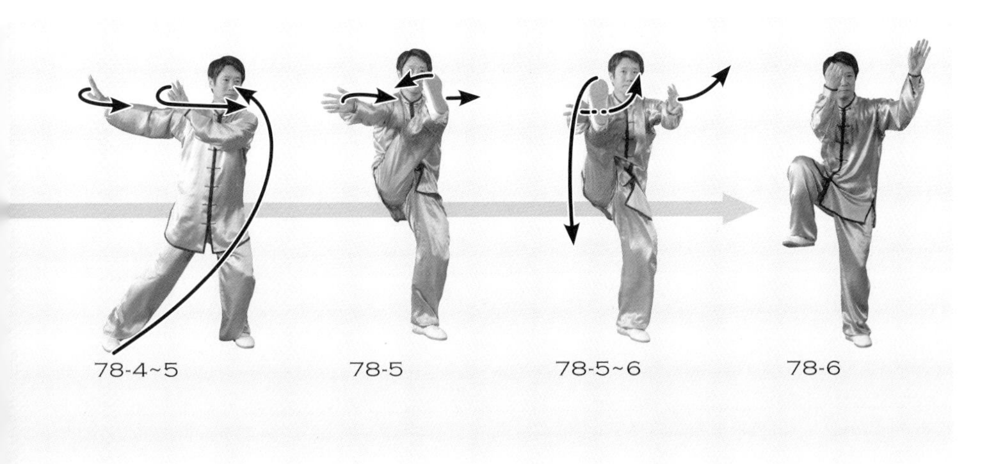

79 當頭炮
Dang tou pao

79-6
歩形は左弓歩。
腰をしっかり落として安定させ、
上体が前傾しないように注意する。

79-5
両腕を協調一致させ、身体の
前で円を描いて打ち出す。
両拳は、頭の幅程度に開く。

79-4
両腕の回転と合わせて、
重心を後から前方へ
移動させる。

別角度

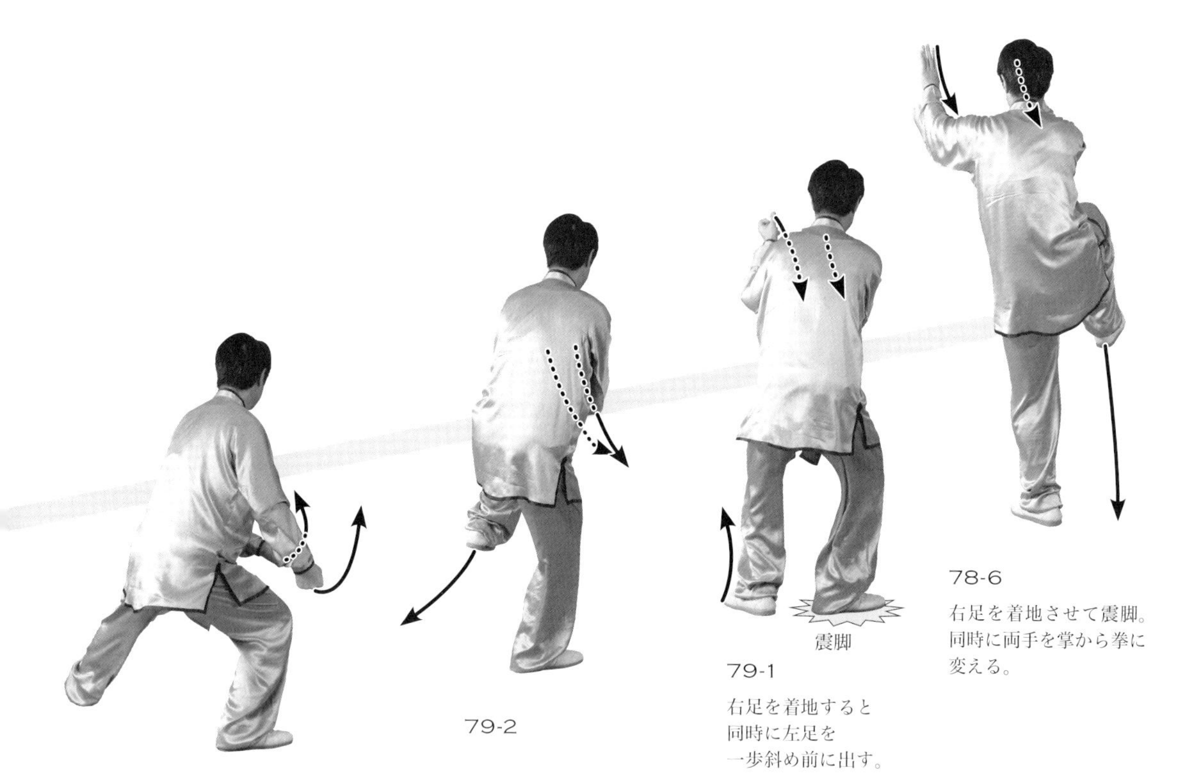

78-6

右足を着地させて震脚。
同時に両手を掌から拳に
変える。

79-1

右足を着地すると
同時に左足を
一歩斜め前に出す。

79-2

79-3

79-5

79-6

80 金剛搗碓

Jin gang Dao dui

2 金剛搗碓に準ずる

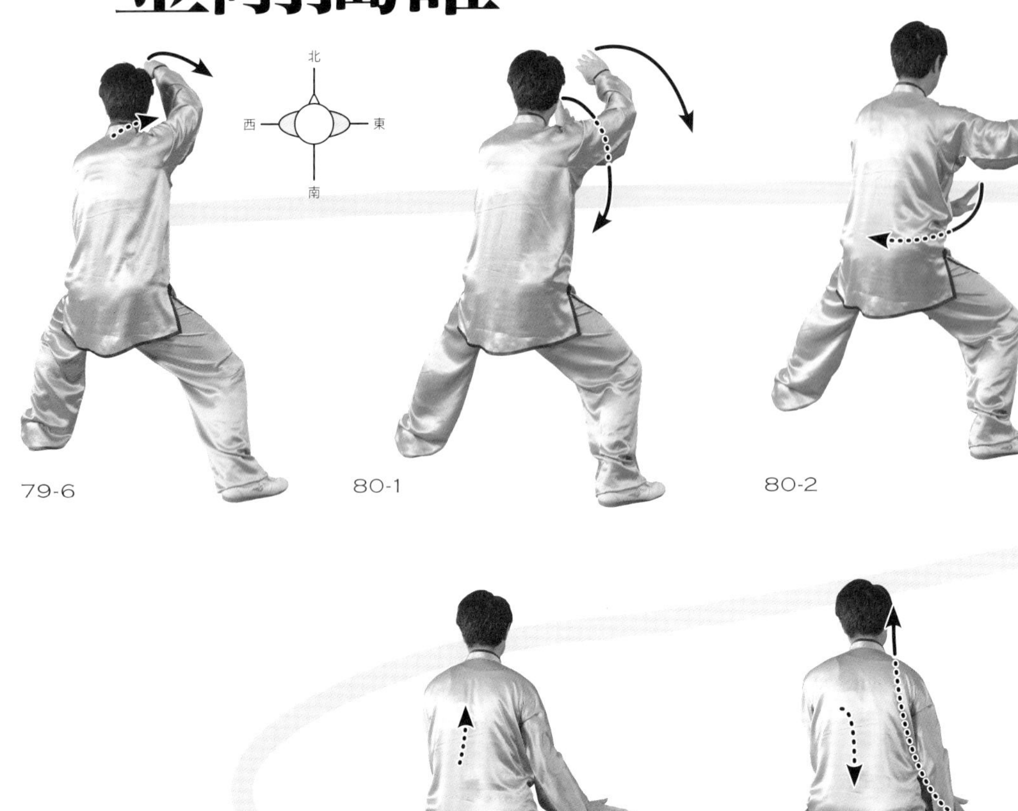

79-6　80-1　80-2

80-4

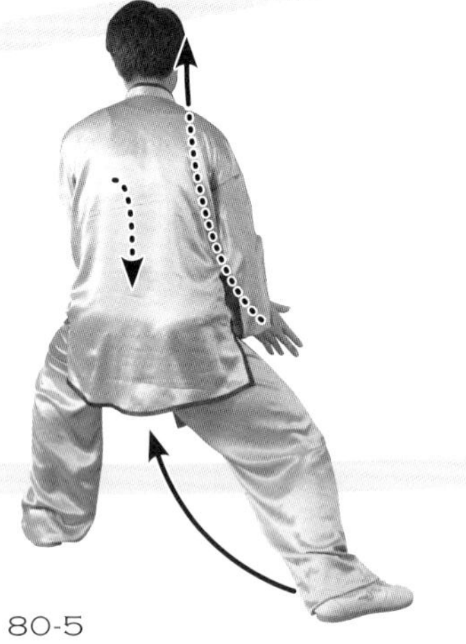

80-5

別角度

79-6　80-1　80-2　80-3　80-4

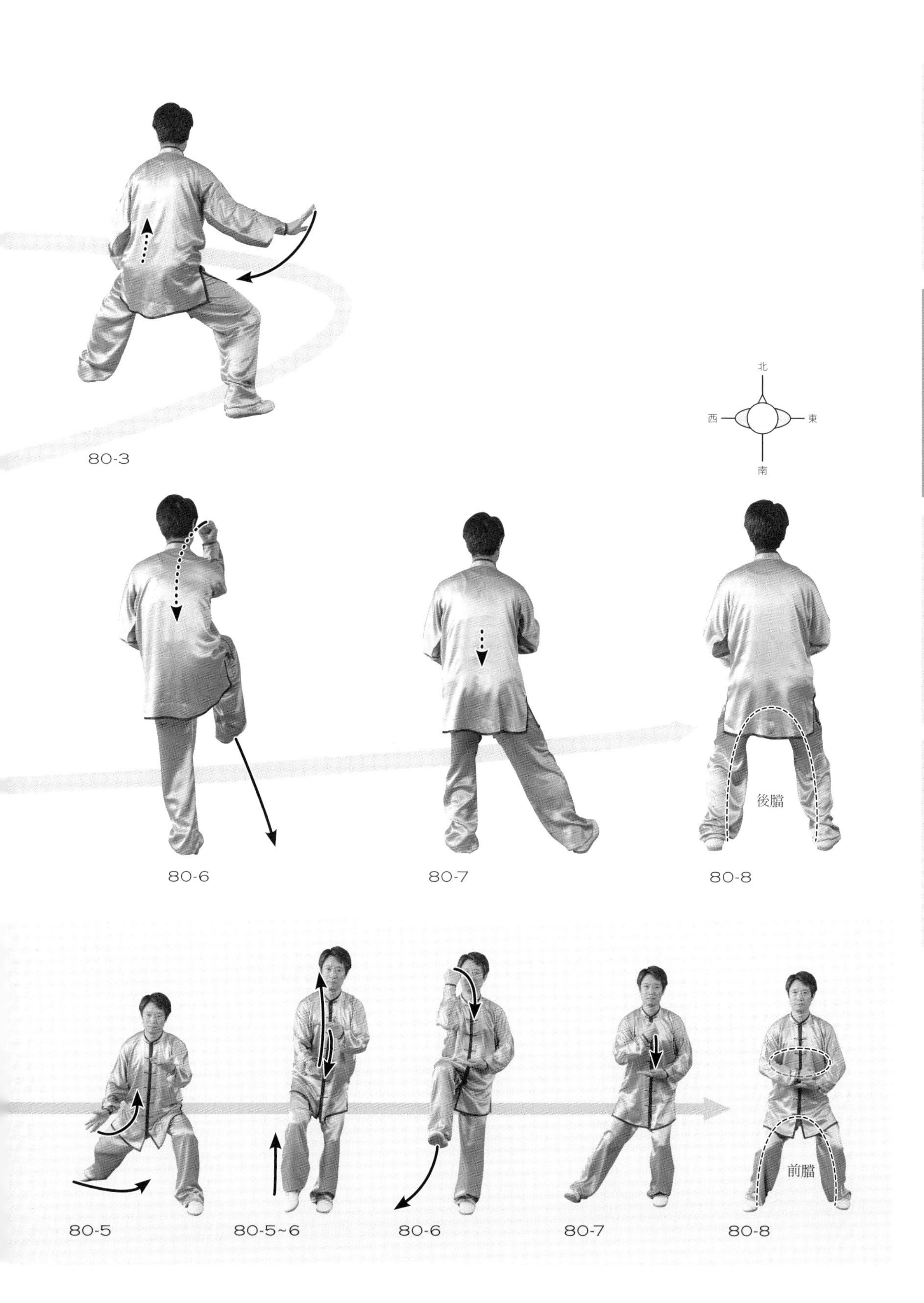

80-3

80-6 80-7 80-8

80-5 80-5~6 80-6 80-7 80-8

81 太極収勢

Tai ji Shou shi

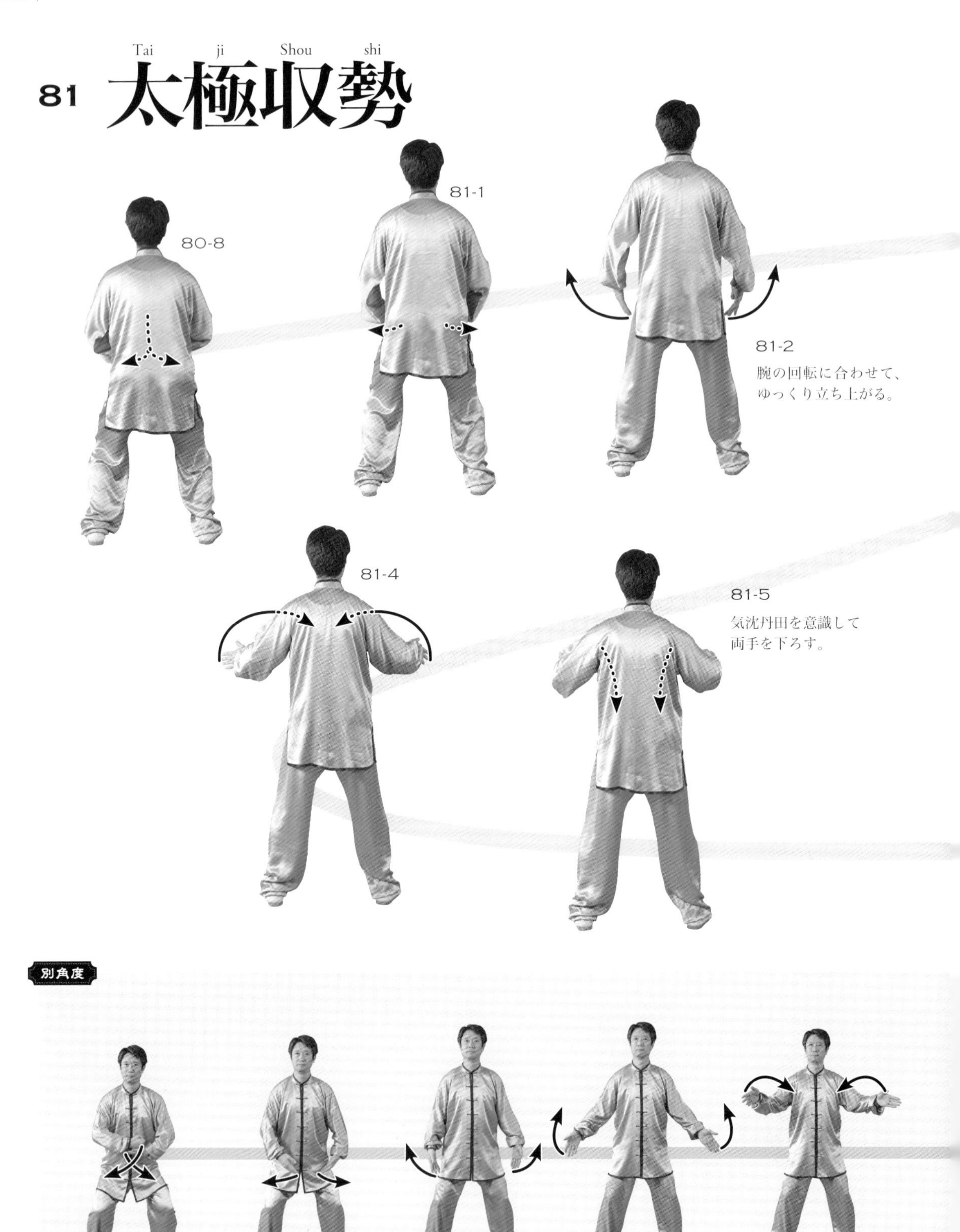

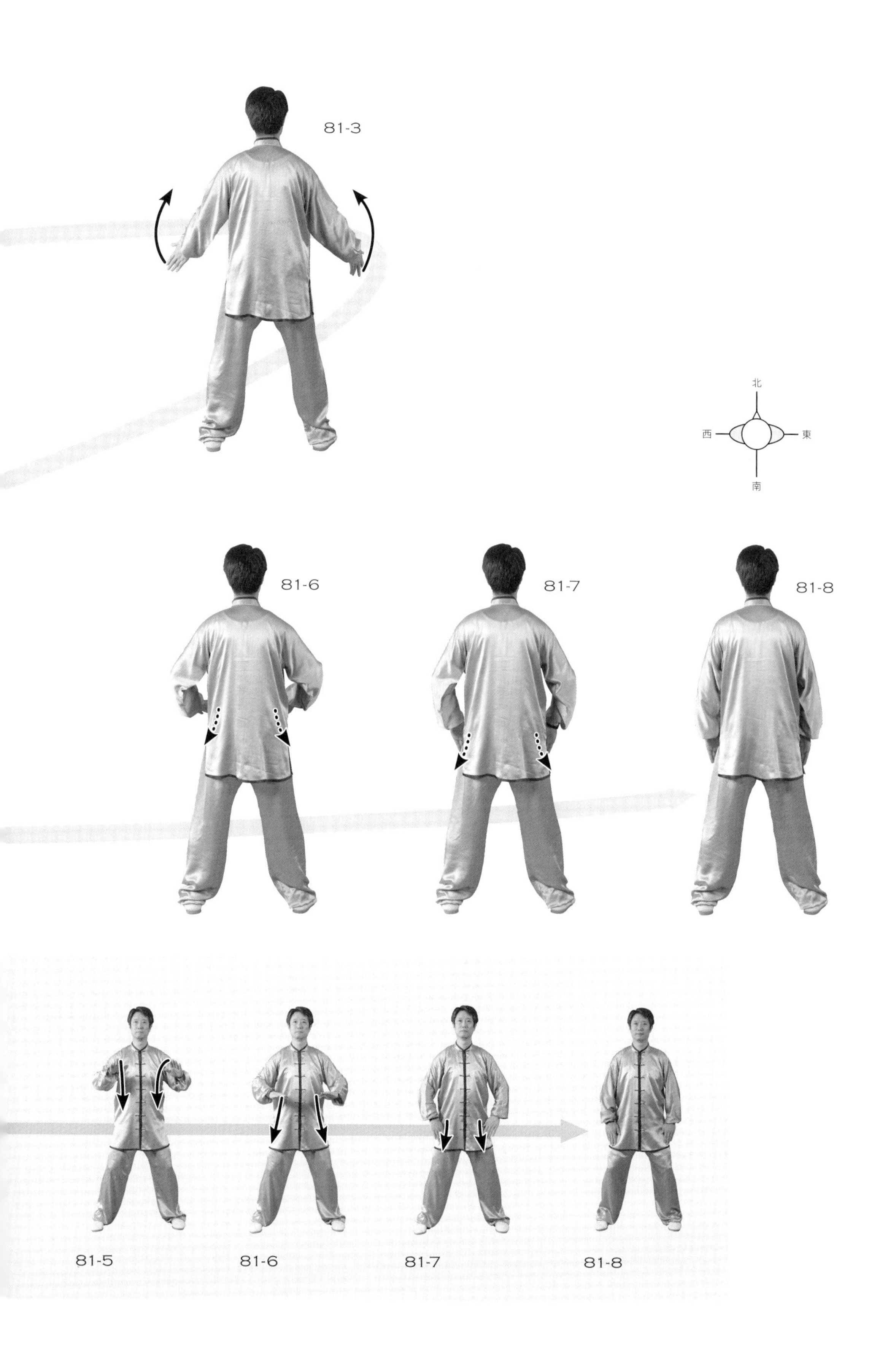
81-3
北
西
東
南
81-6
81-7
81-8
81-5
81-6
81-7
81-8

第三編 陳氏小架二路 炮捶

1．小架二路 炮捶について

陳氏太極拳小架二路は、陳氏太極拳の重要な套路の一つである。この二路は「二路 炮捶」、あるいは「炮捶」とも呼ばれる。この「炮捶」という文字からは、この套路の激しさが想像できる。実際、二路は、一路よりも動作が激しく複雑であり、これを行うには大変な体力が要求される。一路とは全く異なる印象があり、初めてこの套路を見たなら、太極拳とは思わないかもしれない。

陳氏太極拳二路の特徴は、発勁が多いこと、複雑な歩法と跳躍や震脚が多いこと、套路全体が連続して流れていること、動作の流れが速いことである。

発勁が多いことについて、二路の発勁は「一蓄一発」といわれている。つまり、気や勁を一回蓄え、すぐに一回の発勁を行うというように、気や勁を蓄えることと爆発させることを交互に行うのである。そのため、套路の至る場面で発勁しているように見える。

歩法や跳躍の特徴としては、穿、蹦、跳、踢、掃等、数多くの複雑な脚の使い方が含まれている。跳躍中に身体を回転させる動作も多数がある。これらのすべての歩法や跳躍方法を文章で詳細に説明することは困難であるため、著者のDVDを参考にしてほしい。

二路の学習段階と学習方法について簡単に紹介する。

太極拳の学習に五段階あることは既に述べたが、その第三段階（三遍拳）では内気運行と発勁動作を修練する。正しい指導を受けずにむやみに発勁を行うと、身体を壊しかねないため注意が必要である。たとえば、四肢に力を入れて筋肉を固めることや、勢いを付けた動作は、真の発勁とはいえない。そのように無理に激しく振動させると、内臓に損傷を与える可能性もあるので十分に注意しなければならない。現在では、表演のために早くから二路を学ぶ者もいるが、本来は無理な筋肉の力や振動を避けるべきである。

二路はかなり剛的な動作であるように見えるが、実は放鬆させた状態で行っている。よって、太極拳の陰陽、剛柔、開合、方円などの理論を十分に理解して、二路の動作に反映させることになる。もちろん、二路の全ての動きには纏絲勁が存在しており、一路で学習した理論、動作要領とは矛盾していない。

一路に十分に熟練した上で、三遍拳の学習段階において内気の運行や発勁の方法を正しく身に付けた後に、この章の図解を参考にして、二路の学習をすることを薦める。

小架二路 炮捶　動作名称と順序一覧

番号	動作名称	よみ	拼音
1	予備勢	よびせい	Yu bei shi
2	金剛搗碓	こんごうとうたい	Jin gang Dao dui
3	跑歩單鞭	ほうほたんべん	Pao bu Dan bian
4	護心拳	ごしんけん	Hu xin quan
5	斜行	しゃこう	Xie xing
6	転身金剛搗碓	てんしんこんごうとうたい	Zhuan shen Jin gang Dao dui
7	披身捶	ひしんすい	Pi shen chui
8	左指襠	ひだりしとう	Zuo zhi dang
9	右斬手	みぎざんしゅ	You zhan shou
10	翻花舞袖	ほんかぶしゅう	Fan hua Wu xiu
11	掩手捶	えんしゅすい	Yan shou chui
12	拗鸞肘	ようらんちゅう	Niu luan zhou
13	大紅拳	だいこうけん	Da hong quan
14	小紅拳	しょうこうけん	Xiao hong quan
15	高探馬	こうたんま	Gao tan ma
16	玉女穿梭	ぎょくじょせんさ	Yu nü Chuan suo
17	倒騎龍	とうきりゅう	Dao qi long
18	掩手捶	えんしゅすい	Yan shou chui
19	裹鞭砲	かべんほう	Guo bian pao
20	掩手捶	えんしゅすい	Yan shou chui
21	獣頭勢	じゅうとうせい	Shou tou shi
22	劈架子	ひかし	Pi jia zi
23	左合	さごう	Zuo he
24	右合	うごう	You he
25	掩手捶	えんしゅすい	Yan shou chui
26	伏虎勢	ふっこせい	Fu hu shi
27	抹眉紅	まつびこう	Mo mei hong
28	右黄龍三攪水	みぎこうりゅうさんこうすい	You Huang long San jiao shui
29	左黄龍三攪水	ひだりこうりゅうさんこうすい	Zuo Huang long San jiao shui
30	左蹬跟	ひだりとうこん	Zuo deng gen
31	右蹬跟	みぎとうこん	You deng gen
32	掩手捶	えんしゅすい	Yan shou chui
33	掃堂腿	そうどうたい	Sao tang tui
34	掩手捶	えんしゅすい	Yan shou chui
35	右冲	うちゅう	You chong
36	左冲	さちゅう	Zuo chong
37	倒插	とうさ	Dao cha
38	左奪耳紅	ひだりだつじこう	Zuo duo er hong
39	右奪耳紅	みぎだつじこう	You duo er hong
40	急三捶	きゅうさんすい	Ji san chui
41	変式大佐炮	へんしきたいさほう	Bian shi Da zuo pao
42	翻身打一炮	ほんしんだいちほう	Fan shen Da yi pao
43	順鸞肘	じゅんらんちゅう	Shun luan zhou
44	窩里炮	かりほう	Wo li pao
45	抽跟打一炮	ちゅうこんだいちほう	Chou gen Da yi pao
46	連珠炮	れんじゅほう	Lian zhu pao
47	転身擺脚	てんしんはいきゃく	Zhuan shen Bai jiao
48	當頭炮	とうとうほう	Dang tou pao
49	金剛搗碓	こんごうとうたい	Jin gang Dao dui
50	収勢	しゅうせい	Shou shi

1 予備勢 Yu bei Shi ～ 2 金剛搗碓 Jin gang Dao dui

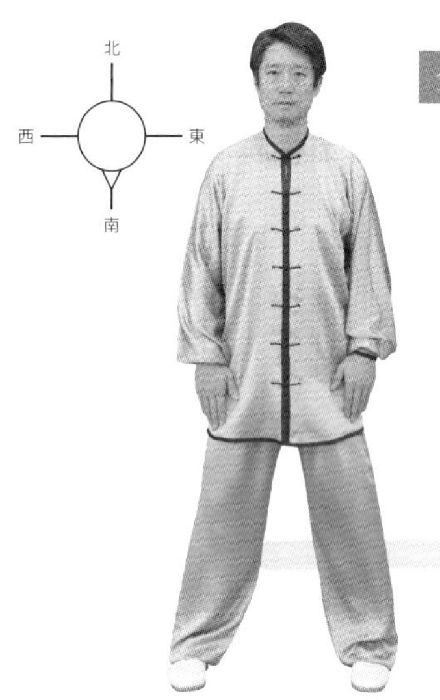

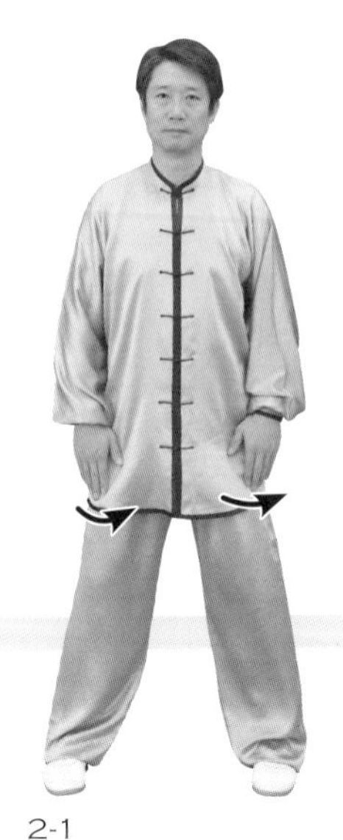

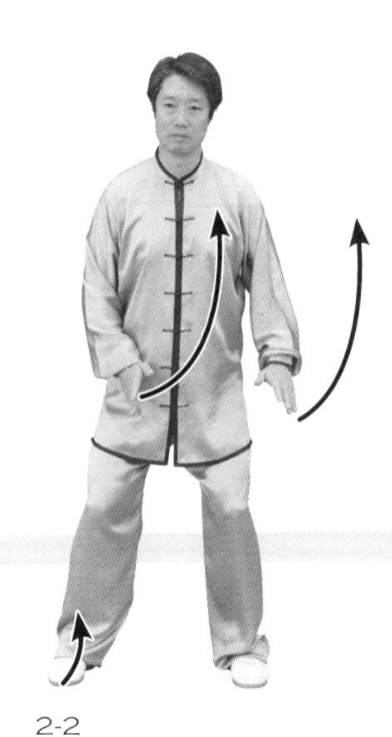

1-1（予備勢）

自然体で股関節を緩める。
肘を伸ばさず、肘を緩める（肘不貼肋）。
全身を伸びやかに使う（舒展大方）。
心穏やかに自然呼吸をする。

2-1

2-2

2-7

左足に重心を移していく。

2-8

2-9

右手を掌から拳に変えながら、
右拳を上に突き上げて発勁する
左掌を腹の前に下ろして、
掌心を上を向ける。
右拳を上げる動作に合わせて、
膝を上げる。

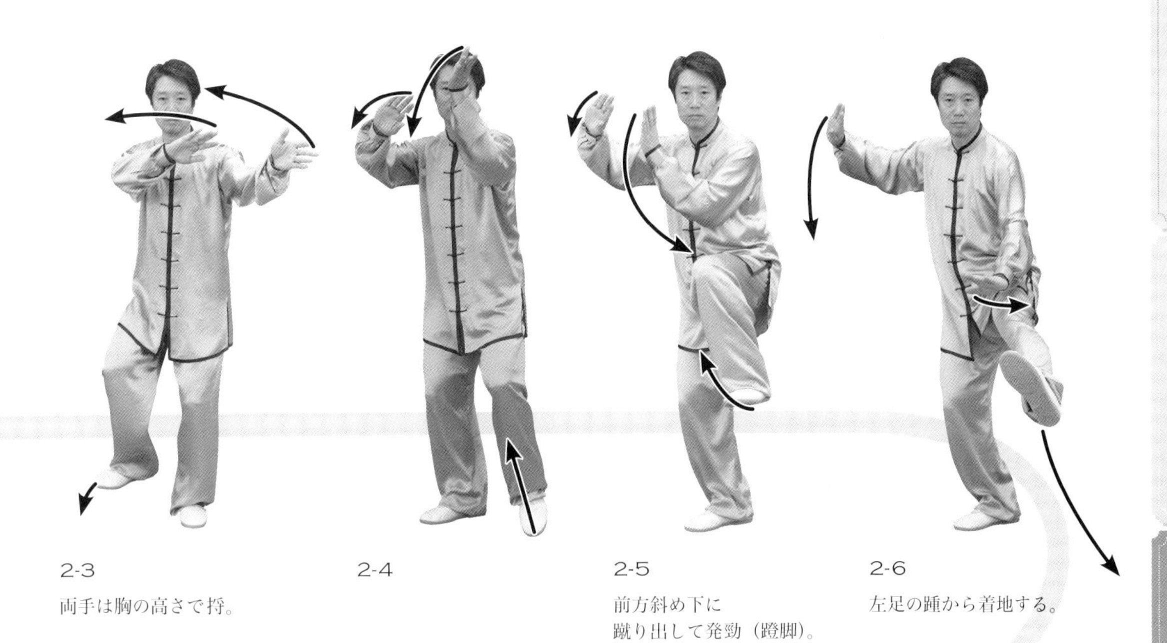

2-3
両手は胸の高さで捋。

2-4

2-5
前方斜め下に
蹴り出して発勁（蹬脚）。

2-6
左足の踵から着地する。

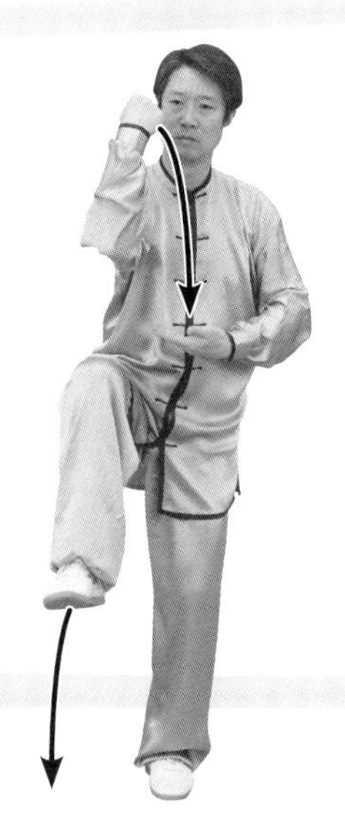

2-10
震脚と同時に、
右拳を左掌に下ろす。

2-11
腕と胸の間で円を保つ
（腕と身体の間は拳1つ分空ける）。
歩形は小馬歩。

3 跑步單鞭 1/2

Pao bu Dan bian

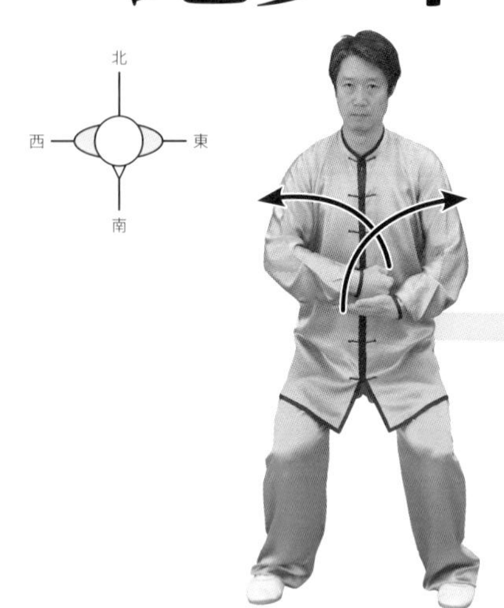

2-11

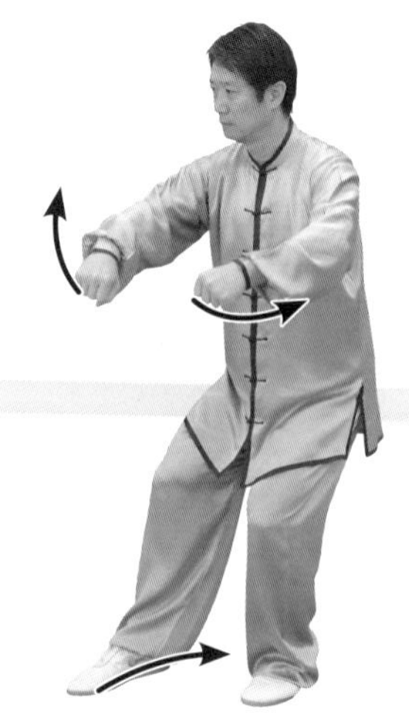

3-1

両腕とも順纏絲しながら、
左右に分け開く。

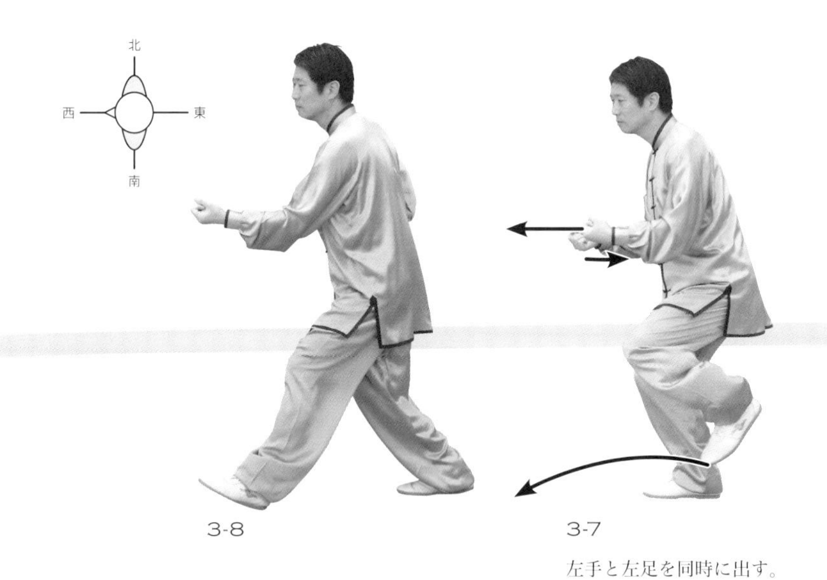

3-8

3-7

左手と左足を同時に出す。

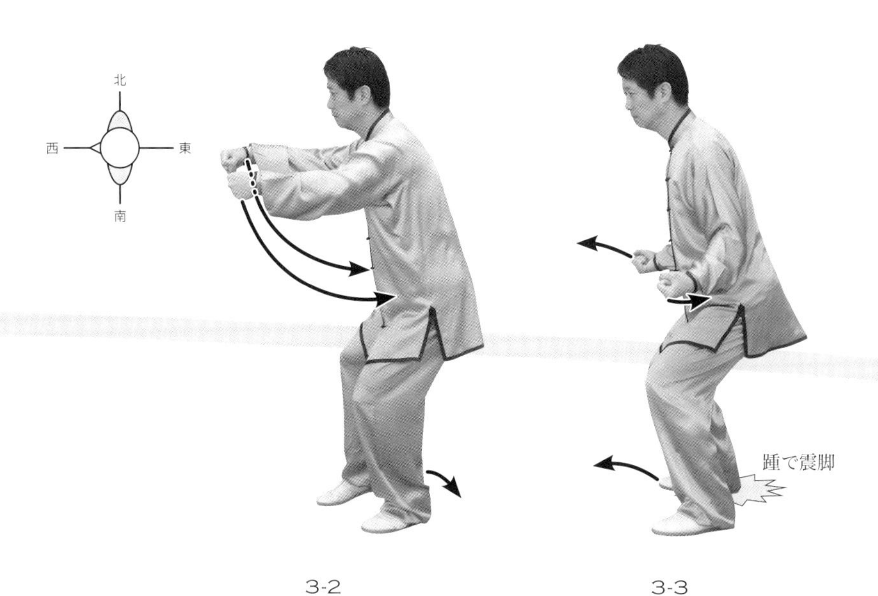

3-2

右足を跟歩して踵で震脚する。同時に、両肘を後方に打ち出す(突き出す)。

3-3

右拳と右足を上げる。

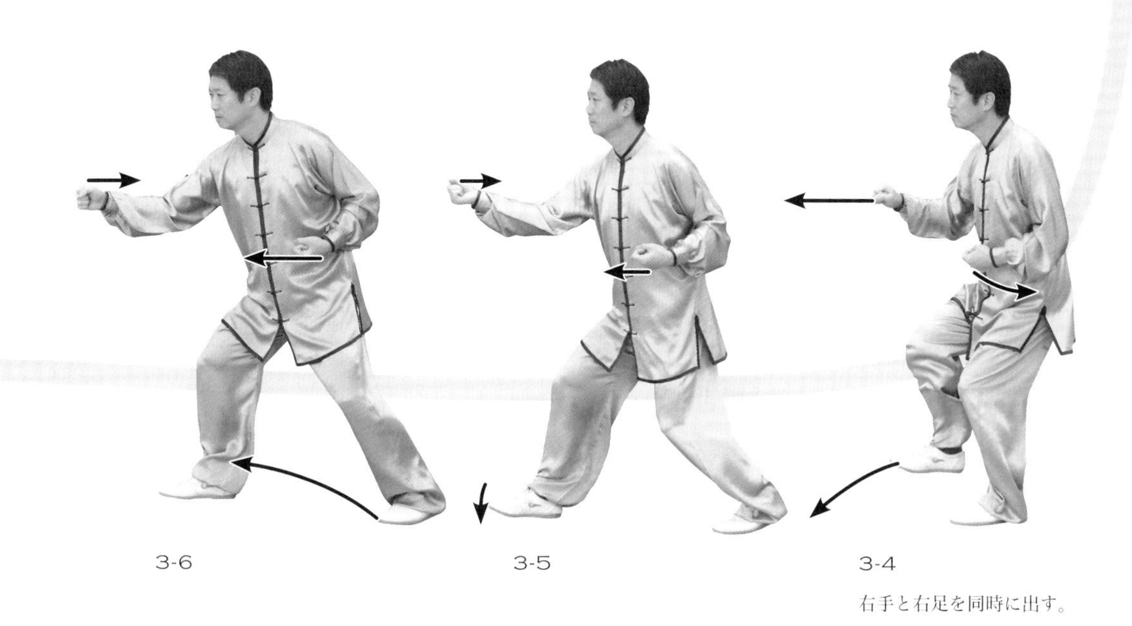

3-6

3-5

3-4

右手と右足を同時に出す。

3-4から前方を突きながら進むが、手足の動きを合わせて、途切れなく軽やかに進むこと。

3 跑歩單鞭 2/2
Pao bu Dan bian

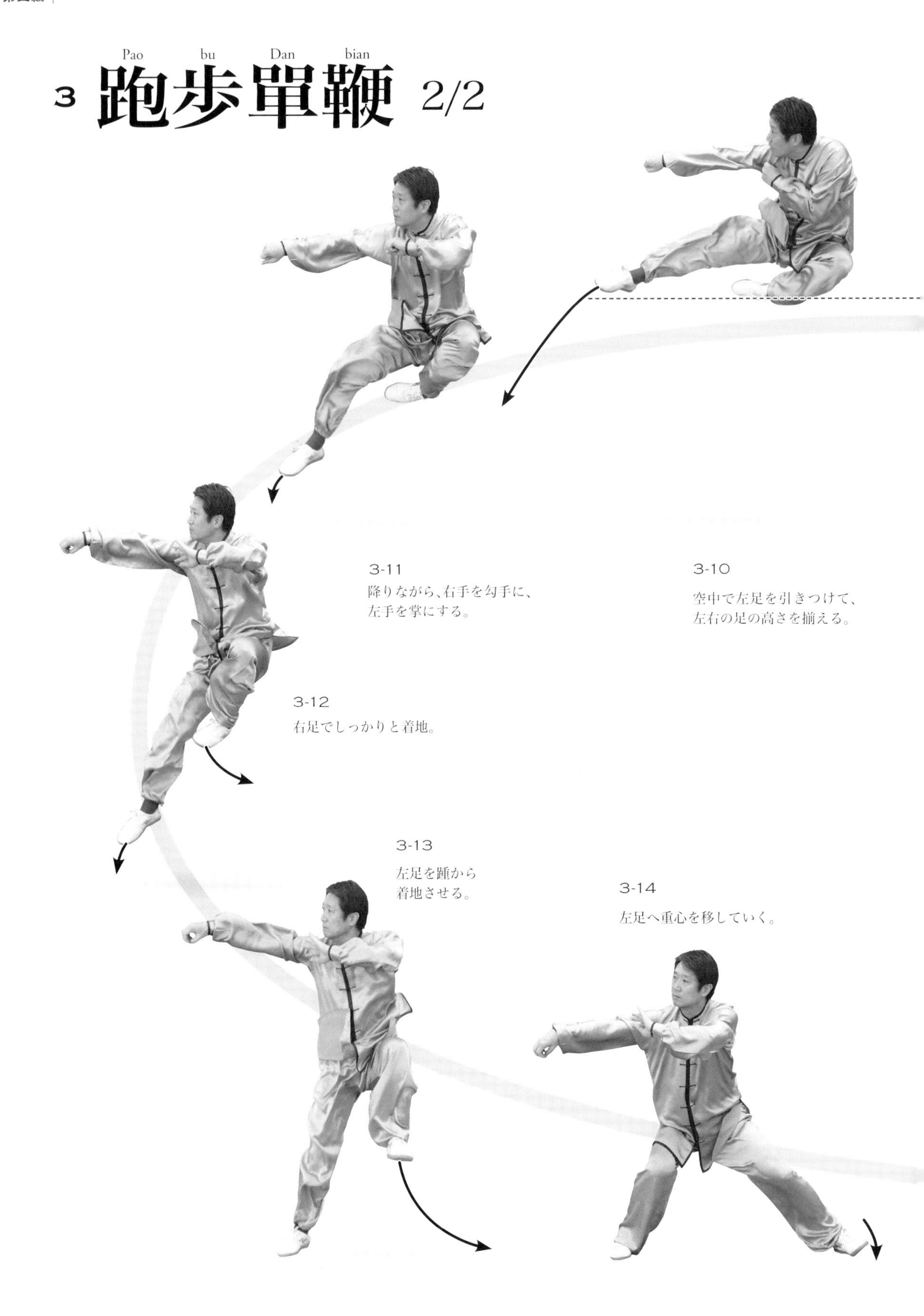

3-10
空中で左足を引きつけて、
左右の足の高さを揃える。

3-11
降りながら、右手を勾手に、
左手を掌にする。

3-12
右足でしっかりと着地。

3-13
左足を踵から
着地させる。

3-14
左足へ重心を移していく。

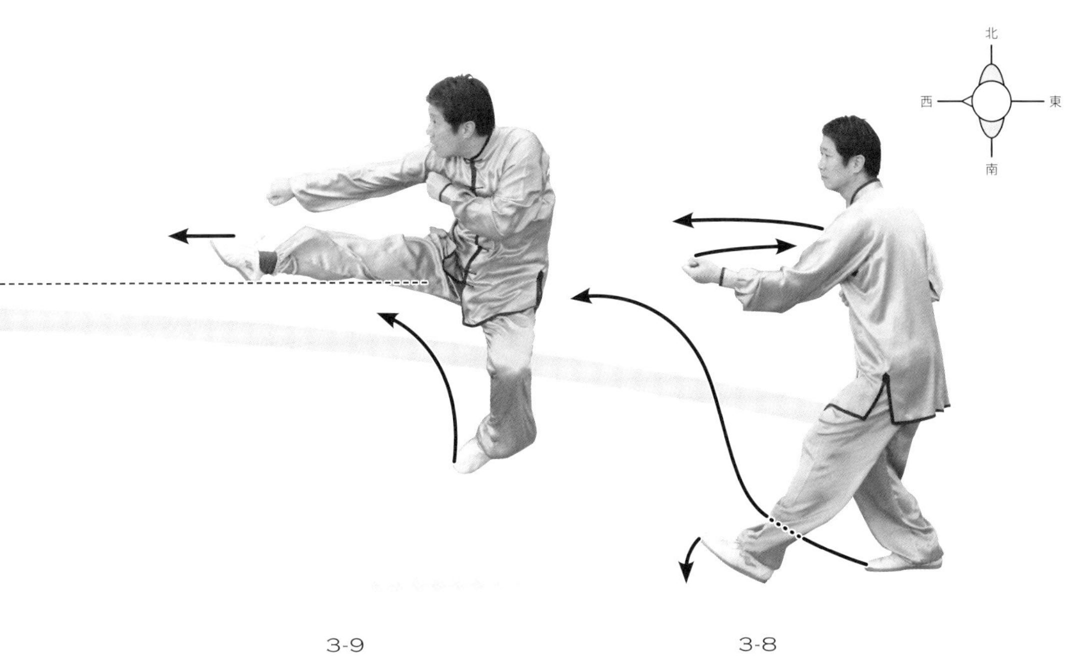

3-9

3-8
左足裏を床に着けて踏み切り、
右足で前方を蹴りながら跳躍する。

3-15
重心を移動しながら、
左掌を胸の前に回し、
左肘で発勁しながら左へ突く
(掌心は外に向く)。

3-16
歩形は左弓歩。
両手とも胸の高さにある。

4 護心拳 (Hu xin quan)

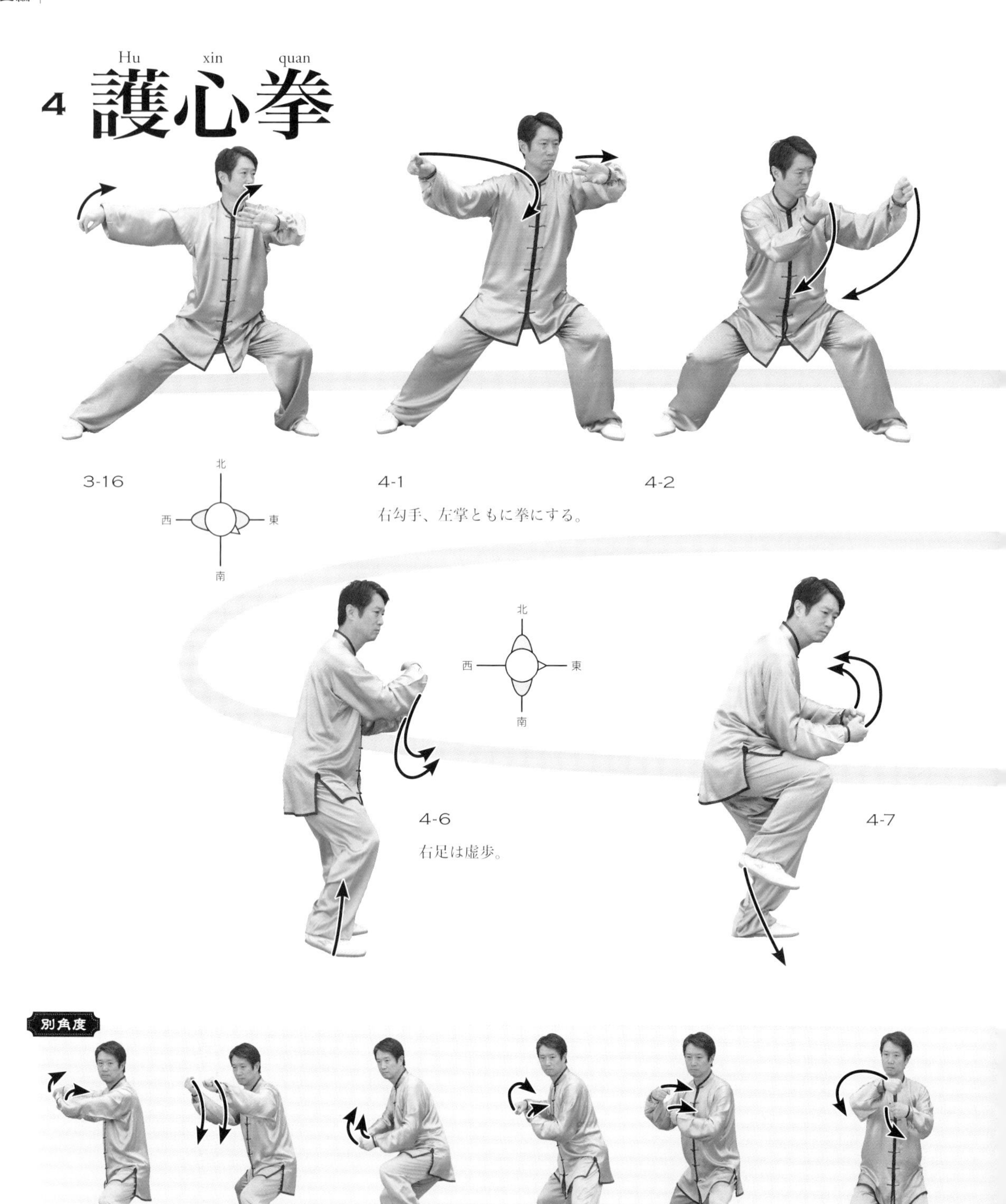

3-16

4-2
両腕は下へ立円を描くように回す。

4-4

4-5

4-5~6
両拳を前に押し出す。

4-6
両腕は下へ立円を描くように回す。

4-3

4-4

4-5
両拳を前に突き出す。

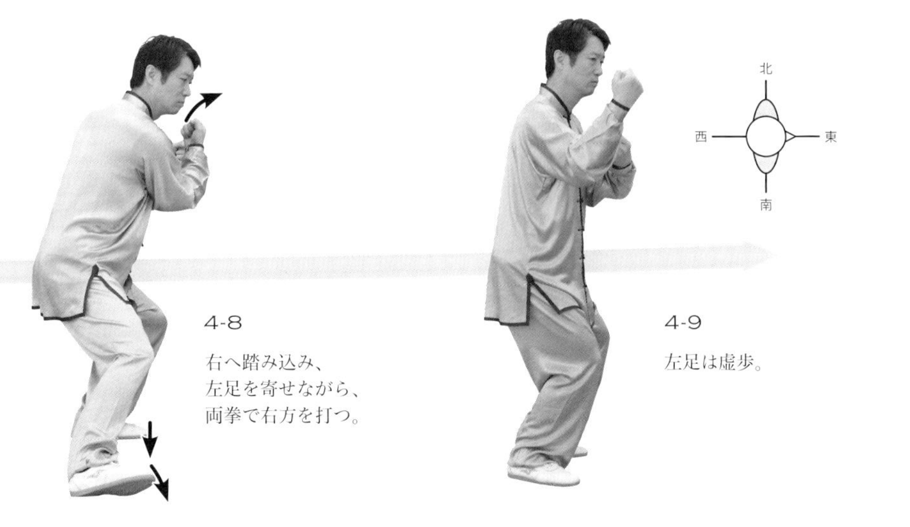

4-8
右へ踏み込み、
左足を寄せながら、
両拳で右方を打つ。

4-9
左足は虚歩。

4-6~7

4-7
左足を真横に踏み出し、
踵から着地する。

4-8
左足を寄せながら、
両拳を右に打ち出す。

4-9

5 斜行 1/2

Xie xing

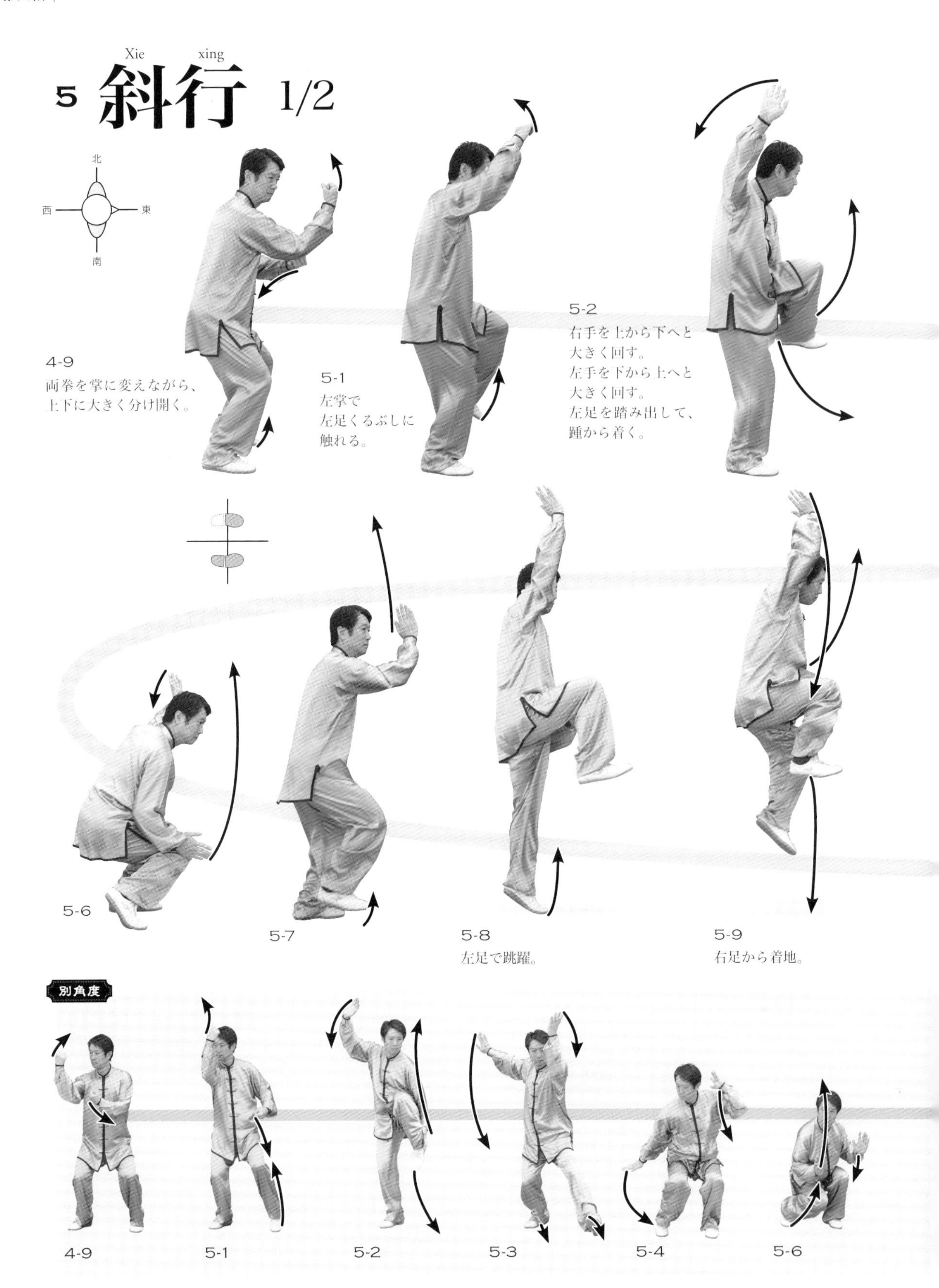

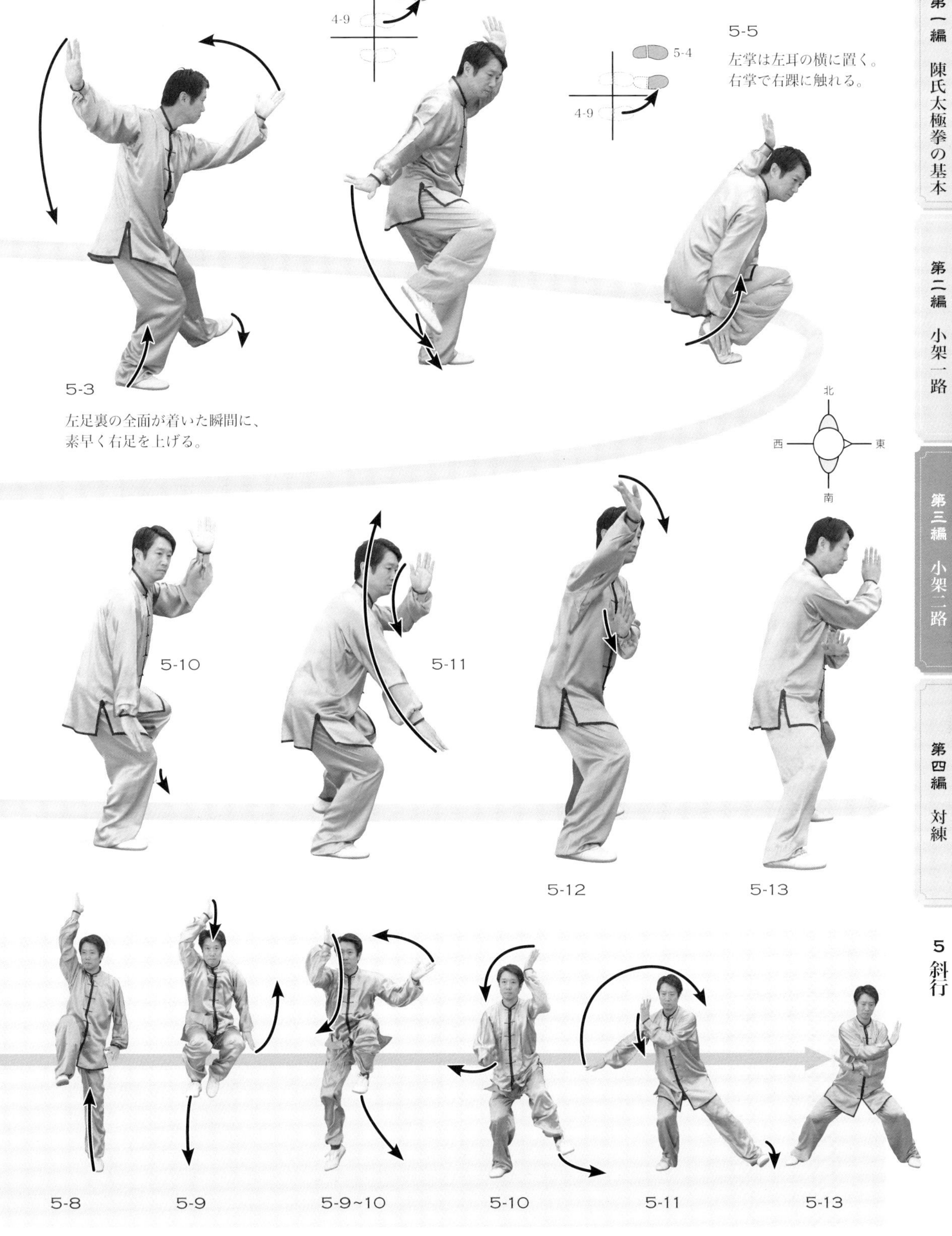
5-4
5-4
4-9
5-5
5-4
4-9
左掌は左耳の横に置く。
右掌で右踝に触れる。
5-3
左足裏の全面が着いた瞬間に、
素早く右足を上げる。
北
西
東
南
5-10
5-11
5-12
5-13
5-8
5-9
5-9~10
5-10
5-11
5-13

5 斜行 2/2

Xie xing

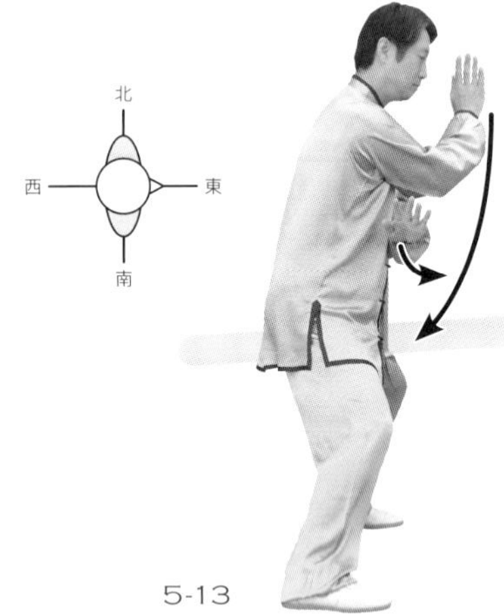

5-13

5-14

5-15

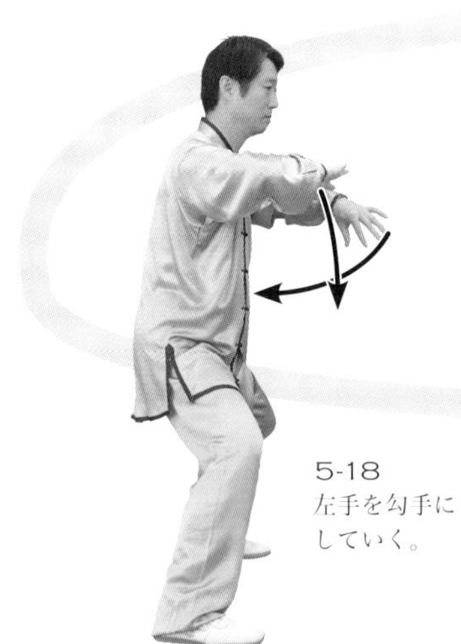
5-18
左手を勾手に
していく。

5-19

別角度

5-13

5-14
歩形は馬歩。
両手とも順纏絲。

5-16

5-17

5-18
左手を勾手に
していく。

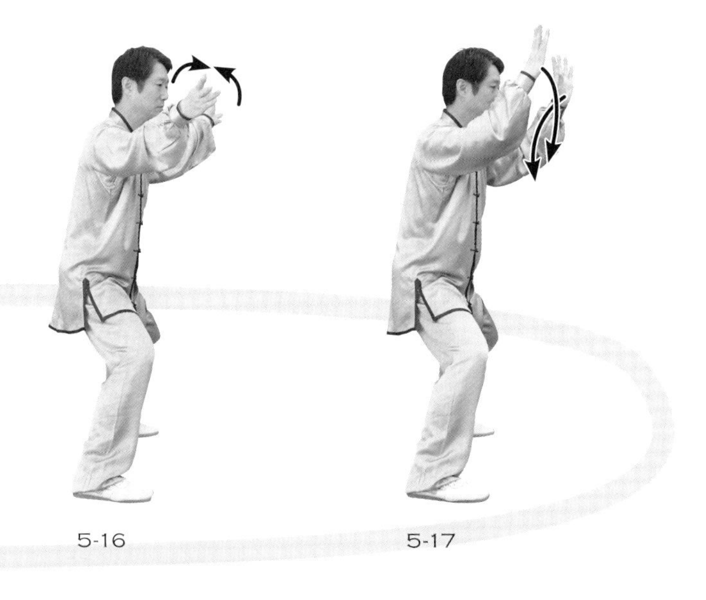

5-16

5-17

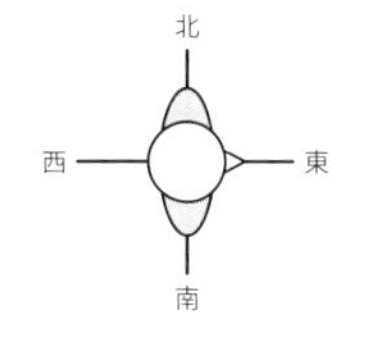

5-20

5-21
立掌にした右手の中指の尖端が、鼻の高さになる。

5-19

5-20

5-21
左の勾手は身体の横に置く。

5-21
勾尖は後方を向く。

6 転身金剛搗碓 1/2

Zhuan shen Jin gang Dao dui

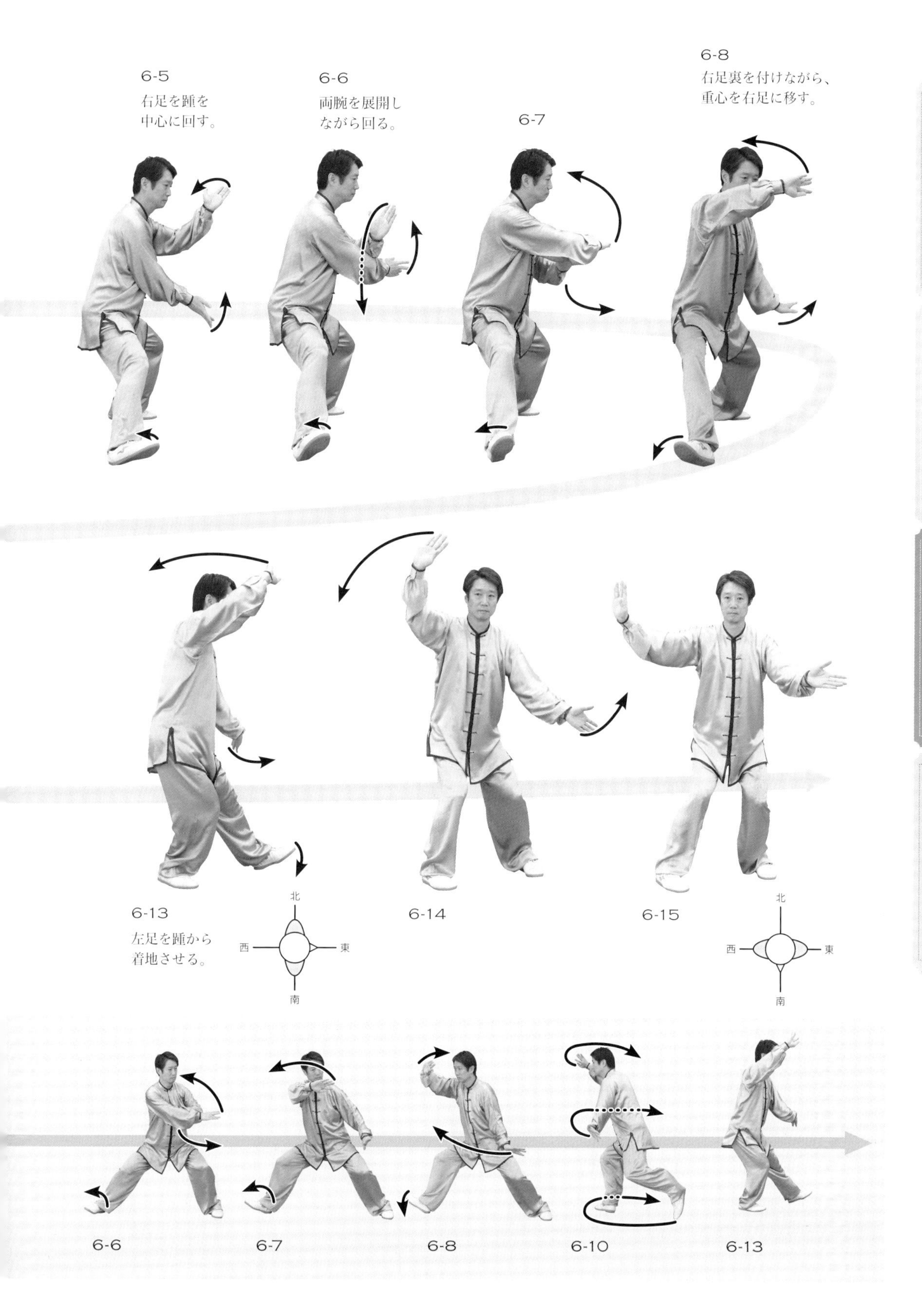
6-5
右足を踵を
中心に回す。
6-6
両腕を展開し
ながら回る。
6-7
6-8
右足裏を付けながら、
重心を右足に移す。
6-13
左足を踵から
着地させる。
北
西
東
南
6-14
6-15
北
西
東
南
6-6
6-7
6-8
6-10
6-13

6 転身金剛搗碓 2/2

Zhuan shen Jin gang Dao dui

6-15

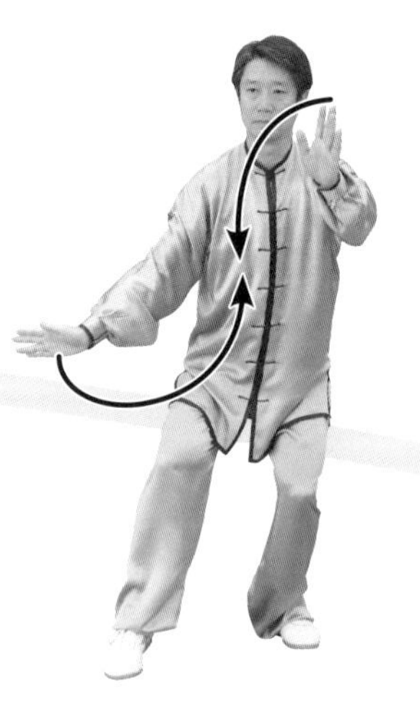

6-16

右足を着き直して
虚歩にする。
左足に重心が乗る。

6-17

右掌を上げながら、
拳にする。

6-18

6-19

6-20

回転動作について

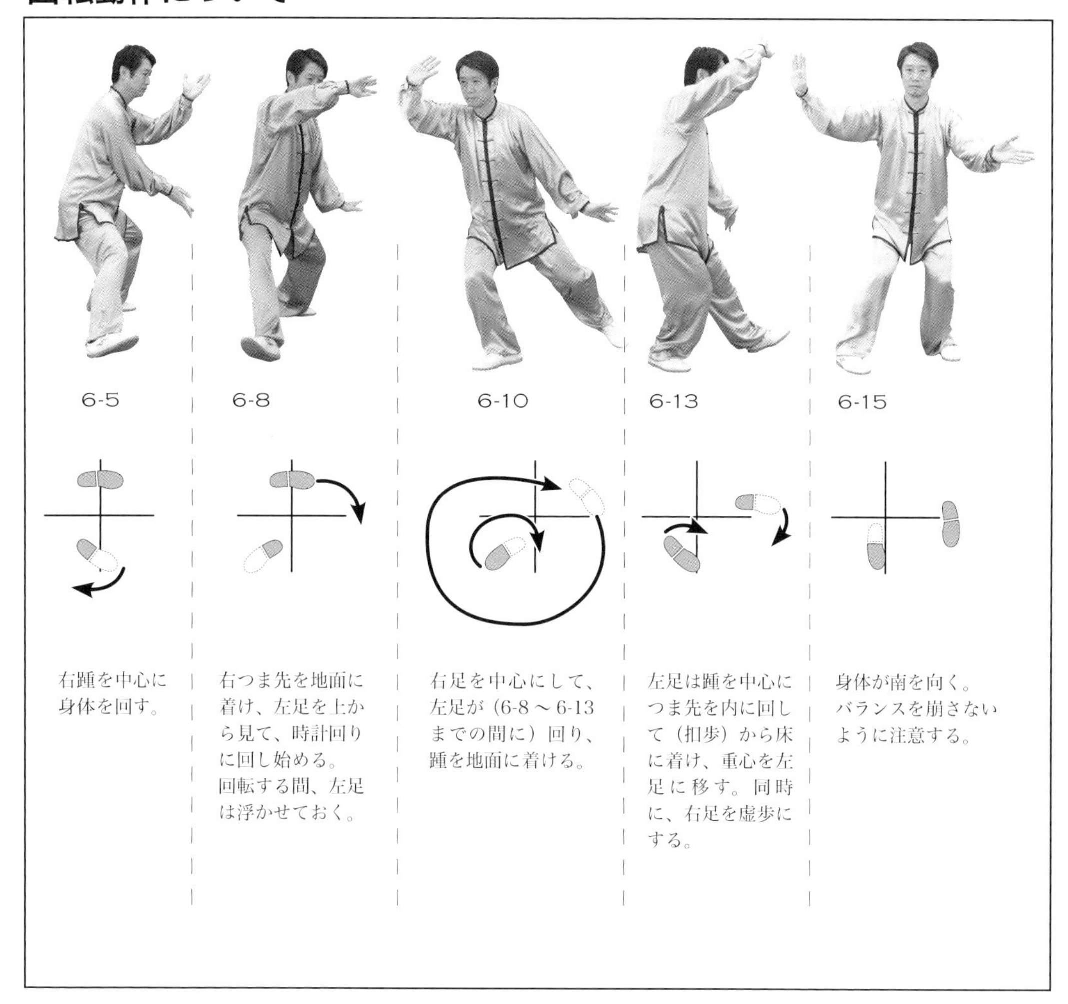
6-5
6-8
6-10
6-13
6-15
右踵を中心に身体を回す。
右つま先を地面に着け、左足を上から見て、時計回りに回し始める。回転する間、左足は浮かせておく。
右足を中心にして、左足が（6-8 ～ 6-13 までの間に）回り、踵を地面に着ける。
左足は踵を中心につま先を内に回して（扣歩）から床に着け、重心を左足に移す。同時に、右足を虚歩にする。
身体が南を向く。バランスを崩さないように注意する。

7 披身捶 1/2

Pi shen chui

6-20

7-1

右拳を下に打ち出す（斬臂）。
同時に左手を拳にしながら
左腰に引く。

7-2

重心を左足に移しながら、
右足を上げ、同時に両拳を
上げていく。

7-6

右拳を身体の前で
大きく一周回す。

7-7

左足に重心を移していく。

7-8

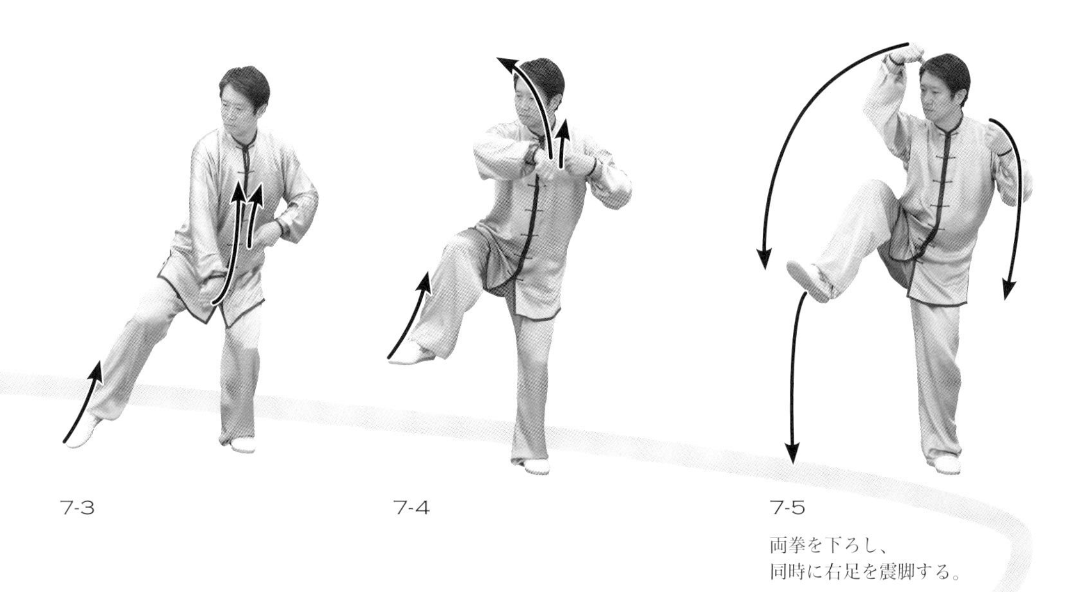

7-3

7-4

7-5
両拳を下ろし、
同時に右足を震脚する。

7-9
右拳を右へ振り上げると同時に、
右足を蹴り上げる（蹬脚）。

7-10

7 披身捶 2/2

Pi shen chui

7-10

7-11

左拳を左上に上げ掌にする。

7-12

左掌を右拳面に当て、
右肘を床に向かって
押し込むように
斜めに下ろしていく。

7-16

ここから両腕を左に回すが、
身体が捻れないように注意する。

7-17

7-18

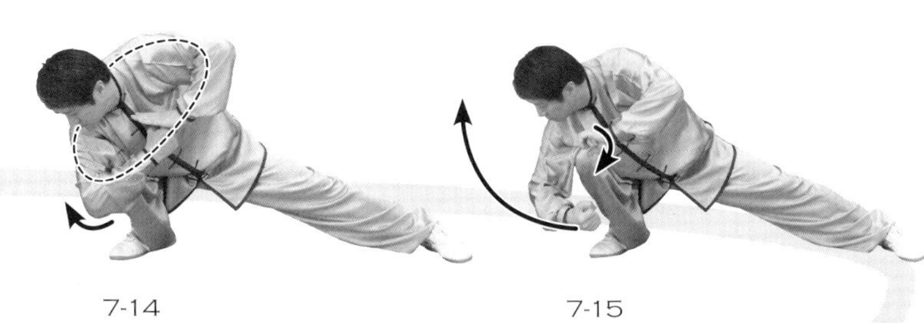

7-13
両腕で円を作るイメージを持つ。

7-14
姿勢を低くして
仆歩になる（七寸靠）。
脚の円膽を保つ。

7-15

7-19

7-20

7-21

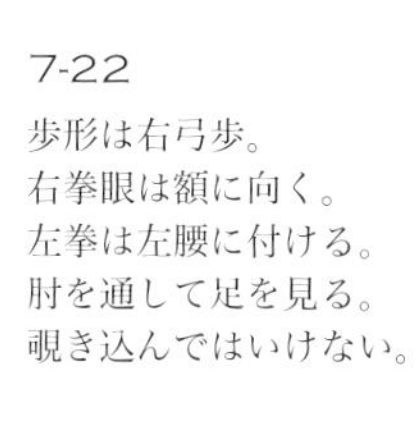

7-22
歩形は右弓歩。
右拳眼は額に向く。
左拳は左腰に付ける。
肘を通して足を見る。
覗き込んではいけない。

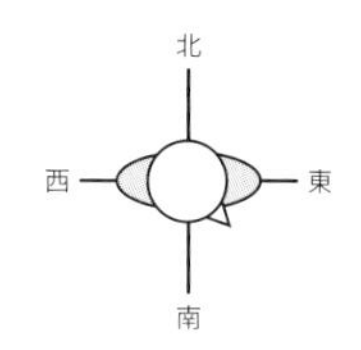

8 左指襠
Zuo zhi dang

7-22

8-1

8-2
両拳を左に打ち出す。
両拳心が上を向く。

8-4
左足を上げて、すぐに踏み込み、
両拳を斜め下方に打ち出す。

8-3
両拳を左膝の上を通って後方に回す。

8-7
左足に完全に体重を乗せず、
七割乗せる程度にする。
両拳心が向かい合う。

8-5

8-6

9 右斬手

You zhan shou

8-7

左指襠で左足が着地してすぐに再び上げる。

9-1

9-2

9-6

左足で跳躍し、左足を右脚の後ろから右側に差し込む。

9-7

9-8

別角度

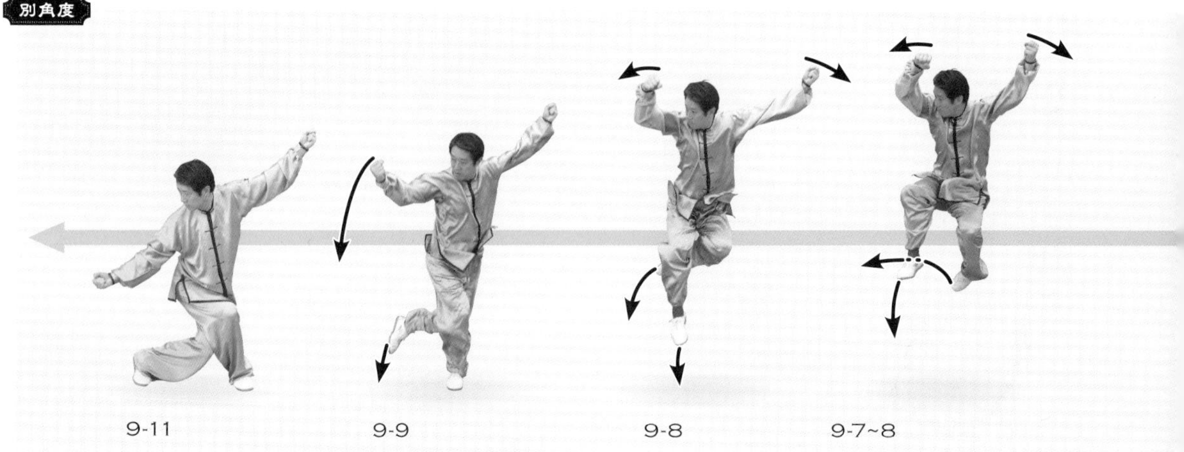

9-11

9-9

9-8

9-7~8

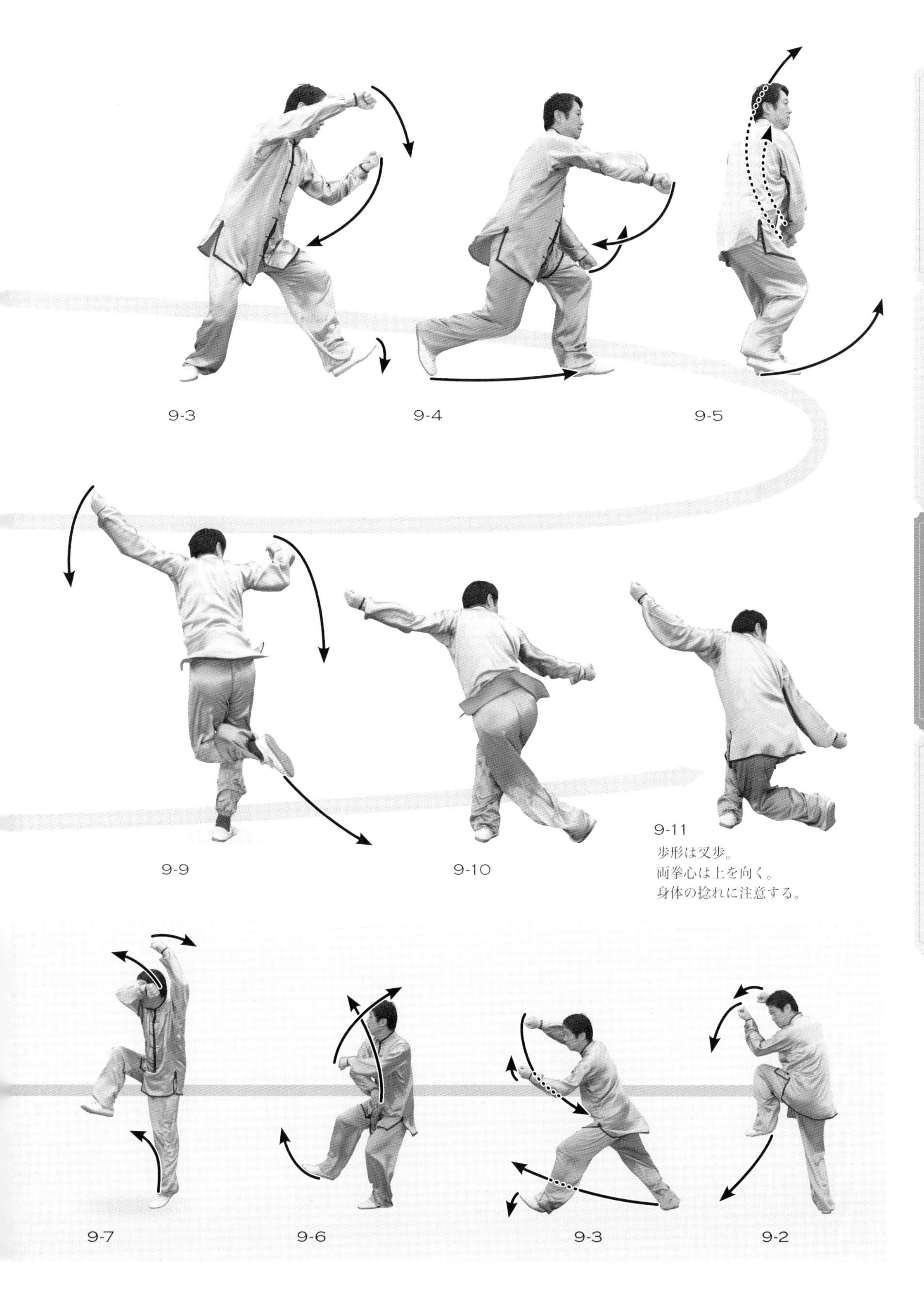

歩形は叉歩。
両拳心は上を向く。
身体の捻れに注意する。

10 翻花舞袖 1/2

Fan hua Wu xiu

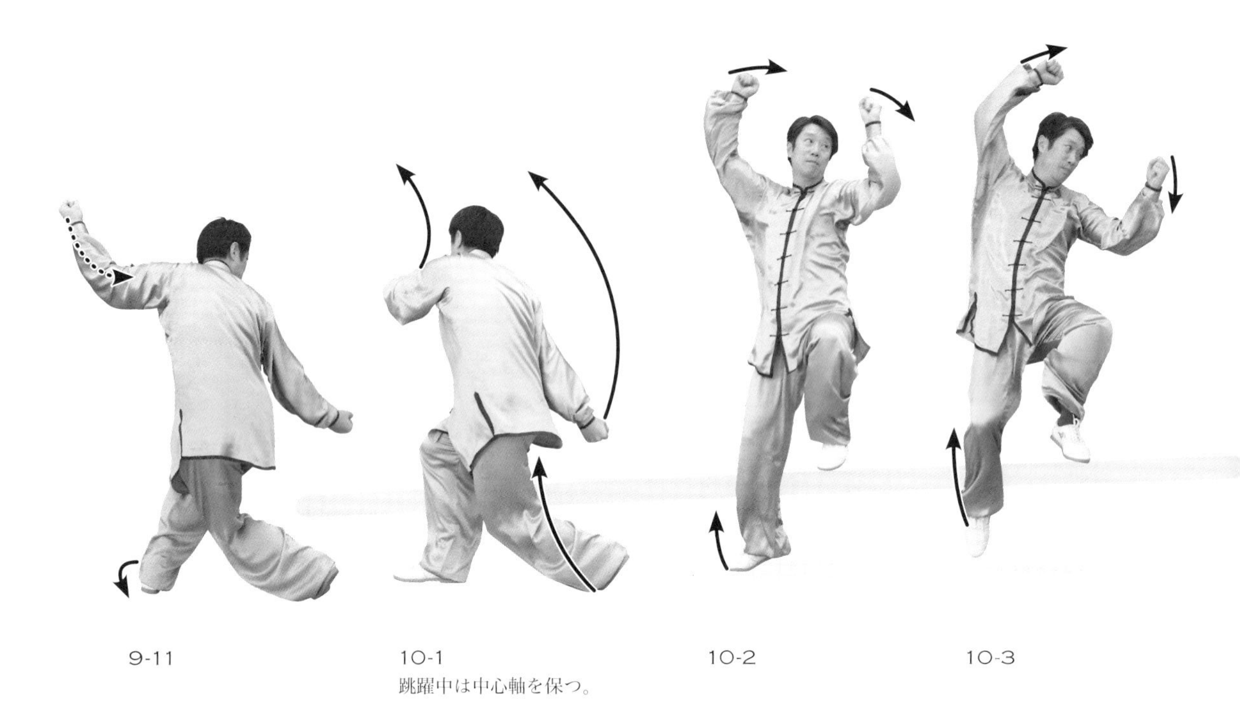

9-11

10-1
跳躍中は中心軸を保つ。

10-2

10-3

10-7
両腕を左から上へ回し、
跳躍する。
跳躍中は中心軸を保つ。

10-8

10-4

10-5
左足、右足の順に着地する。
左拳背、右拳面での打撃の
連続攻撃をする。

北
西 東
南

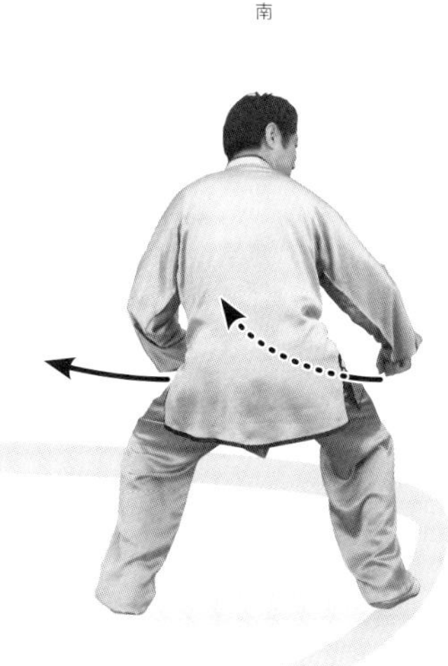

10-6
歩形は馬歩。

10-9

10-10
右足、左足の順に着地する。
右拳背、左拳面での打撃の
連続攻撃。

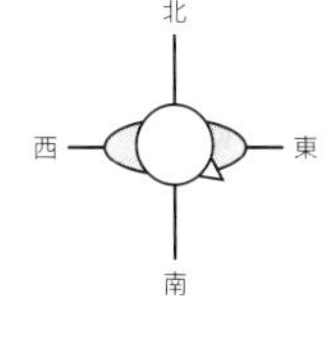

10-11
歩形は馬歩。

10 翻花舞袖 2/2

Fan hua Wu xiu

10-11

10-12
両腕を右から上へ大きく円を
描くように回し、跳躍する。

10-13

10-16

10-17

翻花舞袖の開始時（9-11）は、
身体が北を向いている。
１回目の跳躍で北を向き、
２回目の跳躍で南を向く。
３回目の跳躍で再び北を向く。
つまり、３回の跳躍を連続して行う。
バランスを崩しやすいので、
身体の中心軸を保つ。

10-14

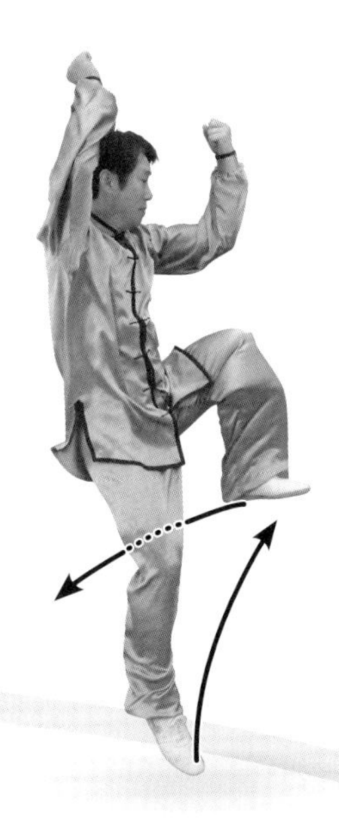

10-15

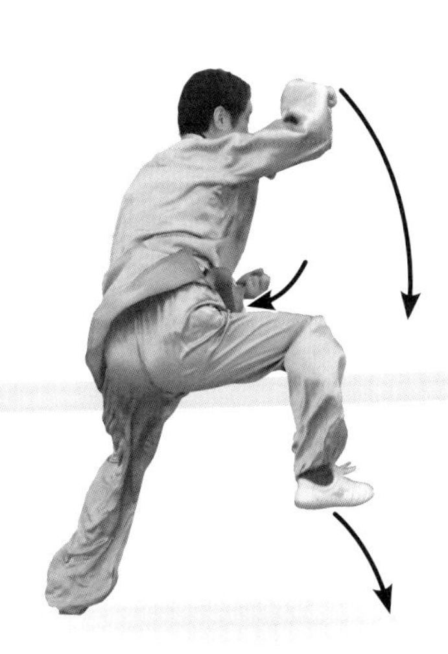

10-18

左足、右足の順に着地する。
左拳背での打撃、右拳面での
打撃の連続攻撃。

10-19

11 掩手捶
Yan shou chui

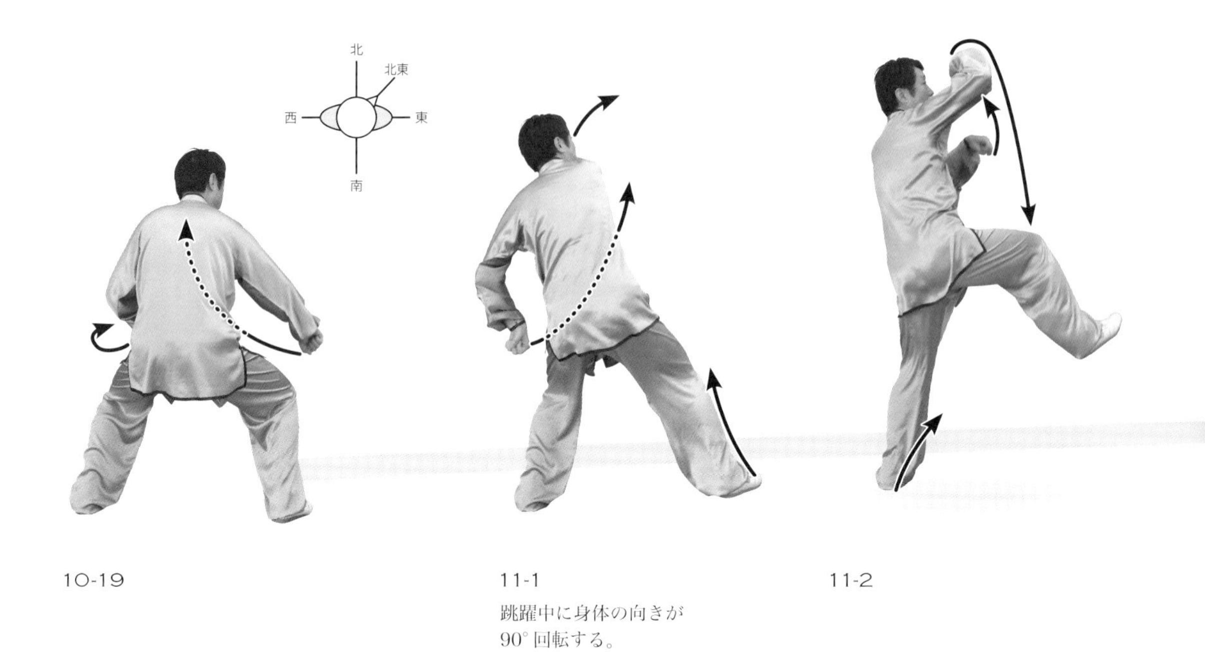

10-19

11-1
跳躍中に身体の向きが
90° 回転する。

11-2

11-5

11-6

11-3

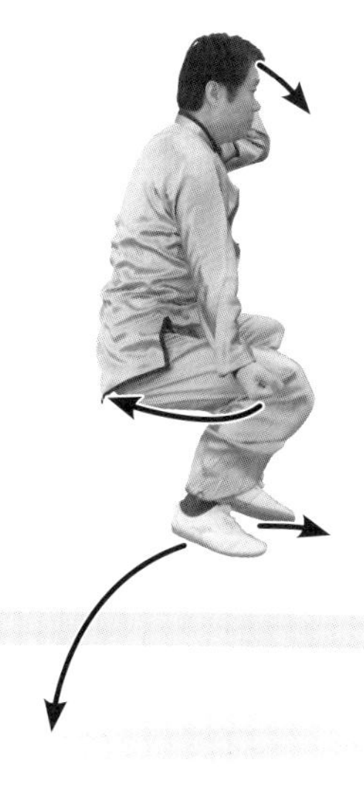

11-4
右足から着地して震脚。

11-7
右拳を逆纏絲しながら、
正面に向けて素早く拳を放つ。

11-8
歩形は左弓歩。
胸を張らず、自然な円にして、
腰でしっかり支える（含胸塌腰）。

12 拗鸞肘

Niu luan zhou

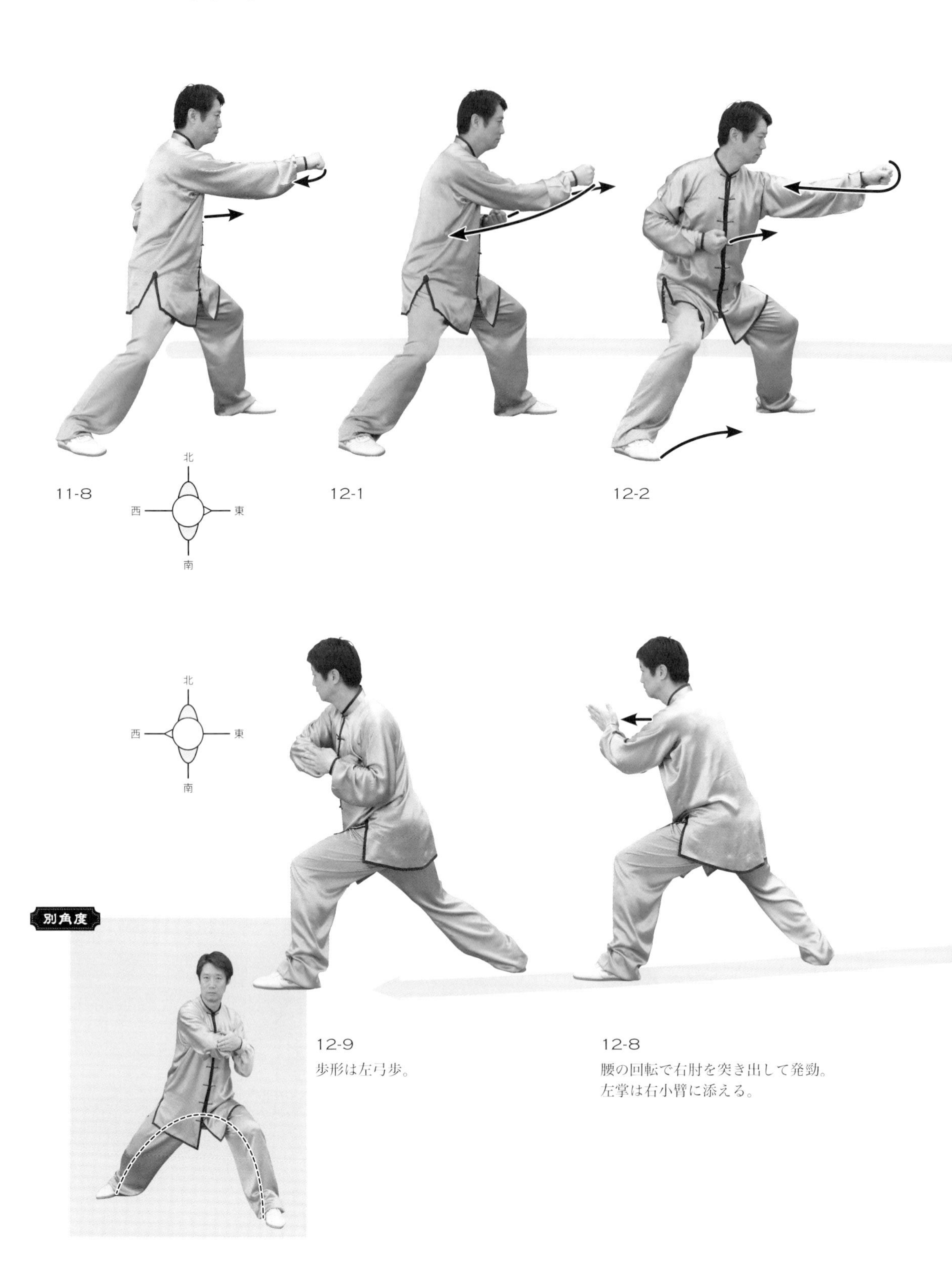

11-8

12-1

12-2

12-9
歩形は左弓歩。

12-8
腰の回転で右肘を突き出して発勁。
左掌は右小臂に添える。

12-3
左足で踏み切って跳躍する。
跳躍中に右拳を右へ打つ。

12-4

12-5

12-6
右足、左足の順に着地する。
左足は踵から着地する。

12-7
左手を拳から掌に変える。

13 大紅拳

Da hong quan

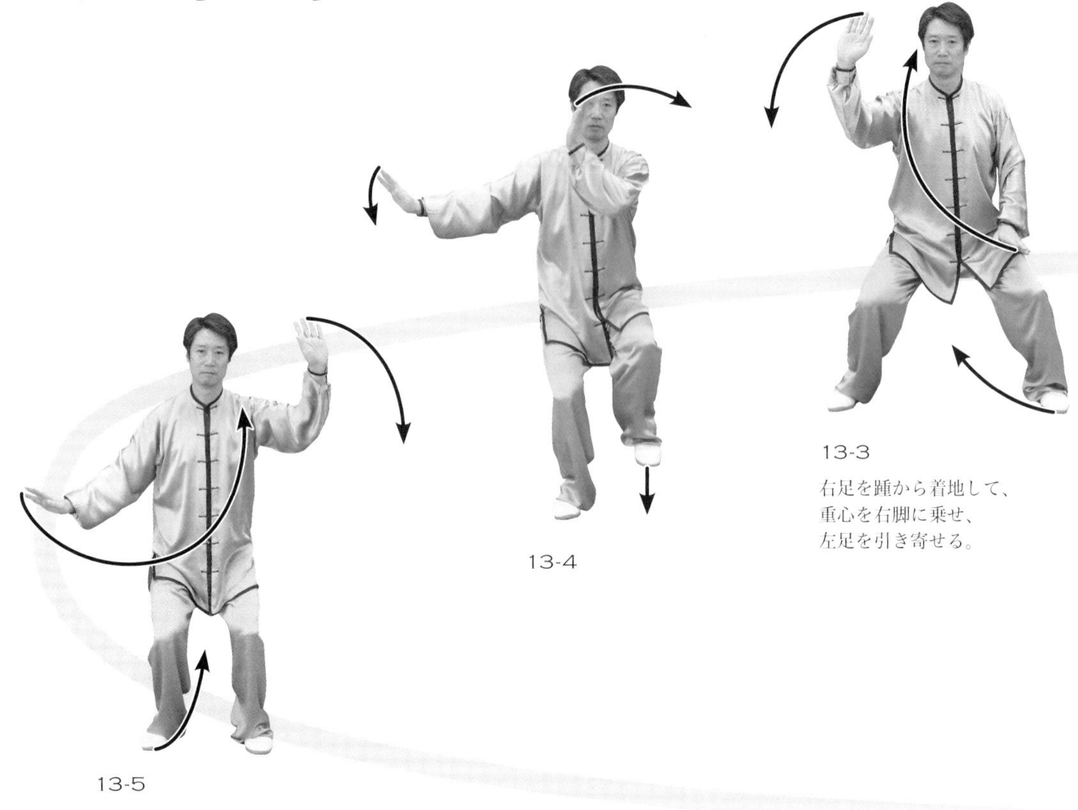

13-3

右足を踵から着地して、
重心を右脚に乗せ、
左足を引き寄せる。

13-4

13-5

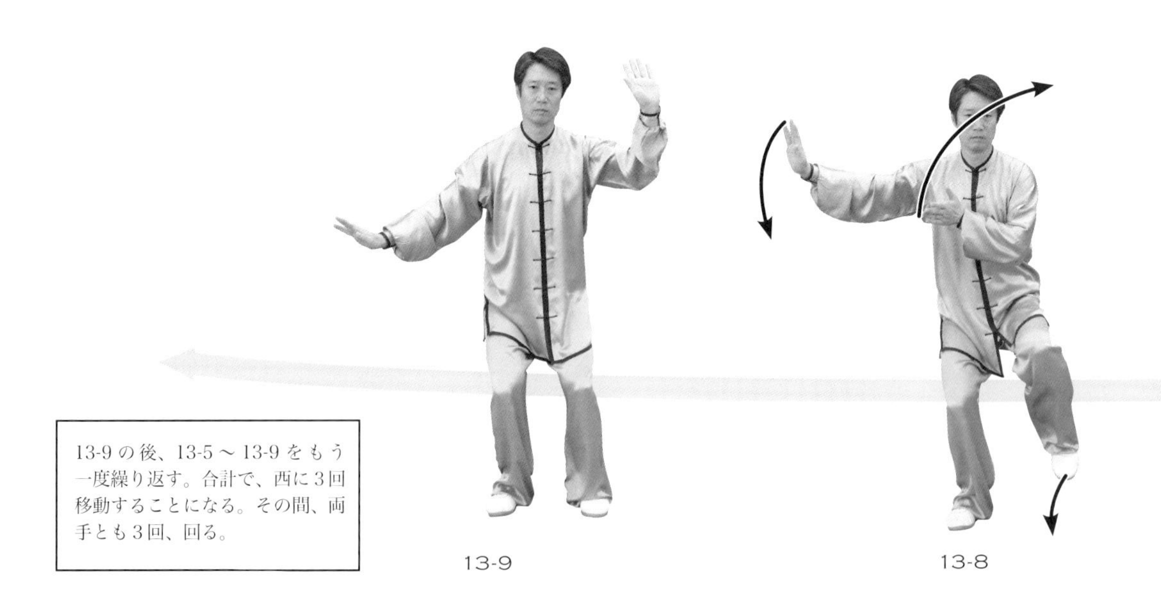

13-9 の後、13-5 〜 13-9 をもう一度繰り返す。合計で、西に3回移動することになる。その間、両手とも3回、回る。

13-9

13-8

12-9

左足つま先を外に
回す（擺歩）。

13-1

ここから南を向いたまま、西へ3回
移動する（右足を右に運び、左足を
寄せるという動きを1回とする）。
左手をさげ、右手を上げる。

13-2

両手を纏絲させながら、大きく回す。
手の纏絲は、胸から顔の高さで順纏
絲から逆纏絲へ転換する。

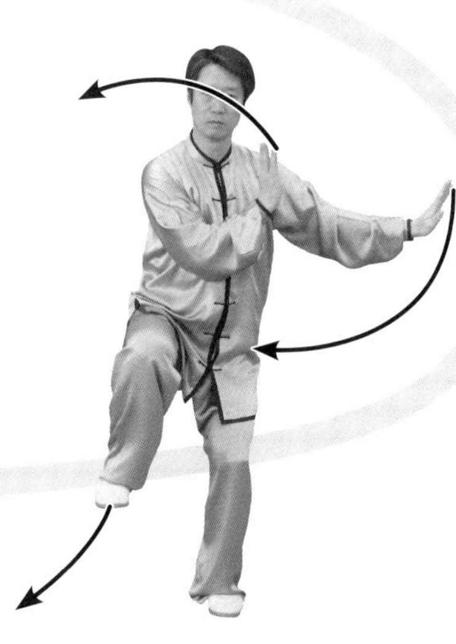

13-6

13-7

14 小紅拳 (Xiao hong quan)

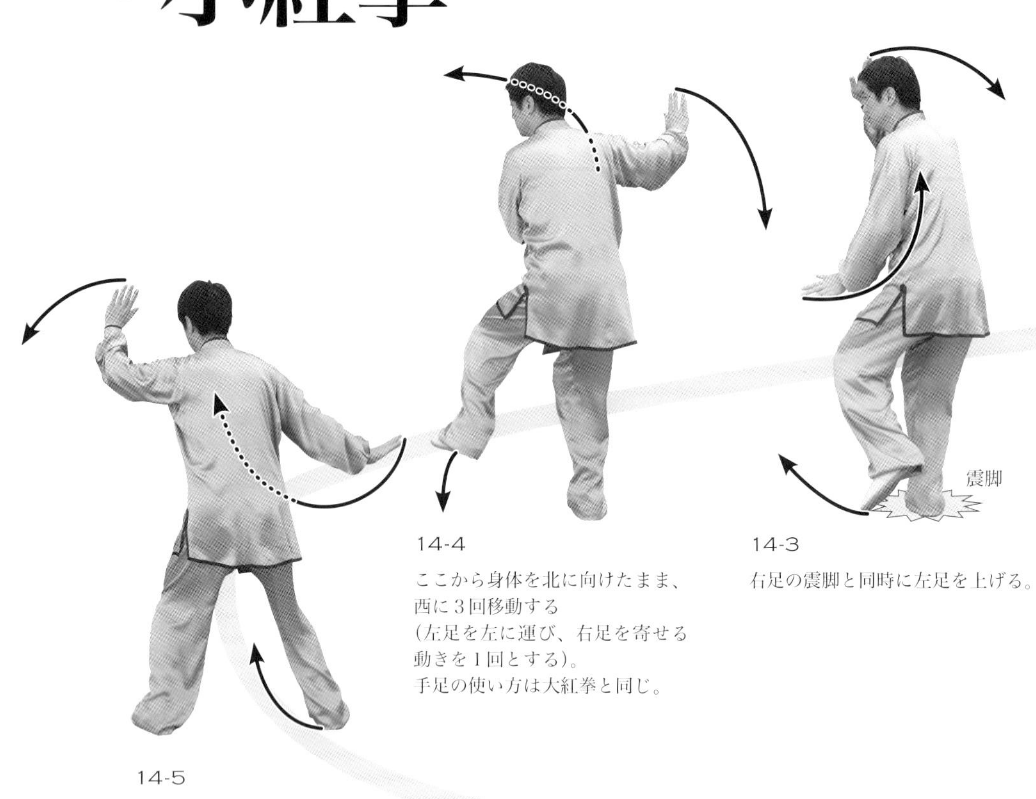

14-3

右足の震脚と同時に左足を上げる。

14-4

ここから身体を北に向けたまま、西に3回移動する
（左足を左に運び、右足を寄せる動きを1回とする）。
手足の使い方は大紅拳と同じ。

14-5

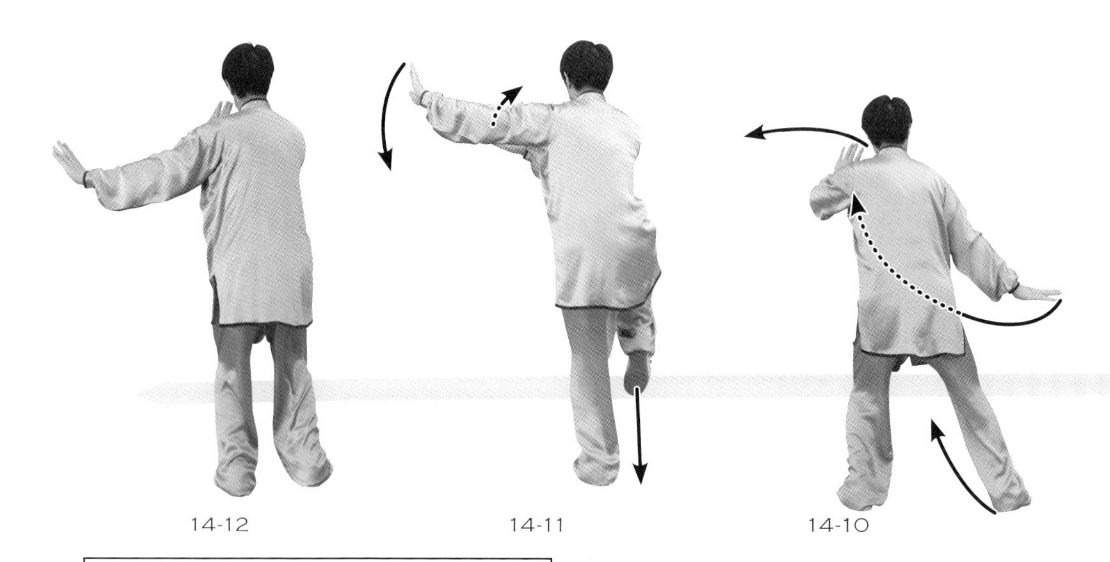

14-10

14-11

14-12

14-12の後、14-7〜14-12をもう一度繰り返す。合計で、西に3回移動することになる。その間、両手とも3回、回る。

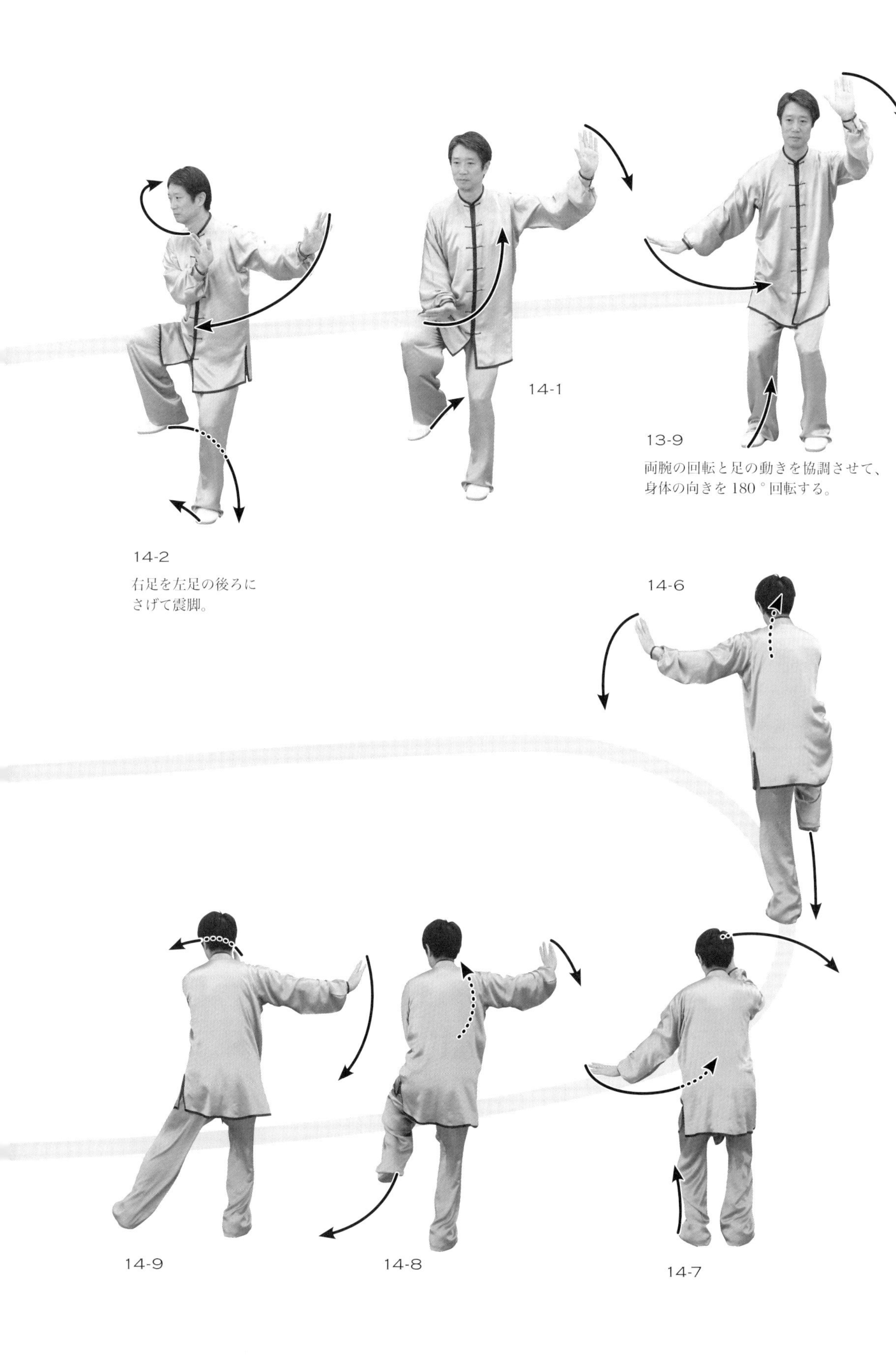

13-9
両腕の回転と足の動きを協調させて、身体の向きを 180°回転する。

14-1

14-2
右足を左足の後ろにさげて震脚。

14-6

14-7

14-8

14-9

15 高探馬
Gao tan ma

14-12
前の動作では、右足を下して着地した。その流れで左足を上げて、両手を右へ回す。

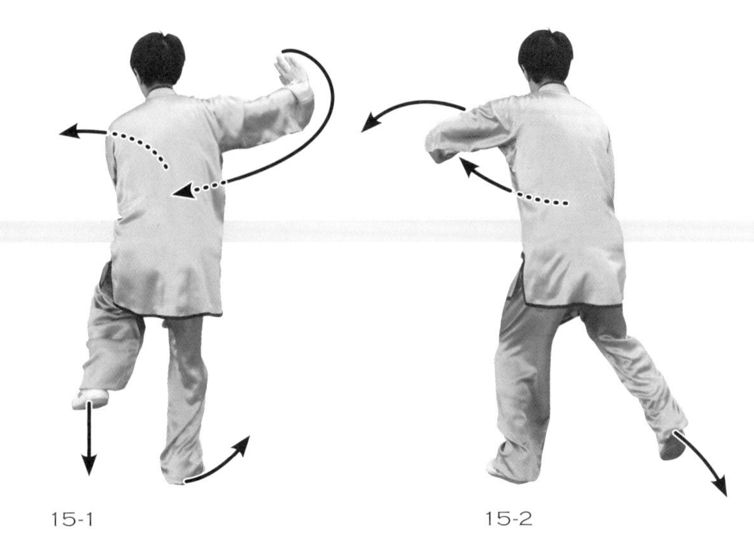

15-1
左足の着地と同時に右足を上げる。

15-2

15-6
左足を踵から着地する。

15-7
左足のつま先を外に回す。

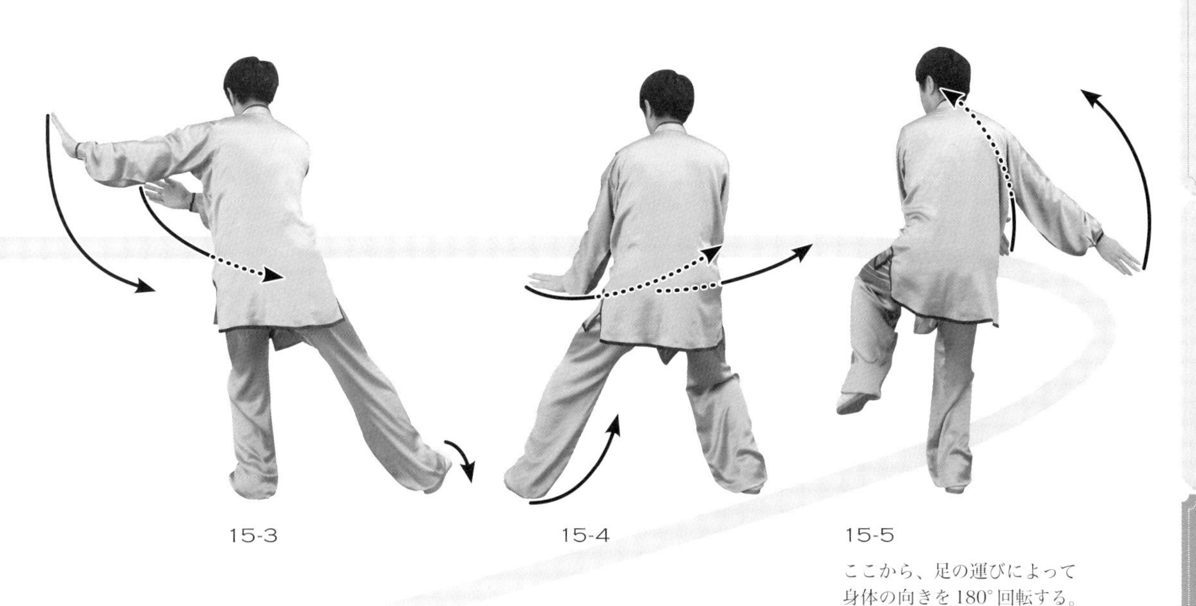

15-3

15-4

15-5

ここから、足の運びによって
身体の向きを180°回転する。

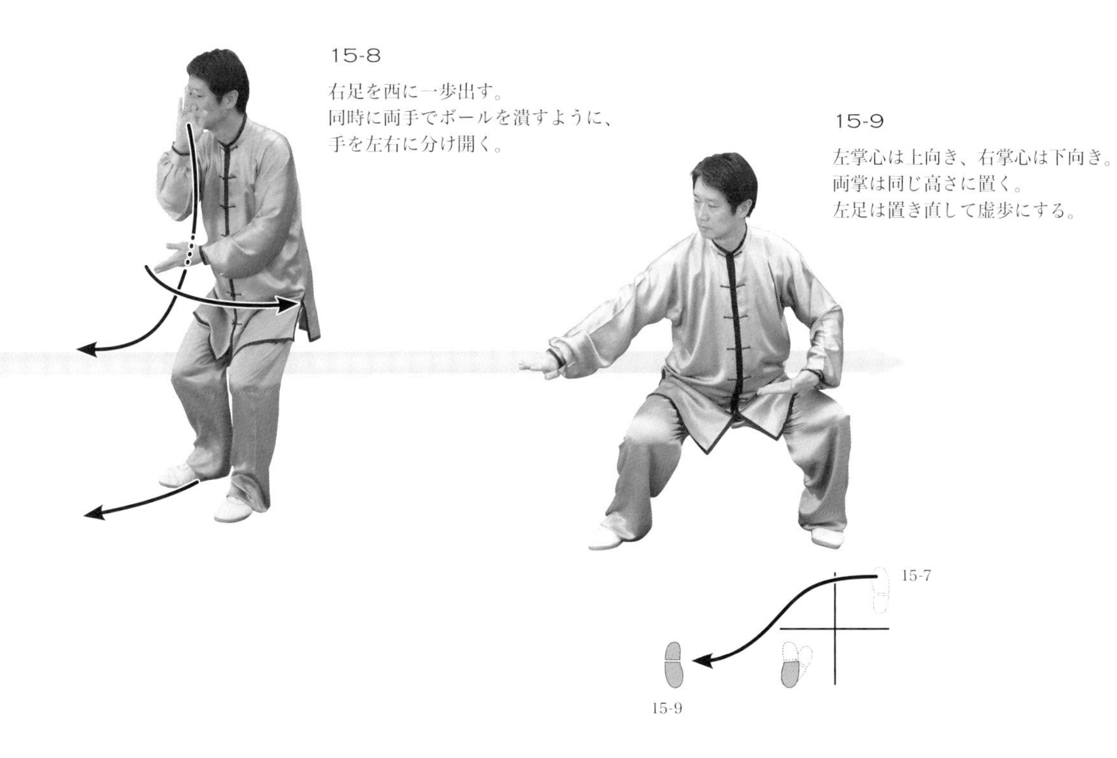

15-8

右足を西に一歩出す。
同時に両手でボールを潰すように、
手を左右に分け開く。

15-9

左掌心は上向き、右掌心は下向き。
両掌は同じ高さに置く。
左足は置き直して虚歩にする。

16 玉女穿梭

Yu nü Chuan suo

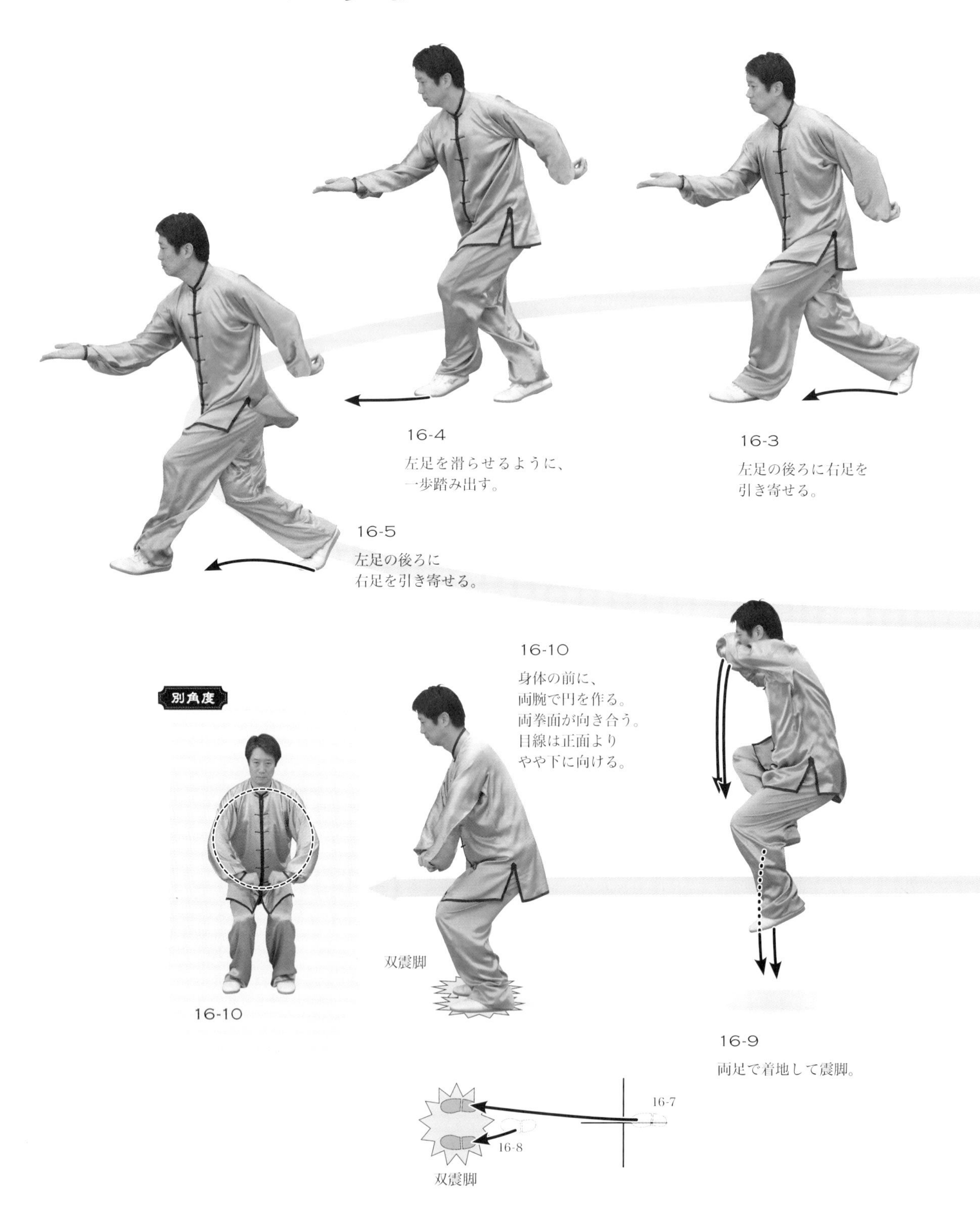

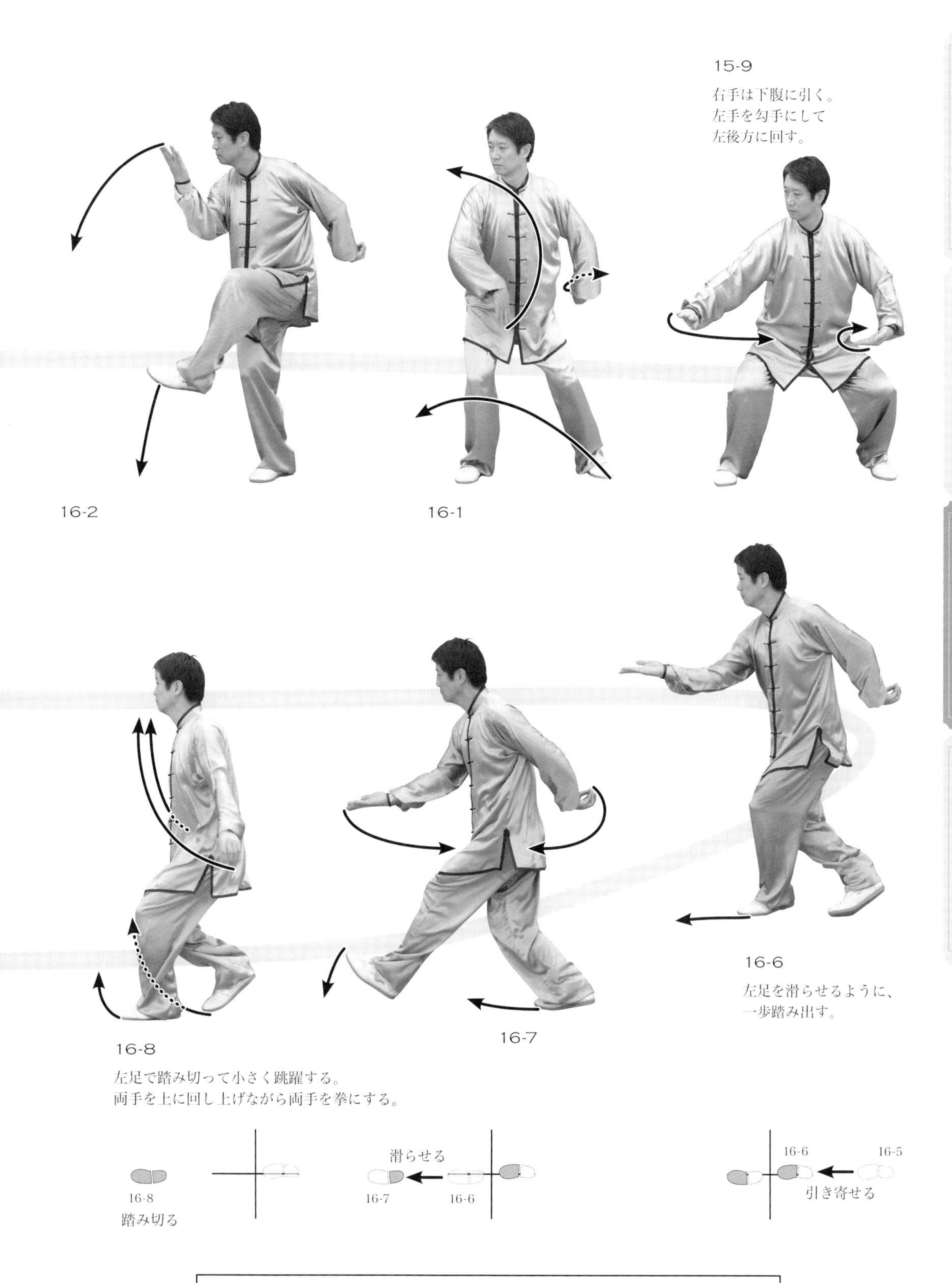

15-9
右手は下腹に引く。
左手を勾手にして
左後方に回す。

16-6
左足を滑らせるように、
一歩踏み出す。

16-8
左足で踏み切って小さく跳躍する。
両手を上に回し上げながら両手を拳にする。

「16 玉女穿梭」では、16-3 ～ 16-4 を 2 ～ 3 回繰り返して、16-8 に繋げる。

17 倒騎龍

Dao qi long

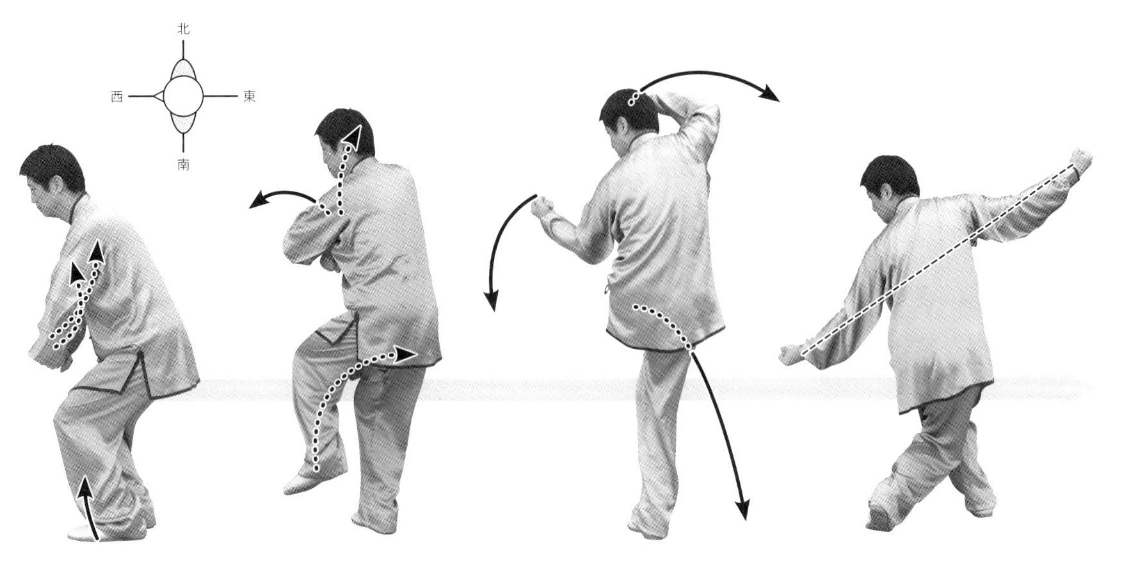

16-10

17-1
左足を高く上げて、
右膝の前を通して、
右へ蓋歩をする。

17-2
両手は円を描きながら、
上下に分け開く。

17-3
両拳心は上向き。
両腕が斜めの
一直線上に並ぶ。

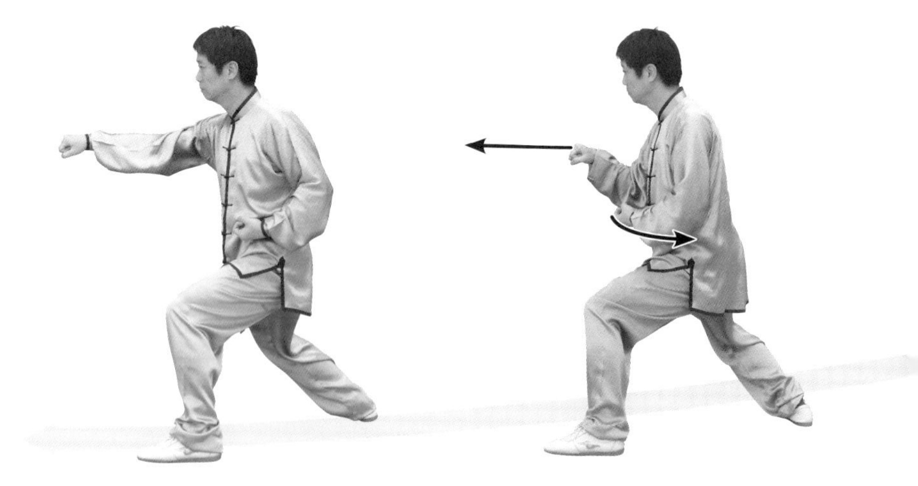

18-8
右拳面が西向き。
胸を張らず、自然な円にして、
腰でしっかり支える（含胸塌腰）。

18-7
右拳で正面に発勁。

18 掩手捶
Yan shou chui

17-3
ここから身体を
回しながら跳躍し、
18-4 までに
270° 回転する。

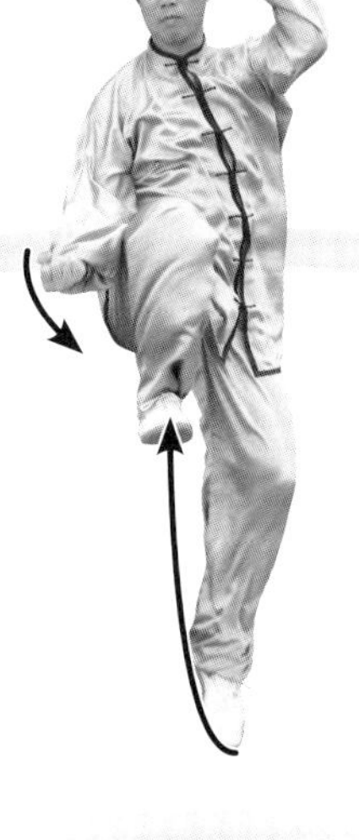

18-1
左脚で踏み切り、
跳躍する。
跳躍中に両腕を
上下に分け開く。

18-2
回転中の身体の
軸を崩さない。

18-3
右足から着地して震脚。

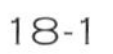

18-5

18-4

18-6

19 裏鞭砲
Guo bian pao

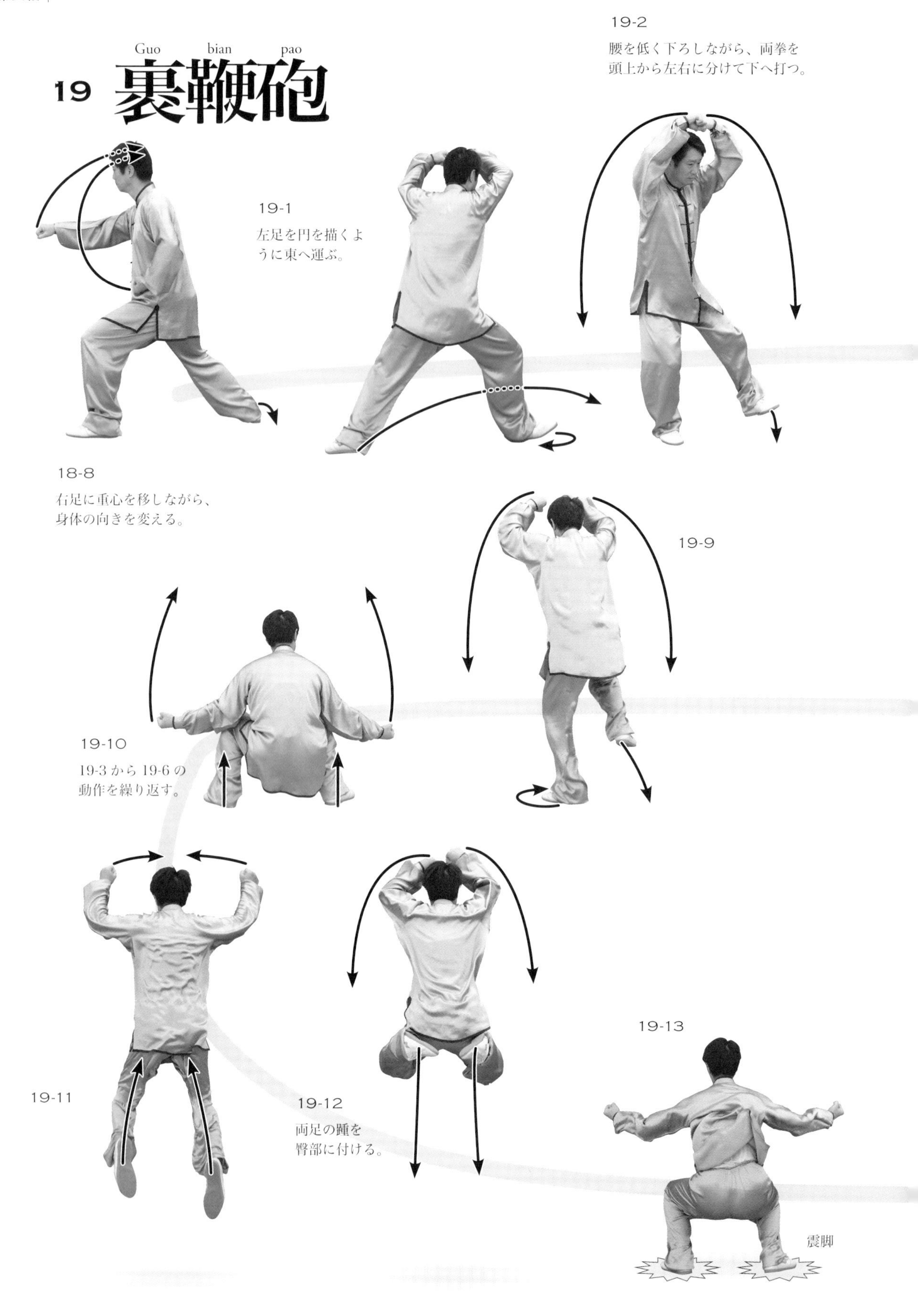

18-8
右足に重心を移しながら、身体の向きを変える。

19-1
左足を円を描くように東へ運ぶ。

19-2
腰を低く下ろしながら、両拳を頭上から左右に分けて下へ打つ。

19-9

19-10
19-3 から 19-6 の動作を繰り返す。

19-11

19-12
両足の踵を臀部に付ける。

19-13

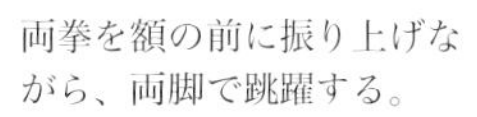

19-3

両拳を額の前に振り上げながら、両脚で跳躍する。

19-4

両足の踵が臀部に付くまで高く跳躍する。

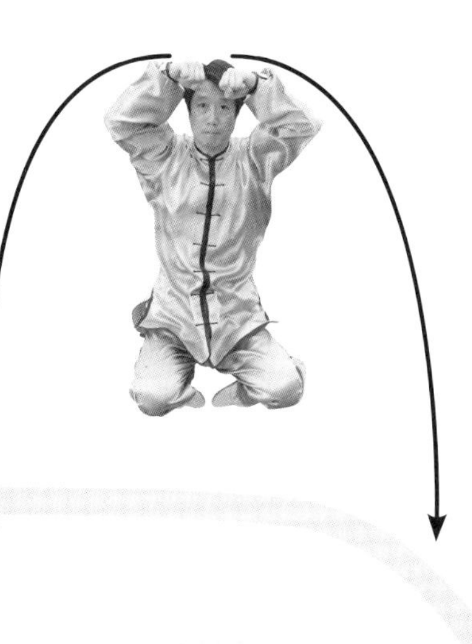

19-5

両拳が額の前にある時、拳心は下を向く。落下しながら両拳を左右に分けて下へ打つ。

19-6

両脚で双震脚。
両拳心は上を向く。目線は正面を向く。
19-4 ～ 19-6 をもう一度行う。

19-7

腰を上げながら、左足を中心に身体の向きを 180° 回転し、再び腰を低く下ろす。

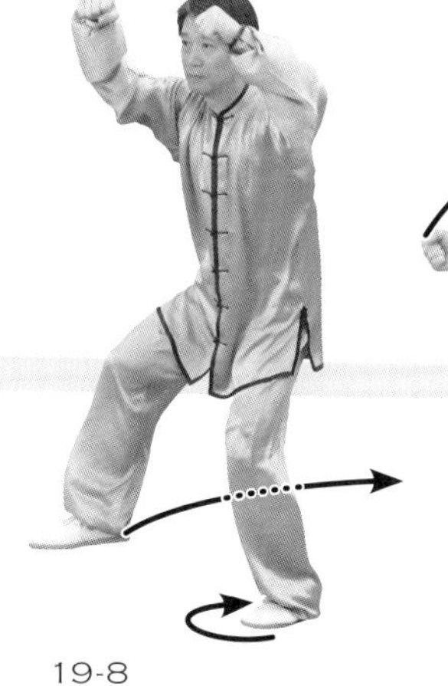

19-8

南を向いた状態で、しゃがみながら下を打つ動作は、1回目（19-1 ～ 19-3）、2回目（19-4 ～ 19-6）、3回目（19-4 ～ 19-6 を繰り返す）の合計3回行う。

19-14

19-11 ～ 19-14 をもう一度行う。

北を向いた状態で、しゃがみながら下を打つ動作は、1回目（19-7 ～ 19-10）、2回目（19-11 ～ 19-14）、3回目（19-11 ～ 19-14 を繰り返す）の合計3回行う。

20 掩手捶 (Yan shou chui)

11 掩手捶に準ずる

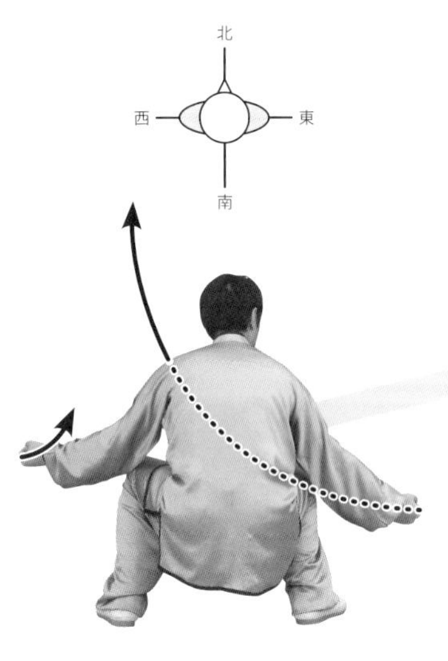

19-14

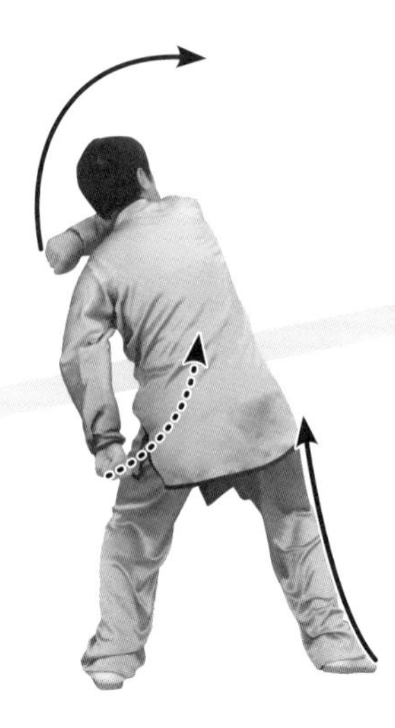

20-1

20-2

20-6

20-7

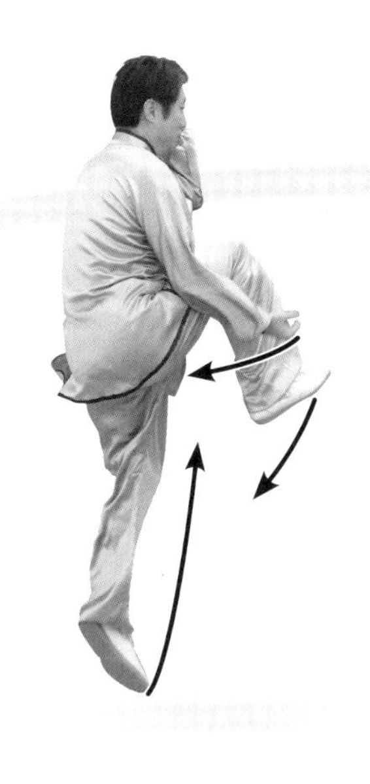

20-3

20-4
右足から着地して震脚。

20-5
左足を東北に一歩踏み出す。

20-8
右拳を逆纏絲しながら、正面に向けて打つ。
腰の回転と突きのタイミングを合わせる。

20-9
歩形は左弓歩。
胸を張らず、自然な円にして、
腰でしっかり支える（含胸塌腰）。

21 獣頭勢

Shou tou shi

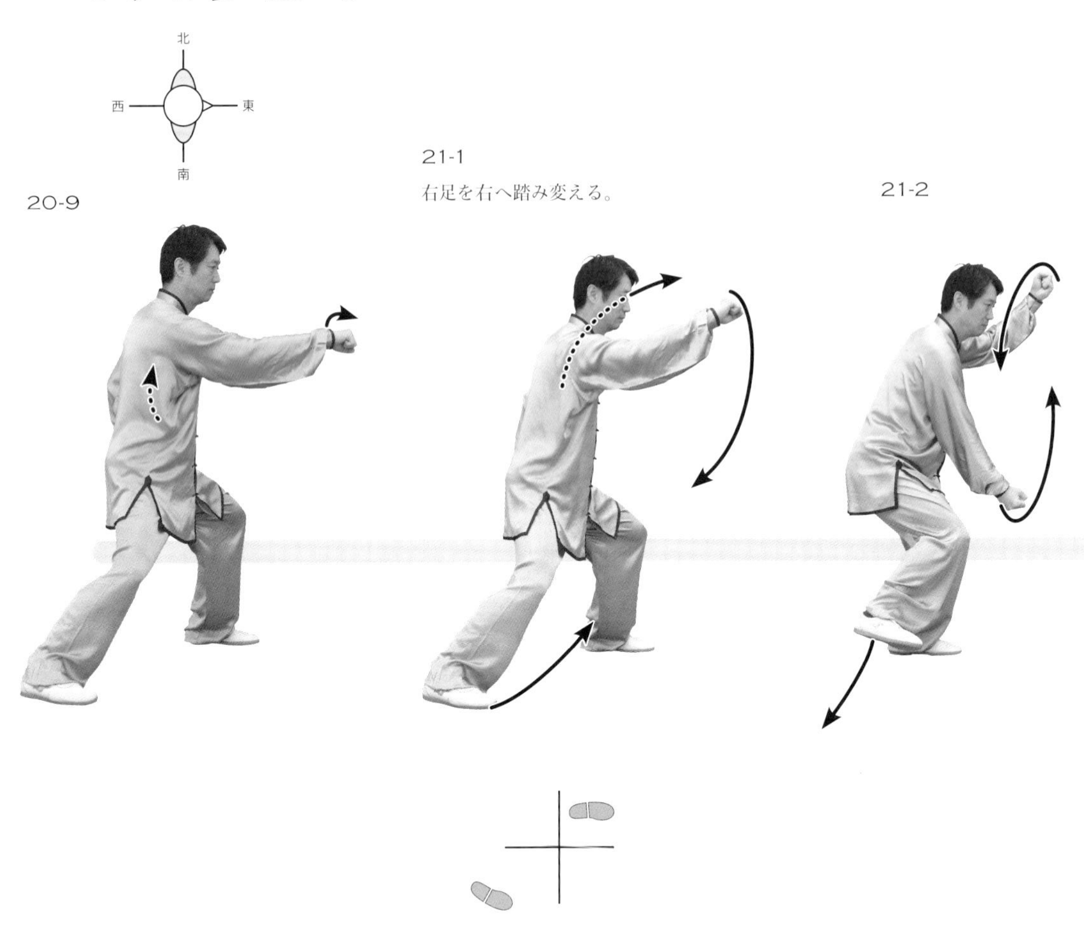

20-9

21-1
右足を右へ踏み変える。

21-2

20-9 21-1 21-2

21-3

右足に重心を乗せて、
左足を引き寄せ、虚歩になる。
胸の前で交叉した腕を、
上下に分け開く。

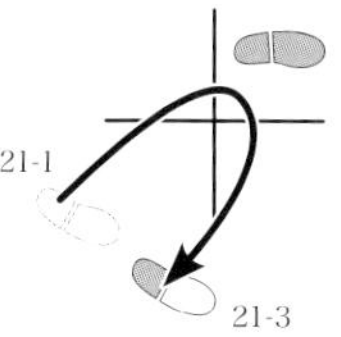

21-4

21-5

左足は虚歩。

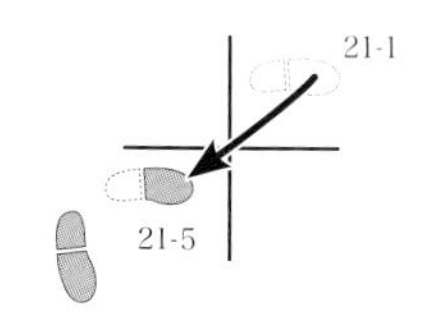

21-3

21-4

21-5

両腕と下肢の円膽を保つ。

22 劈架子
Pi jia zi

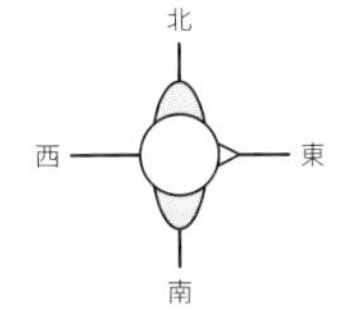

21-5

両腕を回しながら、
拳から掌に変える。

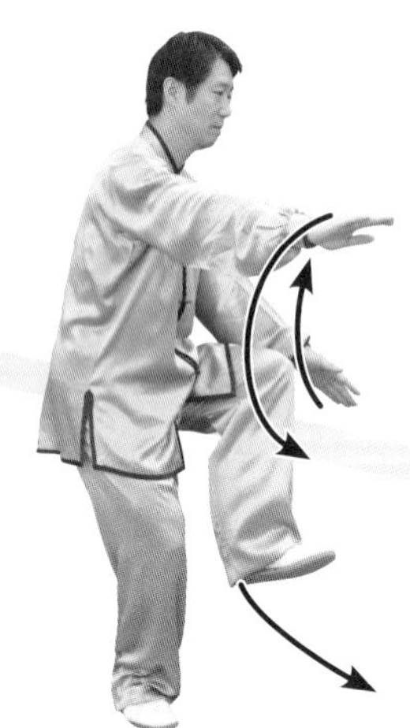
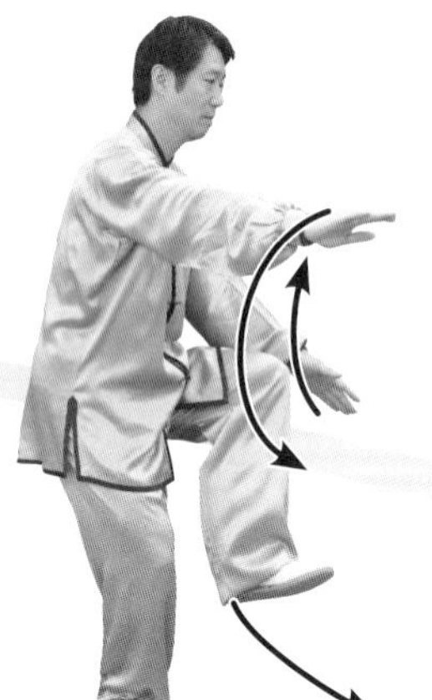
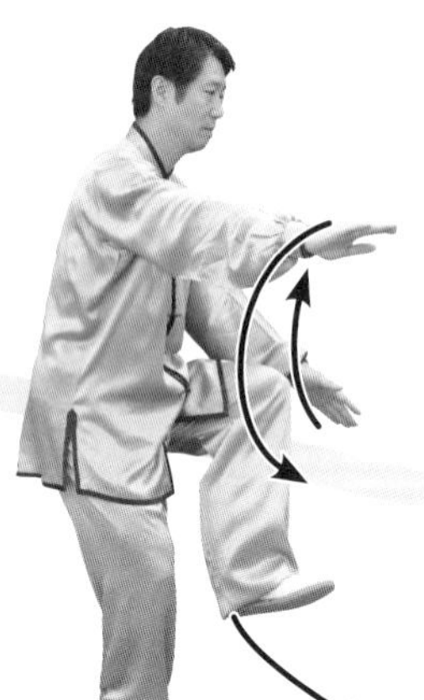

22-1

左足を一歩踏み込み、
踵から着地する。

22-2

重心を左足に移しながら、
両腕を胸の前で交叉させ、
胸の前に円形を形成する。

22-3

両手を頭上から
左右に分け開く。

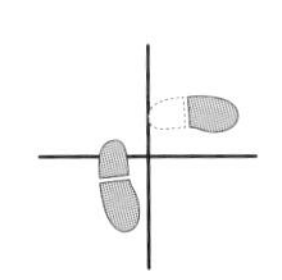

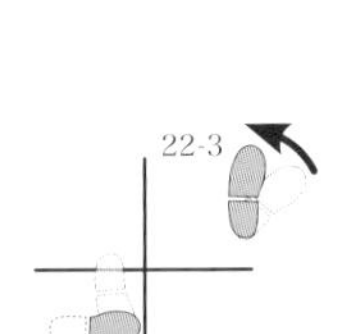

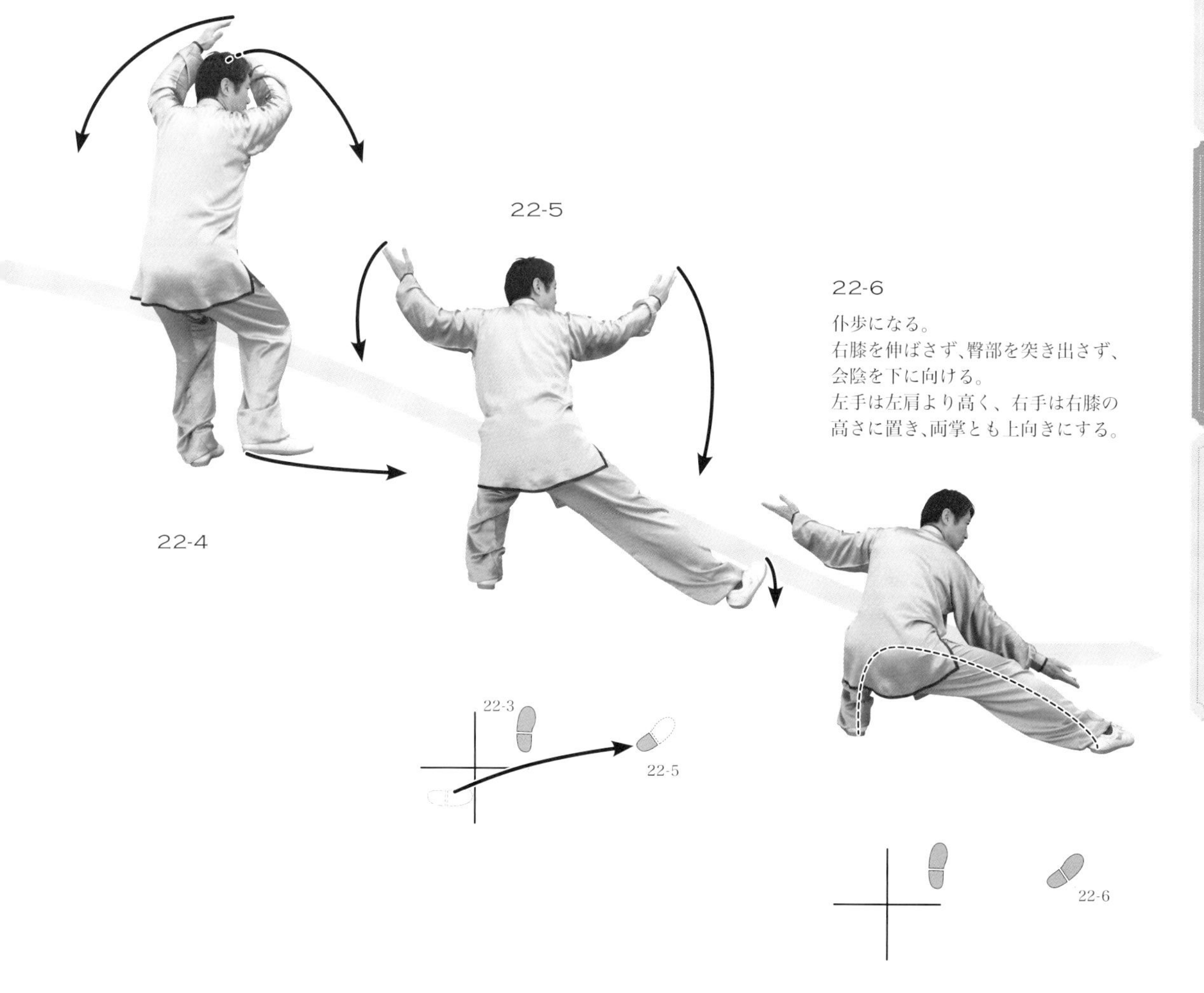

22-6
仆歩になる。
右膝を伸ばさず、臀部を突き出さず、会陰を下に向ける。
左手は左肩より高く、右手は右膝の高さに置き、両掌とも上向きにする。

23 左合

Zuo he

22-6

23-1
身体の前に両腕で大きく
円を描くように回す。

23-2

23-3
右足を着地して震脚する
と同時に左足を上げる。

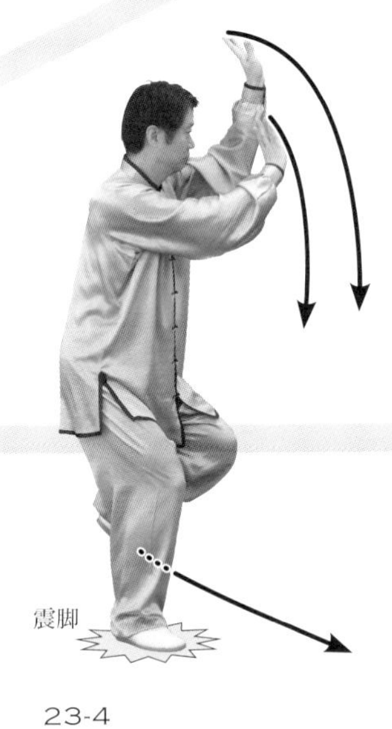

23-4
左足を東に踏み出して、
震脚する。
両掌で下方を打つ。

23-5
歩形は馬歩。
両掌は約 30㎝の間隔を取って、
掌心を下に向く。
目線は左掌前方を見る。

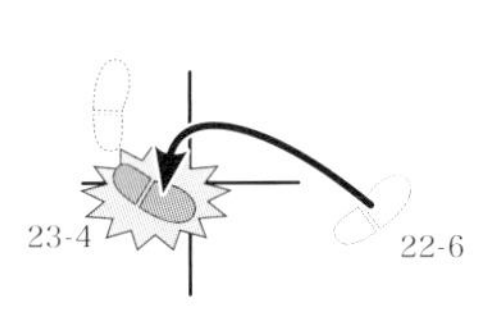

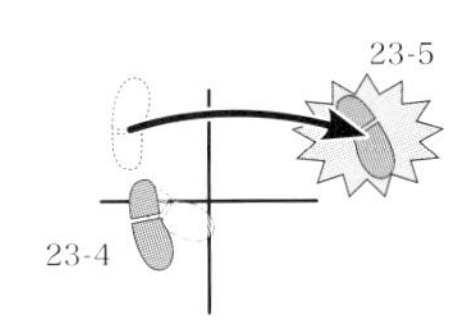

24 右合 (You he)

23-5
身体の前に両腕で大きく
円を描くように回す。

24-1

24-2
左足を下ろして震脚。

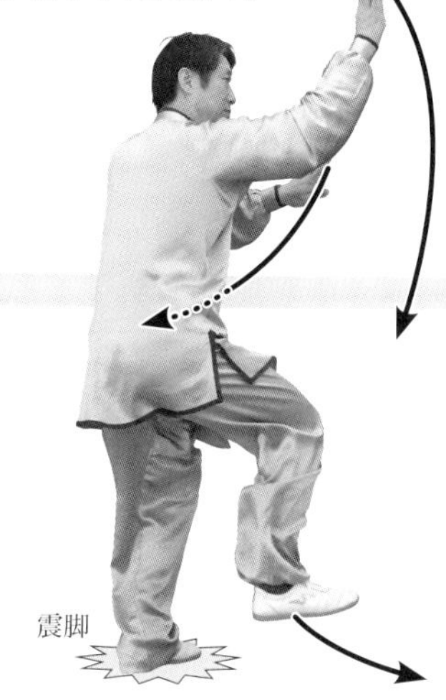

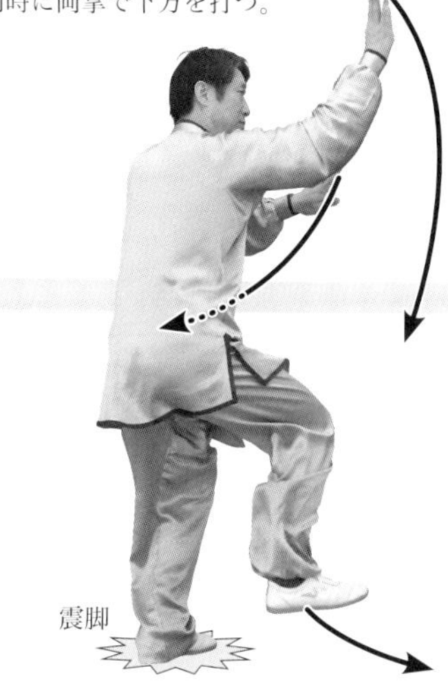

24-3
右足を一歩踏み出して震脚。
同時に両掌で下方を打つ。

24-4
歩形は馬歩。
両掌は約30cmの間隔を取って、
掌心は下を向く。右掌前方を見る。

24-3 23-5

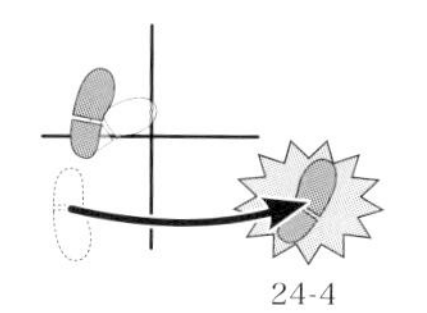

25 掩手捶（Yan shou chui）

11 掩手捶に準ずる

24-4

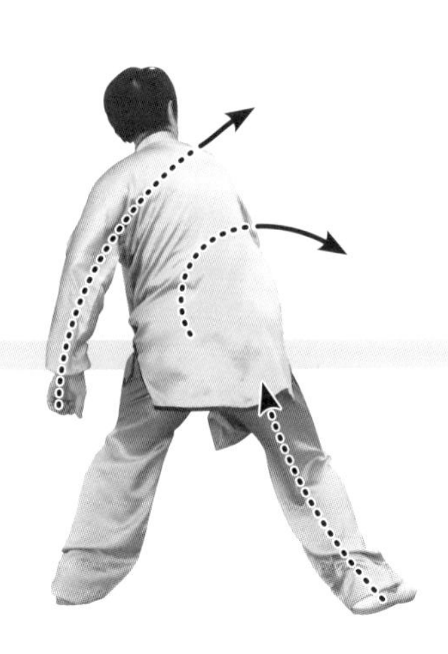

25-1

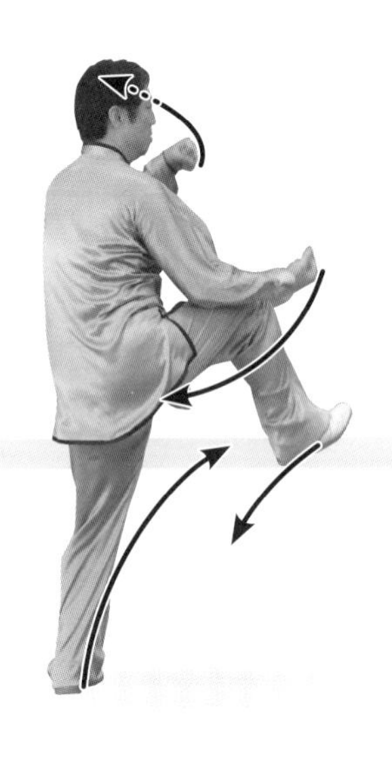

25-2

北
西　東
南

25-5

25-3

震脚

25-4

右足で着地して、震脚。

北
西
東
南

25-6

右拳を逆纏絲しながら、正面に向けて打つ。

25-7

歩形は左弓歩。
胸を張らず、自然な円にする。

26 伏虎勢
Fu hu shi

北
西 東
南

25-7

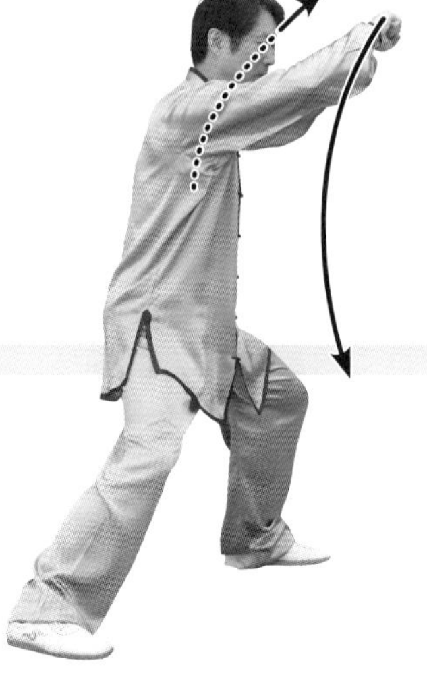

26-1

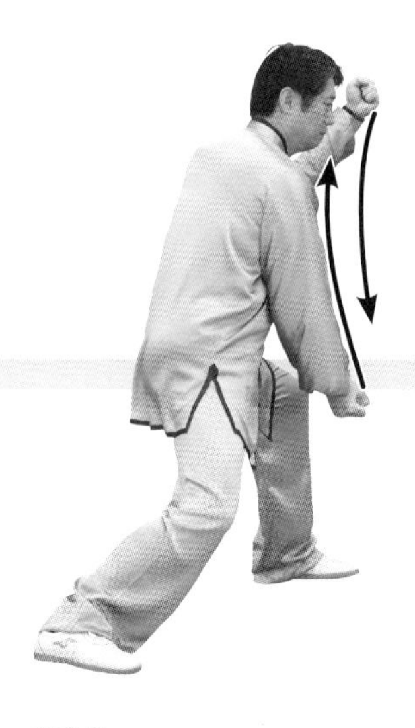

26-2

両腕を回しながら、
重心を左足に掛けた状態から、
少し右に移動する。

別角度

25-7　26-1~2　26-3

26-3

26-4

26-4
円艡を保つ。

27 抹眉紅 (Mo mei hong)

26-4

27-1

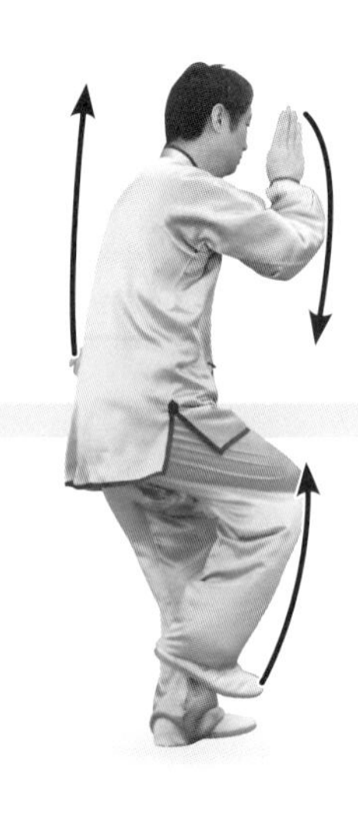

27-2

左足で踏み切り跳躍、
空中で180°向きを変える。
右掌で右膝を叩く。

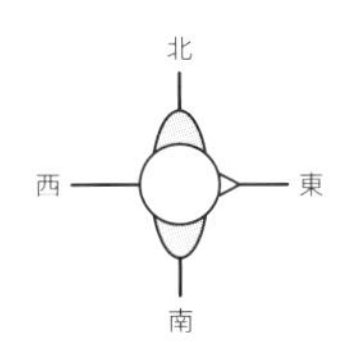

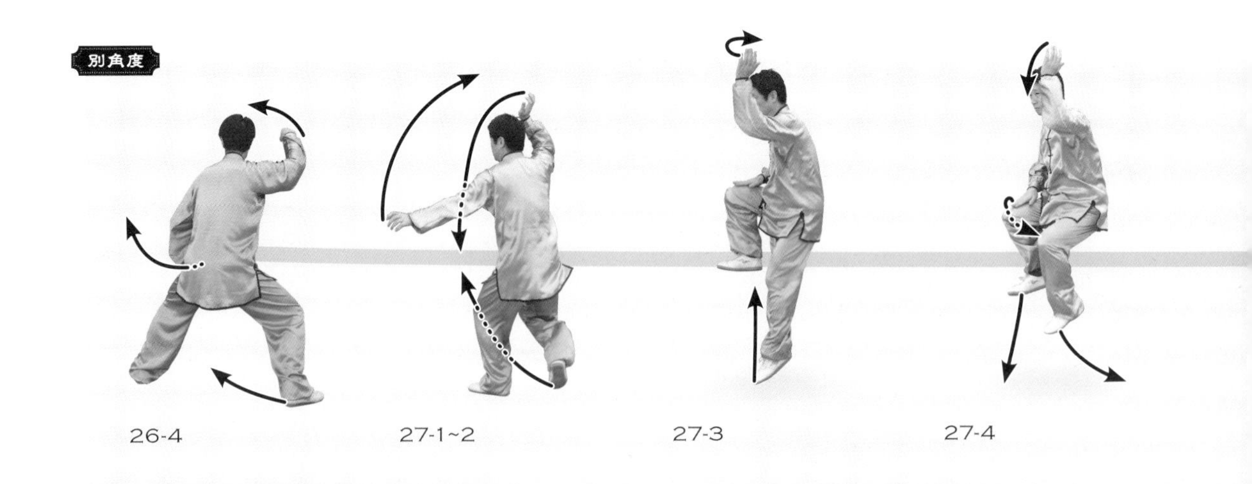

26-4　27-1~2　27-3　27-4

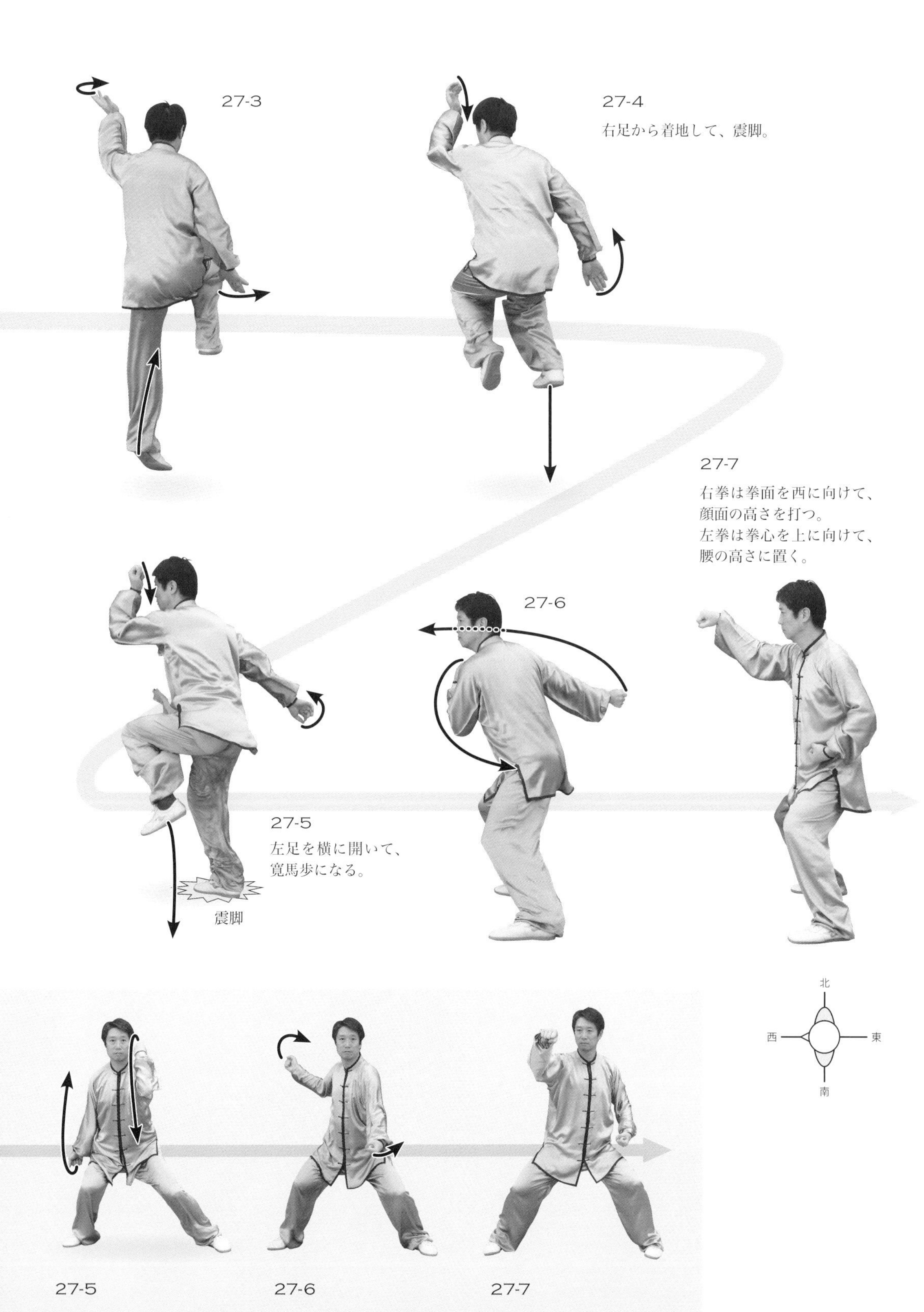
27-3
27-4
右足から着地して、震脚。
27-7
右拳は拳面を西に向けて、
顔面の高さを打つ。
左拳は拳心を上に向けて、
腰の高さに置く。
27-6
27-5
左足を横に開いて、
寛馬歩になる。
震脚
北
西
東
南
27-5
27-6
27-7

28 右黄龍三攪水

You Huang long San jiao shui

28-1 ～ 28-4 の動きを３回繰り返す。

28-3

左足を右足に引き寄せて震脚する。

28-4

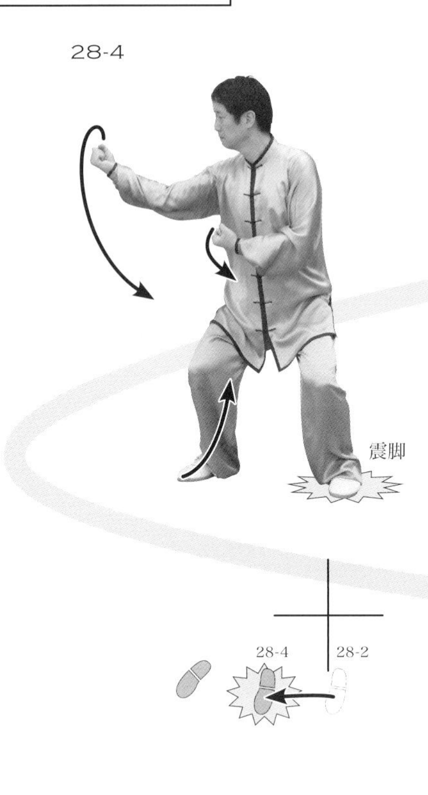

28-7

28-8

27-7
右拳を身体の前で
大きく回しながら、
右足を西へ一歩出す。

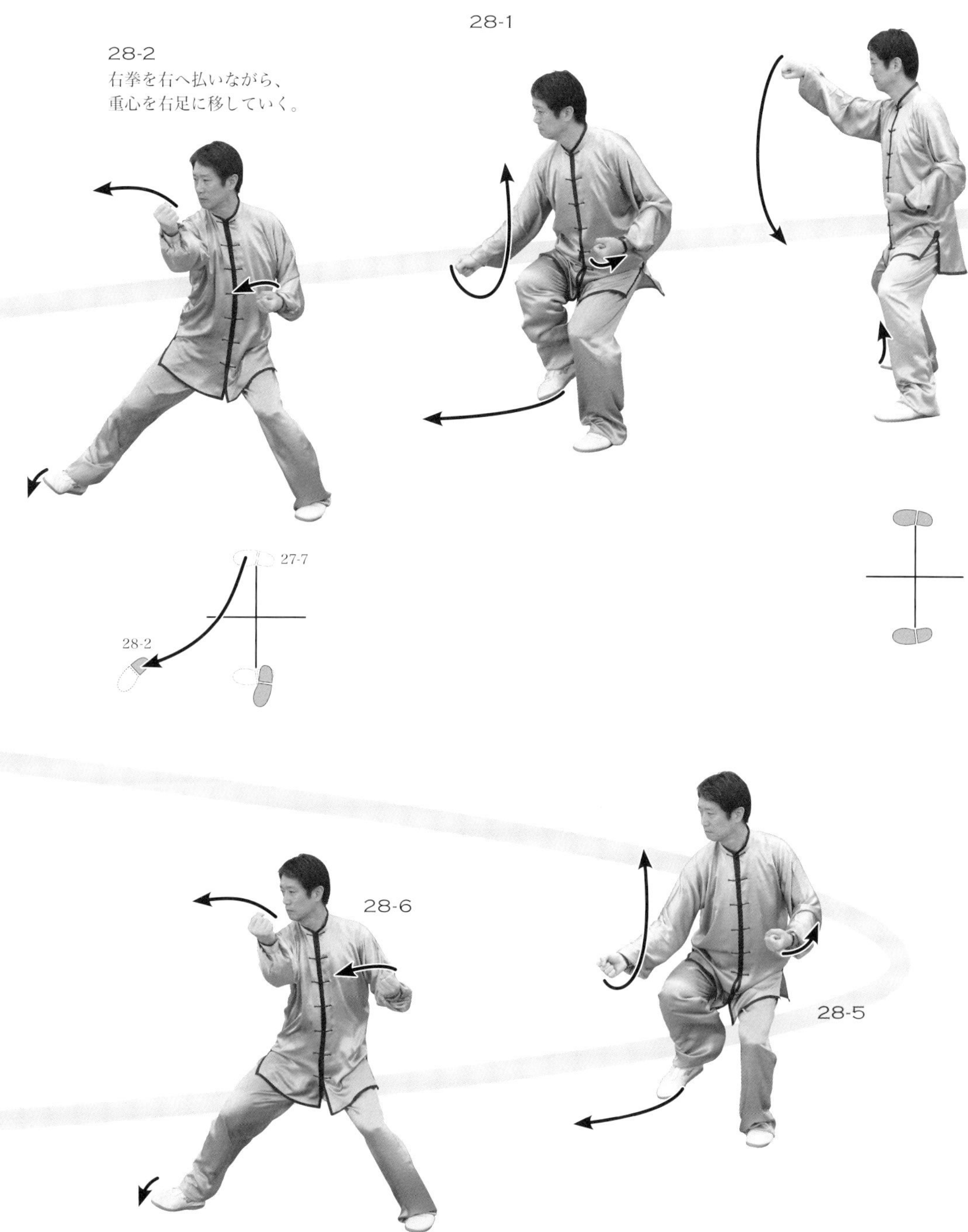

29 左黄龍三攪水

Zuo Huang long San jiao shui

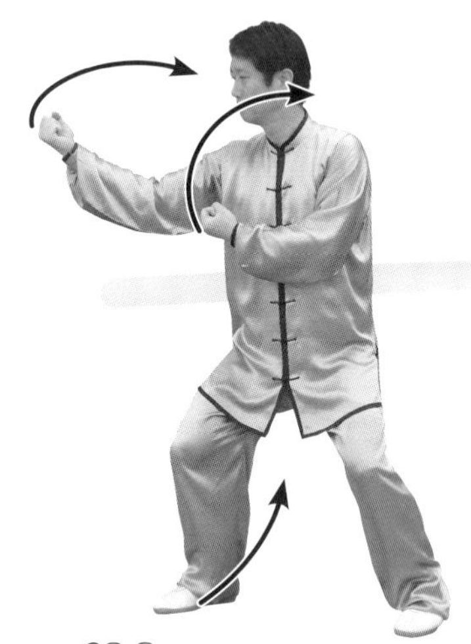

28-8

両腕を身体の前で円を
描くように回す。

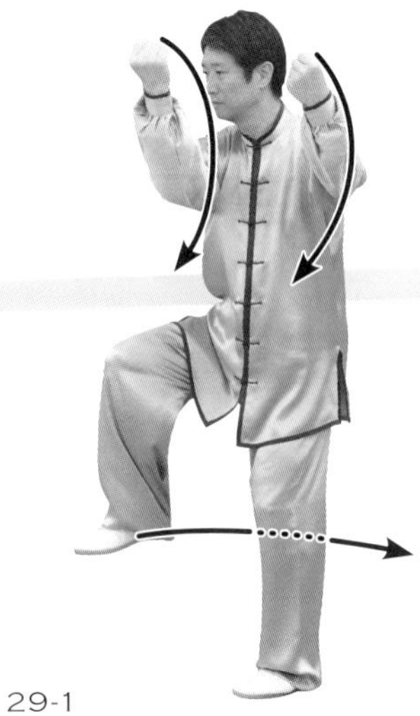

29-1

右足を後ろにさげる。

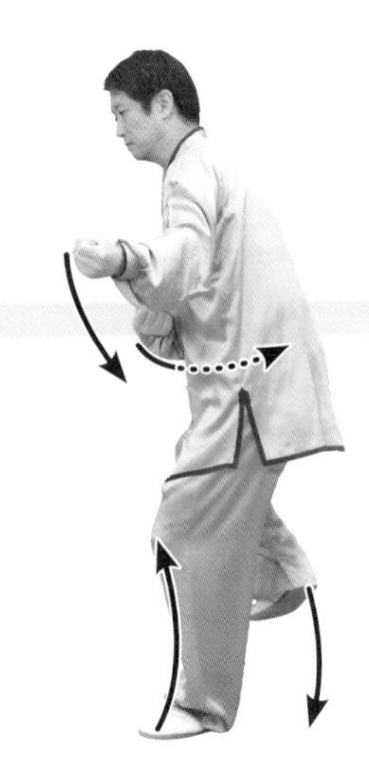

29-2

右足の着地と同時に
素早く左足を上げる。

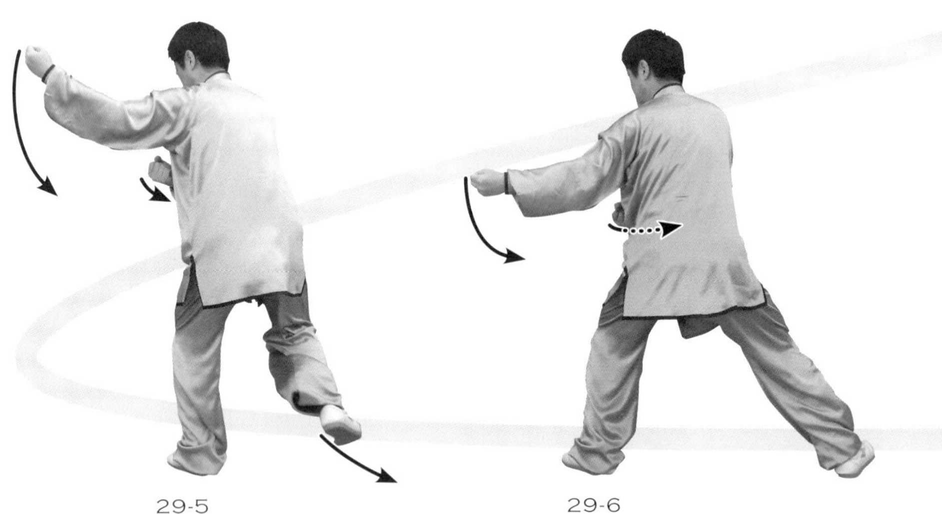

29-5

両腕を身体の前で回して、
同時に右足を一歩さげる。

29-6

29-3
左足で震脚する。

29-4

29-7
左足を引き寄せて、震脚する。
同時に左腕を左へ打つ。

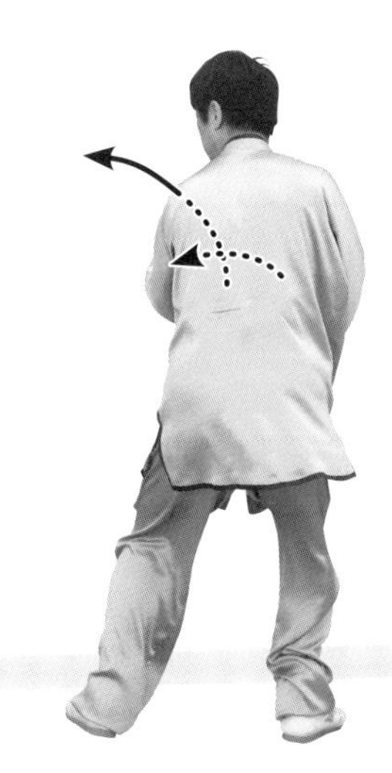

29-8

29-9

29-9 の後、29-5 ～ 29-9 の同じ動作を 2 回繰り返す。
29-4 までの動作と合わせて計 3 回打つことになる。

30 左蹬跟

Zuo deng gen

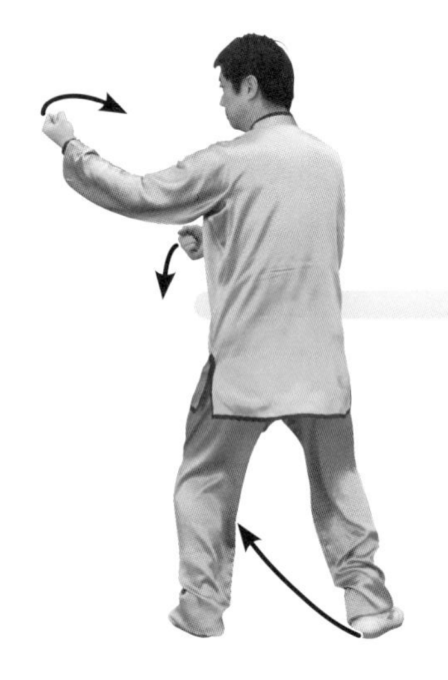

29-9

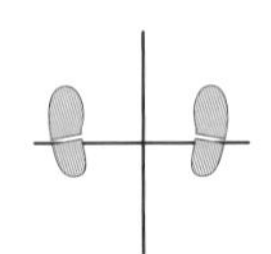

30-1

両腕を下に回して
左右に開きながら、
右足を北に一歩出す。

30-2

右足に重心移動する。

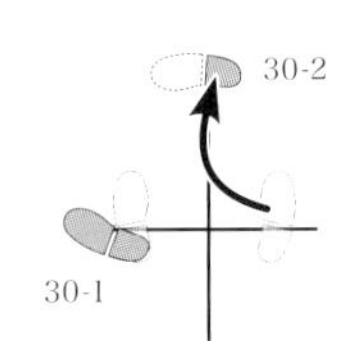

30-3

両腕を上に回しながら、
左足を右足に引き寄せ、
虚歩にする。

30-4
両腕を胸の前で
交叉させながら、
腰を落とす。

30-5
立ち上がりながら、
左足を横に蹴り上げる（蹬脚）。
両腕は左右に分け開く。

30-6

30-7

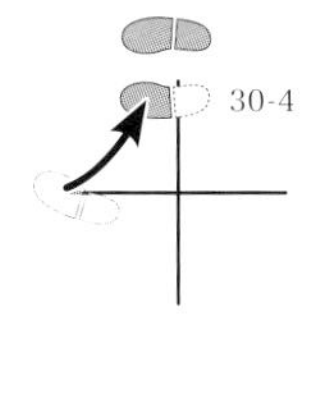

別角度

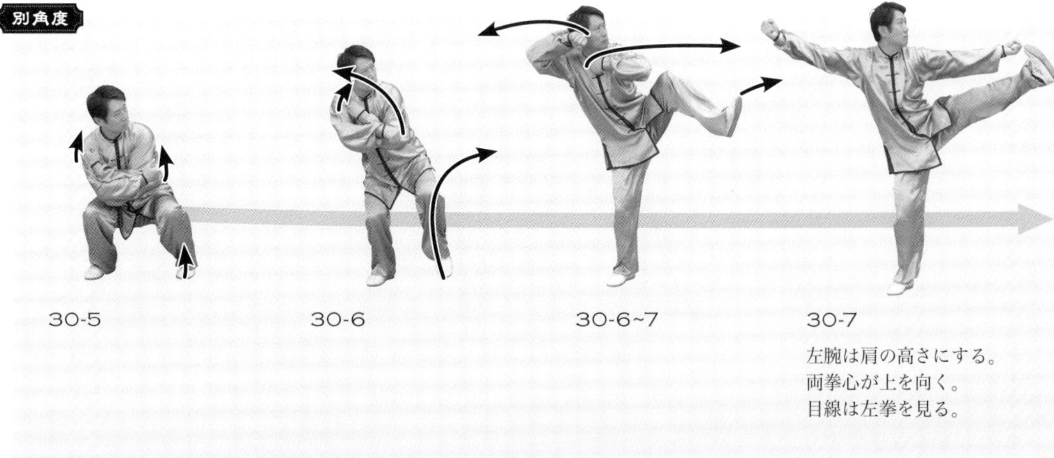

30-5

30-6

30-6~7

30-7
左腕は肩の高さにする。
両拳心が上を向く。
目線は左拳を見る。

31 右蹬跟
You deng gen

30-7
蹴り脚を下ろし、
踵から着地する。

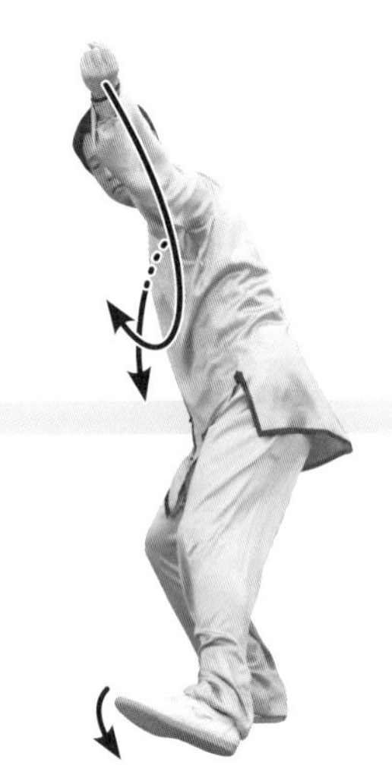

31-1
両腕を下から
胸の前へ回して
交叉させる。

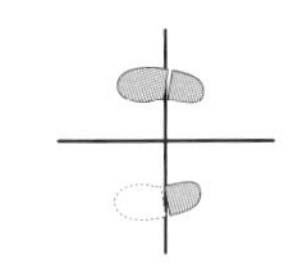

31-2
左足に重心を移動し、
腰を落とす。

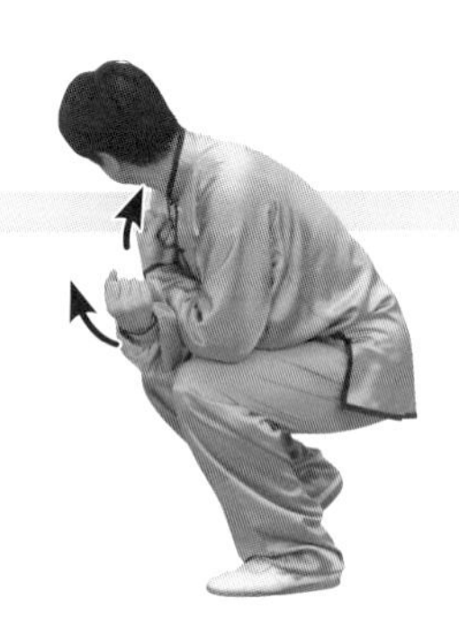

31-3
立ち上がりながら、右足を
横に蹴り上げる（蹬脚）。
両腕は左右に分け開く。

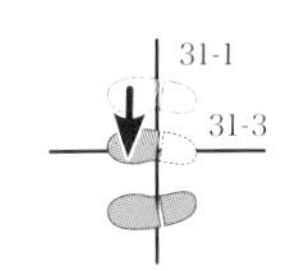

別角度

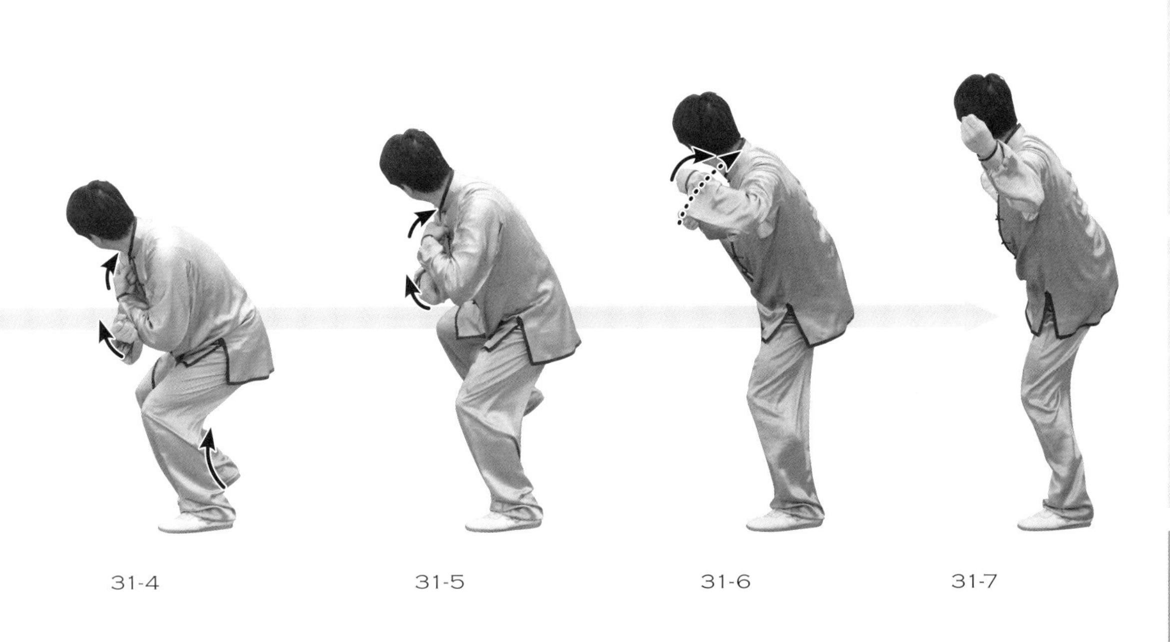
31-4　31-5　31-6　31-7

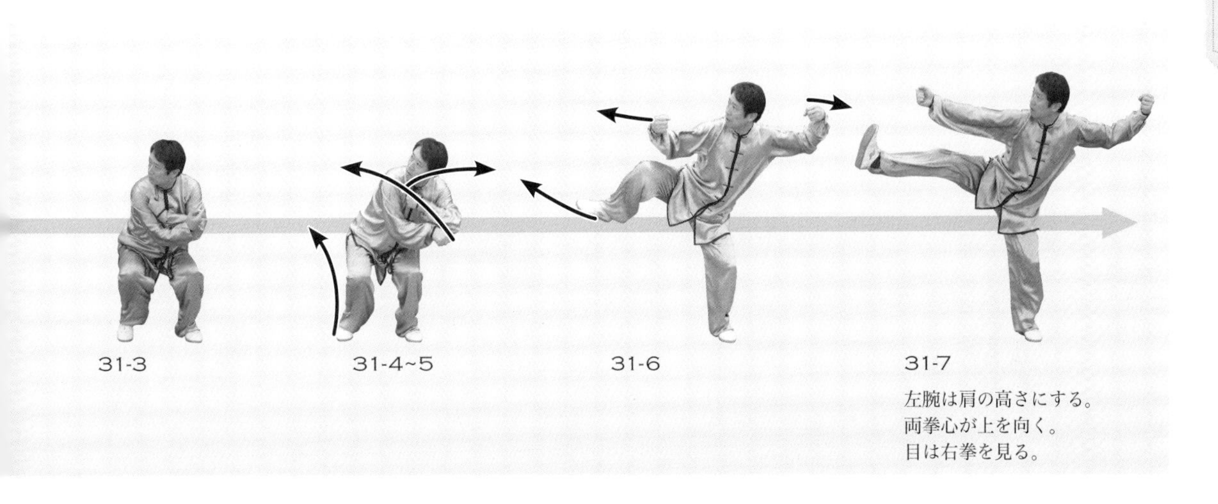
31-3　31-4~5　31-6　31-7

左腕は肩の高さにする。
両拳心が上を向く。
目は右拳を見る。

32 掩手捶

Yan shou chui

11 掩手捶に準ずる

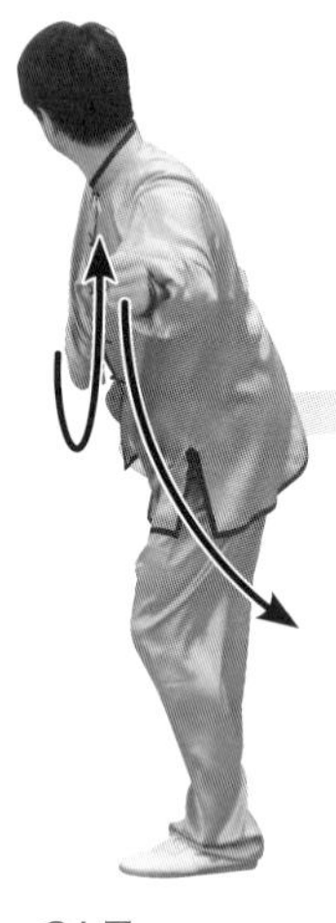

31-7
蹴った右足を下ろし、
着地させずに、
右膝を高く上げる。

32-1

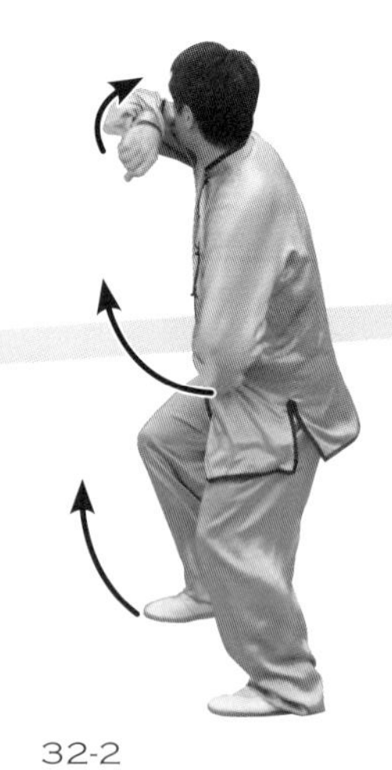

32-2

北
西
東
南

32-8

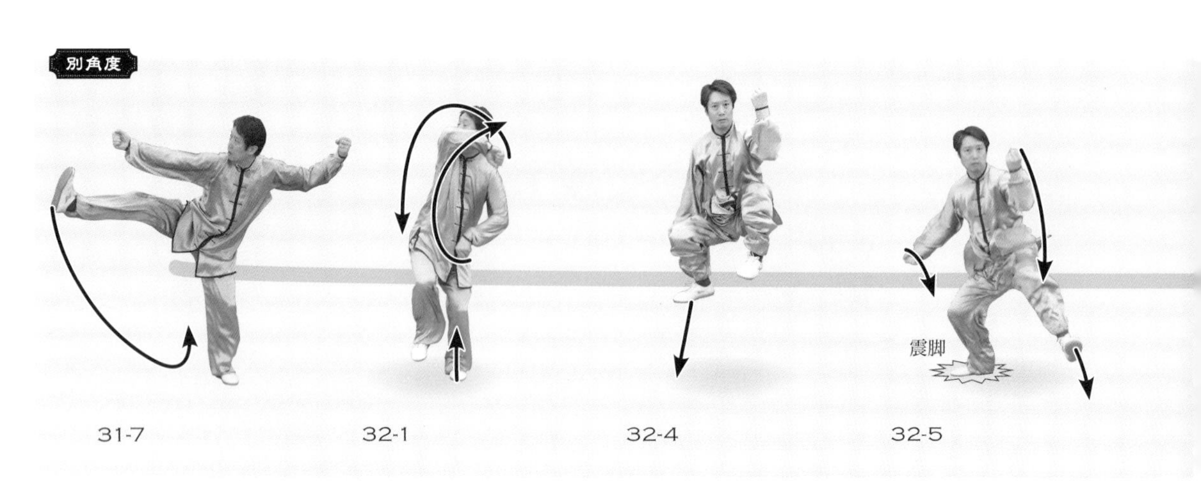

31-7　32-1　32-4　32-5

32-3
右足を上げ、左足で跳躍する、

32-4
右足で着地して震脚する。

32-5
左足を踏み出すと同時に、左拳を振り下ろす。

32-6
腰の回転で右拳を打ち出す。

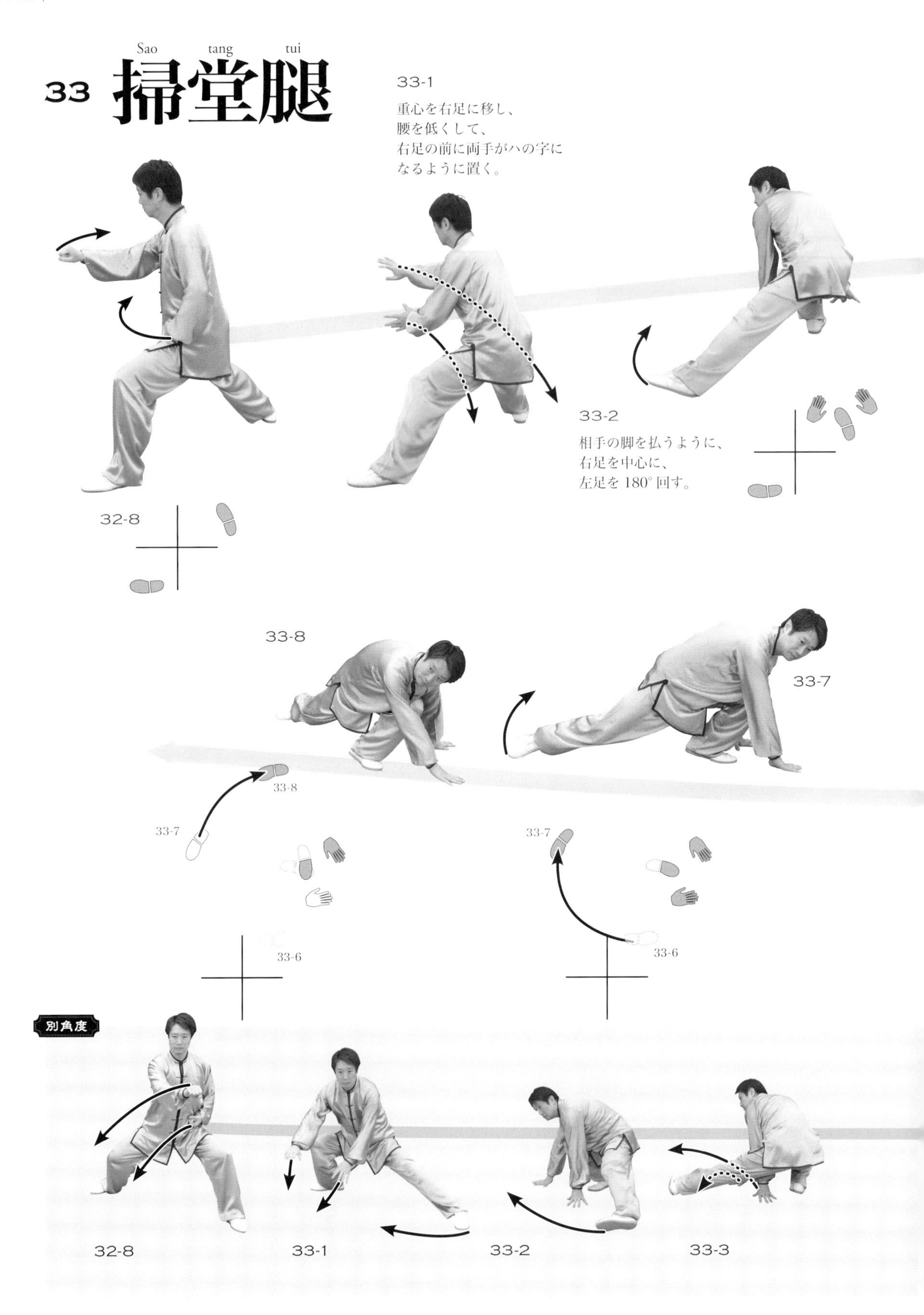

33 掃堂腿 (Sao tang tui)

33-1
重心を右足に移し、
腰を低くして、
右足の前に両手がハの字に
なるように置く。

33-2
相手の脚を払うように、
右足を中心に、
左足を180°回す。

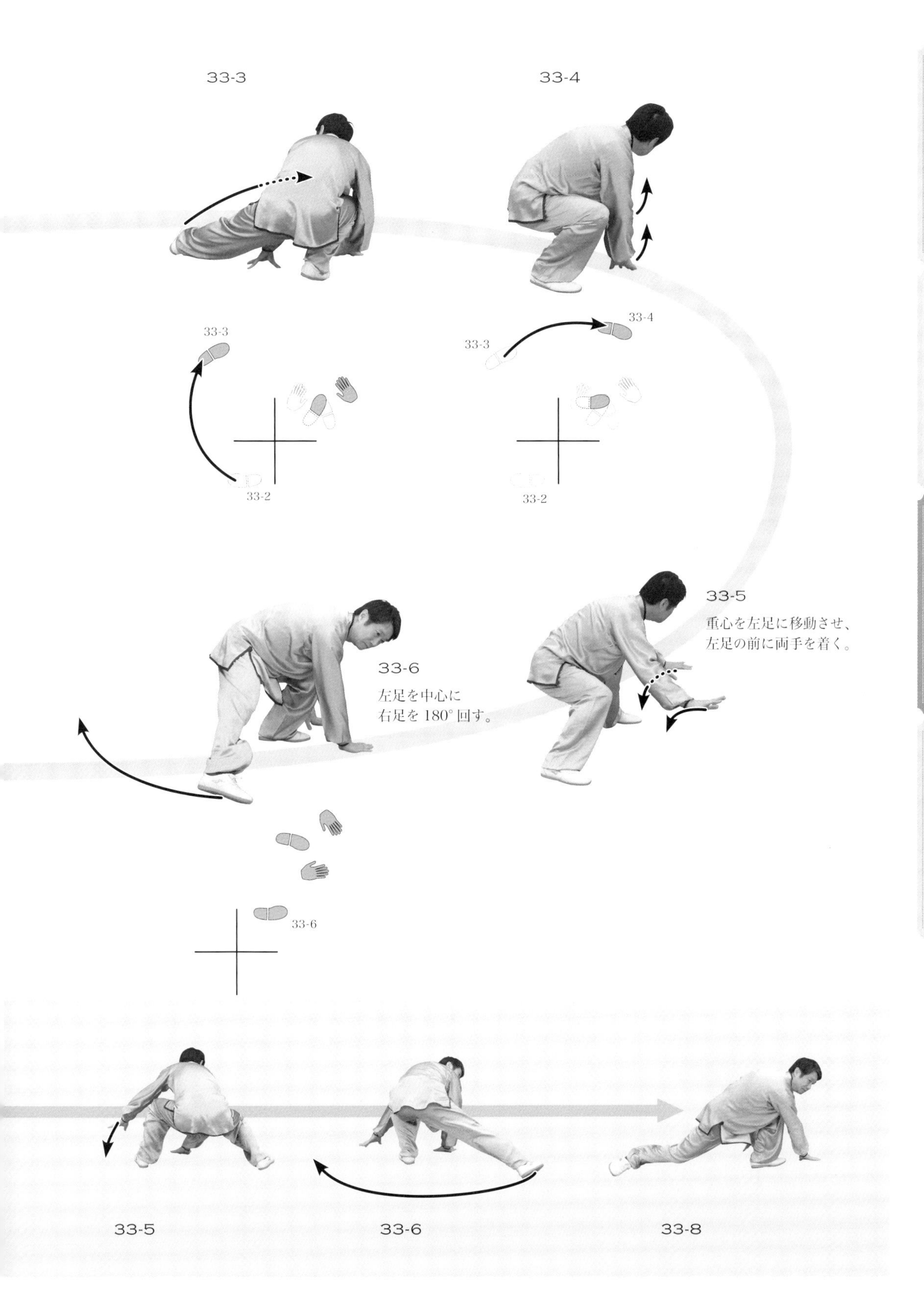
33-3
33-4
33-3
33-3
33-4
33-2
33-2
33-5
重心を左足に移動させ、
左足の前に両手を着く。
33-6
左足を中心に
右足を 180° 回す。
33-6
33-5
33-6
33-8

34 掩手捶

Yan shou chui

11 掩手捶に準ずる

33-8

左足に重心を
乗せたまま、
上体を起こす。

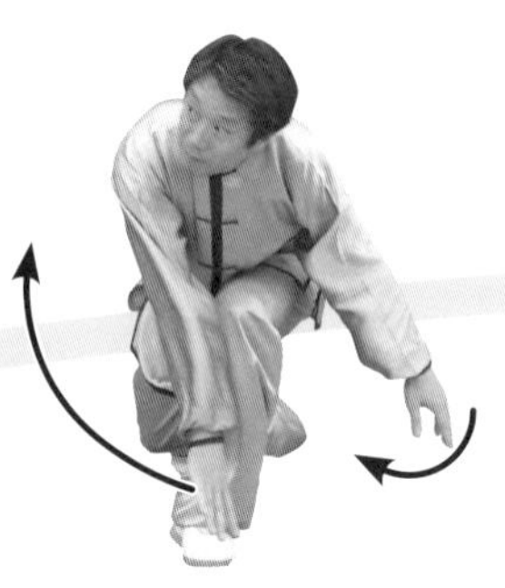

34-1

掃堂腿の回転と同じ方向に
身体を回していく。

34-2

両手を掌から
拳にする。

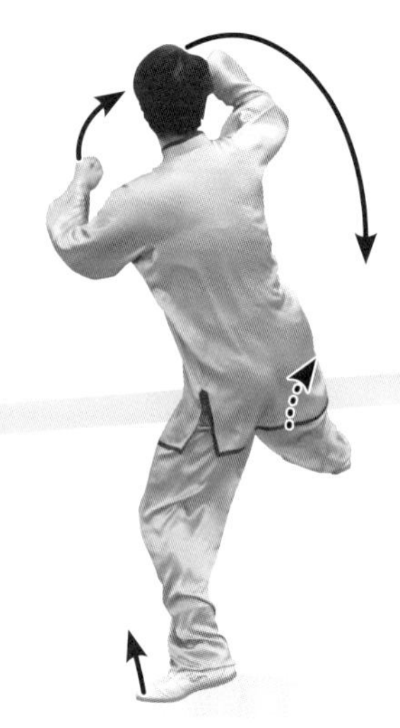

34-3

左足で踏み切って跳躍し、
さらに同じ方向へ身体を回
していく。

34-7

左足に重心を移しながら、
右拳を正面に打ち出す。
左拳を腰に引き付ける。

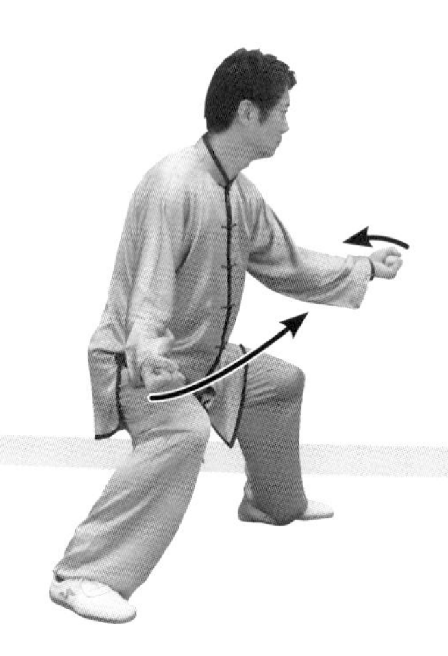

34-8

34-5
右足を着地して震脚。
続いて左足を着地する。

34-4

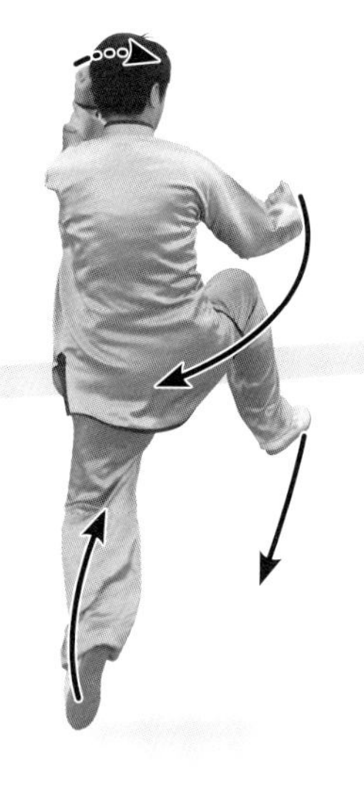

34-6

34-9

34-10

35 右冲 ～ 36 左冲
You chong　Zuo chong

右冲

34-10
右足に重心を移しながら、
両腕を右に回す。

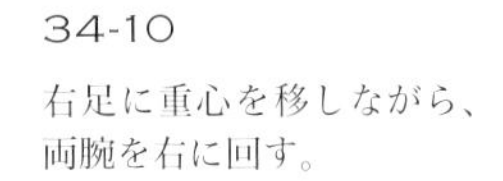

35-1

35-2

35-3
左足の着地と同時に
右足を上げ、身体の
向きを北に転換する。

左冲

35-7
重心を左足に移しながら、
両拳を左に振り戻す。

36-1

36-2

36-3
右足の着地と同時に
左足を上げ、身体の
向きを南に転換する。

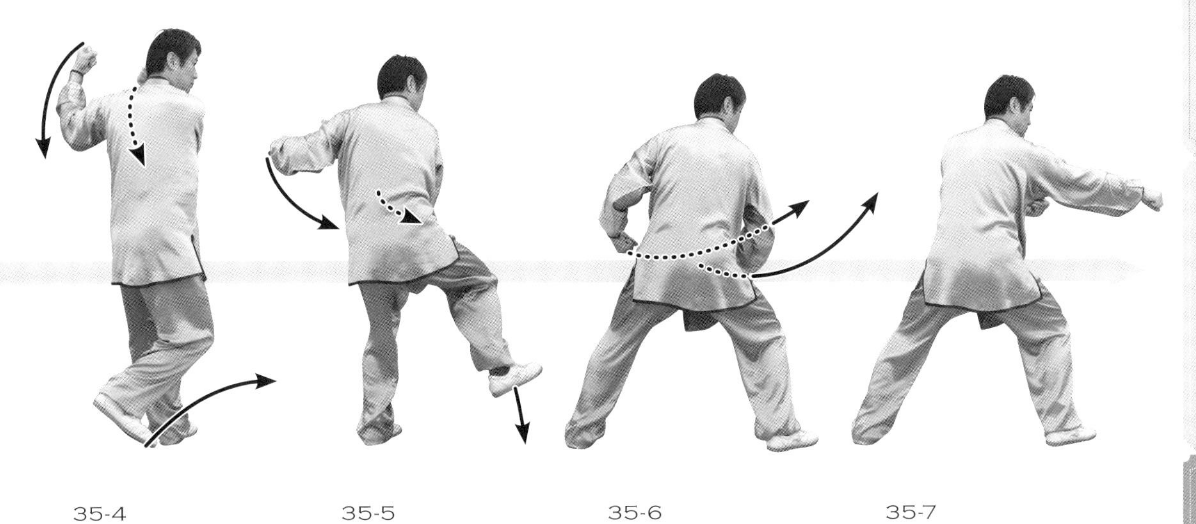

35-4
右足を東へ踏み出す。

35-5

35-6
両拳を右に打ち出す。

35-7

36-4
左足を東へ踏み出す。

36-5

36-6
両拳を左に打ち出す。

36-7

37 倒插
Dao cha

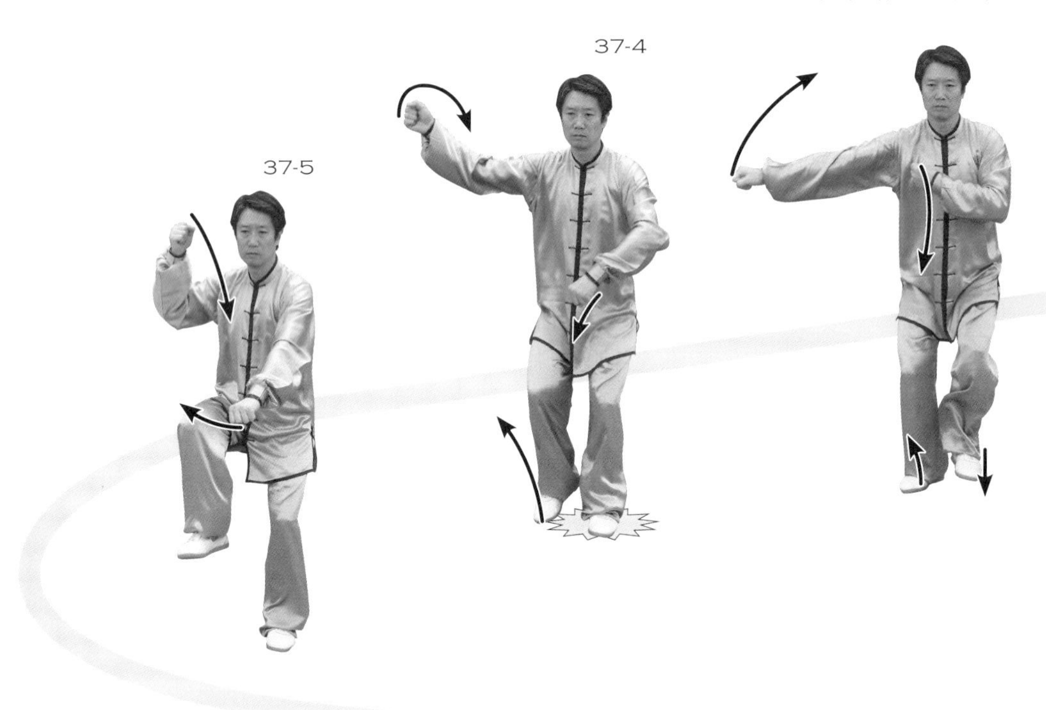

37-3
左足を着地させ震脚する。
同時に右足を上げる。

36-7

重心を右足に移しながら、
両拳を右に振る。

37-1

左足を上げる。

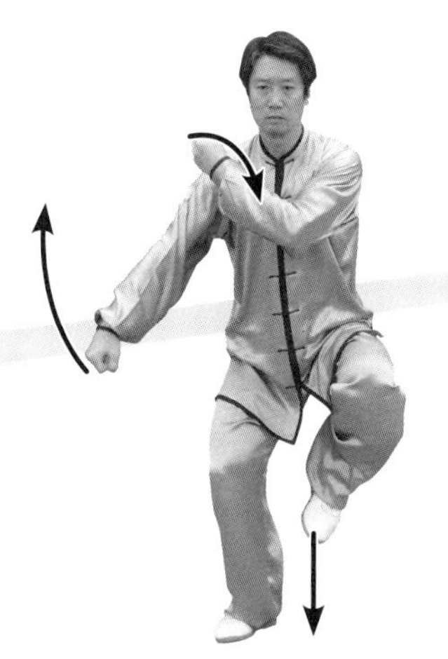

37-2

上げた左足を右足の
横に置く。

37-6

右足を西に踏み出し、
右腕を斬臂で西に打ち出す。

37-7

38 左奪耳紅（Zuo duo er hong）～ 39 右奪耳紅（You duo er hong）

38-4

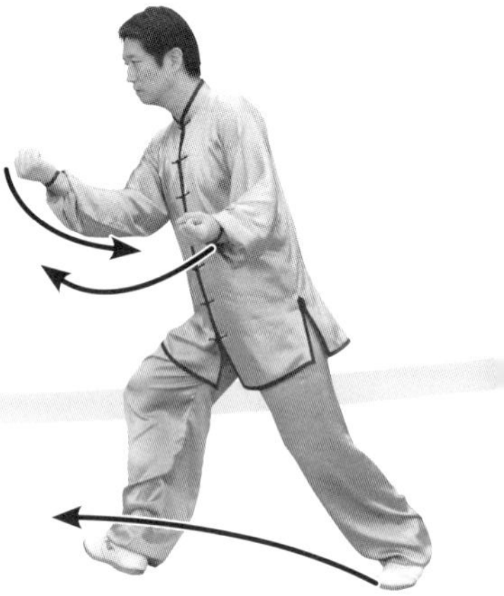

38-6

左足に重心を移しながら、
左拳を内から外へ回して打ち出す。

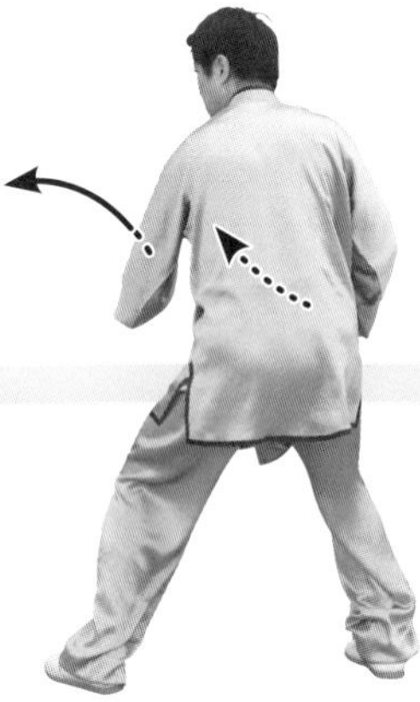

38-5

38-7

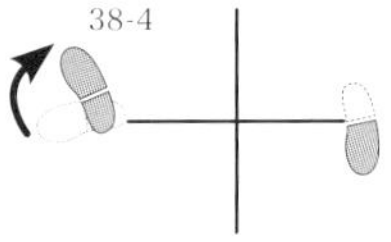

38-4

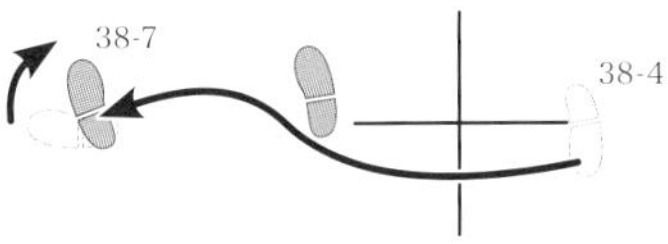

38-7

38-4

39-3

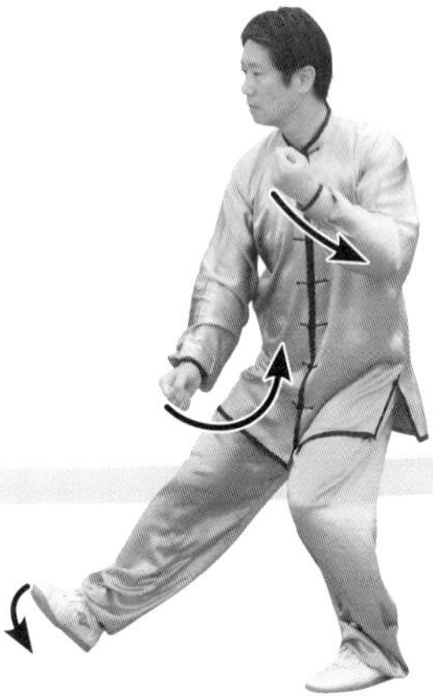

39-4

39-5

39-6

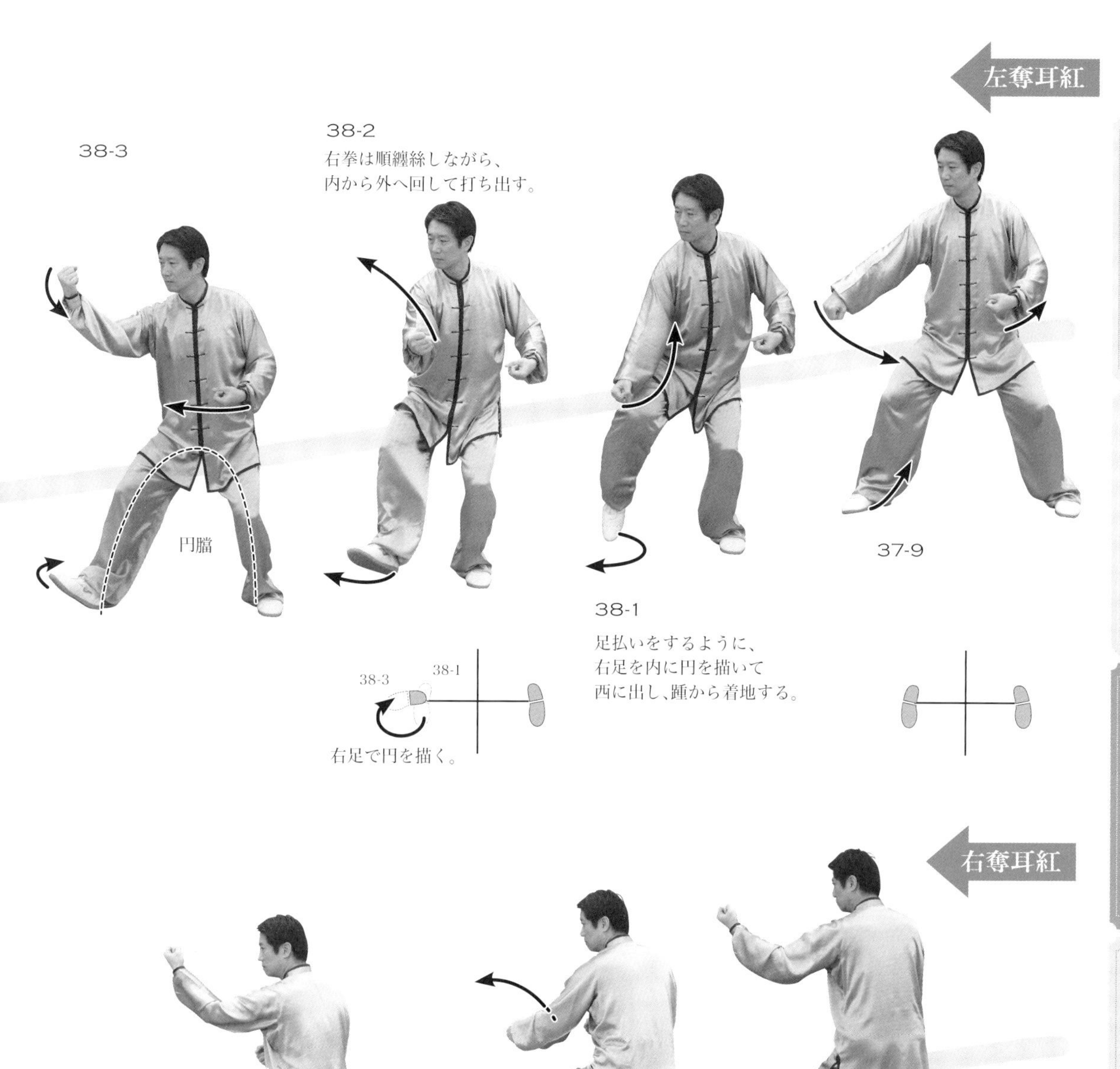

右奪耳紅

38-7

左奪耳紅と左右逆の動作を行う。

39-1

39-2

40 急三捶 Ji san chui ～41 変式大佐炮 Bian shi Da zuo pao

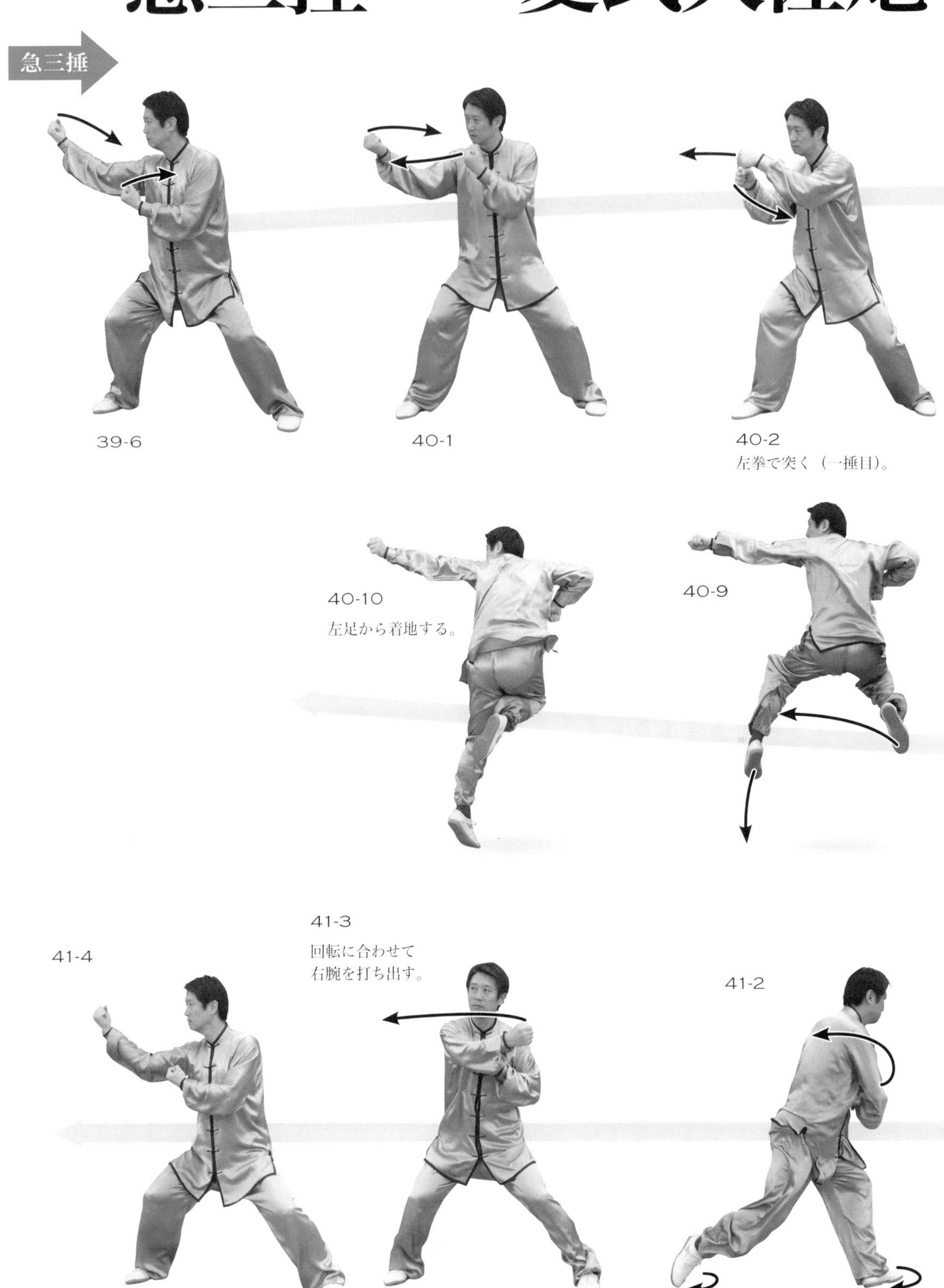

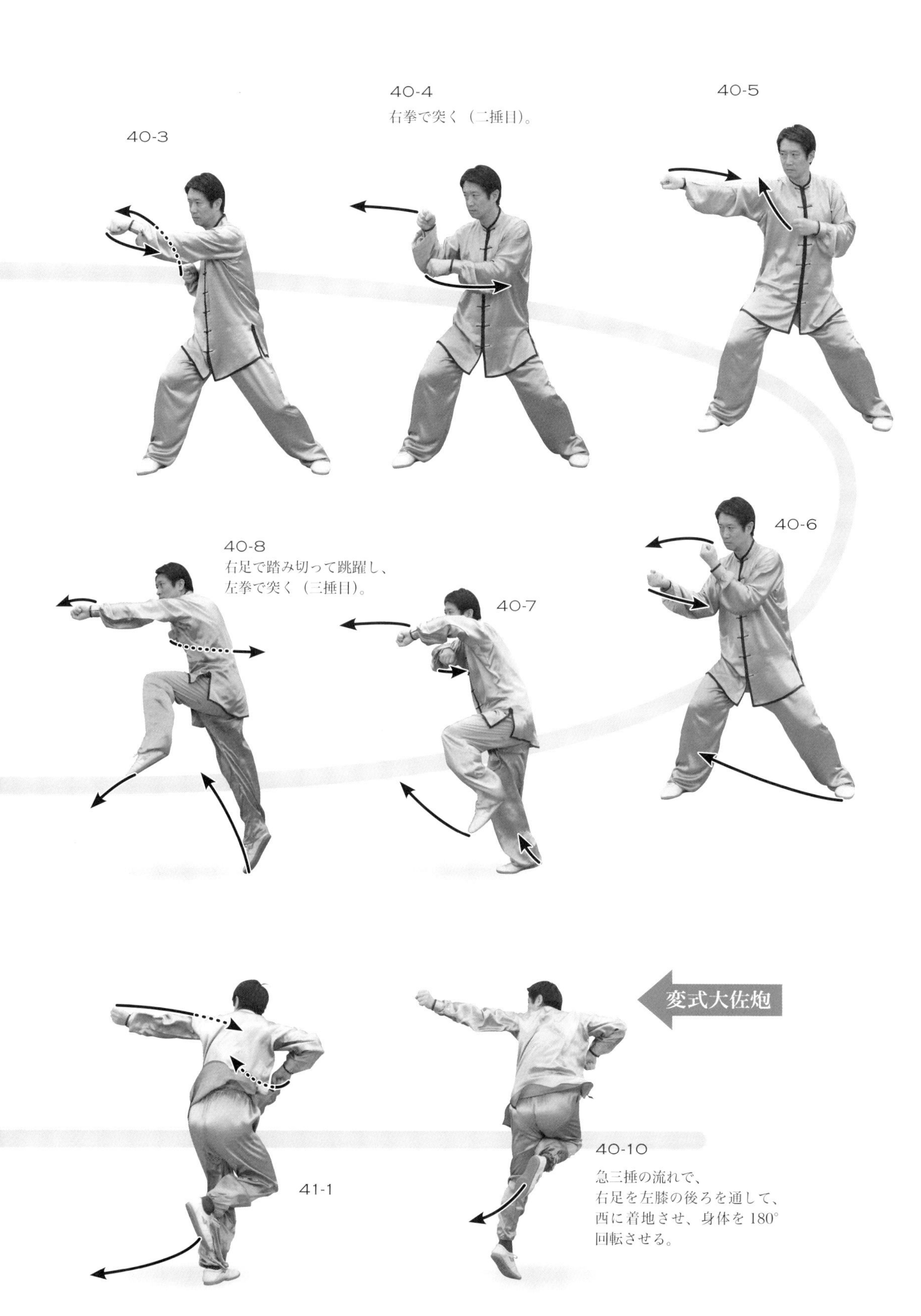
40-3
40-4
右拳で突く（二捶目）。
40-5
40-6
40-7
40-8
右足で踏み切って跳躍し、
左拳で突く（三捶目）。
変式大佐炮
40-10
急三捶の流れで、
右足を左膝の後ろを通して、
西に着地させ、身体を 180°
回転させる。
41-1

42 翻身打一炮
Fan shen Da yi pao

41-4
右足に重心を乗せ、
左足を高く上げながら、
顔を東に向ける。

42-1
上げた左足を踵から
着地させる。

42-2

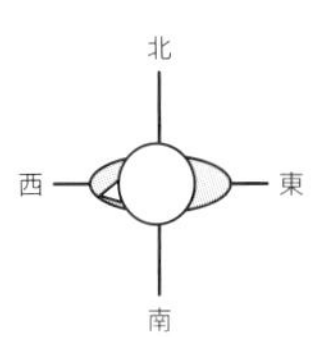

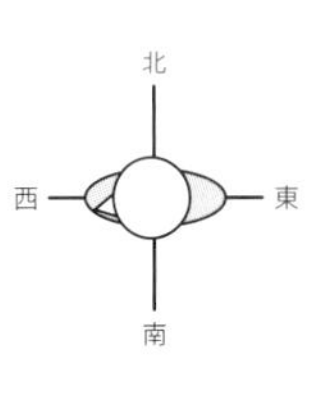

42-10

42-9
馬歩になり、
右腕を打ち出す。

42-3

右足を高く上げて、
左足で踏み切って、
跳躍する。

42-4

跳躍中に360°回転する。

42-5

42-6

右足、左足の順に
着地する。

42-8

42-7

右腕は伸ばさずに、
緩い弯曲を保つ。

43 順鸞肘

Shun luan zhou

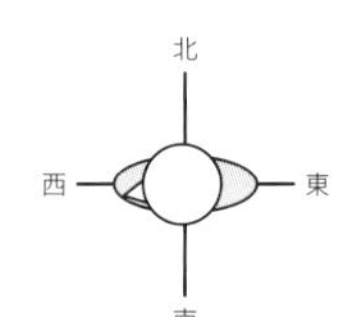

42-10

左足のつま先を外に回し（擺歩）、身体の向きを変える。

43-1

左手を拳から掌に変える。

43-2

重心を左足に移し、右足を東に一歩出す。

43-5

43-4

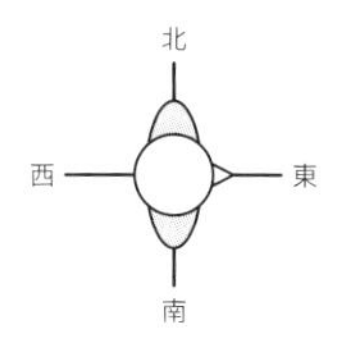

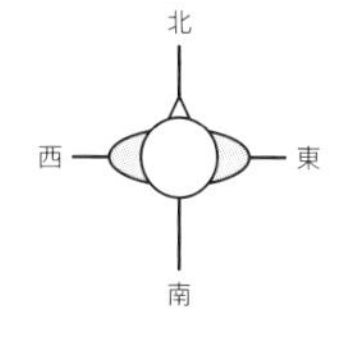

43-3

43-4

馬歩になりながら、
右小臂と左掌を右胸の
前で合わせる。

43-5

円襠を作る。

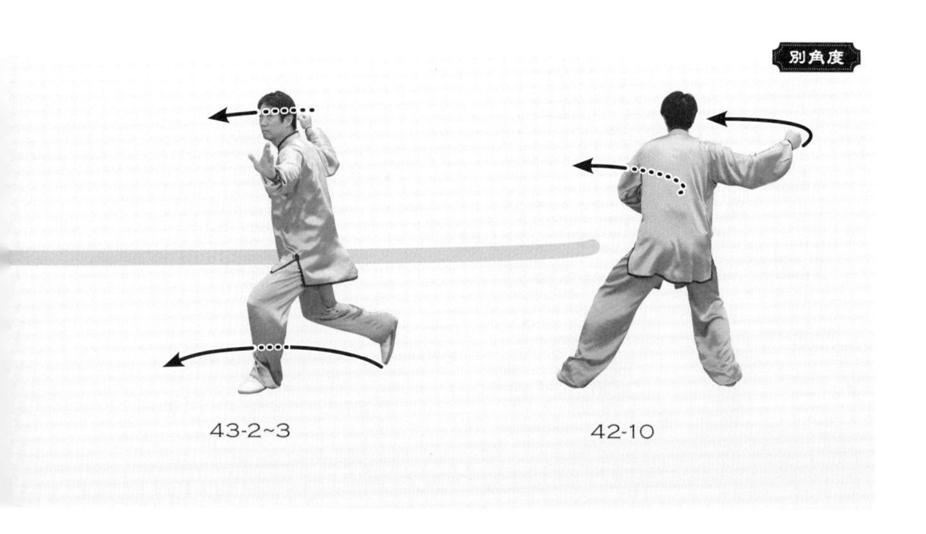

43-2~3

42-10

44 窩里炮

Wo li pao

43-5

44-1
重心を右足に移し、
左足を上げる。
両手を拳にして、
左右に分け開く。

44-2
左足を右足の横に
着地して震脚する。

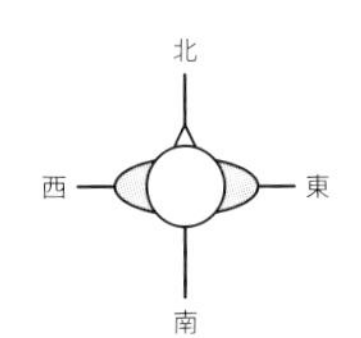

44-4
両腕を胸の前で
交叉する。

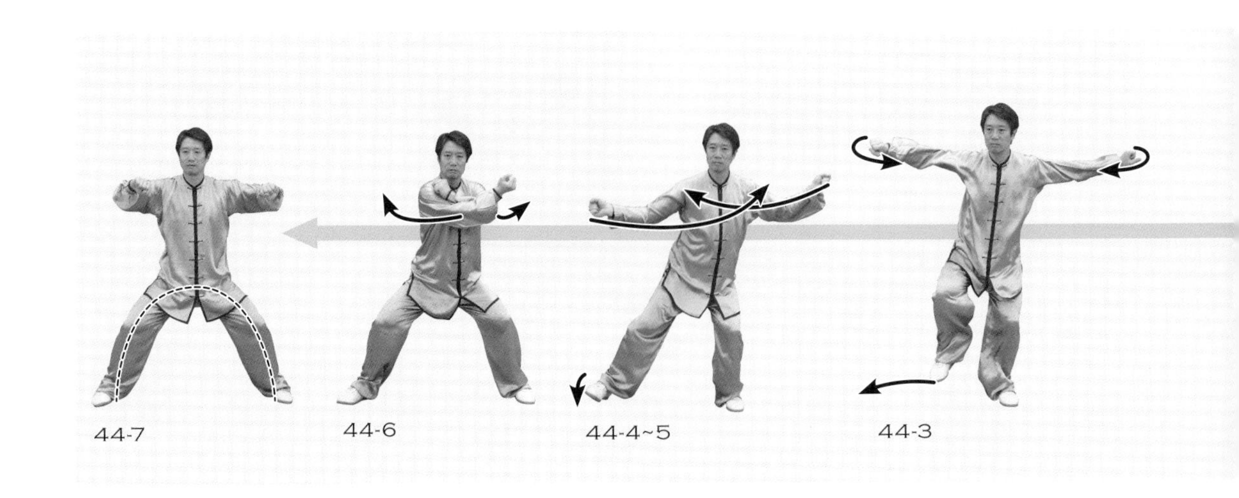

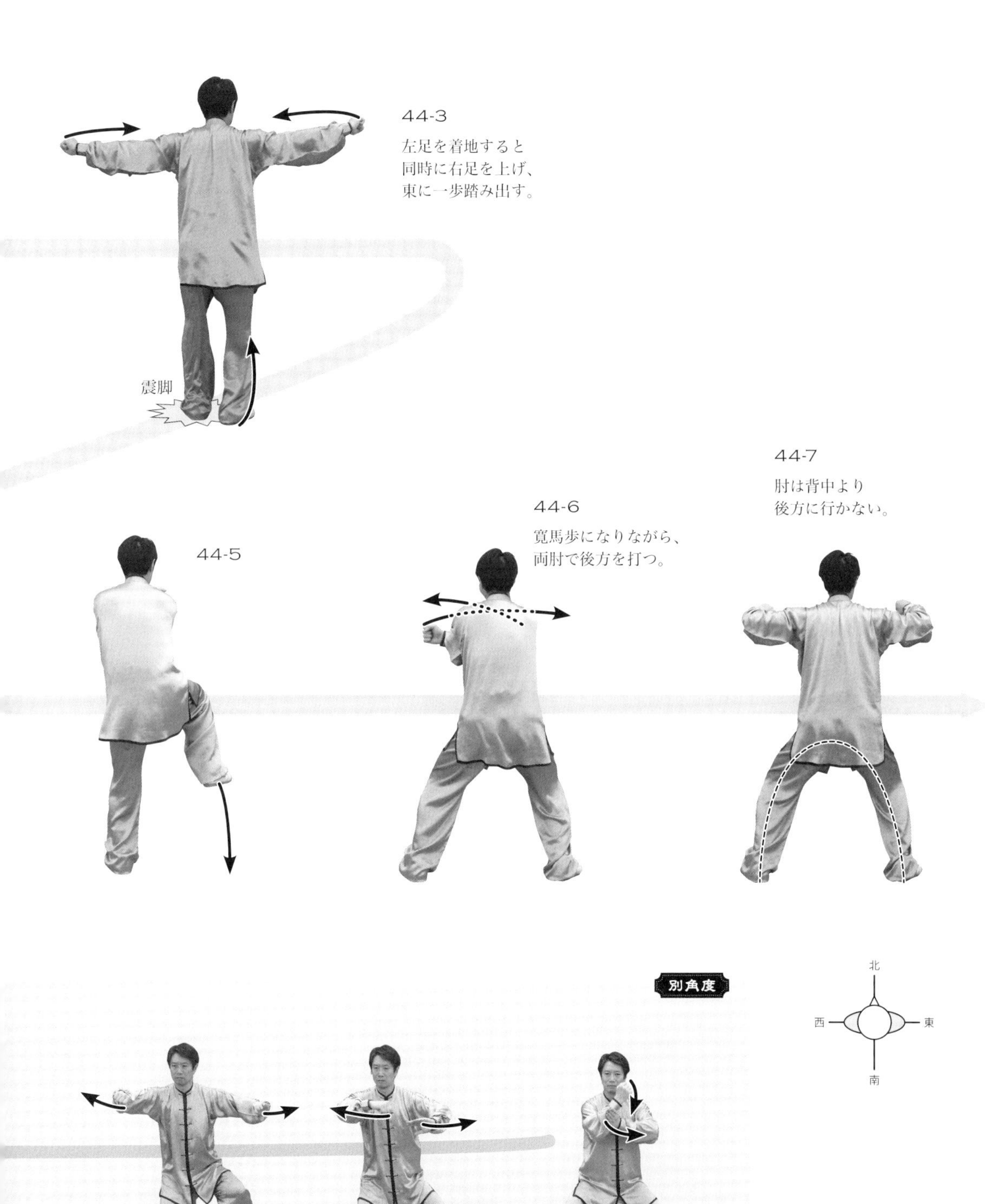
44-3
左足を着地すると
同時に右足を上げ、
東に一歩踏み出す。
震脚
44-5
44-6
寛馬歩になりながら、
両肘で後方を打つ。
44-7
肘は背中より
後方に行かない。
別角度
北
西
東
南
44-2
44-1
43-5

45 抽跟打一炮

Chou gen Da yi pao

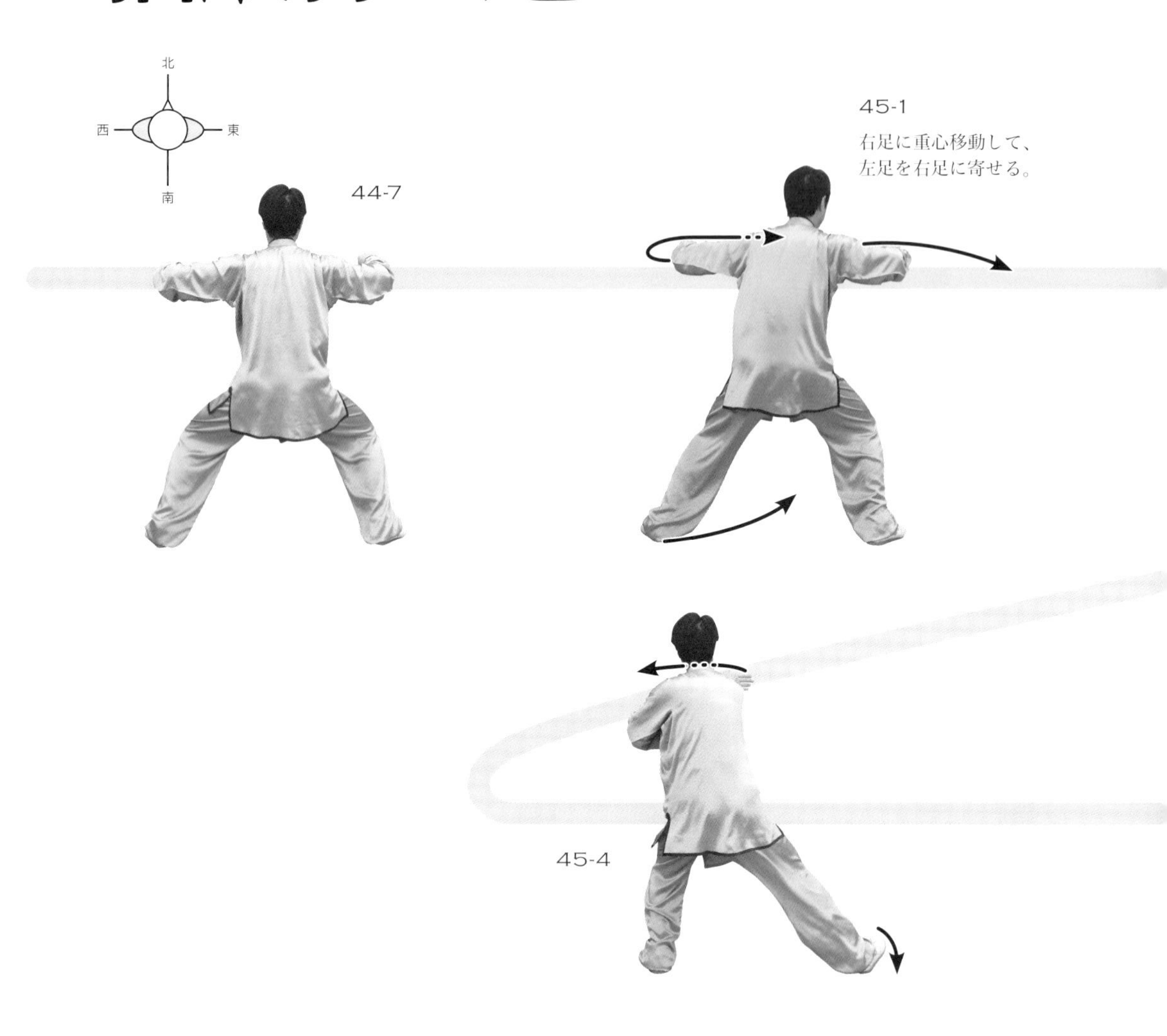

44-7

45-1
右足に重心移動して、
左足を右足に寄せる。

45-4

45-6
右手の指先は右耳の横に来る。
押し出した左掌は指が上を向く。

45-5~6

45-5
両手がすれ違うように
左掌を前に出す。

45-4~5

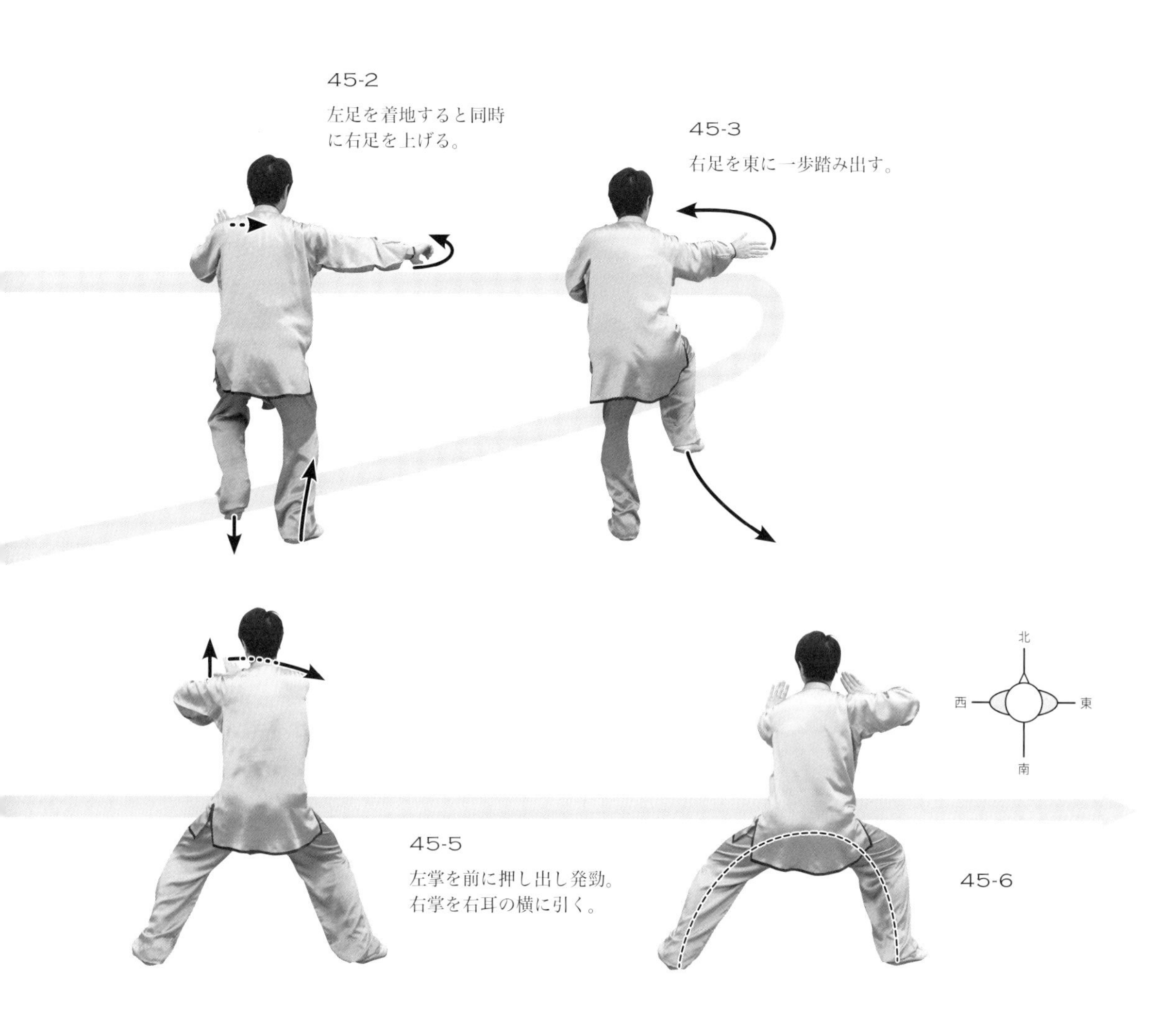

45-2

左足を着地すると同時に右足を上げる。

45-3

右足を東に一歩踏み出す。

45-5

左掌を前に押し出し発勁。右掌を右耳の横に引く。

45-6

45-4

45-1~2

左足を右足に引き寄せ、左足の着地と同時に右足を上げて右へ運ぶ。

45-1

44-7

手足の動きを協調させる。

46 連珠炮

Lian zhu pao

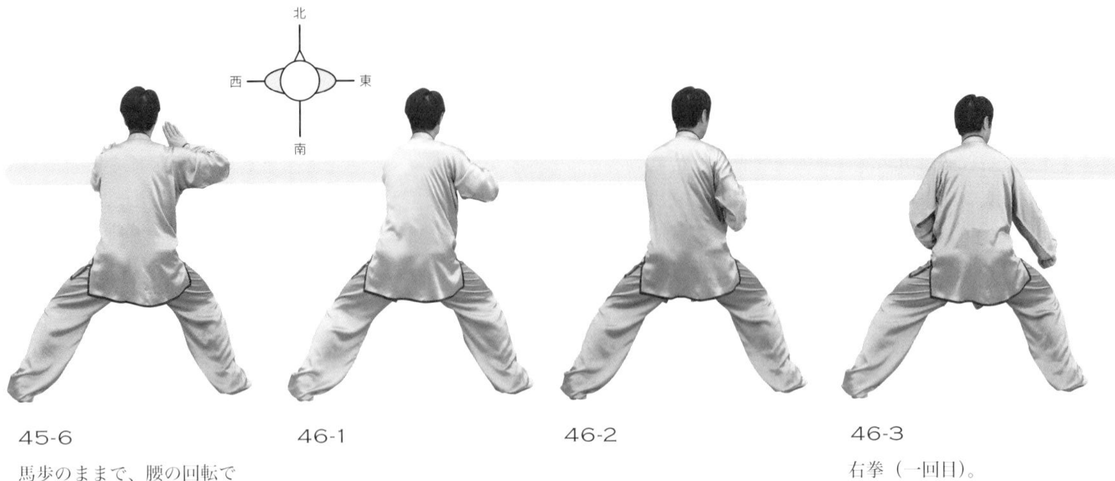

馬歩のままで、腰の回転で
左右の拳を右膝の前に、
連続して素早く打ち出す。
身体が捻れないように注意する。

右拳（一回目）。

別角度

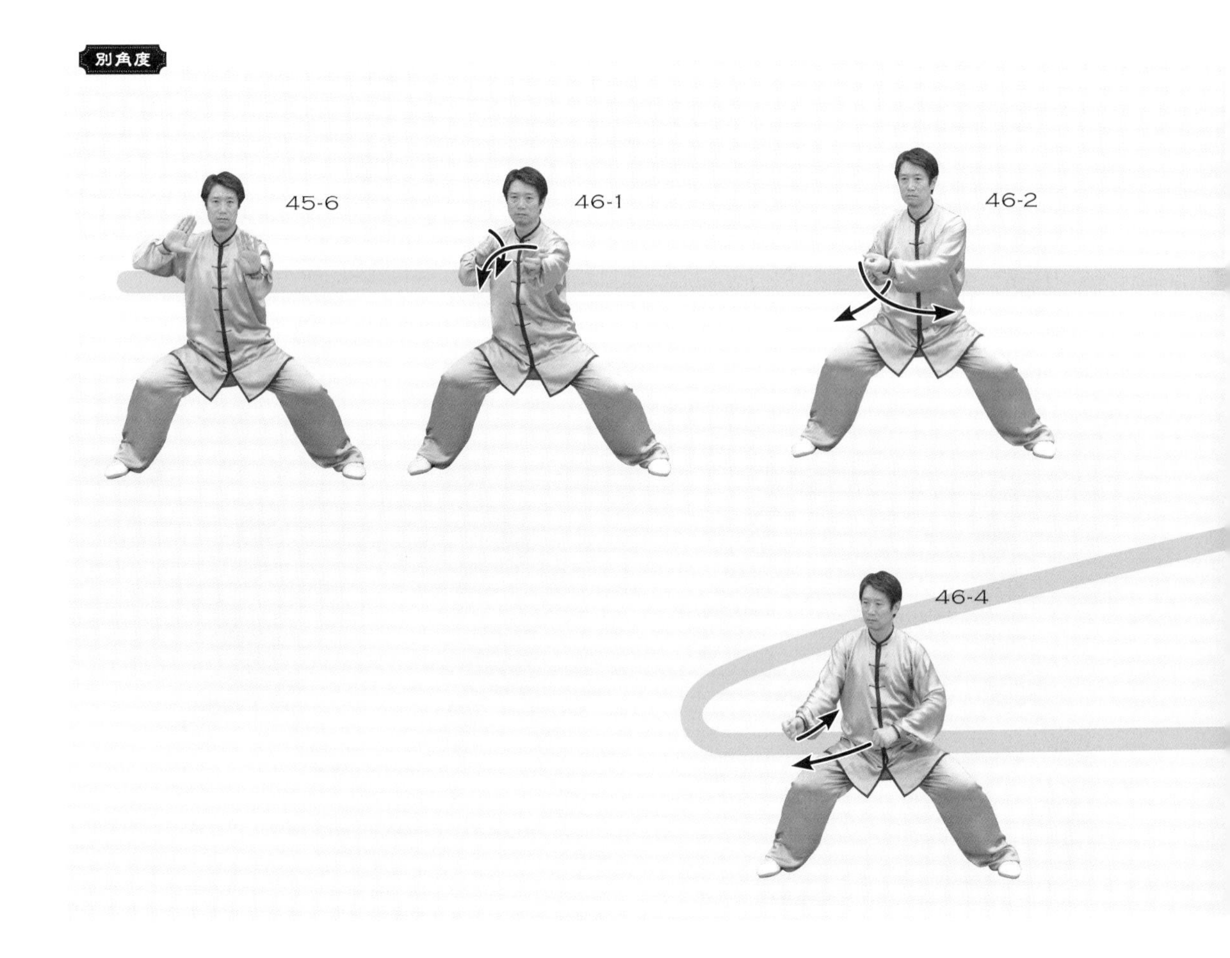

連珠炮は、左拳と右拳を交互に打つ。
打つ回数に制限はないが、合計３～４回打つのが一般的である。

46-4

46-5
左拳（一回目）。

46-6

46-7
右拳（二回目）。
この後、46-4～46-7を繰り返す。

46-3
右拳（一回目）。

46-5
左拳（一回目）。

46-6

46-7
右拳（二回目）。
この後、46-4～46-7を繰り返す。

47 転身擺脚

Zhuan shen Bai jiao

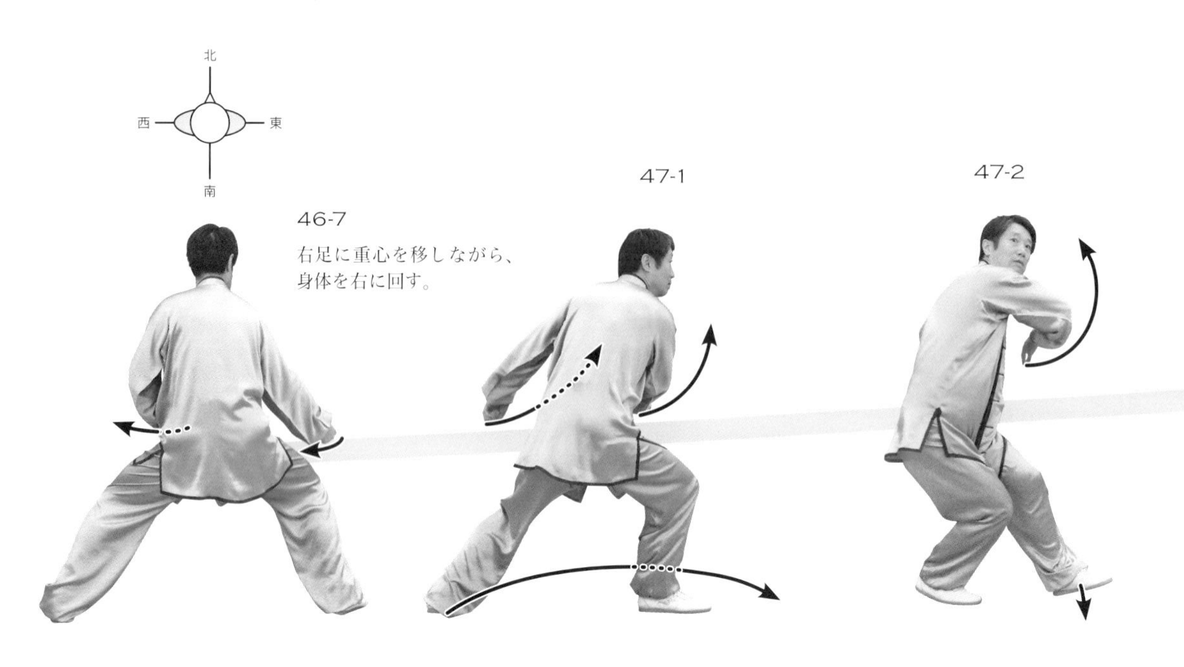

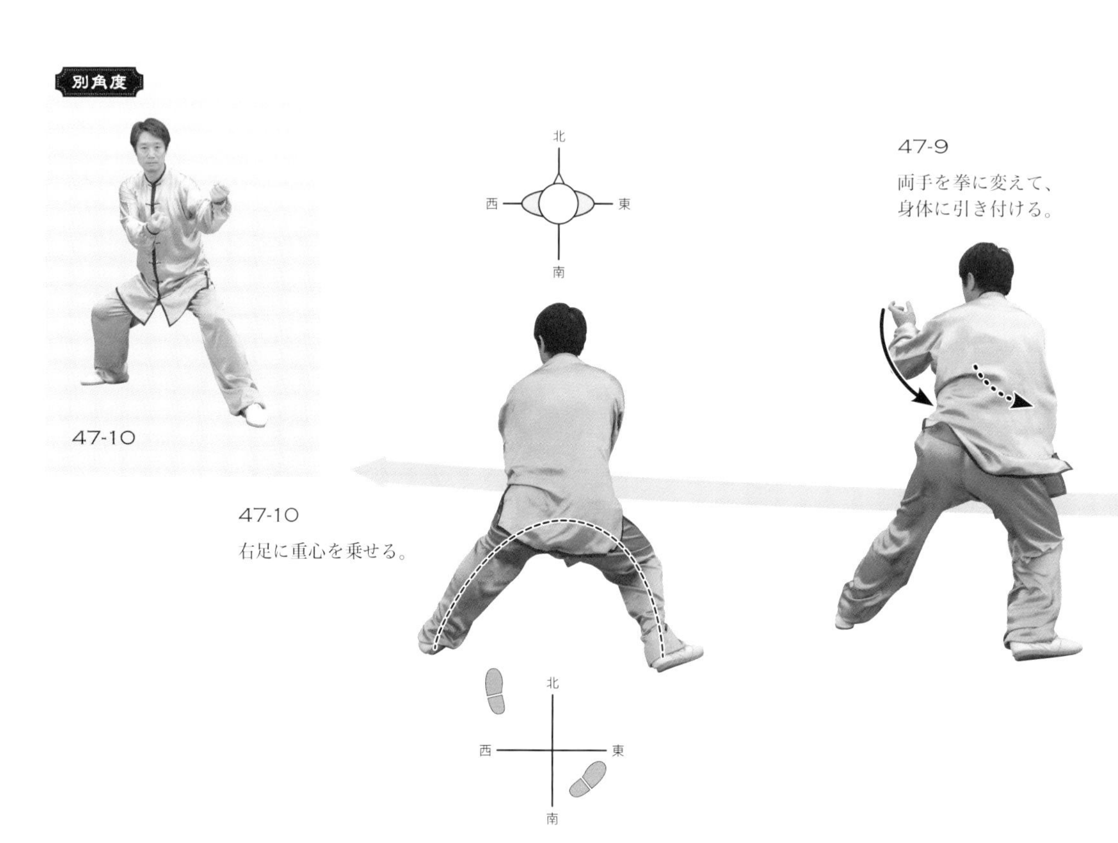

47-3

右足を内から外へ
大きく回して蹴り上げる。

47-4

跳躍中に身体を回転させながら、
左掌、右掌の順に、右足の外側を叩く。

47-5

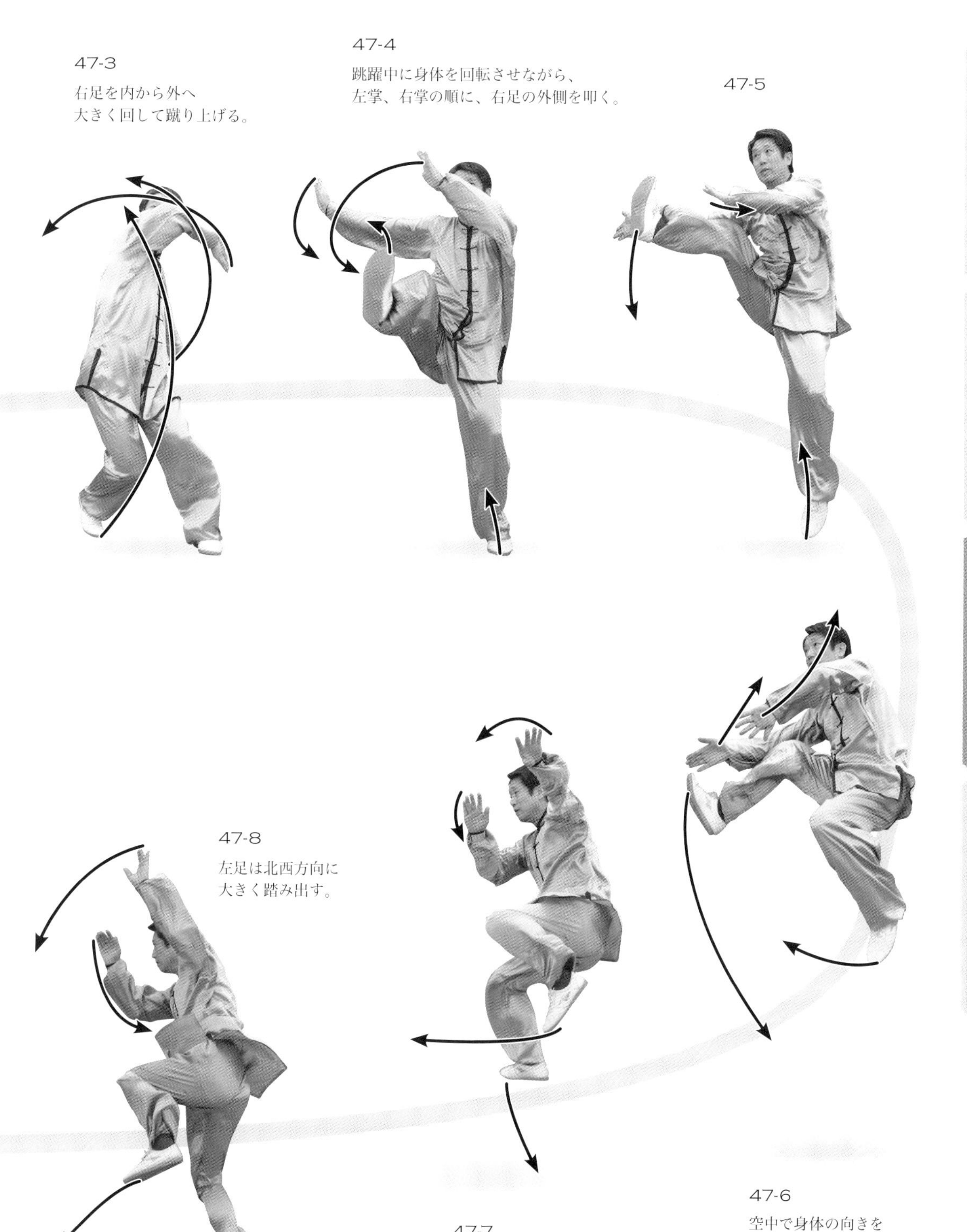

47-8

左足は北西方向に
大きく踏み出す。

47-7

右足から着地する。

47-6

空中で身体の向きを
北向きに変える。

48 當頭炮

Dang tou pao

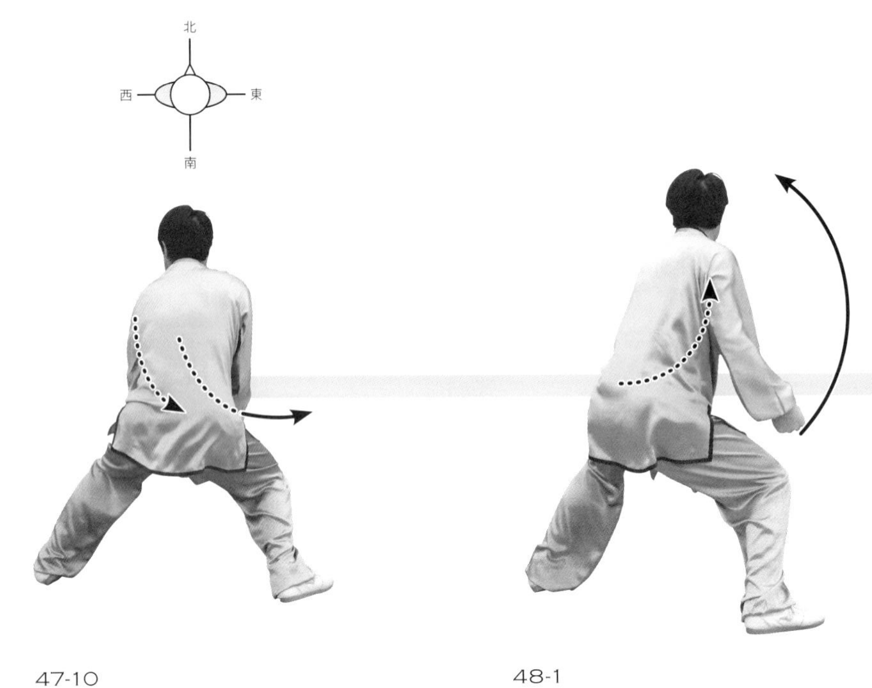

47-10

重心を左足に移しながら、
両拳を胸前から右に大きく回す。

48-1

別角度

47-10　48-1　48-2　48-3

48-2

48-3

歩形は弓歩。
両拳は頭の高さで前に打ち出す。
拳心はほぼ下向きになる。

49 金剛搗碓 (Jin gang Dao dui)

2 金剛搗碓に準ずる

48-3

重心を右足に移しながら、
両拳を掌に変えて、
右に回す。

49-1

49-2

北
西 東
南

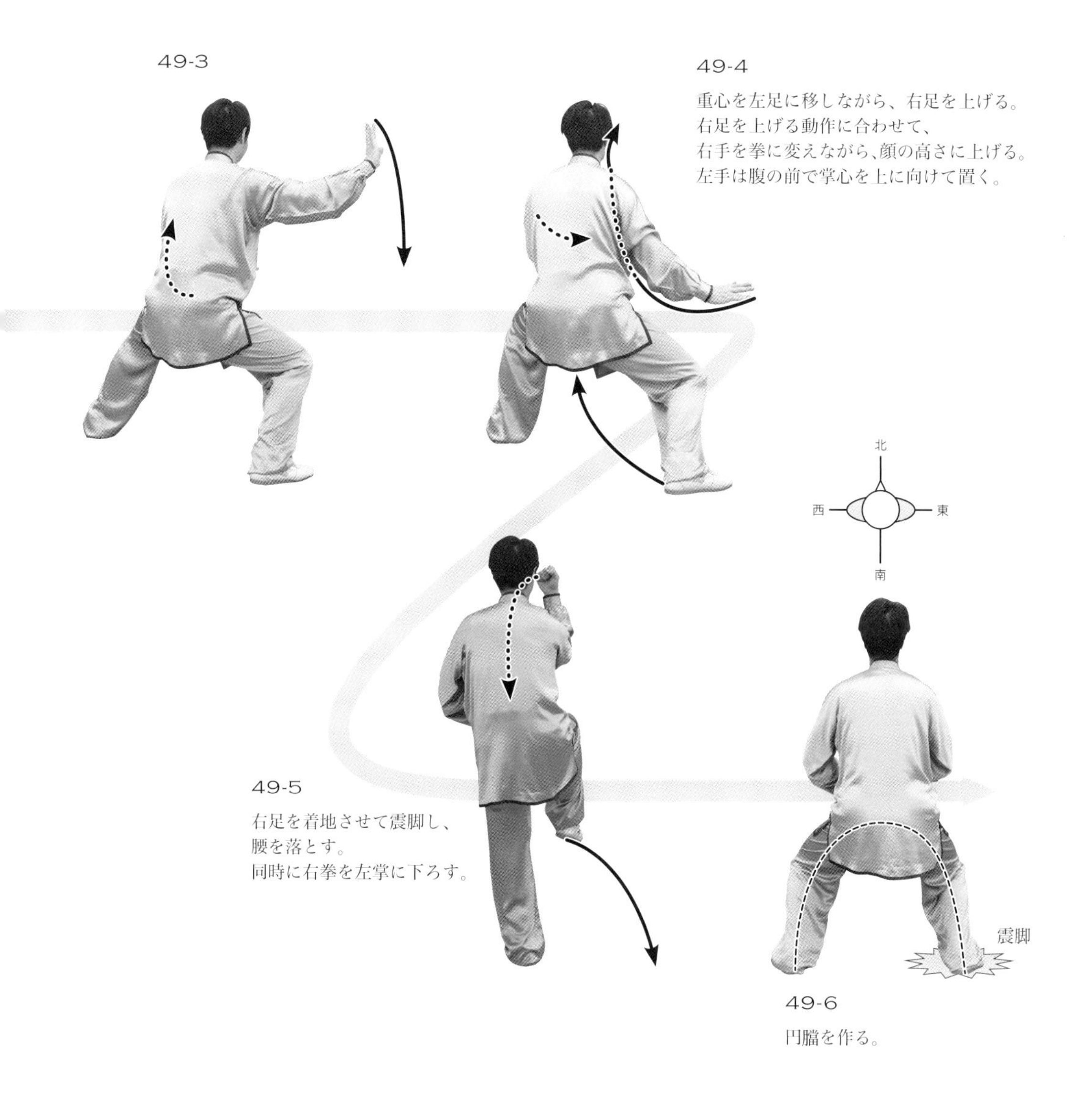

49-3

49-4

重心を左足に移しながら、右足を上げる。
右足を上げる動作に合わせて、
右手を拳に変えながら、顔の高さに上げる。
左手は腹の前で掌心を上に向けて置く。

49-5

右足を着地させて震脚し、
腰を落とす。
同時に右拳を左掌に下ろす。

49-6

円襠を作る。

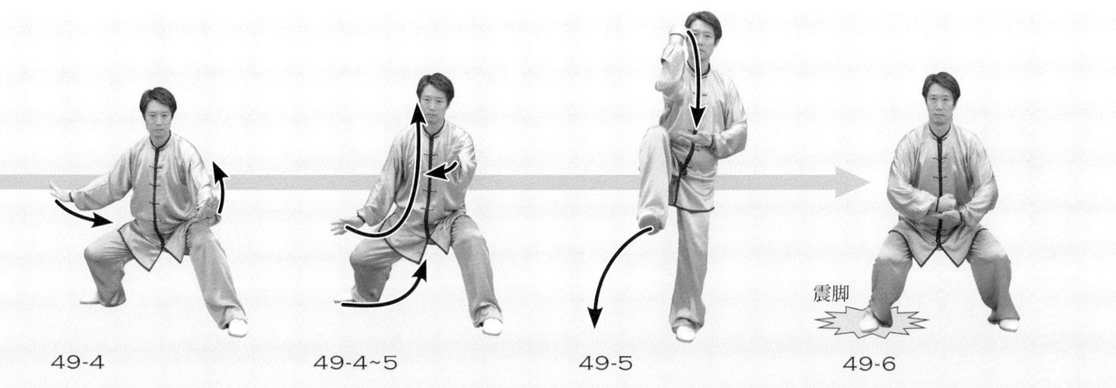

49-4　49-4~5　49-5　49-6

50 収勢 (Shou shi)

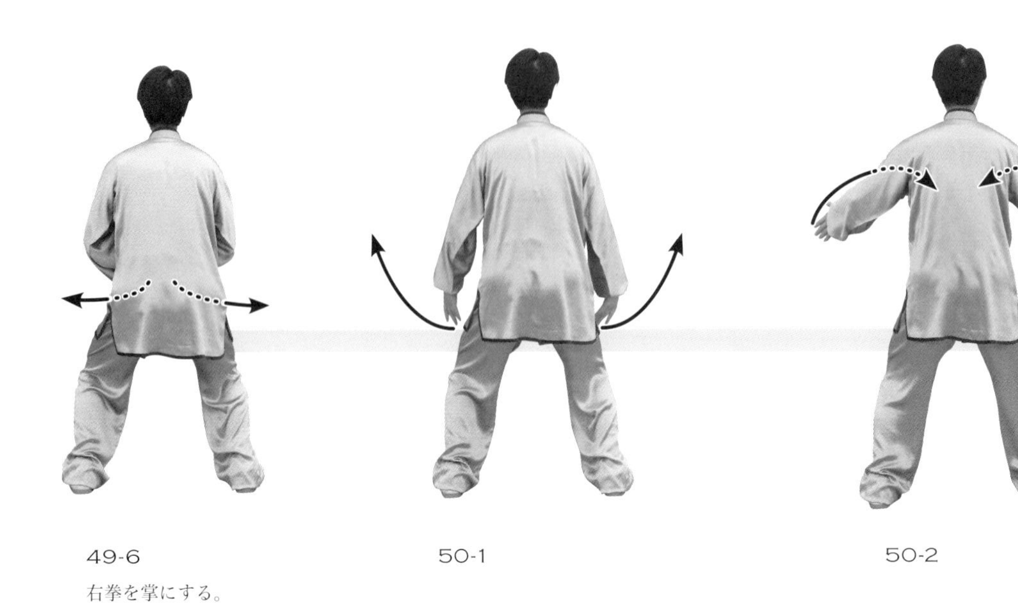

49-6

右拳を掌にする。
両手を外に回し、
胸の高さまで上げる。
腕の回転に合わせて、
腰を上げていく。

50-1

50-2

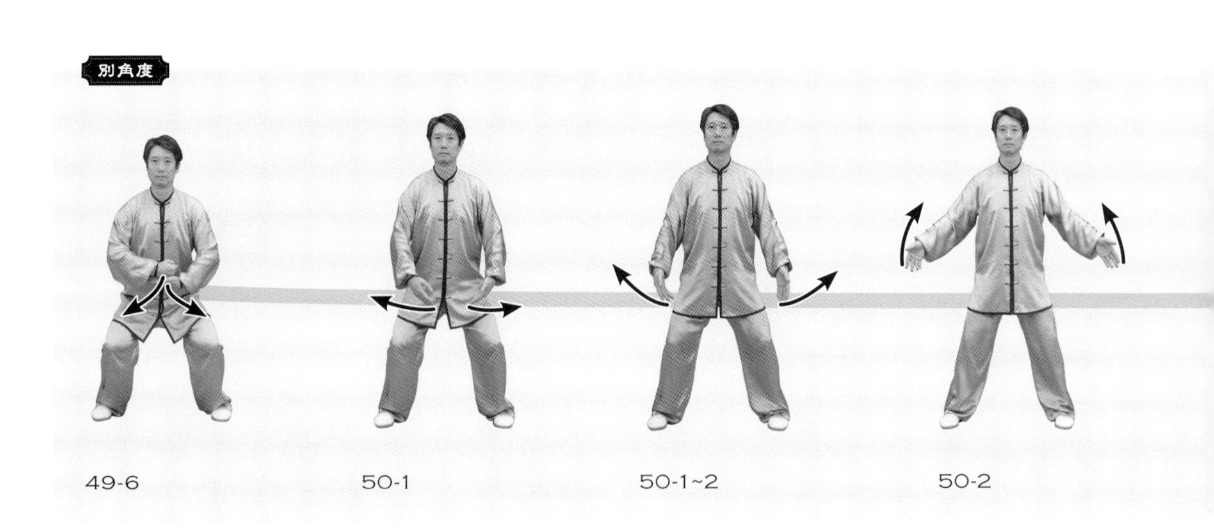

49-6 50-1 50-1~2 50-2

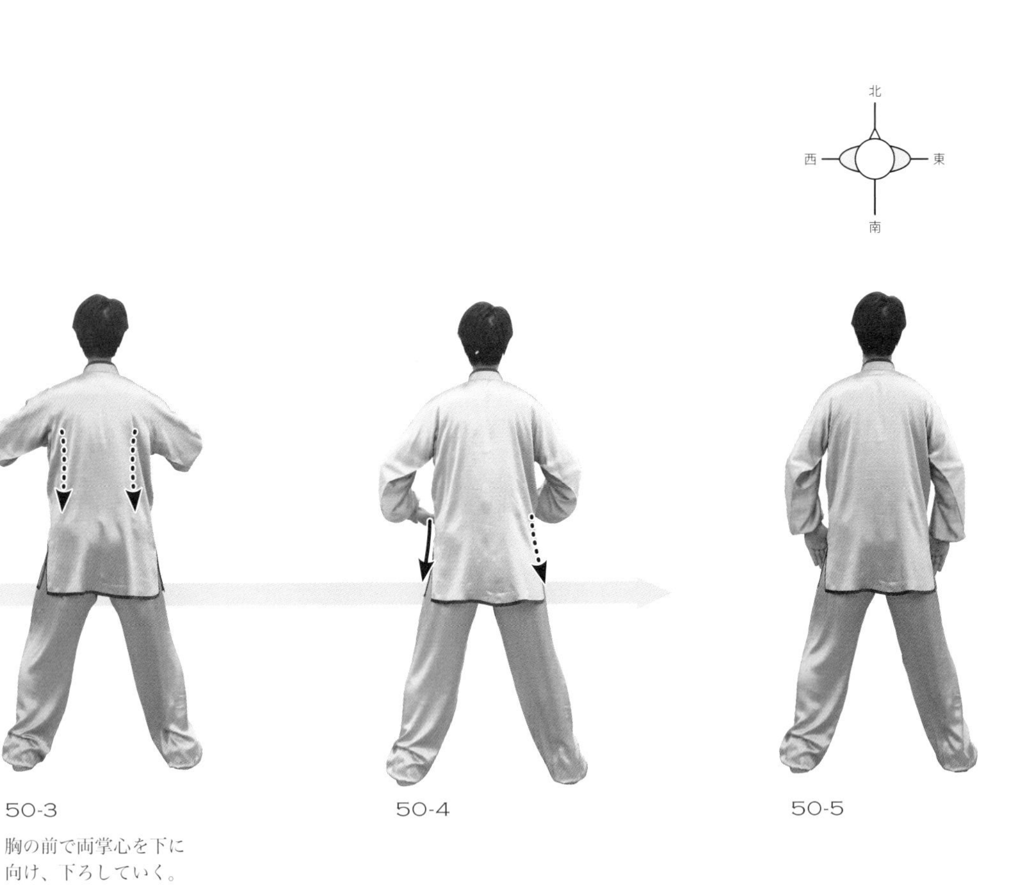

50-3

胸の前で両掌心を下に向け、下ろしていく。

50-4

50-5

50-2~3

50-3

50-4

50-5

第四編 対練と実戦

第一章
推手入門

1．推手概論

推手は太極拳における双人対練の最も基本的な練習方法の一つであり、打手とも搕手とも呼ばれている。二人で手を合わせて、決まった動きで腕を回しながら、自分の安定性を守り、相手の弱いところを探って侵攻することが基本的な主旨である。

推手の学習は定型的な形から始める。その方法はいくつもあるが、本書では単手挽花、双手挽花、定歩推手、順歩推手、大捋、活歩推手を紹介する。

なお、陳家溝で「推手」といえば、定歩推手、順歩推手、活歩推手を指し、単手挽花はしばしば「単推手」とも呼ばれるもので、入門段階に紹介する程度で、普段の推手の練習ではほとんど行われない。単手挽花は相手と合わせて腕を回す感覚に慣れるためのものである。古くからの習慣としては、順歩推手を基本練習とするのが常である。

なお、決まった形のないフリーファイトを「散手」という。1対1の戦いもあれば、1対複数の戦いもある。この散手については、P.518から簡単に紹介することにしたい。

推手の陰陽太極理論

推手の理論的な背景となっているのも、やはり「陰陽太極理論」である。

三次元空間では、我々の手は空中に平円も立円も描くことができ、その組み合わせで自在に立体曲線を描くことができる。さらに足の位置や角度（歩法と方位）が加わることで、無限の変化を作ることができる。つまり、陰陽変化の向きは360°の自由度を持ち、その変化は無限であるといえる。

さらに相手と自分の関係にも、陰陽太極がある。

地球と太陽の関係をイメージするとよいだろう。地球は太陽の周りを公転しながら、自転をしている。推手で歩法を取り入れられるレベルに達すると、自分と相手の身体は足の動きによって回転する。また、腕や足、胴体も回転している。同時に、自分の全身の各部でも極小的な回転が起きているのである。これで全体は陰陽転換を行っている。

さらに、陰陽理論によると、方と円は同居する。「只圓無方是滑拳、只方無圓是硬拳」(ただの圓で方が無ければ、滑るだけ。ただの方で圓がなければ、硬いだけ)。これを言い換えれば、柔の中に剛があり、剛の中に柔がある。つまり、陰の中に陽があり、陽の中に陰がある。

これら、一見して矛盾している要素を身体で体現することが、太極拳で求められているのである。

八門勁

内勁は、方向や働きなどの特徴によって、八つに分類されている。これを、「八門勁」という。「八門勁」とは、「掤(ポン)、捋(リー)、擠(ジー)、按(アン)、採(ツァイ)、挒(リエ)、肘(ツォウ)、靠(カオ)」である。これらを使って相手の力を変化させ、そして相手を制する。

その内、よく使われるのが「掤、捋、擠、按」の四つであり、これを四正勁という。

掤(ポン)

簡単に説明すると、両手と腕が同時に順纏絲を行い、化勁や攻撃をすることである。時には片手で身体の内勁に合せて行う場合もある。

捋(リー)

外観動作から説明すると、両手はほぼ1尺(小臂の長さ)の距離に保ち、同じ運動軌道に乗って順序に流れる。肩、肘、手首の順序で動きを伝え、指先は手首に従って動く。両手での双捋も片手での捋もある。手と腕の順纏絲と逆纏絲を行い、相手を牽引し、回し、抑える等々の攻撃を行うことが可能である。

擠（ジー）

　両手が順纏絲しながら、手や腕、肘を使用して相手を推す勁である。

按（アン）

　両手が逆纏絲をしながら推す勁である。片手で行うものを単按、両手で行うものを双按という。

採（ツァイ）

　梃子の原理を使って、相手を回転させる力や、捻れを起こさせる勁である。

挒（リエ）

　相手の力を利用して発勁する。回転方向、瞬間的に力や方向を変換する時に用いる。

肘（ツォウ）

　肘の勁や技法の総称である。纏絲勁を肘に到達させ攻防を行うこと。

靠（カオ）

　基本的には身体のある部分（腕、肩、背等）を相手に当てて発勁する技法を指す。

歩法と身法における注意点

基本的なことであるが、歩法と身法に関する注意点をまとめておく。

まず、よく勘違いされがちなのが、常に腰が低い方が良いと考えられていることである。腰を低くできることも大切であるが、それは太極拳を学ぶ中での一段階にすぎない。腰を低くした状態で套路や推手を行うという段階もあるが、これは全ての学習段階において必ずしなければならないものではなく、ある段階では腰の高さの変化を練習する必要がある。

いつも、誰に対しても、同じ姿勢、同じ歩法で対応することはできない。それは硬い対応である。ある一瞬は、低い馬歩で安定するとしても、またある一瞬では低い姿勢の方が不利になることもある。必要なのは、低い場合も高い場合にも対応できることである。

低い歩法は練習の一段階であり、実践においては様々な高さで自在に動けるようにすべきである。

次に、身法について説明する。

身法は、基本的には「立身中正」であるが、これは地面に垂直であるということではない。垂直では却って不安定になる。連続する動きの中で垂直になることがあるとしても、それは一瞬の出来事であり、基本的には相手に対して若干前に円形を作る。この円形を含め、脚は常に円艡に保つ。例えば、脚や股の間には円艡がある。詳しくは本書の基本功の解説を読み直してほしい。

「立身中正」と円艡については、套路でも求められる要領である。推手では、さらに身体の中心に剛性のある芯が求められる。弾性のある芯とは、バネのような強さとしなやかさを兼ね備えている状態である。身体に芯があり、その上で細かい回転が存在するのである。

例えば、身体の芯が硬く、バネがない状態であれば、相手の力を受けた場合、硬い石やレンガのブロックのように大きく回転してしまうだろう。相手の力を受け流せても、無駄にエネルギーを消費し、安定できない。つまり、太極拳の戦い方ではないのだ。

何度も紹介した「只圓無方是滑拳、只方無圓是硬拳」という口訣とも関連するのだが、推手で攻め込んでくる相手は、抵抗を感じないのではない。抵抗は感じているが、その抵抗には、方向や流れがあり、変化していくのである。なぜなら、絶えず力の方向や大きさが変わっているからである。

2．推手の学習について

推手で養成されるもの

推手で養成されるものの一つに「聴勁」がある。「聴勁」とは、耳で聞くのではなく、心、腕、足、身体全体の感覚で聴くものである。すぐにできるものではなく、かなり練習しないと分からないだろう。

では何を、どのように聴くのか？　一言で言えば、「権」である。基礎理論でも述べたが、「権」とは衡器、秤のことである。聴勁によって、相手のバランス、自分のバランス、相手と自分の関係性のバランス、陰陽のバランスを見極める。力には必ず中心がある。

推手において、相手とともに動き、相手のバランスを崩すことができるのは、聴勁によって「権」を知ることができるからである。自分の中心を知り、そして相手が掛けてきた力の中心を知ることで、自分の中心とぶつからないようにわずかに逸らせていく。これを一瞬のわずかな纏絲で達成できるので、「差之毫釐、謬之千里」つまり分毫（ふんごう）の違いで千里の差が出るのである。つまり化勁することで、相手の中心付近で陰陽転換が起き、相手のバランスが崩壊していく。

相手に反撃する際には、力を真っ直ぐには使わない。全て螺旋的な力を掛けていく。すると、相手は倒れるしかなくなるのである。

こうした過程に「引進落空」があり、これによって「四両撥千斤」、つまりわずか四両の力で、千斤を弾くという境地に至るのである。

当然、相当な練習をしないと、達成できないものである。

套路と推手を繋ぐ学習の段階

ここでは、套路と推手の関係性や学習における順序について、考え方の例を示したい。

太極拳の入門者は、一番最初に套路を勉強する。これは絶対に必要である。

套路の練習では、歩法、手法、身法の基本を学ぶ。ただし、套路の綺麗なパターンだけを学習するのではなく、下盤や腰の回転、腕の纏絲、意念を使って纏絲することも、套路で練習する必要がある。

全身の纏絲を理解せずに推手をしても、動作の形の他には何も分からないだろう。ましてや、自分の中心が分からず、常に安定して套路ができなければ、相手と組んで動くことなど、なおのこと難しいだろう。

推手がある程度できた後も、套路の練習は当然必要である。だが、推手の学習が進むにつれて、套路への理解も進み、身体も練られてくるので、内外の両面における套路の動きも変化していくだろう。

理想的には、全身の纏絲が分かった段階で推手の学習を始める。内勁を学習している段階では、推手の練習を通して纏絲勁への理解を深めることができる。

初めて推手を学習する時は、まず手の組み方から始める。相手の手はどこに置き、自分の手はどこに置くのか。相手と組んで、円形に手を回せるようになることを目指す。

套路と同じように、立身中正を守り、虚領頂勁（きょれいちょうけい）もでき、丹田も意識できている状態で、定形推手のパターンを練習できるようにする。纏絲も使い、沾粘連随（せんねんれんずい）もできるようにする。

次の段階で勉強するのは、相手から加えられる力を処理する方法である。最初は押してくる力に対してどう対応するのかを学ぶ。

著者個人の経験からいうと、まず腰の訓練が必要で、これは陳鑫も言っていることである。通常、相手から押される力が加えられると、自分は後ろに倒れるか、横に倒れるか、身体が捻れてしまう。まずこれをしないようにする。すると、かなり身体を硬くして、抵抗しなければならない。押してくる力に対して、身体を回して捻ったり、後ろに反ったりしているのでは、上達はできない。

相手が押す力に抵抗すると、足も身体も硬くなる。そこで、身体の立身中正を守りながら、腕や肩で化勁する練習をする。全身の纏絲・回転で、相手の力を吸収することができるかを練習する。これが第一歩である。

この時に、力を受ける方は、必ず足の中から力を生じていることを感じて、足の纏絲も練習できる。腰の中に力を受けているため、腰の回転もしなくてはならない。同じように胸も回転、腕も回転する。すると、掛けられている単純なまっすぐな力に対して、自分がいかに纏絲すればそれを吸収できるかを、身を以て覚えることができる。

この段階で引進落空（いんしんらくくう）、陰陽変化の認識を学習する。

次の段階では、大きな圏（けん）を用いた技の学習へ進む。相手が押してくる力に対し、それを化勁して返すことを学ぶ。

この段階の圏は大きくて構わない。もちろん、小さい圏や動作があってもよいが、最初からすべてを小さくするのは難しい。立身中正を守って、身体が大きく捻れてしまわないように注意して、大きな回転で相手を倒すようにすること。

この段階で、老師は弟子に、一部の套路の解釈を伝え、応用する方法を教えることがある。全ての解釈を伝えないのは、その人の学習の段階に合わせ、その人に理解しやすい動作を選ぶからである。

次の段階で、套路に小さい圏を求める。小さい回転で相手を倒すことをイメージした練習を繰り返し行う。そして、それを推手にも応用し、大きな動作ではなくて、小さな動作で相手の力を化勁し、倒せるように練習をする。

何年も練習を重ねることで、身体の微小な振動くらいの動きで相手の力を化勁して、その瞬間に発勁して相手を倒せるようになる。

この段階まで至れば、あとは自分で考え、研究して陰陽の理論を積極的に応用する練習をする段階となる。

以上、学習の順序を簡単に解説したが、なんといっても套路は重要な基本である。これに加えて、先生の指導や誘導によって段階を踏んでいく。もちろん、個人の努力を忘れてはならない。

万能な神技よりも、「道」と「理」に専念

推手で勝ちたい、負けたくないと思うことは、誰にでもあるだろう。推手で勝負するには、当然、技の学習が必要である。推手で使われる実用的な技を「招法」ともいう。

招法は学習段階によって、簡単に学習できるものもあれば、繊細な纏絲で構成された高度なものもある。レベルが高いほどシンプルで、華やかには見えない。つまり、圏が小さくなり、素朴であるが、技は鋭くなる。まさに小架式陳氏太極拳の特色ともいえる。

ただし、技というのは、利く場合があれば、利かない場合もあるものである。それは、自分と相手の功夫のレベルの差やその他の条件によって生じる。

では、誰にでも利くような、技はあるだろうか。

武術の世界には、超常現象のように相手を操り、人を吹き飛ばしてしまうような、誰にでも利く「神技」を求めている方がいるだろう。だが、「真正的武術（本物の武術）」とは、

正々堂々としたものであるから、迷信や洗脳に注意することが必要である。

中国では、「拳無絶招、拳無空招」という諺がある。つまり、「拳法には誰にでも絶対に利く絶対招法は無く、無用な動作も無い」という意味である。どんな技でも相手によって利かない場合がある。レベルの低い技であっても、相手の状況によって上手く利くこともある。功夫のレベルが高ければ、いろいろな技を有効に使えるだろう。

もう一つ、中国武術界に「錬拳不錬功、老来一場空」という名言がある。その意味は、拳法を学習・鍛錬するのに本物の功夫を身に付けないと、一生かけて練習し、年老いても、何も得られない、ということである。よって、万能な神技を求めることをやめ、本物の伝統武術を学習することに専心し苦錬・研鑽をして、自分の功夫の向上に努力したほうが正解である。

ならば、太極拳で何を勉強するのか？　それは「道」であり、「理」である。陰陽の理をいかに上手く利用するかが大事である。頭を柔軟にして理を用いれば、推手の動きは千にも万にも変化できる。それを「千変万化、理帰一」という言葉で示している。ここで言う「理」とは、陰陽変換、陰陽太極であり、これがすべてである。

太極拳は千年前から発展してきた陰陽や太極理論に基いて、数百年の伝承を持つ文化、武芸、哲学である。推手は、内容豊かな太極拳を学習するための一部分である。推手だけを目的として、太極拳を学習することは誤った認識である。

推手練法 1 単手挽花・平円（反時計回り）

Dan shou Wan hua Ping yuan

手が水平の円を描く単手挽花（たんしゅばんか）のことを、「平円挽花（へいえんばんか）」ともいう。
片手を合わせて、水平に円を描くように（上から見て）反時計回りに回す。
なお、解説文は、著者を黒、相手を白として説明する（以降同様）。

1-1
互いの右手の手首を甲側で合わせる。
互いの右足の距離は 10㎝程度。
白は右手は逆纏絲しながら右から前へ出す。
黒は順纏絲しながら、白の腕を左に回す。
これに合わせて腰も左に回す。

1-2

1-3
黒は右手を胸の前を通って右へ回す。
手は逆纏絲になる。黒の腰は左へ回していく。
白の右手は順纏絲になる。

1-4
黒は腕を逆纏絲しながら、
外から前へ回す。
白の右手は順纏絲する。

1-8
引き続き、平円で回し続ける。

1-7
白は右手を逆纏絲させながら
右から前へ回す。
これを黒は右へ逸らす。

1-6
白は、右手を逆纏絲させて、
黒の腕を胸の前を通って
右へ逸らす。

1-5
白は右手を順纏絲して、
黒の右手を左へ逸らす。

推手練法2 単手挽花・平円（時計回り）

Dan shou Wan hua Ping yuan

片手を合わせて、水平に円を描くように（上から見て）時計回りに回す。

2-1
互いの右手の手首を甲側で合わせる。
互いの右足の距離は 10㎝以下。
白が右掌を黒の胸に伸ばす。
黒は右手を順纏絲しながら、
左へ腕を回して逸らす。腰も左に回す。

2-2
黒は右手を逆纏絲しながら、左から前へ腕を回し、
腰を右へ回していく。
白は右手を逆纏絲しながら、黒の右手を右へ逸らす。

2-3
黒は右手を逆纏絲しながら、白の胸へ伸ばす。
白は順纏絲しながら、黒の右手を左へ逸らし、
腰を左へ回していく。

2-4
白は右手を逆纏絲しながら、左から前へ回す。
黒は右手を逆纏絲しながら、白の腕を右へ逸らす。

2-8

引き続き、平円で回し続ける。

2-7

黒は、腰を左に回しながら、
白の腕を左へ逸らす。

2-6

2-5

白は右手を逆纏絲しながら、黒の胸に伸ばす。
黒は右手を逆纏絲しながら、白の腕を右へ逸らす。

推手練法３　単手挽花・立円（反時計回り）

Dan shou Wan hua Li yuan

手が水平の円を描く単手挽花を「立円挽花」ともいう。
片手を合わせて、立円（垂直の円）を描くように（著者から見て）反時計回りに回す。

3-1

互いの右手の手首を甲側で合わせる。
互いの右足の距離は 10cm以下。
黒は左の弧を描くように、
腕を下へ回していく。

3-2

3-3

3-4

黒は腰を右に回しながら、右手で立円の底をなぞるように右へ回していく。

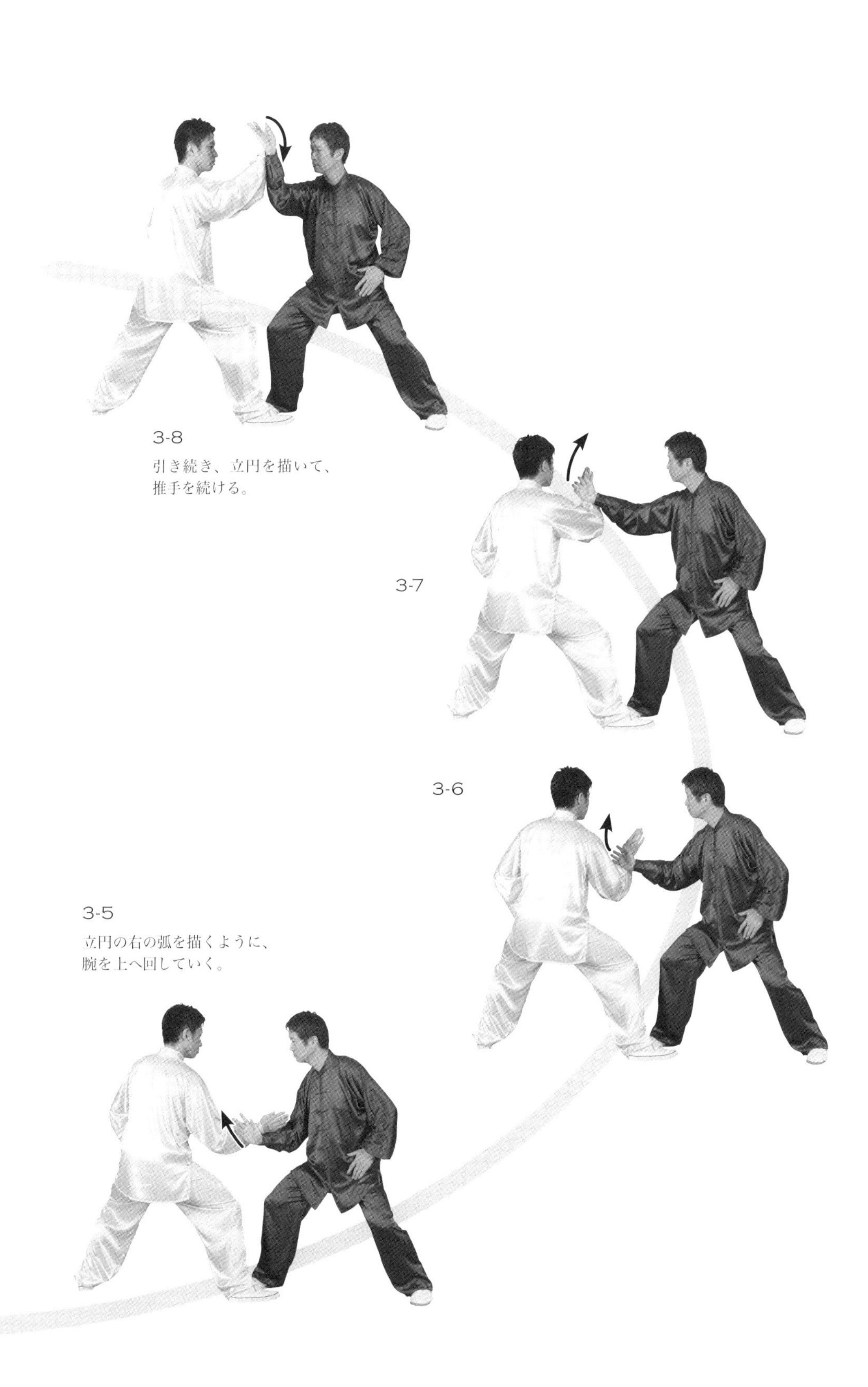

3-8
引き続き、立円を描いて、
推手を続ける。

3-7

3-6

3-5
立円の右の弧を描くように、
腕を上へ回していく。

推手練法４　単手挽花・立円（時計回り）

Dan shou Wan hua Li yuan

片手を合わせて、立円（垂直の円）を描くように（著者から見て）時計回りに回す。

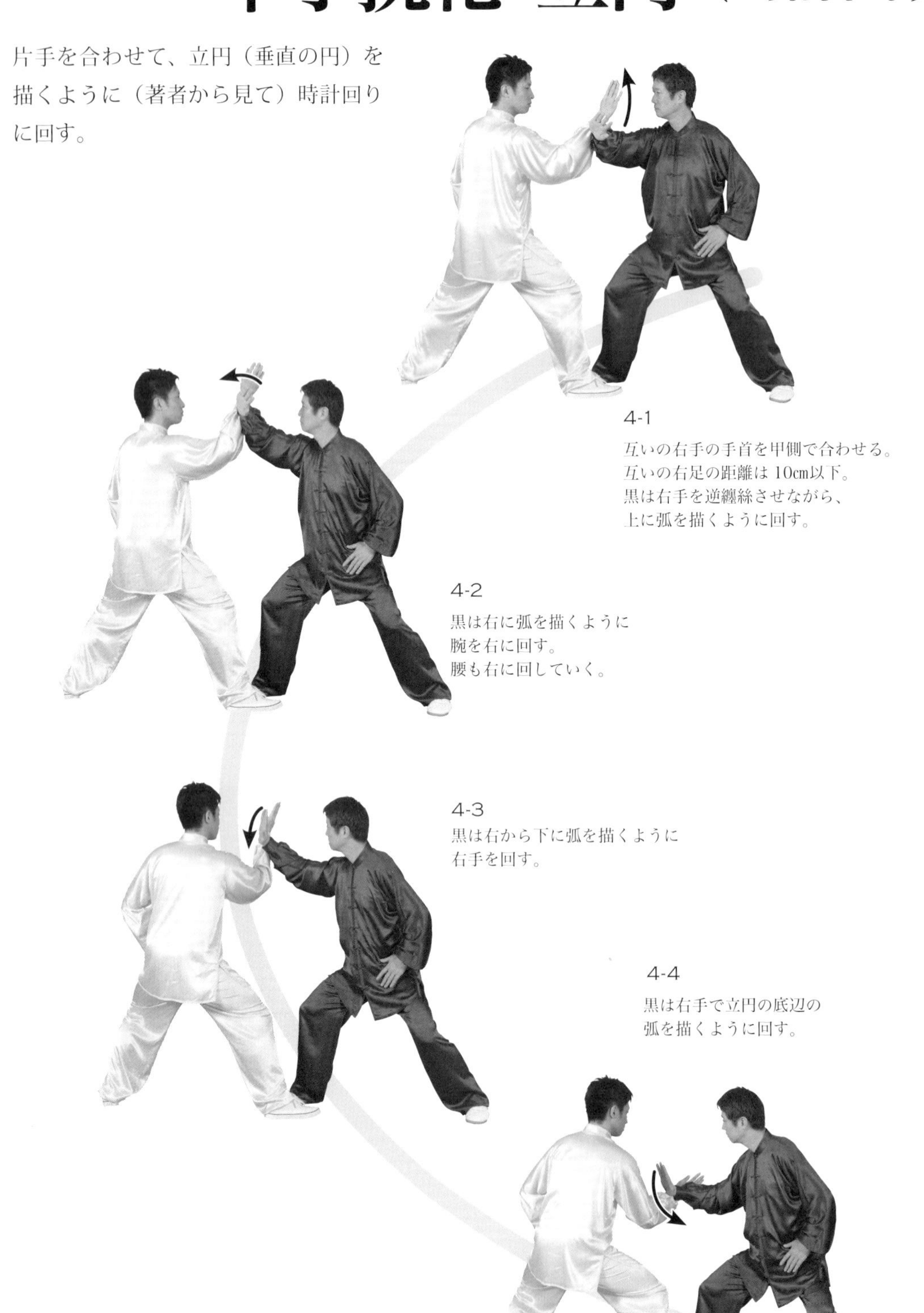

4-1
互いの右手の手首を甲側で合わせる。
互いの右足の距離は10㎝以下。
黒は右手を逆纏絲させながら、
上に弧を描くように回す。

4-2
黒は右に弧を描くように
腕を右に回す。
腰も右に回していく。

4-3
黒は右から下に弧を描くように
右手を回す。

4-4
黒は右手で立円の底辺の
弧を描くように回す。

4-8
引き続き、立円を描いて、
腕を回し続ける。

4-7
黒は右手で上から右へ
弧を描くように回す。

4-6
黒は右手で左から上へ
弧を描くように回す。

4-5
黒は左に弧を描くように、
右手を回す。
黒の右手は逆纏絲になる。

推手練法５　双手挽花（内回し）

Shuang shou Wan hua

外側に自分（黒）の両腕を添えた状態から始め、内から外へ回す。両腕で立円を描くが、重心の移動が伴うため、必ずしも円は垂直にならなくてもよい。

5-1

黒は、白の両腕の外側に両腕を添える。
互いの右足の距離は、単推手と同じかやや広めにする。
黒は重心を前に移動しながら、白の両腕を上げていく。
黒の両手は順纏絲から逆纏絲になる。

5-2

黒は両手を逆纏絲しながら、
白の両腕をさげていく。

5-3

5-4

黒は両手を逆纏絲させながら、白の両腕を
内側から割るように外へ回していく。
黒は重心を前の足に乗せて弓歩になる。

ここでは、手が描く円形を垂直の立円を基準にして図示しているが、平円にも斜めの円にもでき、熟練すれば、円の方向を自由に変化できる。

5-8
引き続き、両腕を回し続ける。

5-7
黒は両手を逆纏絲しながら、
白の両腕を下へ回す。
黒の重心は後ろ足に乗る。

5-6
黒は両手を順纏絲させながら、
白の両腕を上へ回していく。

5-5
黒は両手を順纏絲させながら、
白の両腕を下から掬うように回していく。
黒の重心はここから後ろに移動していく。

推手練法 6 双手挽花（外回し）

Shuang shou Wan hua

相手の両腕の外側に、自分の両腕を添えた状態から始め、外から内へ回す。両腕で立円を描くが、重心の移動が伴うため、必ずしも円は垂直にならなくてもよい。

6-1

黒は、白の両腕の外側に両腕を添える。
互いの右足の距離は、単推手と同じかやや広めにする。
黒は重心を前に移し、白は重心を後ろに移す。

6-2

白が両手を逆纏絲しながら、上から下へ、外に弧を描いて腕を回す。
黒は順纏絲しながら、両腕を開きながらさげていく。

6-3

白は重心を前に移し、
黒は重心を後ろに移す。

6-4

白は両手を順纏絲しながら、腕を外から内へ回す。
黒は両手を順纏絲しながら、両腕をさげていく。

6-8

引き続き、両腕を回し続ける。

6-7

白は両手を逆纏絲させながら、
内から外へ腕を回す。
黒は両手を順纏絲させながら、
両手を内から外へ開いていく。

6-6

6-5

推手練法 7 定歩推手（Ding bu Tui shou）

別角度

足を動かさずに行うが、両手の動きが複雑になる。最初は丁寧にゆっくりと行うとよい。なお、両腕の回転方向は、ここで図示するものとは反対方向でも可能であり、また、互いに左足を前にして行うこともできる。

7-1
黒は右腕を胸の前に出し、左腕を右肘の裏に付ける。
白は、黒の右手首に右手首を、黒の肘に左手を添える。
互いの右足の間隔は、単推手と同じようにする。
白は右手で上から黒の右腕を抑える。

7-2
黒は右手で白の右手を手前に誘導しながら、
左手を白の右肘に添える。
白は左手を自分の右肘裏に添える。

7-3
黒は両手で白の右腕を上に誘導しながら、
身体を右に回していく。

7-4
黒は両手で白の右腕を上から
右へ誘導していく。

7-5
黒は両手で白の右腕を上から
下ろし、抑える。

7-9
これ以降は、7-2 から 7-8 の動作を
左右逆にして、引き続き両腕を回す。

7-8
白は両手で黒の左腕を
下に抑える。

7-7
白は両手で黒の左腕を
上に誘導する。

7-6
白は左手で黒の右腕を上に誘導しながら、
右手を下から回して、黒の左肘に添える。
黒は右手を自分の左肘の裏に添える。

推手練法８ 順歩推手（進一退一）

Shun bu Tui shou　Jin yi Tui yi

両手の動作は定歩推手と似ているが、一歩前進、一歩後退する動作が加わる。相手とタイミングと位置関係を適切に維持しながら、自分の手法と歩法、身法を協調させることが求められる。

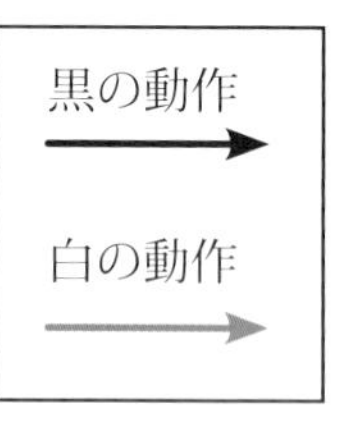

8-1
黒が右足を前に出して構え、白は黒の右足の外側に左足を置いて構える。
黒は、左手を自分の右肘の裏に置く。
白は、右手を黒の右手首に、左手は黒の右肘に置く。

8-5
黒は重心を右足に移しながら、両手で白の右腕を抑える。
白は重心を右足に移す。

8-6~7
白は右手を下から回して黒の左肘を取り、両手で黒の左腕を抑える。
黒は右手を自分の左肘の裏に添え、左から上へ弧を描いて上げる。

8-2

白は両手で黒の右腕を抑える。
黒は腰を右に回しながら、
右腕を左に弧を描いて上に回す。

8-3

黒は左足に重心を移し、右足を一歩後ろにさげる。
白は左足に重心を移動し、右足を一歩前に出す。
この時、白は右腕を前に出す。

8-4

黒は白の右腕を右へ誘導しながら、右足を後ろに引き、
左手を白の右肘に添える。
白は右足を黒の左足のすぐ内側に置き、左手を自分の
右肘の裏に添える。

8-9

黒は左手を下から回して、白の右肘を取る。
白は左手を自分の右肘に置く。

8-8

白は両手で黒の左腕を
下へ抑える。

8-10

黒は両手で白の右腕を抑える。

8-11

白は右手を弧を描きながら上に上げ、重心を左足に移す。
黒は左足に重心を移す。

8-15

黒は左手で白の左手を上に誘導しながら、右手を下から回して、白の左肘に添える。
白は右手を自分の左肘の裏側に置く。

8-16

黒は両手で
白の左腕を抑える。

8-12~13

白は右足を一歩後ろにさげながら、左腕で黒の両手を後ろへ誘導する。
黒は右足を一歩前へ出して、白の左足のすぐ内側に置きながら、同時に左手を自分の右肘の裏に添える。

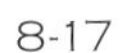

8-14

白は両手で
黒の右腕を
抑える。

8-17

白は左手を下から回して、黒の右肘に添える。
黒は左手を自分の右肘の裏に置く。

8-18

以降、同じ動作を繰り返す。(8-2 へ)

推手練法９　大捋（Da lü）

手足の動きは、順歩推手と同じであるが、大きく捋をする、つまり後方に引く動作が特徴的である。一方が大きく捋をしながら腰を低くして、もう一方はそれについていくように腰を低くする。

9-1

手の組み方、足の置き方は、順歩推手と同様。
黒が前へ右腕を押し込む。
白は後ろに引きながら、腰を低くする（大捋）。
黒は腰を左に回し、右腕を下から左に回しながら腰を低くする。

9-6

白は右手を下から回して、黒の左肘に添えながら、腰を上げる。
黒は左腕を右から上へ弧を描いて回しながら、腰を上げ、右手を自分の左肘の裏に添える。

9-7

白は両手で黒の左腕を後ろに引きながら、
腰を低くする。
黒も合わせて腰を低くする。

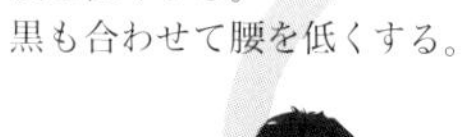

9-8

黒は左手を下から回して、
白の右肘に添える。

9-2

黒は右腕を左から上へ弧を描いて回しながら、腰を上げて重心を後ろにさげる。
白も合わせて腰を上げる。

9-3~4

白が右腕を前へ押し込みながら、右足を黒の左足の内側に着く。この時、左手を自分の右肘の裏に添える。
黒は右腕を右へ回し、左手を白の右肘に添えながら、右足を後ろへさげる。

9-5

黒は両手で白の右腕を後ろに引きながら、腰を低くする。
白は合わせて腰を低くする。

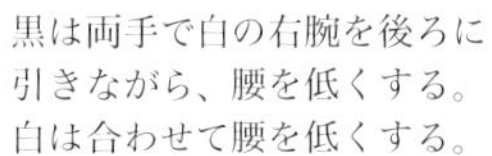

9-9

黒は重心を後ろに移して、白の右腕を引き込む。
白は左手を自分の右肘の裏に添えながら、合わせて重心を移動する。

9-10

白は右手を左から上へ弧を描いて回し、腰を上げる。
黒は合わせて腰を上げる。

9-11~12

黒は右腕を前に押し込みながら、右足を出して白の左足の内側に着ける。
この時、左手を自分の右肘の裏に添える。
白は右足を後ろにさげながら、左手を下から回して黒の右肘に添える。

9-17

白は左手を下から回して、
黒の右肘に添える。
黒は左手を自分の右肘の裏に添える。

9-18

白は両手で黒の右腕を抑える。
黒は重心を右足に移しながら、
右手を下から左に回す。

9-13

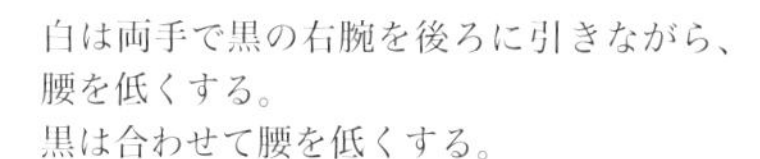

白は両手で黒の右腕を後ろに引きながら、
腰を低くする。
黒は合わせて腰を低くする。

9-14

黒は右手を下から回して、
白の左肘に添えながら腰を上げる。
白も合わせて腰を上げる。

9-15

白は左手を右から上へ弧を描いて回す。
この時、左手を自分の左肘の裏に添える。

9-16

黒は両手で白の左手を後ろに引き
ながら、腰を低くする。
白は合わせて腰を低くする。

9-19~20

黒は右腕を左から上へ弧を描
いて回しながら、腰を上げる。
白は合わせて腰を上げる。
引き続き腕を回し続ける。

推手練法 10　活歩推手（八卦歩）

Huo bu Tui shou　Ba gua bu

活歩推手は、足を自由に運ぶことができる推手で、「乱踩花」ともいう。足は無制限に移動できるように見えるが、幾つかの基本歩法がある。ここでは八卦つまり円を八分割した形に歩法をする「八卦歩」を簡単に紹介する。前の足が先に動き、後ろの足が後で動く。手の動きは順歩推手とほぼ同じである。

なお、この段階以降は、両者が全く同じ動きになりえないため、本書で示す方法は学習の参考にして、各自実習によって身に付けること。

10-1

互いに右手首の甲側を合わせ、左手を自分の右肘の裏に添える。
両足の幅は肩幅程度。
白は右手で黒の右腕を下に抑えながら、右足を左に移動させる。
黒は右腕を左に回しながら、右足を左に移動させる。

10-4

黒は両手で白の左腕を抑えながら、
右足を左に移動させる。
白は右足を左に移動させる。

10-5

黒は両手で白の左腕を抑えながら、
右足を左に移動させる。
白は右足を左に移動させる。

10-6

白は右腕を左から上へ回しながら、
右足を左に移動させる。
黒は右腕を上から右へ回しながら、
右足を左に移動させる。

10-2

白は左手を黒の右肘に添えながら、左足を左に移動させる。
黒は右手を下から回して白の左肘に添えながら、
左足を左に移動させる。

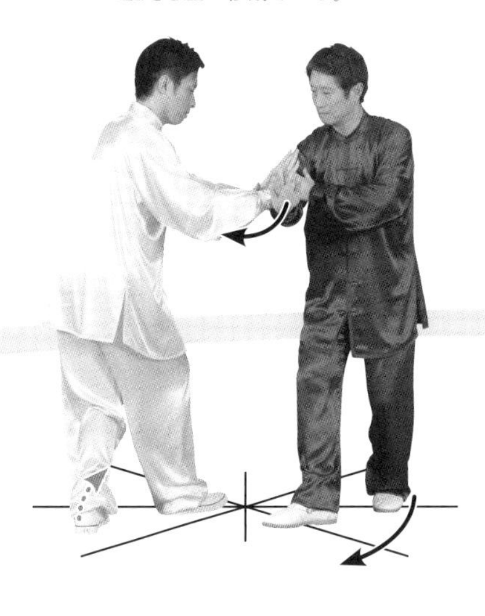

10-3

白は左手を右から上へ弧を描いて回し、
右手を自分の左肘の裏に添える。

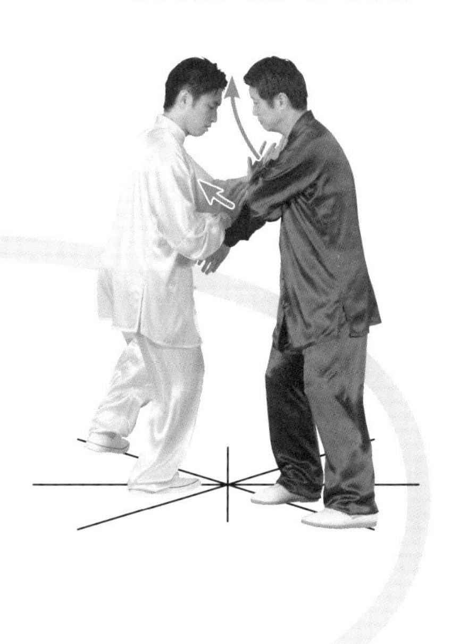

10-7

白は右腕を右に回し、左手は自
分の右肘の裏に添えながら、左
足を左に移動させる。
黒は右腕を左から下へ回し、左
手を自分の右肘の裏に添える。

10-8

黒は身体を右に回しながら、
右腕を下から右へ回す。
白は右手を黒の右手に付けた
まま左に回す。

10-9

黒は下から回した右手を白の左肘に添えながら、右足を左に移動させる。
白は右手を自分の左肘の裏に添えながら、右足を左に移動させる。

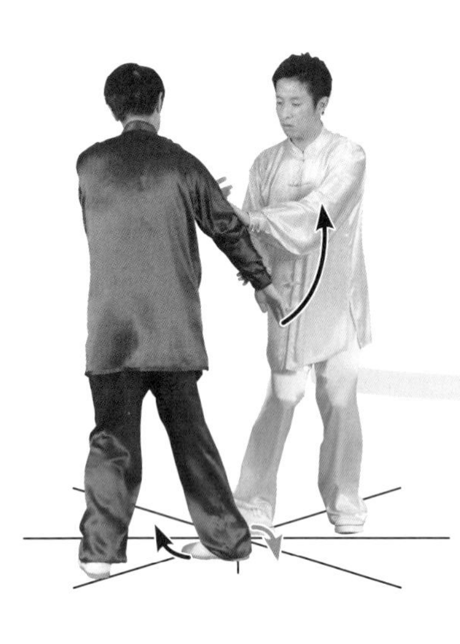

10-10

白は左手を下から回して黒の右肘に添えながら、左足を左に移動させる。
黒は左手を自分の右肘の裏に添えながら、左足を左に移動させる。

10-13

黒は身体を右に回し、左手を下から回して白の肘に添えながら、左足を左へ移動させる。
白は右手を自分の左肘の裏に添えながら、左足を左に移動させる。

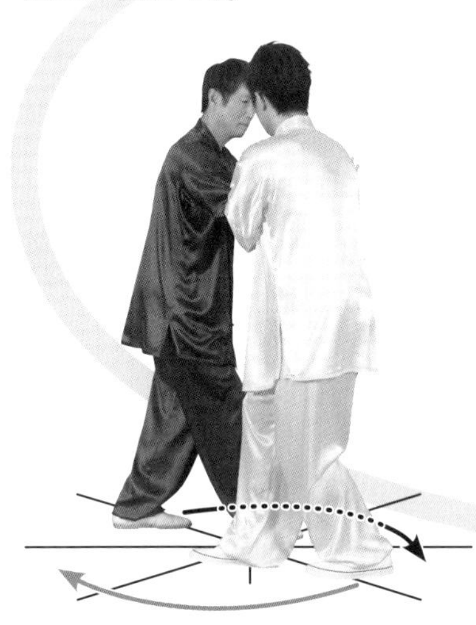

10-14

黒は両手で白の左腕を抑えながら、右足を左に移動させる。
白も合わせて右足を左に移動させる。

10-11

白は身体を右に回しながら、右手を左から上に回す。
黒は白の右手に合わせて右手を上げながら、身体を右に回す。

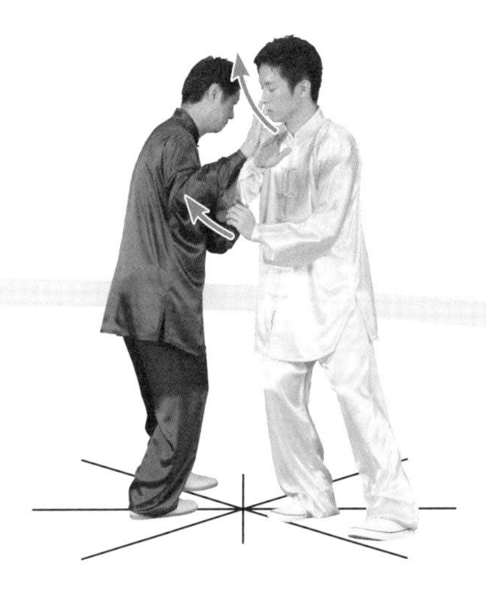

10-12

白は両手で黒の右腕を抑えながら、右足を左に移動させる。
黒は左足を左に移動させる。

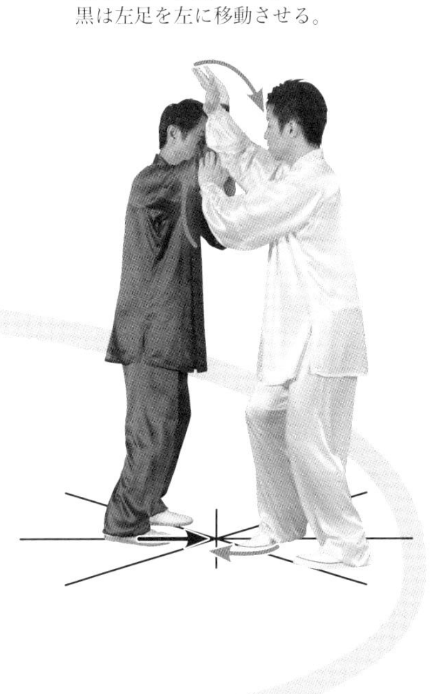

10-15

白は右腕を左から上へ弧を描いて回し、左手を自分の右肘の裏に添える。
黒は白の動きに合わせて右手を上げる。

10-16

引き続き、円形に回りながら、腕を回していく。

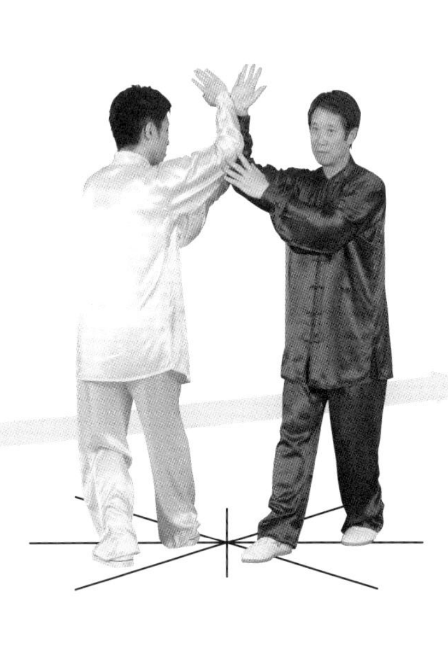

推手練法 11　活歩推手（圓形）

Huo bu Tui shou Yuan xing

八卦歩よりもさらに歩法の自由度が増した推手を活歩の中でも「花歩」という。手足の動きは八卦歩とほぼ同じと考えてよいが、動きが複雑になるので、文章での解説はしない。八卦歩同様に、本書で示す写真を参考に、各自実習をもって身に付けてほしい。

11-2
11-3
11-4

11-9

11-10

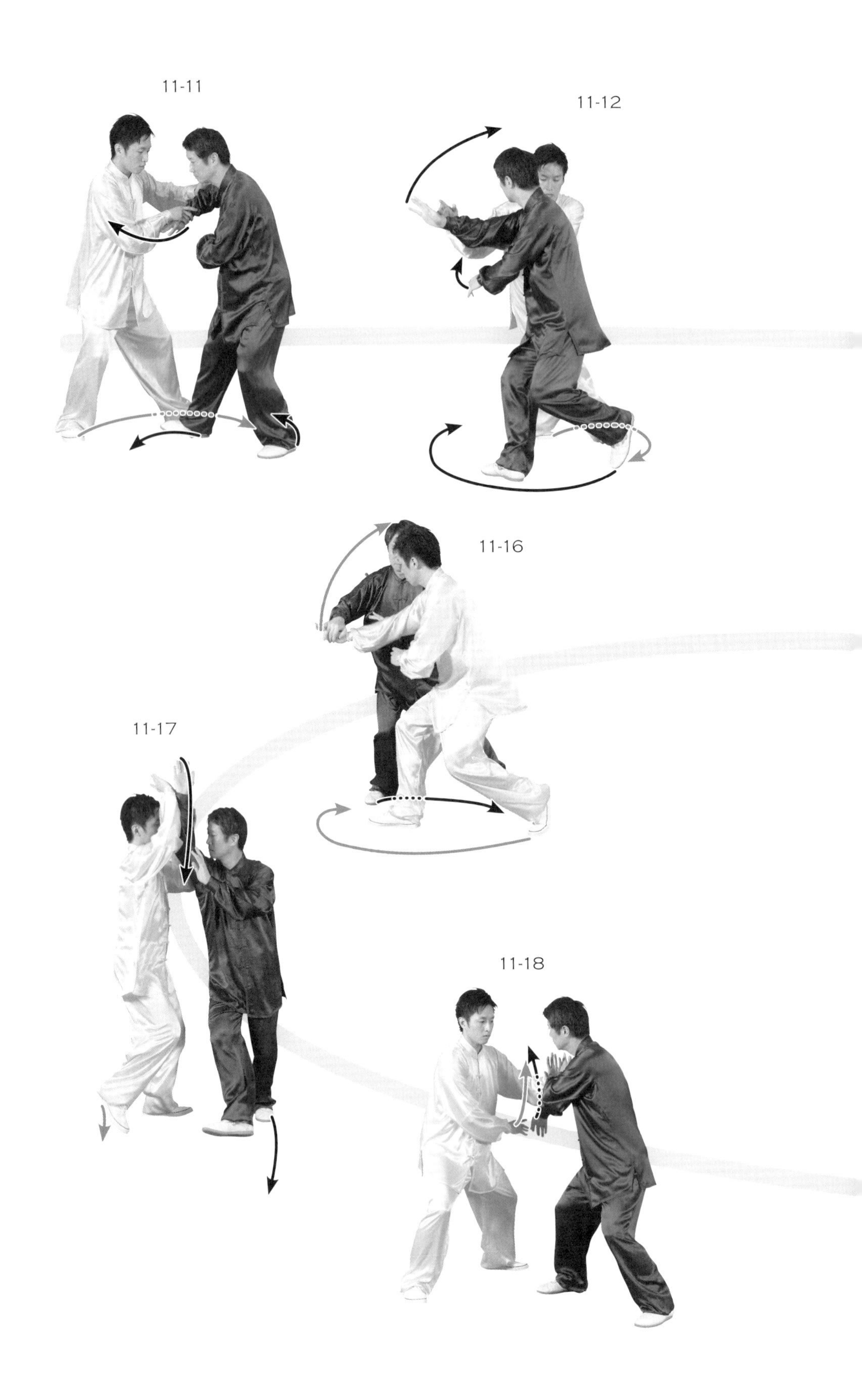
11-11
11-12
11-16
11-17
11-18

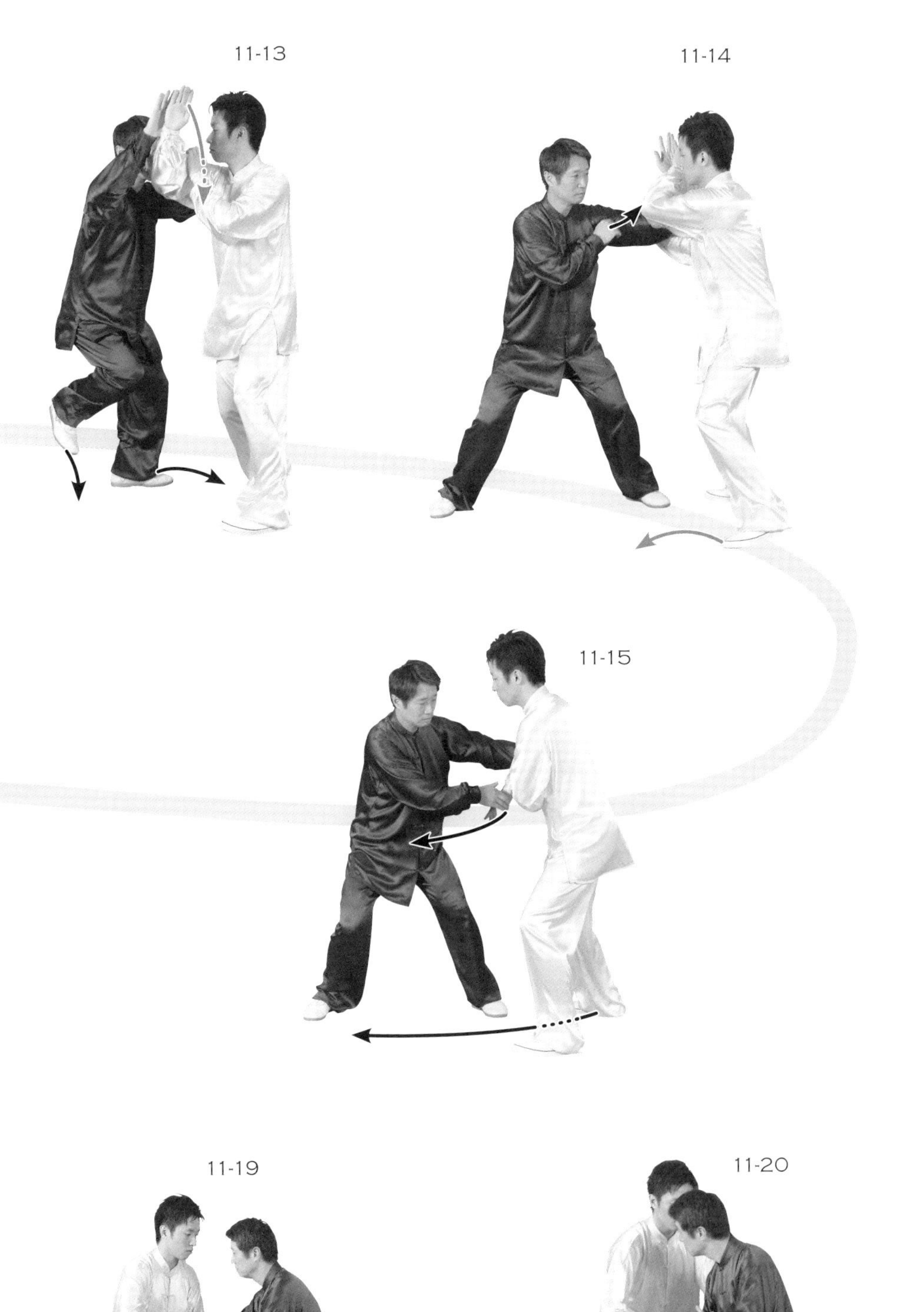

11-2 へ戻る。

推手練法 12 活歩推手（大圏と三歩・五歩）

Huo bu Tui shou　Da quan　San bu　Wu bu

「活歩」の段階では、腕が１回転する間に三歩や五歩移動できるという例を示しておく。
これも詳細な動作解説をしないが、推手も自由度が高くなると、両者の功夫の差がどうしても現れてしまうことを連続写真を通して見てほしい。
聴勁で相手の動き、歩数を感じ取り、手を付けたまま、ちょうど良い距離を保つこと。
功夫が高い者は必ず有利な位置関係にあり、姿勢も安定しているため、相手をまるで引き回すように見えることもある。
始めからこの動きをまねしようとせずに、段階を経て着実に功夫を積んでいただきたい。

12-1

12-4

12-5

12-6

12-2
12-3

12-7

12-8

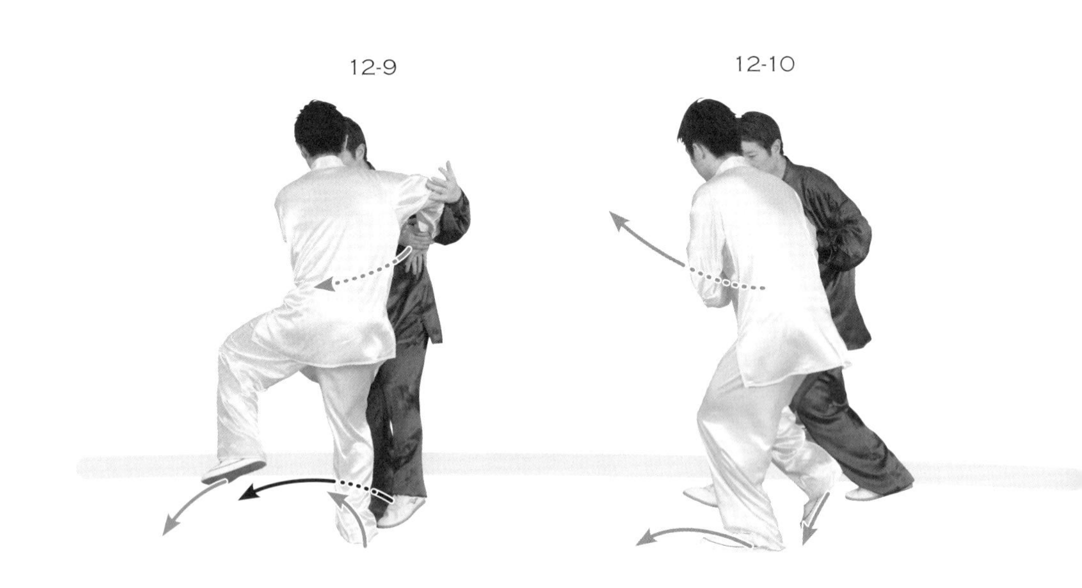
12-9
12-10

12-14
12-15
12-16

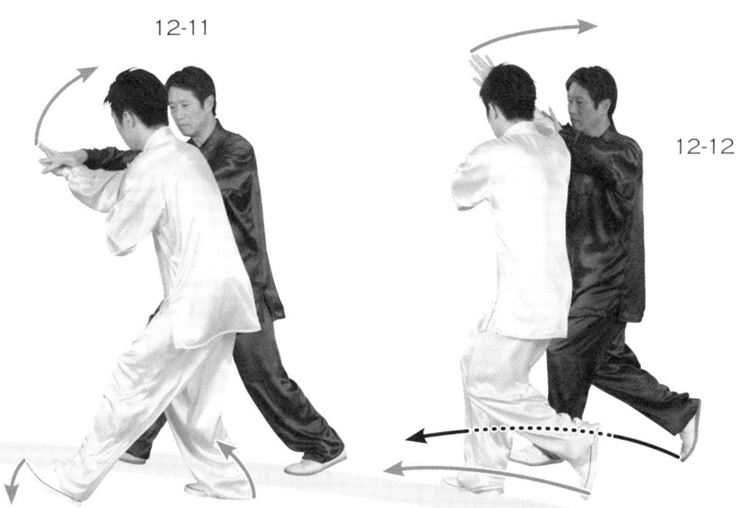

12-4 へ戻る。

第二章
推手の用法

1．推手の基本技法

推手の理論

太極拳全体の戦闘理論としては、「後発制人」がある。これは「後から動きだして相手を制する」という意味である。つまり、こちらからいきなり攻めていくのではなく、相手が攻めてきたときに生じるチャンスを待つ。相手が攻めてきて、その力を自分が吸収して、相手を巻き込む。これが太極拳を含むすべての内家拳の実戦理論の特徴である。

推手の要項としては、「彼不動、吾不動。彼予動、吾先動」がある。つまり、「相手が動かなければこちらも動かない。相手が動こうとするときに、こちらが先に動く」のである。これは「捨己従人」の要領とも共通の理念である。「捨己従人」とは、自分を奴隷のように相手に付き従わせるということではない。相手の動きに従いながら相手の力を吸収することで、いつの間にか相手はこちらに制されてしまうのである。

太極拳では、陳鑫の「引進落空」の図（P.86）に表されているように、相手の力が強くても、その力の方向を徐々に変化させることで弱めていくことが可能である。

太極拳の技術を説明する時に円という語がよく用いられるが、これを幾何学的に硬く理解していてはいけない。硬い理解では、相手の力を返すことはできない。

初歩では大きく分かりやすい円の動き（圏）が用いられるが、段階が上がるにつれて小さくなり、次第に外観的には見えなくなっていく。だが、実際には、自分の身体の至る所で回転が起きている。手で相手の力を受けているように見えても、その際、腰も肩も腕も指先も纏絲している。全身の纏絲が行われている。つまり「内勁」を使っているのである。

そのレベルに達すれば、纏絲だけでも化勁ができ、相手を封じる事ができるだろう。当然、全身至る所で同じように化勁ができる。
さて、自分の纏絲によって相手が無力化されるということは、自分の纏絲が相手に伝わるということである。自分がいくら回ったり、捻ったりしても、それが伝わらなければ相手に変化が現れないからである。
そこで「沾粘連随（せんねんれんずい）」が必要となる。つまり、相手と糊（のり）のようにぴったりとくっついて、あたかもお互いに協力して動いているかのように、一体化することである。これは、推手の練習の中でじっくりと長い年月をかけて習得していくことになる。

相手について

一人で推手するという練習方法もあるが、学習のためには相手と推手することが普通である。それ故に相手とのレベル、功夫の差が現れやすい。順歩推手のように、歩法が加わった段階ではそれが徐々に現れ、活歩のように自在に足を動かすようになると、その差が如実に表れるようになる。
自分の中心を保つ精度、力の逸らし方、歩法の的確さ、相手との位置関係などが影響し、功夫の低い者が常に不利な姿勢や位置取りになるだろう。
次のページから、推手の応用技法を例示しているが、こうした応用技法は相手とのレベルの差で利いたり、利かなかったりするものである。自分よりも相手のレベルが低い場合に利いても、同じ実力の相手には簡単には利かなくなる。実力が上の相手である場合には、技が利くどころか、反対に技を返されてしまう。実力が高い者ならば、わざと隙を見せておいて、相手が勝ちを確信して攻めてきたところを逆転する場合もある。
練習において相手の実力を向上させようとするならば、実力が上の者が相手を上手く誘導して、教えていくようにすること。
また、背の高低、筋肉が付いているなど、相手との体格や体質の差によって、推手が上手くできない、技が利かないということも起きる。結局のところ、一つの技でどんな人にも利くようなことは、ほとんどありえないのである。

推手用法 1　平円基本用法

Ping yuan Ji ben yong fa

あまりレベルが高い用法ではないが、分かりやすい例として示す。
互いに右手首の甲側を合わせた状態から、白が強く押し込んでくるのに対して、
黒は右腕で相手の力を右へ流し、左手で補助して、相手の身体を右に回していく。
すると、白の身体は捻れて崩れる。さらに、黒は縦に回転する「神」を作り、相手を倒す。

1-3
1-5
1-6

推手用法２　立円基本用法

Li yuan Ji ben yong fa

「推手用法１」と同じく、白が押し込んでくるのに対して、黒は右腕で聴勁し、白の力を上から丸く返すことができると判断し、相手の力を上へ誘導する。
この時、黒は白の身体、とくに下半身が勢いで入ってくるように空間を空けている。そこへ黒は縦に回転する「神」を作ることで白の身体には縦回転の力がかかり、黒はその力を利用して白を仰向けに倒す。

2-3
2-4
2-5

推手用法３　取肘翻腕（Qu zhou Fan wan）

これもレベルの高い技ではないが、分かりやすい方法として例を示す。
白が左腕で押し込んでくるのに対して、黒は白のバランスを聴勁で判断する。
黒は白の左手首を極めながら左肘を捉えて順纏絲で上に持ち上げ、同時に手首を順纏絲で下に下ろす。そして、白の肘を左へ採する。すると、白はこちらの胸の前の空間に前のめりに入ってくる。
そこへ前方へ縦に回る「神」を作り、白を上から潰す。

3-3
3-5
3-6

推手用法４　取肘翻腕の解法

Qu zhou Fan wan Jie fa

「推手用法３」を用いて白が攻めてきた場合の返し技である。
黒は捨己従人で抵抗せずに、自分の右肘を相手に任せて回させる。その結果、自分の右肘は白の右肘を抑える状態になる。同時に左手で白の右手首を極めて、身体を沈めると相手は崩れていく。そこへ右肩で靠をして白を倒す。

4-3

4-5

4-6

推手用法５　取肘翻腕の解法（早い段階）

Qu zhou Fan wan Jie fa

「推手用法４」に近い状況であるが、白が黒の右手首と肘を取って、投げようとする。これに対して、黒は沾粘連随つまり、相手の動きに粘りながらついて行く。陰陽が転換するところまで行くと、状況が逆転する。その勢いを利用して靠すれば、相手は倒れる。

5-3
5-5
5-6

推手用法 6　捋採破靠

Lü cai Po kao

白が右腕で靠をしてくるのに対して、黒は捋と採で対処をする方法である。靠を無力化した後、黒は右手で白の手首を後ろに引き込み、同時に左手で白の肘や肩を下へ抑えて倒す。

6-1

6-2

6-4

6-3
6-5
6-6

推手用法７　双掤按擠
Shuang peng an ji

相手が真正面から両手で、こちらの両腕を押し込んでくる。自分の両腕を順纏絲して、掤をする。その結果、相手の両腕は外側に旋転する。黒はその勢いを利用して、一瞬後ろ下に引き込んで相手を崩す。そして、後ろから上、前へ弧を描くように発勁して相手を倒す。

7-3

7-4

7-7

推手用法８　双掤捋採

Shuang peng lü cai

「推手用法７」と同じく、白が両手で真正面から黒の両腕を押し込んでくる。黒は両腕を順纏絲しながら、白の左右のバランスを聴勁する。白の右腕が強いと判断し、黒は左手で白の右腕を後ろ下に引いて崩す。さらに白が押し込んでくる力を利用して、斜めに傾いた大きな平円をイメージして、白の身体を回して倒す。

8-3
8-4
8-6
8-7

推手用法９　折畳胸靠（Zhe die Xiong kao）

これはやや上級の技である。馬歩や弓歩のようなバランスの取りやすい姿勢ではなく、ほぼ真っ直ぐ立ったままの状態で相手に肩や胸を強く押されることは、通常は危険なことである。この用法は、その危険な状態から相手の力を化勁して倒す例である。
ほぼ真っ直ぐに立っている黒に対して、白は両手で正面から黒の肩（あるいは腕や胸）を押し込んでくる。

黒は両腕を円形にして、白の両腕を下から吸い上げるようにして、力の向きを変える。
すると、黒の胸前に空間ができて、白の身体はそこに自然に入り込んでしまう。
さらに黒は胸の前に前方への縦回転を作って、白を下へ潰すように発勁する。

推手用法 10　腰腹化勁（Yao fu Hua jin）

白がタックルするように、両手で正面から黒の腰や腹を押して、突き倒そうとしてくる。この状態は黒にとって危険そうに見えるが、白の両手は使われている状態で、黒の両手は自由になっている。腹・腰で化勁できるほどの上級者であれば、さほど危険ではない。白が両手で腰を押してくるのに対して、黒は腹と腰で化勁し、白の肘が曲がる方向へ力の向きを変える。続いて、黒は両手を白の肩に掛け、白の押す方向に加勢する（捨己従人）と、白のバランスが崩れる。そこで、黒は発勁して白を倒す。

10-3
10-5
10-6

第三章
套路の用法

1．套路と推手について

套路は空振りなし

前述したように、套路は基本功の学習に欠かせないものである。だが、套路とは基本功のために編成されたものではない。套路の編成における重要な要素は、用法である。一つ一つの動作には用法、つまり使い方が秘められている。

前の章でも紹介した諺「拳無絶招、拳無空招」を、ここで別の視点から解説しよう。

この諺で言う「拳」とは「拳法」を示すが、具体的には「套路」を指していると考えてもよい。ならば、「套路には絶対に利く招法も無く、無用な空の動作も無い」という意味としても解釈できる。つまり、套路には無用な「空振り」がなく、たとえ一瞬の動作でも、その用途があるのだ。最初に行う予備勢、起勢であっても用法がある。

套路は、複数の「勢」によって構成されているが、前の勢と後の勢を繋ぐ動きをただの連絡動作と考えるのは間違っている。なぜなら、その「繋ぎの動き」は、用法のない「空振り」の動きであることになってしまうからである。

数百年の歴史の中で、代々の先人たちの努力と研究が重ねられた結果、套路は陰陽太極原理に基づきながら、前後の流れが綿密に編成されてきた。その中の動きは、たとえ一瞬の動きであっても、重要な用法が付加されていると考えるべきである。

一つ一つの動作をどのように使えるのかについては、通常は学習の段階に応じて、先生から教わることになる。本書の中で全ての動作の用法を紹介するのは不可能であるため、幾つかの例を紹介するに留める。

一つの勢には複数の用法がある

また、套路の中の一つの動作にも、幾つもの使い方がある。

例えば、後に紹介する「套路用法1　六封四閉」では、套路で行われる「六封四閉」の全体の流れを見ることができる。しかし、「六封四閉」の一部分を使う用法もある。本書で紹介する「套路用法6　金剛搗碓」や「套路用法7　閃通背」は、その流れの一部分を用いた例である。

なぜ、同じ勢にいくつもの用法があるのかと言えば、推手での対応が様々に「千変万化」するのと同じである。相手との身長や体重の差、位置関係によって、自分の動作も変化するのである。もちろん、自分の学習の段階や、相手との功夫のレベルの差によっても利く技と利かない技があることになる。また、同じ勢を使った同じ用法であっても、他の補助動作を学んでいるかどうかによって適用範囲が変わってくる。

本書では、套路の用法をいくつか紹介するが、肝心なのは動作のみを真似しないことである。本書で紹介する用法には、すべて内勁が使われている。外形を真似してみても、内勁が働いていなければ、無理矢理に用法を使っても技も利かないし、よい練習にはならない。

逆にいうと、套路の動作の角度や高さなどの外形的な要素よりも、内勁が非常に重要な要素であるということだ。よって、套路を学習する際には、その内勁を学習することも忘れてはならない。

では、内勁をどのように学習するかというと、それは動作によって異なるので、実践練習と先生の直接指導が必要になる。

ただし、その法則は存在する。それは「陰陽太極」の法則である。つまり、陰陽太極を推手に応用するのは、外観動作よりも内勁にある。真の太極拳は「千変万化」で、一定のレベルに達すると動作が自由になり、陰陽太極理論に従いながらも、套路は無理に動作を制限しなくなる。ぜひ、套路の重要さを理解した上で、套路の練習を通して内勁を身に付けるべく、功夫を積んでほしい。

套路用法 1 六封四閉（1）

Liu feng Si bi

白が、黒の右斜め方向から両腕を掴んで強く押してくる。
これに対して、黒は両腕を逆纏絲しながら、左右の手を自分の肩前に寄せる。この動きで白の両腕は外側に回され、上体が前のめりに崩れる。
そこで黒は、白の両肘をたたむように縦方向に内勁を掛ける。外観動作としては上下に動いていないが、内勁は上から下へ縦に円を描く。

内勁で表現すると、押し込もうとする白は、黒が上から下への縦方向に内勁を働かせたことで、さらに押し込める空間ができて、無意識にそこに入り込んでくる。黒としては、白を吸収するような形になる。そして、引き込まれて十分に白が崩れたところで、黒は両肘で発勁をして白を倒す。

套路用法２ 六封四閉（２）

Liu feng Si bi

白が黒の右腕を両手で持って押し込んでくる。
これに対して、黒は腕を順纏絲しながら外側へ回し、白の力を右後ろへ受け流し、相手の力を吸収する。すると、入り込む空間ができるため、白は無意識のうちに上半身が前のめりになり崩れる。その結果、白の肘が黒の胸の前に入ってくるので、黒の左手で白の右肘を取り、上から下への縦方向へ内勁を働かせて白を倒す。

外観動作としては、相手を引き込んで、上から下へと力を加えるような動作をしないが、内観としては、上から下へ縦に回す「神」を作っている。

2-3
2-6
2-7
2-8

套路用法３ 摟膝拗歩

Lou xi Niu bu

白は黒の真正面から両腕を押してくる。

黒は腕を順纏絲しながら、白の両肘の上に自分の前腕を掛ける。通常、ただの腕の力では相手の腕の力とぶつかってしまうので、相手の力が強い場合に不利である。

そこで、黒が腕の纏絲と腰の纏絲を縦に回して白の力を化勁することで、白は自ら引き込まれて崩れる。その纏絲のままに、左腕を後ろに引くと白の肘が曲がる。同時に右手で相手の中心を攻める。すると、相手の身体は捻れ、倒れていくことになる。

3-3
3-5
3-6

套路用法 4 初収（Chu shou）

白が踏み込んで右手で突いてくる。
黒は右腕を白の胸前に差し込んで両前腕を立てる。
右腕で相手の腕を挟んで塞ぐ。左腕で白の肘を極めて、梃子の原理を使って採をする。
この時、左足を虚歩にして、発勁をする。

4-7

4-8

套路用法５　抜身捶

Pi shen chui

「披」は衣服を羽織るという意味。披身捶は、背中や尻を使って発勁する動作である。
白が黒の背後から抱え込んでくる。
これに対して、黒は両腕を逆纏絲させながら、白の腕の上から被せる。
背中・尻で発勁しながら、左肩を前に出すように腰を回転させ、相手を前に投げ落とす。

5-1　5-2

5-5　5-6

5-3

5-4

5-7

5-8

套路用法6 金剛搗碓（Jin gang Dao dui）

基礎架での金剛搗碓は、右拳を縦に挙げ、下にある左掌に右拳を落とす動きであるが、ここでは特殊な金剛搗碓の用法を紹介する。套路として行う時は次のような手の動きになる。左掌を右に向け、右掌を上に向けた形で、両手首を交叉させる。このとき、右手が前にある。交叉させた位置を支点に両手を（上から見て時計回りに）回しながら、拳にした右手を、上に向けた左掌に重ね、丹田に下ろす。

用法例として、相手も自分も、金剛搗碓で行われる攻防の例を紹介する。
白は基礎架の金剛搗碓の動作を応用して、下から右腕を立てて、拳でこちらの顎を突き上げ、同時に肘で胸（心臓）を打ってくる。
それに対して、黒は相手の右拳の甲に左手を添えてあごを守り、同時に右手を相手の右前腕の外から回して右拳に添える。つまり、相手の右拳を左掌と右掌で挟み込む形になる。
これを相手の背中側へ縦に回すようにすると、相手の姿勢は崩れ、倒れていく。

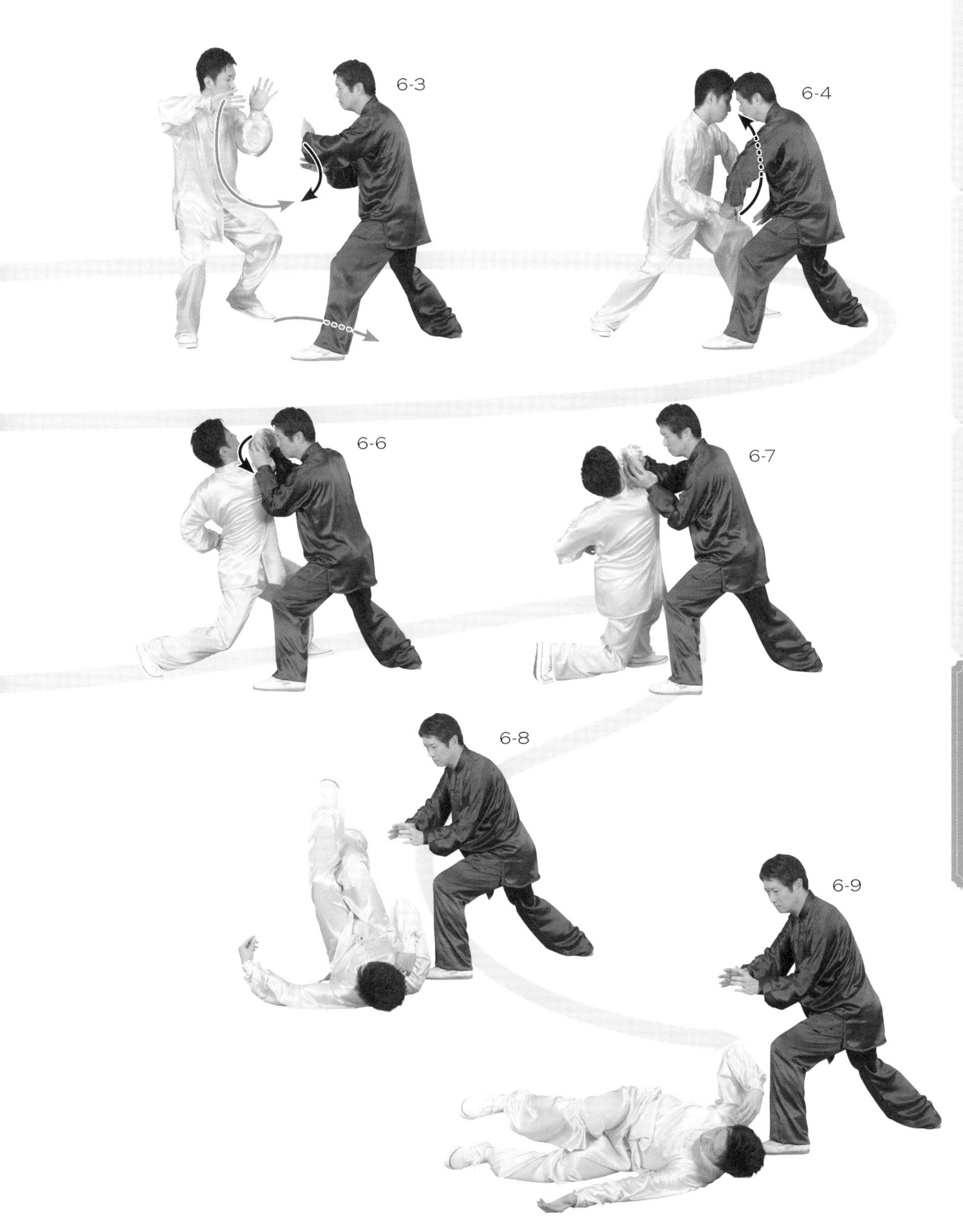
6-3
6-4
6-6
6-7
6-8
6-9

套路用法７ 閃通背（１）

Shan tong bei

白が右拳で黒の顔面や胸など、正面を打ってくる。
黒はこれに対して、自分の右腕を立てて甲側を添わせるように差し込む。この時、左腕を逆纏絲して、白の突きを左外側に逸らす。この逆纏絲の流れで、左手首をわずかに曲げて白の右肘に掛ける。
続いて黒は、白の右肘に掛けた左手を順纏絲にして、相手の肘を曲げる。そして、重心を前に移しながら、右前腕を相手の胸に押し当て、掛けてある左手と同時に横に回して、白を倒す。

7-3
7-4

7-7
7-8

套路用法８ 閃通背（２）

Shan tong bei

白は左拳で黒の顔面や胸など、正面を打ってくる。
これに対して、黒は左手と左小臂を立てて、甲側を添わせるように差し込む。この時、左腕を逆纏絲して、相手の拳を左外側に逸らせ、この逆纏絲の流れでさらに左手首を白の右肘に掛ける。
続いて、黒は右足を前に出しながら、右前腕を相手の肩に当て、左手で白の手首を掴む。
梃子の原理を使いながら、右腕を縦に回して、相手を倒す。

8-3
8-4
8-6
8-7

套路用法９ 高探馬（Gao tan ma）

白が左足で蹴り込んでくる。
これに対して、黒は捋をして、白の蹴り脚を左後方に受け流す。
さらに黒は右足を一歩踏み出して、右掌で白の肩を打ち、倒す。

9-3

9-6

9-7

套路用法10 裹鞭砲（Guo bian pao）と掃堂腿（Sao tang tui）

二路「裹鞭砲」の用法。
白が掃堂腿を使って右足で足払いを仕掛けてくる。
これに対して、黒は跳躍してよける。
黒が着地したところへ、白は連続して掃堂腿を使い、左足での足払いをしてくる。
黒は再び両足同時に跳躍してよける。
黒が着地すると同時に、白は二路の「掃堂腿」後の動作に続き、体勢を立て直して跳躍し、着地しながらの裏拳打ち、さらに右拳での冲捶（突き）の連続攻撃をしてくる。
黒も白の跳躍に合わせて跳躍しながら身体を翻して、白の裏拳をよけ、次の右拳での冲捶も左右の手で受け流す。

10-3
10-6
10-7
10-8
10-9

套路用法11 左右奪耳紅

Zuo you Duo er hong

白が間合いを詰めて、左拳で黒の顔面を突く。
黒は腕を順纏絲させながら、白の突きの内側に添わせるようにして攻撃を逸らす。
白は連続して、右足を踏み出しながら、右拳で黒の顔面を突いてくる。
黒は左腕を順纏絲させた左拳で白の肩を打って、攻撃を止める。

11-3

11-5

11-6

1．散手的な表現について

実戦武術としての太極拳

陳家には、戦場で戦う武将や保鏢（ガードマンのような職業）に従事する者もいた。これらは実戦も伴う危険な仕事である。実戦であれば、離れた間合いから攻防が始まるのは当然であるし、また武器の使用も必然である。また、一対一とも限らず、一対多、多対多という状況も当然想定される。このような実戦を「散手」といい、実戦に対応する太極拳の技術・修練を「太極散手」という。

これまで、太極拳の推手については様々な場面で紹介され、普及されてきたが、太極散手についてはまだ世の中に馴染んでいない。なぜなら太極散手の技術は、陳家の宝・秘伝であり、また武器の使用法を含めて危険性があるためである。套路、推手への理解が浅いまま太極散手を見てしまうと、表面的な理解に止まり、太極拳が曲解される恐れがあることもまた、太極散手が積極的に公開されてこなかった理由の一つでもある。

だが、実戦的な武術としての太極拳の姿がまったく失われてしまうことは、大変な損失である。また、熱心に套路を稽古し、推手に取り組んでいる方々には、太極拳がどのように実戦に対応するか、という疑問をもたれる方も多いだろう。こうした疑問に応えることは、太極拳への理解と技術の向上に資するものと考え、本書では少ないページではあるが、基本的なところに触れて簡単に紹介したい。

技の運用としては、時には推手と散手を明確に区別できない場合もある。推手のように粘り着くようにする場合もあれば、瞬発的に一撃で勝負を分けることもある。

例えば、前の章において套路の用法として説明した、披身捶、閃通背、高探馬、裏鞭砲、左右奪耳紅の用法は、散手といってもよい。これらの動作の用法に加えて、この章では幾つかの例を紹介する。これらの動作は大変分かりやすく、危険性も少ないので、推手として練習してもよい。なお、技法の名称は本書のために付けたものである。

太極散手の特徴

実戦というと、粗野で乱暴なイメージに取られるかもしれないが、決してそうではない。太極散手も、套路や推手と同様に、やはり陰陽理論に基づいて行われる。

まずは、「手眼身法歩、精神気節呼」、「収心斂気」が重要である。その意味は、「心」を静かにし、気を収斂することである。次に、陰陽、太極の原理を運用し、虚実、真偽、開合、剛柔の変化を絶やさずに行うことになる。

太極散手の特徴は「不可拘泥、霊活運用」である。その意味は、套路の「勢」に無理に拘束されることなく、自由に技を運用することである。「霊活」とは、文字通りの意味としては、活き活きとしていること、動作や頭が敏捷に反応することである。太極散手では、頭脳の回転の早さと動作の反射の鋭さが大変重要である。高度な集中力も要求される。

伝統太極拳には、たくさんの技法がある。腕の使い方だけでも多種多様で、さらに歩法の組み合わせによって無限の変化ができる。状況によってこれらを適切に使い分けるためには、「不可拘泥、霊活運用」が必要なのである。

「出手見紅、一招制敵」も非常に重要な諺である。その意味は、「手を出せば、紅（赤い血）を見る。一つの招法で必ず敵を制する」ということである。

実戦技法である散手は、相手の急所、例えば目や耳などを攻撃することもある。だが、その攻撃は敵を倒すためには効果的であるが、相手に一生の障害を残す可能性がある。著者は教育者として、普段の練習では危険な用法に関する話を極力避け、もしくは注意事項を十分に説明している。

太極拳の一路、二路等の套路には、多くの発勁動作が含まれている。相手を突き飛ばす方法もあれば、拳、指、肘等を使って一点に力を集中させる寸勁もある。寸勁は、攻撃が相手の身体に1寸程度貫入し、威力が身体の奥まで浸透する技法である。発勁は非常に大きな破壊力を持ち、内臓まで届き、肉体を破壊する。単発ではなく、連発で行う場合もある。

ただし、「一招制敵」が実現できるかどうかは、相手との功夫のレベルの差による。つまり、功夫のレベルが相手より上ならば利く技も、同等ならば技が利きにくく、何度戦ったとしても勝負は決まらないだろう。当然、相手の功夫が高ければ、攻撃を仕掛けても、いつの間にか逆転されていることになるだろう。

散手的用法 1　円歩掛脖

Yuan bu Gua bo

太極拳における挂法（掛け技）の例。
白が右足を踏み込んで、右拳を突いてくる。
黒は、白の右足の外側へ、右足を一歩踏み出す。同時に、右手を右へ回して白の右腕を取る。
黒はさらに左足で一歩進み、白の首に左手を掛ける。掛けた左手で白を後方へ投げる。

1-3

1-4

1-6

1-7

散手的用法２　真仮虚閃（Zhen jia Xu shan）

太極拳の基本戦術は「後発制人」であるが、時には先に手を出して、相手の反応を引き出し、それを利用して相手を制することもある。これはその一例である。
黒は右手で仮（虚）の進攻を仕掛ける。これに白が反応し、左手で防護して、続いて右掌で黒の顔面を打ってくる。これを黒は逆纏絲した左腕で、白の右腕を外に逸らす。さらに白が

前に出てくる勢いを使って、黒は白を自分の方へ引き込んで（捨己従人）、崩す。
続いて、黒は右手で白の左肘を上げ、同時に左手で白の右肘をさげて、腰を左に回す。白の身体は捻れて倒れる。

散手的用法３　塾歩虚閃

Dian bu Xu shan

墊歩（てんぽ）と肩靠（けんこう）を使った、散手的用法。

先程の「散手的用法２ 真仮虚閃」と同じく、黒から仮（虚）の仕掛けをして、白の反応を引き出す一例である。「真仮虚閃」よりも歩法が加わっているため、相手にとって動作の「真偽」の判別はさらに難しくなる。

墊歩とは、構えたときに前にある足を前に運ぶのではなく、後ろの足を前の足に引き寄せた後で、前の足を前方へ進める歩法である。ただし、この動作は一瞬で行われなくてはならない。

黒は墊歩を用いて、自分から間合いを詰め、右腕で白の胸を押す。これに対して、白が押し返してくるので、黒は化勁して力を吸収し、白の身体が黒の胸の前に入ってきたところで、肩靠で倒す。肩靠は前から下へ弧を描くように内勁を働かせる。

3-3
3-4
3-7
3-8
3-9

散手的用法４　折畳擒拿 (Zhe die Qin na)

黒から仮（虚）の仕掛けをして、白の反応を引き出す一例。
黒が間合いを詰めて、白の腕を押す。これに対して反射的に白が両手で擠をして押し返してくる。
黒は白の勢いを化勁で吸収しながら、左手で白の右肘を取って引き、右手で白の手首を背屈させるようにして極め、白の前腕を前方へ縦回転させる。これも「捨己従人」である。すると、白の身体が黒の胸に引き込まれ、体勢を崩す。そこで、黒は右肘を白の胸や肩に当て、左に身体を回しながら、白を投げる。

4-3
拡大
4-6
4-7
4-8
4-9

散手的用法５　擒拿反擒拿

Qin na Fan qin na

黒から仮（虚）の仕掛けをして、白の反応を引き出す一例。
黒は、墊歩を用いて間合いを詰め、右肘で攻撃を仕掛ける。
これに対して、白は左手で黒の肘を下から持ち上げるようにして防ぎ、右手で黒の左手首を取り、投げようとしてくる。
黒は、この時、左手で白の右手首を掴みながら、白の力に抵抗せずに、従って右肘を上から左へ回し、白の腕を巻き込んで、白の体勢を前のめりに崩す。
そして黒は右肩で靠をして、白を後ろに倒す。

5-1
5-2

5-4

5-3
5-5
5-6

あとがき

本欄を借りて、私のこれまでの活動を簡単に報告するとともに、今後の太極拳の発展について、私の考えを述べたいと思います。

私は、幼少の頃から父・陳立憲より家伝の陳氏太極拳を学び、叔母・陳立清から厳しい指導を受けました。青年の頃は、中国河南省や山西省で太極拳の攻防技法や理論を研究し、家伝の太極拳を普及していました。私の青年期の1970年代後半は、中国では文化大革命の収束とともに武術表演大会が徐々に復興してきた時期であり、私も多くの大会に出場しました。

1988年に日本に渡り、大学院で工学を学ぶ一方で、有志の方々に太極拳を指導しました。そして、1992年に日本で陳氏太極拳協会を創立しました。以来、当協会の主席として陳氏太極拳の指導と普及活動を行っています。

陳氏太極拳協会は、陳氏太極拳の学習と心身の鍛練、会員の親睦を通して、陳氏太極拳の普及・研究・発展をすることを目的とし、様々な楽しい活動を展開しています。

当協会では、陳氏太極拳の指導者養成に取り組み、日本各地での支部の展開や、小中学校や大学で太極拳講座を開くなど、地域の文化や体育活動に貢献しています。

また、陳氏太極拳の実戦用法を研究するために、推手を中心に練習する組織として、上功研究会を設立しています。

2000年、私は妹・陳沛菊（中国全国大会で優秀賞を受賞。体育委員会で武術や太極拳を担当）とともに、国際陳氏太極拳聯盟（International Society of Chen Taijiquan [ISCT]）を創立しました。

国際陳氏太極拳聯盟では、フランス、ドイツ、イタリア、アメリカ、日本、中国等、世界各地において、国際太極拳交流大会や伝統太極拳の講習会などを開催し、世界の人々に太極拳文化を

「太極文化国際交流大会 ISCT 2006」の写真。
前列右から、楊軍（河南大学体育学院院長）、邱丕相（上海体育大学教授）、陳沛山、関愛和（河南大学学長）、Dietmar Stubenbaum（ISCT 会長）、郭天榜（河南大学副学長）、栗勝夫（河南大学体育学院副院長）。
後列左から陳文蘭、陳沛菊（河南省体育委員会武術担当、国家武術審判）、友光茂雄（陳氏太極拳協会会長）、若松岳（ISCT 副会長）。

広めることを通じて、健康と平和への貢献、国際文化交流の架け橋となれるよう尽力しています。
私は2003年に「四正太極拳」を、2014年に「四正太極剣」を編成しました。これらの套路は「伝統武術の真髄を現代社会に活かしながら、現代人の健康づくりに貢献すること」を目的として、初心者でも伝統太極拳を学びやすく簡易化したものです。現在、世界各地での普及を目指しています。
陳氏太極拳協会と国際陳氏太極拳聯盟は、社会貢献にも取り組んでおり、中国四川省汶川大地震への募金活動や、東日本大震災のためのチャリティ募金講習会などを開催し、また今年発生しました熊本地震への義援金活動も行っています。

さて、次に今後の太極拳の発展について、私の考えを述べさせていただきます。
私は、太極拳の「全面保存」、「自然衍生」、「進化発展」を提唱しています。「衍生」とは、物事が派生することを意味します。つまり、太極拳の「全面保存」、「自然衍生」、「進化発展」とは、政治や市場経済等の外的要因を避けて、自然体としての太極拳の本質と真髄を全面的に保存しながら、発展・創新することを示しています。現代の日本社会は、そのための絶好の条件が備わっていると思います。
本書でも説明したように、これまで数百年の歴史を経て、太極拳はまるで生命体のように進化・発展してきました。その結果、太極拳は単なる戦闘技法に止まらない、深い理論性や高い文化性、哲学的な背景など、様々な面を内包することになりました。こうした性質を持つからこそ、太極拳は人間育成においても大変役立つものであると、私は考えております。
しかし、近年、太極拳を商業化・産業化する傾向が散見されます。行政や政治的な意図、あるいは商業的な目的のために、太極拳を恣意的に改変してしまったとしたら、どうでしょうか。生命体のように進化してきた太極拳を、政治や経済などの外力によって改変し、商品化してしまえば、太極拳自身の生命力を失ってしまうでしょう。もし、そのようになれば、数十年後、古来から流れてきた太極拳の姿を見ることが難しくなるでしょう。よって、私は、太極拳の商業化・産業化に危惧の念を抱いているのです。
私は、太極拳の本質を理解し、太極拳の「全面保存」、「自然衍生」、「進化発展」に賛成してもらえる仲間が増えてほしいですし、その志で皆様とぜひ団結したいと思います。
太極拳には数百年の歴史がありますが、これからも無限の可能性があると考えています。太極拳を学ぶ1人1人が、深く正しい理解をするのであれば、今後も生命体のように衍生、進化、発展していくでしょう。太極拳を今に伝える伝承者の1人として、私も皆様と一緒に努力してゆきたいと考えています。

2016年5月　自宅書斎にて　著者・陳 沛山

※本文章は初版（2016年）当時のものです。

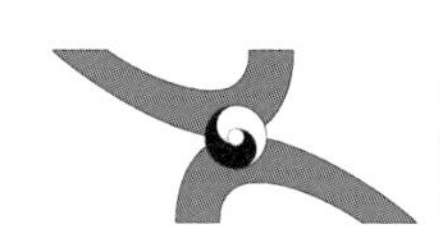

陳氏太極拳協会

1992年（平成4年）設立。主席・陳氏20世陳沛山老師の指導のもと、陳氏太極拳の学習、心身の鍛錬、会員相互の親睦、そして陳氏太極拳の発展・研究・普及を行うことを目的として活動を行っています。本部のもとに、北海道、東北、関東、四国、九州に支部があり、会員たちが日々陳氏太極拳の習得に励んでいます。
「伝統拳」である陳氏太極拳に興味のある方や習ってみたい方は、お住まいや勤務先の近く、平日／休日、昼間／夜間など、ご自分のライフスタイルに合わせてお近くの教室へご入会下さい。どの教室にも無料体験講習がありますのでご遠慮なくお出で下さい。

所在地		教室名
●北海道		
札幌市	厚別区	四正太極拳練習会
	中央区	札幌太極拳学習会
函館市	湯川町	函館太極拳研究会陳氏太極拳班
室蘭市	高砂町	陳氏太極拳研究会・室蘭
		登別田村教室
		北斗太極拳クラブ
	みゆき町	室蘭太極拳・武 ring
登別市	鷲別町	登別陳氏太極拳同好会
磯谷郡	蘭越町	ニセコ タイチ グループ
亀田郡	七飯町	七飯町太極拳サークル
●青森県		
青森市	松原	青森教室
八戸市	湊高台	八戸陳氏太極拳研究会
		伝統太極拳同好会
		伝統太極拳愛好会
	八日町	はちえき教室
	新井田	陳氏太極拳みちのく同好会
	糠塚	八戸陳氏伝統太極拳
●宮城県		
仙台市	片平	陳氏伝統太極拳宮城
名取市		陳氏伝統太極拳名取
●福島県		
田村市	滝根町	福島教室
●群馬県		
渋川市	吹屋	渋川教室
高崎市	末広町	たかさき
●千葉県		
我孫子市	天王台	我孫子第二教室 凛
	東我孫子	我孫子教室
柏市	かやの町	柏教室
	増尾	東葛教室
松戸市		松戸教室

所在地		教室名
●埼玉県		
川口市	本町	川口教室
川越市	新宿町	小江戸川越教室
		ファンソン・クラブ
	鯨井	川越白楽会
	三久保町	美龍の会
	菅原町	紫苑
	月吉町	月吉同好会
	氷川町	さわやか北クラブ
	東田町	川越同好会
	的場	さわやかクラブ
さいたま市	北区	さいたま鍛治教室
		さいたま宮原教室
坂戸市	千代田	柳風会
狭山市	入間川	入間川太極拳同好会
	南入曽	山王クラブ
	堀兼	フラワーヒル教室
	水野	サークル和（カズ）
		水野太極拳同好会
所沢市	上安松	いずみ会
		松井愛好会
	中富	所沢同好会
	中富南	中富南太極拳クラブ
		東所沢クラブ
	並木	並木教室
		ときわ会
		タイキョクサンデー
	緑町	鳳の会（おおとりのかい）
		さくら会
		サークル鳳
		絲弦会
		八重の会
	美原町	新所沢教室
		太極拳サークル輪
		美原教室
日高市	旭が丘	高荻北クラブ

陳氏太極拳協会に入会すると、陳沛山老師の講習会に参加することができ、直接指導が受けられる他、協会が主催するすべての行事（講習会・表演会・イベント等）に参加できます。

お近くに教室が無い方や、事情により教室に所属できない方には「個人会員制度」を用意しています。

また国際陳氏太極拳聯盟の会員として、3年に1度の国際交流会やイベントにも参加できます。入会案内など、詳しくは協会公式ホームページ（http://jp-chentaiji.net/）をご覧下さい。

所在地		教室名
●東京都		
板橋区	成増	成増教室
渋谷区	西原	渋谷教室
新宿区	四谷	四谷教室
中野区	白鷺	白鷺小架村塾
練馬区	東大泉	東大泉教室
港区南	南青山	青山教室
昭島市	東町	昭島教室
清瀬市	野塩	清瀬教室
小金井市	本町	小金井教室
	前原町	黄金井クラブ
国分寺市	光町	国分寺ひかり教室
	南町	国分寺太極会「万葉」
小平市	大沼町	小平教室
西東京市	緑町	田無教室
東村山市	秋津町	秋津秋山会
		太極拳健美会
		萌の会
	久米川	東村山教室
		小西教室
		東村山 DAY 教室
		東村山ハイビスカス
	諏訪町	北山教室
		諏訪の会
東大和市	清原	太志の会
	清水	多摩湖教室
	向原	東大和教室
府中市	白糸台	府中教室
町田市	本町田	本町田教室

所在地		教室名
●神奈川		
川崎市	高津区	高津教室
横浜市	神奈川区	横浜教室
	港北区	横浜第三教室
	南区	横浜南教室
●長野県		
松本市	美須々	松本教室
●香川県		
徳島市	入田町	徳島教室
丸亀市	山北町	坂出教室
●福岡県		
福岡市	中央区	アイ＆カルチャー天神教室
		博多第一教室
		福岡第一教室
	博多区	RYU の会
		博多第二教室
北九州市	小倉北区	太極拳北九州錬功会
大野城市	大池	健やか太極拳
	南ケ丘	まどか太極拳クラブ
久留米市	諏訪野町	双月
●長崎県		
西彼杵郡	長与町	長崎教室
		福来（フーライ）

●陳氏 Taiji Club
（陳氏 21 世・陳紹華主宰・指導）

HP　：http://chenchentaiji.jimdo.com/
E-mail：chenshaohua3721@gmail.com

学生や外国人を含む若者を中心に、陳氏太極拳を基礎から練習しています。

教室　陳氏太極拳小架式 高田馬場教室

（情報は 2020 年 4 月現在のものです）

陳氏太極拳協会の活動紹介

◀ 1988 年の来日間もなく、鈴木和彦氏や池田秀幸氏のご協力により東村山市にて 80 人参加の講習会が実現した（中央に立っているのが著者。著者の左側は鈴木和彦氏、右側は池田秀幸氏）。

◀ 1998 年 10 月 25 日に行われた第一回陳氏太極拳協会表演会。来場者は数百人に達した。

◀ 2004 年 11 月 28 日に行われた第二回陳氏太極拳協会表演会。来場者は 600 人を超える。

◀▲陳氏太極拳協会は毎年太極拳全国交流大会に参加している。上は集体演武の様子。左は、2005 年の受賞者の記念写真（前列左は陳紹康［著者の二男］、後列左から陳紹華、陳文蘭［著者の妻］、著者）。

▲ 1999 年ドイツにて推手を指導している様子。

▲ 2002 年アメリカのプリンストン大学での講習会の様子。

▲ 2015 年ドイツでの ISCT 演武大会での講習会風景。

著者プロフィール

陳沛山（ちん はいざん / Chen Peishan）

1962年、中国河南省生まれ。原籍は太極拳発祥の地・中国河南省温県陳家溝。陳氏20世、陳氏太極拳の第12世伝人。幼少の頃より父・陳立憲から家伝の太極拳を学び、叔母・陳立清の厳しい指導を受ける。陳氏太極拳小架一路、二路、推手、擒拿及び刀、剣、鐗、棍、春秋大刀等の武器を得意とする。特に太極拳実戦法、健康理論の研究を重視している。1988年に来日し、構造工学を学び博士号（工学）を取得する一方、陳氏太極拳の指導・普及を行う。現在、九州工業大学大学院教授、（中国）河南大学兼職教授、西安建築科技大学客座教授、陳氏太極拳協会主席、国際陳氏太極拳聯盟（ISCT）主席を務めている。
主な著作に『太極拳のインナーパワーで強いカラダになる』(学研ムック2005年)、『宗家20世・陳沛山老師の太極拳「超」入門』(BABジャパン2012年)など多数。映像作品に『VHS 家傳陳氏太極拳』(BABジャパン 1999年 日本語版・英語版)、『DVD 新版家傳陳氏太極拳』（クエスト 2015年 日本語版・英語版）など多数。

陳紹華（ちん しょうかつ / Chen Shaohua）

1991年生まれ。陳沛山の長男。陳氏21世。早稲田大学創造理工学部建築学科卒。早稲田大学大学院創造理工研究科建築学専攻修士課程卒。東京大学大学院工学系研究科建築学専攻博士課程在学中（2020年現在）。
　幼少の頃から父・陳沛山の厳しい指導を受け、家伝の陳氏太極拳を学ぶ。陳氏太極拳協会で指導を行う一方、2011年（学部2年生時）に陳氏太極拳教室「陳氏 Taiji Club」を設立した。また、2014年（修士1年生時）に大学サークル「早稲田大学陳氏太極拳サークル」を設立し、2019年からは外国大使館で指導するなど、幅広く伝統太極拳の普及に力を入れている。

新装版
大図解　陳氏太極拳

●定価はカバーに表示してあります

2020年5月15日　初版発行

著　者　陳 沛山
発行者　川内 長成
発行所　株式会社日貿出版社
東京都文京区本郷5-2-2　〒113-0033
電話　(03) 5805-3303（代表）
FAX (03) 5805-3307
振替　00180-3-18495

印刷　株式会社ワコープラネット
写真　糸井康友

ISBN978-4-8170-6031-0
http://www.nichibou.co.jp/